大国的博弈

PEACEMAKERS
SIX MONTHS THAT CHANGED THE WORLD

改变世界的一百八十天

[英] 玛格丽特·麦克米兰 by Margaret Macmillan
荣慧 刘彦汝 译

重庆出版集团 重庆出版社

Margaret MacMillan :Peacemakers :Six Months That Changed The World
Copyright © Margaret MacMillan 2001
First published in 2001 by John Murray(Publishers)
Simplified Chinese translation copyright © 2006
by Chongqing Publishing House
All Rights Reserved

版贸核渝字（2005）第 82 号
图书在版编目（CIP）数据

大国的博弈/[美]玛格丽特·麦克米兰 著；荣慧 刘彦汝 译. - 重庆：
重庆出版社，2006.8
书名原文：Peacemakers :Six Months That Changed The World
ISBN 7-5366-7925-4

Ⅰ.大… Ⅱ.①麦…②荣…③刘… Ⅲ.巴黎和会 - 史料
Ⅳ.D819

中国版本图书馆CIP数据核字(2005)第025777号

大国的博弈
Da Guo De Bo Yi

[美] 玛格丽特·麦克米兰 著
荣慧 刘彦汝 译

出 版 人：罗小卫
策　　划：华章同人
责任编辑：陈建军
特约编辑：张慧哲
封面设计：奇文云海

重庆出版集团
重庆出版社　出版

（重庆长江二路205号）
北京欣舒印务有限公司　印刷
重庆出版集团图书发行公司
北京华章同人文化传播有限公司 发行
邮购电话：010-85869375/76/77转810
E-MAIL：sales@alphabooks.com
全国新华书店经销

开本：787mm×1092mm　1/16　印张：24.25　字数：500千
2006年8月第1版　2006年8月第1次印刷
定价：32.00元

如有印装质量问题，请致电023-68809955转8005 或 010-85869377转810

版权所有，侵权必究

目录 Contents

引　言 /1

第一章　预备和平 /1

1. 伍德罗·威尔逊欧洲之行 /3
2. 最初印象 /12
3. 巴黎 /18
4. 劳合·乔治和大英帝国代表团 /24

第二章　世界新秩序 /33

5. 我们是人民的联盟 /35
6. 俄国 /41
7. 国际联盟 /55
8. 委任托管 /65

第三章　又是巴尔干半岛 /73

9. 南斯拉夫 /75
10. 罗马尼亚 /86
11. 保加利亚 /94
12. 仲冬之歌 /99

目录
Contents

第四章　德国问题 /107

13. 惩罚方式与预防措施 /109

14. 压制德国 /115

15. 付钱 /124

16. 对德和约的僵局 /134

第五章　东方与西方 /141

17. 新生的波兰 /143

18. 捷克人和斯洛伐克人 /159

19. 奥地利 /168

20. 匈牙利 /176

第六章　多事之春 /187

21. 四人会议 /189

22. 意大利退出 /193

23. 日本和种族平等 /212

24. 指向中国心脏的匕首 /222

第七章　燃起中东之光 /237

25. 伯里克利以来最伟大的希腊政治家 /239

目录
Contents

26. 奥斯曼帝国的崩溃 /254

27. 阿拉伯的独立 /266

28. 巴勒斯坦 /288

29. 阿塔图尔克和色佛尔的毁灭 /301

第八章　闭幕 /323

30. 镜厅 /325

尾　　声 /343

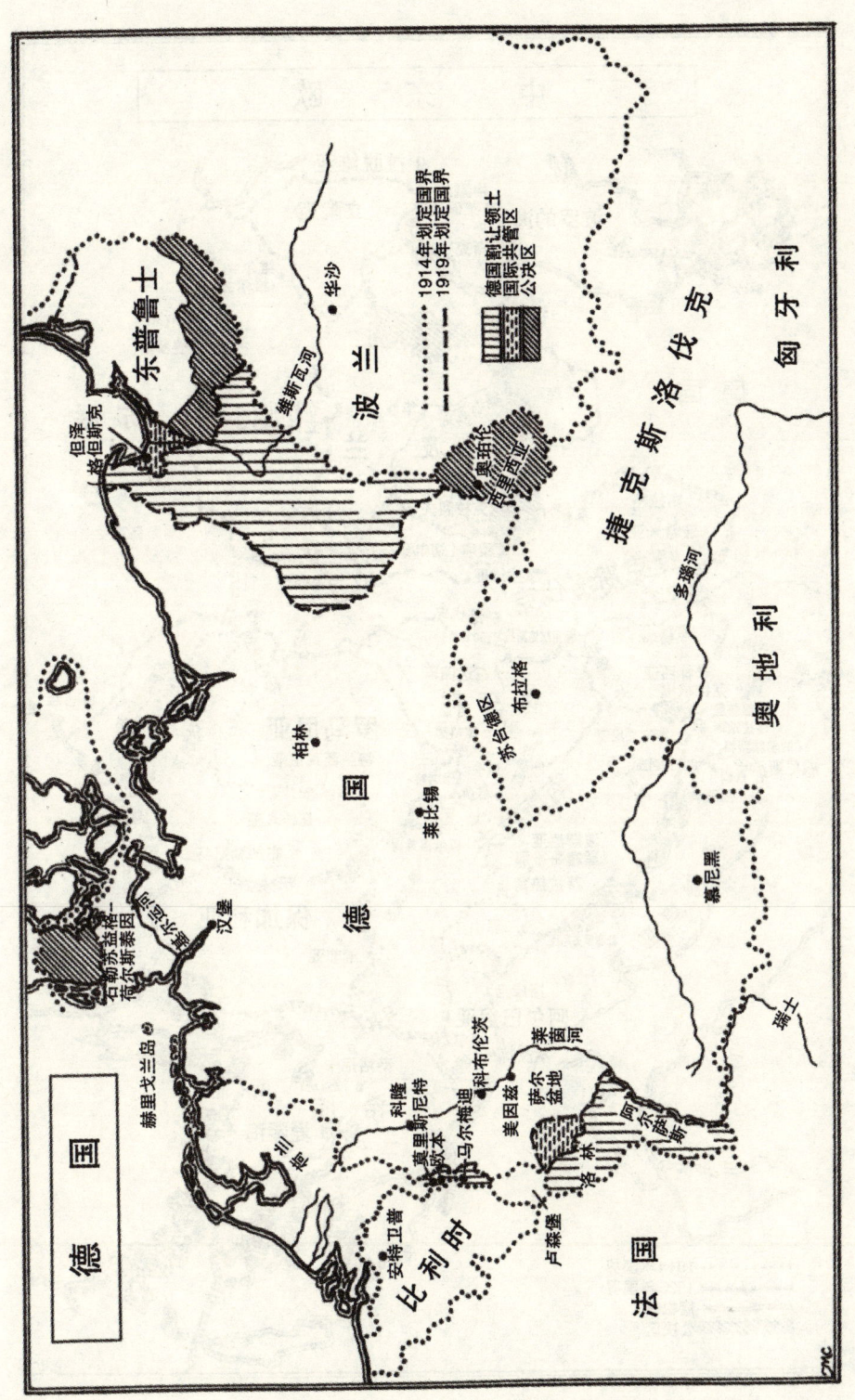

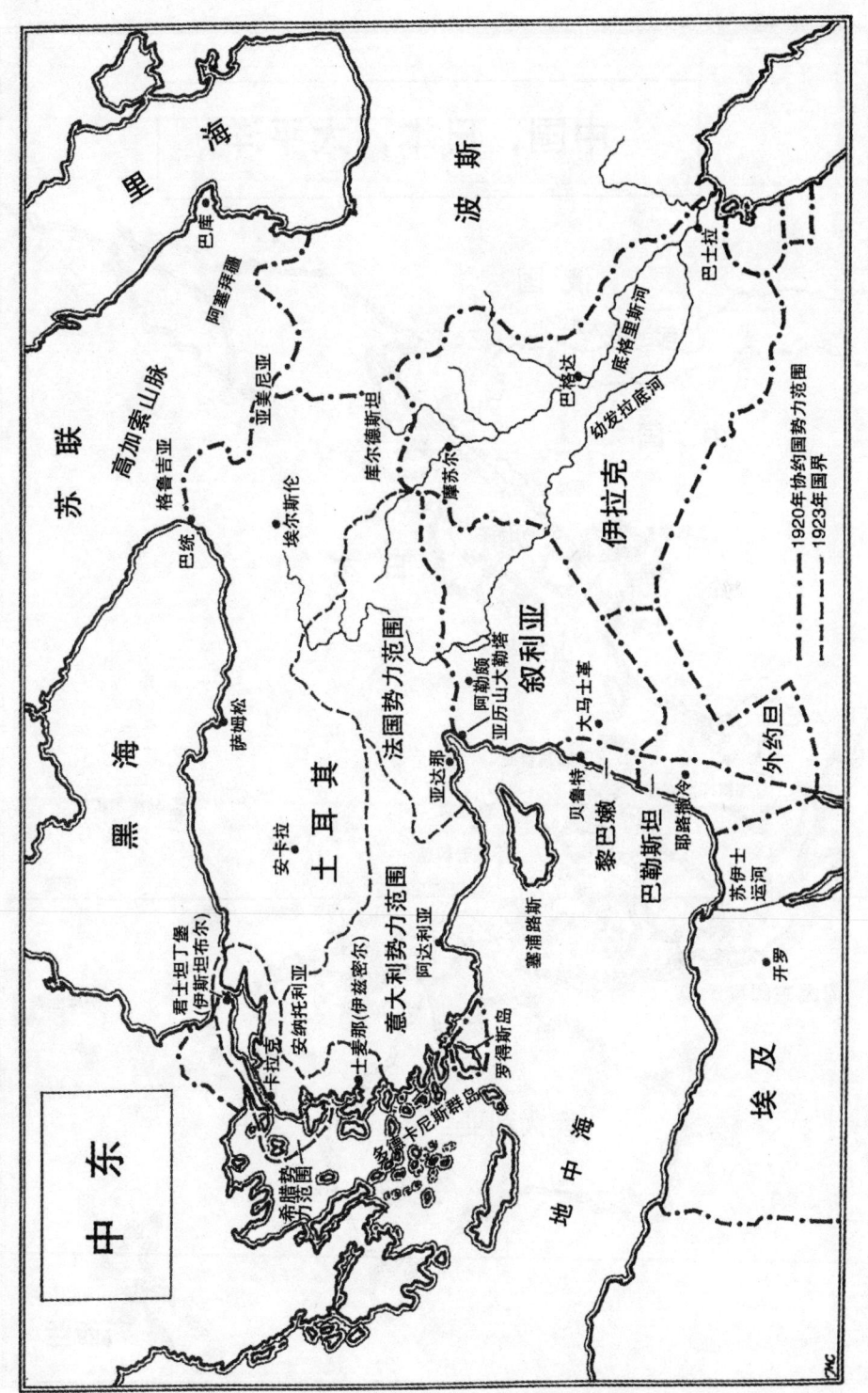

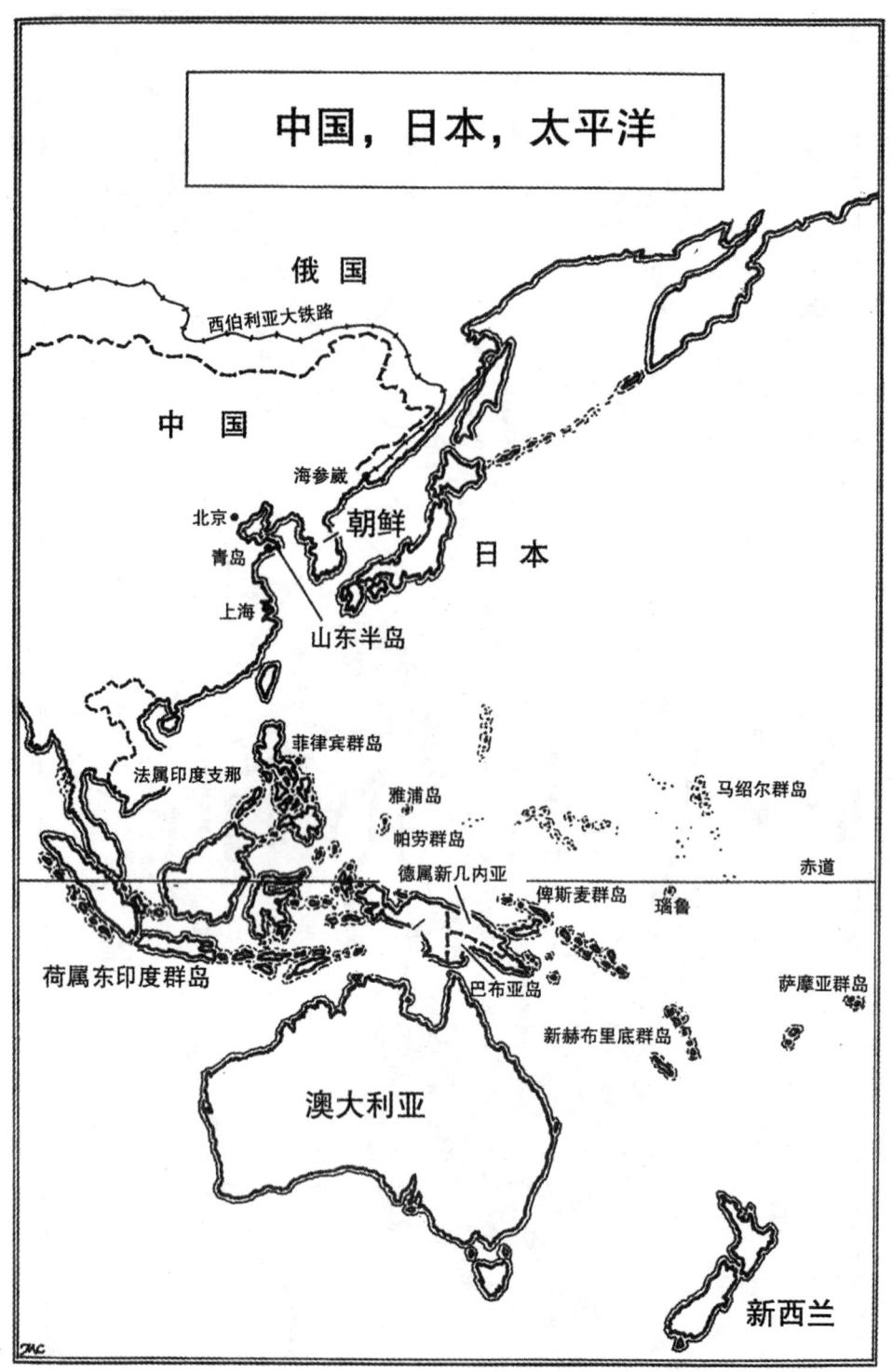

引 言

1919年的巴黎是世界的首都。举世瞩目的巴黎和会正在这里召开,参加和会的和谈者都是举足轻重的国际要人。他们天天会晤,谈判时辩论不休、争吵不断,但最终总能言归于好。他们互做交易、制订条约、创建新国家和组织,甚至一起吃饭,一起去剧院看戏。从一月到六月的半年中,巴黎一跃成为世界的政府、上诉法庭和国会,同时也是人们恐惧和希望的所在。按照官方的正式说法,和会一直持续到1920年,但最关键的是最初六个月,和会做出了最重要的决定,一系列事件也付诸实施,这一切是空前绝后的。

和谈者们之所以聚集巴黎是因为自豪、自信、富庶的欧洲把自己撕得四分五裂。1914年,由于各国在巴尔干地区争权夺利,战争爆发并席卷了东到沙皇俄国、西到英国等各大强国以及诸多小国,只有西班牙、瑞典、荷兰及斯堪的纳维亚等国得以保持中立。亚洲、非洲、太平洋岛屿及中东地区都发生了战争,但大部分战事都爆发在欧洲战场。战壕从北部的比利时一直延伸到南部的阿尔卑斯山脉,俄国与德国及其盟国奥匈帝国的边境以及巴尔干地区也是主要作战区。士兵来自世界各地:澳大利亚人、加拿大人、新西兰人、印第安人、为大英帝国而战的殖民地人、越南人、摩洛哥人、阿尔及利亚人以及为法国而战的塞内加尔人,最后还有美国人。由于德国攻击美国船只,美国被迫参战。

在远离主战场的欧洲其他地区,则一如往昔,都市依旧,铁路、港口依然正常运行,这一点与二战不同。二战后,到处一片废墟。第一次世界大战主要是人员伤亡,四年间,千百万战士丧生,而对市民的大屠杀还没有开始。各国士兵损失惨重,德国180万,俄国170万,法国138万4千人,奥匈帝国129万,英国74万3千人(另外还有19万2千人来自英国殖民地国家),伤亡人数清单可以一直罗列至小地方黑山,损失3千人。由于这场战争,婴幼失怙,妇女守寡,少女失去了结婚的机会。欧洲则因此失去了一大批未来的科学家、诗人和领导人以及他们的孩子。但是这个死亡名单并没有包括在战争中致残的人,包括只剩一条腿、一只胳膊或一只眼睛的伤残军人以及肺部被毒气灼伤和精神失常的人。

整整四年,世界上最发达的国家倾其人力、财力、工业成果及科技成果全力投入战争。这次大战也许是偶然发生的,但却难以停止,因为交战双方势均力敌,难分上下。直到1918年夏,德国的盟国失利和美军参战才使协约国占了上风。战争于当年11月结束,疲惫不堪的人们希望噩梦之后,苦难不再重演,一切都会慢慢好起来。

四年大战彻底动摇了欧洲主宰世界的自信,他们不再大谈世界文明化的重大使命了。大战使政府垮台,强国地位下降并颠覆了整个欧洲社会。1917年俄国革命消灭了沙皇主义,对于取而代之的新制度,人们一无所知。战争末期,奥匈帝国的灭亡使欧洲大陆中部留下大片真空;曾一度占据中东及欧洲部分地区的奥斯曼帝国也几乎消失了。帝国主义德国摇身一变成了共和国。波兰、立陶宛、爱沙尼亚、拉脱维亚等老国家改头换面重现历史舞台,南斯拉夫和捷克斯洛伐克也在争取独立。

巴黎和会以1919年6月签于凡尔赛宫的对德和约而闻名,但实际上其内容却远不止于此。其他战败国——已独立的保加利亚、奥地利和匈牙利以及奥斯曼帝国也分别签订条约。欧洲中部及中东的版图必须重新划分,最重要的是必须重新确立国际新秩序,这一新秩序可能建立在不同于以往的基础上。建立国际劳工组织、国家联盟以及国际电报或国际航空协约的时机成熟了吗?经历了如此深重的灾难之后,人们满怀期望。

其实,在1918年停火之前,各种悲伤、愤怒的呼声就已接连不断。不同语言的口号不绝于耳,"中国属于中国人民"、"库尔德斯坦必须自由"、"波兰要重生"等等,人们借此表达他们的要求。此外,人们对一些重大问题的意见也有分歧。有人认为美国应该充当世界警察,有人认为他们应该安分守己;有人要求援助俄国,有人坚持让它自力更生。同时人们也相互抱怨:斯洛伐克人抱怨捷克人,克罗地亚人抱怨塞尔维亚人,阿拉伯人抱怨犹太人,中国人抱怨日本人。这些呼声都很焦虑,人们不确定新秩序是否会在旧秩序基础上有所改善,西方人低声念叨来自东方的危险思想,东方人则沉思西方物质主义的威胁。欧洲人想知道欧洲能否恢复如初,非洲人害怕被世界遗忘,亚洲人则认为未来属于亚洲,但迫在眉睫的是解决现实问题。

大战后的生活状态我们可想而知。1919年民众的呼声和现在的情形非常相似。1989年冷战结束,苏联垮台,旧势力、宗教及民族主义也从冰封中解冻。波斯尼亚和卢旺达使我们看到了这些力量的强大。1919年,由于国界重新划定,并出台新经济、政治政策,人们同样感觉到一种新的国际秩序出现了,这在当时脆弱的世界既令人兴奋也令人恐慌。现在有人认为伊斯兰是当今社会的威胁,而在1919年却是俄国的布尔什维克主义,区别在于现在没有时间举行和平会议,政客及其顾问只做两三天的简短会晤就各自回家,谁能知道解决世界问题的最佳方式呢?

当今世界和1919年时的社会有许多联系,就拿1993年夏天两个截然不同的片段来说吧。在巴尔干地区,塞尔维亚人和克罗亚人使南斯拉夫一分为二。在伦敦,太平洋小岛瑙鲁的巨富们赞助了一次以达·芬奇生活为背景而创作的音乐剧,但演出并不成功。南斯拉夫和瑙鲁都是巴黎和会后成立的独立国家。当时的决定一直影响至今。许多遗留问题依然困扰着我们,如中日关系、欧美关系、俄国与其邻邦的关系以及伊拉克与西方世界的关系等等。

为了找到解决办法,来自世界各地的政客、外交官、银行家、战士、教授、经济学家及律师聚集巴黎:美国总统威尔逊及其国务卿罗伯特·兰辛,法国和意大利总理,身穿阿拉伯长袍的阿拉伯半岛的劳伦斯,给希腊带来巨大灾难的伟大爱国者维尼泽洛斯,钢琴家出身的政治家伊格纳西·帕德雷夫斯基,还有许多当时名不见经传的人,包括两位未来的美国国务卿、一位未来的日本首相以及以色列第一任总统。有些人如玛丽亚女王生来就掌权,而另外一些人如英国首相大卫·劳合·乔治则通过自身努力谋得政权。

权力的集中吸引了记者、商人及发言人,法国驻伦敦大使写道:"想见重要人物就去巴黎","巴黎将是成千上万以参加和会为幌子的英国人、美国人、意大利人及其他外国人的娱乐天堂"。和会的议题众多:妇女选举权、黑人权利、劳工宪章、爱尔兰独立问题,解除武装同时还要应付世界各地的请愿及请愿者。那年冬天和次年春天,巴黎充斥着各种计划:成立一个犹太国,重建波兰并建立独立的乌克兰、库尔德斯坦及亚美尼亚。来自选举权协会会议、巴黎的喀巴索-俄国政治委员会、巴纳特的塞尔维亚人及反布尔什维克俄国政治会议的请愿蜂拥而来,请愿者来自现存国家及企图建国的地区。有些人如犹太复国主义者代表千百万人,其他的如巴尔干奥兰群岛的代表则只为几千人请愿。还有少数人来得太晚,1919年2月,朝鲜人从西伯利亚徒步出发,到六月份巴黎和会大体结束时他们才到达北极的阿干折。

从一开始,巴黎和会就因组织、目标及运作混乱而深受其苦,但考虑到和会前的情况,这又几乎不可避免。四大强国——英、法、意、美举行了前期会议,以就和会即将提出的条约达成共识,然后召开全体会议与战败国谈判,这时问题就出现了。其他协约国何时能发表意见?日本已经成为远东强国。其他小国如塞尔维亚和比利时又将如何?这两个国家的伤亡人数都远远多于日本。

最终四强妥协了,和会的全体会议也徒有虚名。会议的真正结果竟是在四强和日本私下举行的非正式会议上产生的。几个月过去了,原本是预备的前期会议却在不经意间成了真正的主体。和会打破了外交先例(这一点激怒了德国人),最终将德国代表召至法国接受条约。

和会人员本希望会议能更简短,更有组织性。他们还学习了惟一的先例——拿破仑战争后的维也纳会议。外交部委托某著名历史学家写一本关于维也纳会议的书以指导巴黎和会(后来,他承认自己的著作几乎没起任何作用)。维也纳的和谈人员面临的问题虽然也很庞大,但比起巴黎和会上的问题要更直接。维也纳会议召开时,担任英国外交部长的卡斯尔雷勋爵只带了14位随行人员,而1919年参加巴黎和会的英国代表团人数近400。而且,在1815年,所有问题都在从容平静中解决:卡斯尔雷及其同僚一定会对1919年公众对巴黎和会的严格监督惊骇不已。另外,参与的国家很多:共有30多个国家派代表团前往巴黎,包括1815年时还不存在的意大利、比利时、罗马尼亚和塞尔维亚。当时,拉丁美洲国家依然属于西班牙和葡萄牙帝国;泰国、中国和日本还是遥远而神秘的国家。现在,在1919年,这些国家的外交官身着细条纹的裤子和双排扣长礼服出现在巴黎。维也纳会议除了发表宣言谴责奴隶贸易,再也没有关注非欧洲世界,而巴黎和会则论及了从北极到澳大利亚、新西兰,从太平洋诸岛到所有大陆方方面面的问题。

维也纳会议在1789年法国革命掀起的剧变平息之后召开。到1815年,革命的影响已深入人心,但1919年时俄国革命爆发仅两年,其对世界的影响还不明显。西方领导人看到布尔什维克正从俄国渗出,威胁着他们的宗教、传统及维系社会的一切纽带。在德国和奥地利,战士和海员叛变,苏维埃工人和士兵已经在城镇夺权。巴黎、里昂、布鲁塞尔、格拉斯哥、旧金山甚至位于加拿大大草原的僻静的温尼伯都发生了大罢工。这些互不相干的革命火焰来自于地下的熊熊烈火吗?

1919年巴黎和会的和谈者认为他们在抢时间完成工作。和维也纳会议的前辈一样,他们也必须重新划定欧洲地图,但除此之外,他们还得考虑亚洲、非洲和中东。"自决"是和会的格言,但却无助于在互相竞争的民族独立运动中做出选择。调停人员必须充当警察同时救济饥民。可能的话,他们还必须缔造新的国家秩序以杜绝世界大战再次发生。威尔逊许诺要采用新方法保护弱者,解决争端。这次大战是耗费巨大的愚蠢之举,但或许也有好的结果。当然,调停人员必须制订条约。毫无疑问,必须惩罚德国,因为是它发动了战争(或者如许多人认为的那样,仅仅是因为它战败了?),并根据和平路线规划其未来,调整其边界,以在西部补偿法国,在东部补偿新兴国家。保加利亚和奥斯曼帝国也必须签订条约。奥匈帝国是个特殊问题,因为它已不复存在,所剩的仅是微小的奥地利和摇摇欲坠的匈牙利,它们的大部分领土都划给了新兴国家。人们对和会抱有的期望越大,失望的可能性也就越大。

调停人代表各自的国家,由于大部分都是民主国家,因此他们必须重视公众意见,提前考虑下一次选举,权衡满足或忽视其他国家重要意见的代价。因此,从这个意义上来说,他们不是完全自由的。而且,那种认为原有边界都悬而未决的想法非常普遍。巴黎和会为提出各种旧要求和新主张提供了机会。英国人和法国人私下就瓜分中东达成了一致,意大利人反对新成立的南斯拉夫的要求,因为他们不希望邻国强大。克雷孟梭对一位同僚抱怨说:"打仗比和谈容易多了。"

调停人员在巴黎的几个月中硕果累累:签订对德和约,确立奥地利、匈牙利及保加利亚和平条约的基础。在中欧和中东重新划定国界。但不得不承认,他们的许多工作成果并不持久。从和会召开至今,人们一直抱怨和会耗时太久,而且并不公正。有关1919年的和平方案非常失败并直接导致第二次世界大战的说法非常普遍。这样说其实高估了它们的影响力。

1919年,世界存在两种不协调的现实,一是在巴黎的调停者,另一个是普通的人民大众。诚然,调停人有陆军,有海军,但在铁路、公路及港口匮乏的地区,如小亚细亚内陆和高加索,调动军队既费时又耗力,而当时空军的力量还不足以弥补那个空缺。在欧洲中心,虽然铁路交通设施齐全,但由于秩序混乱不堪,即使有机车、汽车等交通工具,燃料依然不足。精明的英国将军亨利·威尔逊对劳合·乔治说:"辱骂指责这个或那个小国无济于事,罪恶的根源在于巴黎做出的决定不起作用。"

如今,美国和全世界都逐渐意识到,权力与意志密切相关:要得到权力,必须付出意志,无论是金钱还是生命。1919年,欧洲人的这种意志大大削弱了;大战使法国或英国或意大利领导人不能再命令其人民为权力而付出昂贵的代价。各国军队规模逐渐缩小,因此他们无法指望剩余的士兵和海员。各国的纳税人都希望终止耗资巨大的国外战争。只有美国尚有行动并对其他国家施加影响的能力,但它当时并未意识到而且也还不够强大。可以说,美国在法西斯主义和共产主义风行之前失去了一次控制欧洲的机会。关于这一点,我们可以回顾一下第二次世界大战后美国权力的变化。1945年,美国一跃成为超级大国,而欧洲各国却大大削弱了。然而在1919年,美国与欧洲强国的国力相差无几,欧洲人可以也的确忽视了美国的意志。

军队、海军、铁路、经济、意识形态及历史对理解巴黎和会都至关重要。但个人因素也非常关键,因为报告最终是人写的,决定有人做出,军队的行动也受人命令。调停人代表各自国家的利益,但同时也有个人喜好,这在要人之间——尤其是齐聚巴黎的克雷孟梭、劳合·乔治和威尔逊之间极其重要。

GETTING READY
FOR
PEACE

第一章　预备和平

法国总理克雷孟梭、英国首相劳合·乔治、美国总统威尔逊,被称作巴黎和会的"三巨头"。和会期间,他们在严守秘密的情况下碰头开会,决定和会的一切重大问题。他们中的克雷孟梭还被选为和会的主席。

——《世界历史》第二册

1 伍德罗·威尔逊欧洲之行

1918年12月4日，乔治·华盛顿号轮船载着参加第一次世界大战和平会议的美国代表团驶离纽约港。码头上，人头攒动，人们欢呼雀跃，鸣枪致礼；水上，拖船气笛齐鸣；空中，军用飞机和飞艇低低地盘旋。在信鸽带给亲属的信中，美国国务卿罗伯特·兰辛深切地表达了对战后持久和平的渴望。乔治·华盛顿号曾是德国客轮，此时它缓缓驶过自由女神像，开往亚特兰大，那里，一队由驱逐舰和战舰组成的护航舰队将护送满载人们希望的它驶往欧洲。

伍德罗·威尔逊总统就在乔治·华盛顿号上，随行的还有从美国各大学和政府筛选出的最好的专家、法国和意大利驻美大使，并携带了成箱的参考材料和专门的研究资料。在此之前，美国尚未有在任总统访问欧洲的先例。对于威尔逊此行，他的反对者们指责他违背了宪法，甚至连他的支持者也认为此番或非明智之举。他是否会因为涉足这种无休止的谈判纷争而丧失其威信呢？对此，威尔逊的态度十分明确。在他看来，赢得和平和打赢战争同等重要，也是他对渴望美好世界的欧洲人民和美国军人的义务，"这是我的责任，"在临走之前他曾对忧心忡忡的国会议员们说，"我将尽我最大的努力弥补并实现他们试图用鲜血争取的东西。"然而一位愤世嫉俗的英国外交官的评论比较刻薄，在他看来，威尔逊前往巴黎就像一个初入社交圈的女生为第一次舞会而着迷一样。

在给身在欧洲的好友爱德华·豪斯的信中，威尔逊表示，希望能在制订好议和方案的轮廓之后就启程回国。由此看来，他似乎不大可能留下来参与正式的议和会议。然而事情的变化却出乎他的预料。没有人会料到，这次的预会竟会成为最终的和会，而威尔逊也在1919年的1月到6月这至关紧要的6个月中几乎从头到尾都留了下来。至于他前往巴黎出席和会是否明智，这个曾让威尔逊时代的美国人大伤脑筋的问题如今看来已不重要了。从参加雅尔塔会议的罗斯福，到戴维营谈判的卡特再到促成怀伊协议的克林顿，历届美国总统已惯于坐下来谈判，划分边界，并敲定和平协议。既然威尔逊已经设定了这次世界大战的停战条件，为什么他不应该促成最终的和平呢？

虽然1912年威尔逊还不是一位外交型总统，但时势以及他本人进步的政治主张迫使他转向对外。和许多美国同胞一样，他也把大战看作以英法为代表的民主国家（尽管它们也算不上完美的民主政府），和以德国法西斯及奥匈帝国为代表的反动军阀政府之间的斗争。德国对比利时的侵略，无限制的潜水艇战，以及企图怂恿墨西哥向美国开战的无耻行径，促使威尔逊和美国民众向盟军靠拢。1917年2月，俄国发生了民主革命，盟军最后一个独裁政府不复存在。虽然曾在1916年主张保持美国中立，威尔逊还是在1917年把美国卷入了战争。他坚信他的选择是对的。这一点对身为长老会牧师的儿子的他来说十分重要，虽然他不一定具有父亲那种强烈的使命感，但却有着同样虔诚的宗教信仰。

威尔逊于1856年美国内战前夕出生于弗吉尼亚州。虽然在某些方面他一直是个地地道道的南方人，比如他对荣誉的执着以及对妇女和黑人慈父般的关怀，但他却接受了内战中南方战败的现实。亚伯拉罕·林肯是他崇拜的英雄之一，除此之外。埃德蒙·伯克和威廉·格莱斯顿也是他的偶像。年轻时的威尔逊不但非常信奉理想主义而且胸怀大志。在普林斯顿大学度过了非常快乐的四年之后，他做过一阵律师，但这段时光却并不快乐。此后，他找到了第一份工作，开始了教书及写作生涯。1890年，他重新回到普林斯顿，成为教师队伍中的明星。1902年，在校董事会及全体师生一致赞成的情况下，他出任普林斯顿大学校长。

在以后的八年中，威尔逊把普林斯顿从一个名不见经传的男子学院发展为一所著名的大学。他重新设置课程，筹集巨额资金从全国各地引进顶尖人才来学校任教。到1910年，他已经是个全国性人物了，由保守派支持的新泽西州民主党邀请他竞选州长，威尔逊同意了，但坚持以控制大型企业及扩大民主为竞选纲领，并一举获胜。1911年，"威尔逊竞选总统"俱乐部纷纷成立。他的主张表达了被剥夺了财产权利、政治权利，以及所有跟不上19世纪后期飞速发展的经济步伐的人们的愿望。1912年，在一次漫长而竞争激烈的会议上，威尔逊赢得了民主党总统候选人提名。同年11月，由于共和党人对泰迪·罗斯福以激进派的身份参与竞选的决定意见分歧，威尔逊当选总统。1916年，他以更高的民众支持率成功获得连任。

他的仕途一路顺畅。但他在生活和政务上也有不尽如意的时候，有时也会经历一段意志消沉的苦闷时期，或是突然为疾病所困。另外，他还结下了不少私怨，其中很多人曾经是他的朋友。一位民主党领导人曾在新泽西一次祝酒词中，说他是"一个不知回报的骗子"。威尔逊从不原谅那些与他意见不合的人。他的新闻官员兼忠实的仰慕者，雷·斯坦纳德·贝克曾评价他说："他很善于记恨人。"他还非常地固执。曾有议员不无景仰地说道："任何问题一经提出，他都会保持绝对开明的态度，并且欢迎所有可能解决问题的意见和建议。但他只有在衡量问题、思考如何解决的过程中才会接纳这些建议。一旦他已做出决定,这个决定就是最终的,并且绝对不允许再有任何提议。这之后他就是绝对无法动摇的了。"然而为有些人所景仰的个性在另一些人看来就是危险的自尊自大。法国驻华盛顿大使就曾坦言,他所认识的威尔逊"如果生在几个世纪之前的话,会是世界上最大的暴君,因为他似乎从来都不认为自己会有错的时候"。

威尔逊性格的这一面从他挑选参加和会的人选上就暴露无遗。他本人是其一,豪斯是其二,他常被威尔逊戏称为"另一个我"。另外,他还不大情愿地选择了国务卿兰辛,因为不让他参加不合常理。当初,威尔逊非常欣赏兰辛的博学、一丝不苟以及谦逊,但到1919年这种喜爱已经转变为愤怒和鄙视。事实证明,兰辛很有头脑,但想法经常与总统相抵触。威尔逊向豪斯抱怨:"兰辛没有想像力,缺乏建设性,基本上没有任何能力。"豪斯记录这句话时非常高兴。第四位是塔斯克·布利斯将军,作为最高战争委员会的美军代表,他已经在法国了。他足智多谋,喜欢拿瓶酒躺在床上读希腊文原版《修昔底德》(Thucydides,前460?—前400?,希腊历史学家——译注)。许多美国代表团的一般成员都认为他不再年富力强了。不过,和会期间威尔逊只在五个场合和他谈过话,所以似乎并无大碍。总统选择的最后一位代表是迷人、和蔼,已经退休的外交官亨利·怀特。他事业的鼎盛时期是在战前,威尔逊夫人不久将会发现,他的出席在礼仪方面很有帮助。

当时,威尔逊的选择在国内引起轩然大波,并从而引起争议。"一群财迷,"前共和党总统威廉·塔夫脱说道,"我敢肯定他们将一事无成。"虽然许多共和党人曾积极支持战争,也认可国联,但威尔逊故意冷落共和党人。甚至连民主党最忠实的拥护者,都督促他选择诸如塔夫脱或任职于外交关系委员会的高级共和党参议员亨利·卡伯特·洛奇等共和党人,但威尔逊却以各种不能令人信服的理由拒绝了。真正的原因是他不喜欢、不信任共和党人。这一举措的代价是巨大的,不仅降低了他在巴黎的地位,也破坏了他建立以美国为中心的国际新秩序的美梦。

与其在巴黎的亲密同僚劳合·乔治和克雷孟梭不同,威尔逊始终有点令人费解。他究竟是位什么样的领导呢?一方面引用《圣经》中最高贵的语言,但同时却对异己冷酷无情;一方面热爱民主,但却鄙视大多数同行;一方面力求服务于人,却朋友寥寥。他真是如泰迪·罗斯福所认为的那种"前所未有的虚伪冷血的总统"吗?或者他是贝克所认为的那种如加尔文或克伦威尔之类少见的理想主义者吗?

威尔逊渴望权力,立志干一番大事业。他那种善于使自己的决定既必不可少又名正言顺的能力或者说是自欺,把他性格中的这两面结合了起来。正如大战初期美国保持中立有利于美国及全人类,美国最终参战就成了反对贪婪与愚蠢,反对德国,争取公正、和平与文明的正义行动。如果没有这一信念,威尔逊在巴黎绝不会有如此表现,而它也使威尔逊不容分歧,无视其他人的合法要求。在他眼里,反对他的人不只犯了错,而且是邪恶的。

和德国人一样,决定参战对威尔逊来说是痛苦的选择。他曾试图在协约国与同盟国之间达成某种协议以求和平,甚至在双方拒绝其调停、德国潜艇击沉美国船只、罗斯福等反对者攻击他胆小怯懦以及他的内阁一致赞成参战时,威尔逊还在等待。他最终决定参战是因为德国已经让他别无选择了。1917年4月,在请求国会宣战时,他说:"把热爱和平的美国人民卷入战争,而且是有史以来最残忍、最具灾难性的战争是可怕的,这场战争将以文明为代价。"在威尔逊看来,德国,至少其领导人罪恶深重。德国人或许可以救赎,但同时必须接受惩罚。

从摄于1919年的照片看来,威尔逊面若死灰,就像殡仪馆工作人员。但现实中的威尔逊英俊潇洒,轮廓分明,体格瘦削,颇有布道师和教授的气质。他注重理性与事实,认为在5月13日抵达欧洲是吉利的,因为13是他的幸运数字。他非常感情用事,不相信别人的感情。如果这样能带领人们向最好的方向不断前进,当然再好不过了,但如果像国家主义那样使人们失去自制就非常危险了。劳合·乔治从未摸清他的性格,他给一位朋友列举了威尔逊的几个好品质,如:善良、真诚、坦率,然后又补充了几点不好的:易得罪人、倔强、虚荣。

在公众场合,威尔逊一向严肃拘谨、态度生硬、非常正式,但和朋友在一起时却非常可爱甚至调皮,尤其善于和女人打交道。他一向很有风度,能控制自己的情绪,但在和会期间却经常发脾气(也许他在巴黎中过风)。他喜欢用双关语或五行幽默诗,并爱用简单的小故事阐述自己的观点;他还喜欢模仿各地口音:苏格兰或其祖先爱尔兰人的口音,或在华盛顿为他工作的那些南方黑人的口音。他饮食有度,最多有时晚上喝一小杯威士忌。他喜欢小机械器具,爱看最新电影,在前往欧洲的轮船上,晚饭后,他一般都去看电影。其中一天晚上看的是情节剧《第二任妻子》,这让许多人惊讶不已。

威尔逊与女人的关系经常引起非议。他在婚后一直与几个女人过从甚密甚至有点暧昧。他深爱的妻子于1914年去世。1915年底,他与一位富裕的、小他17岁的华盛顿寡妇再婚。因此引发的谣言不但令他困惑也使他大为恼火。一位英国外交官就此讲了一个笑话,并很快传遍华盛顿:"新夫人在总统向她求婚时干什么呢?""她惊讶地掉下了床。"为此威尔逊永远无法原谅这位外交官。不过威尔逊的家人和朋友都很理解他。他的一个女儿说:"看到父亲如此高兴,不是很好吗?"豪斯曾在日记中写道,"威尔逊孤独得令人同情,现在看到有人能分担他的重担真让人放心。"不过这位昔日的好友后来成了威尔逊的仇敌。

新夫人伊迪丝·伯林陪同威尔逊总统前往欧洲,这是总统夫人的特权。热情、活泼、爱笑的她喜欢高尔夫球、购物、兰花,并热衷于各种聚会。她的眼睛非常漂亮,不过有人认为她略过丰满,嘴巴太大而且衣服稍显太紧,领口太低,裙子太短。但威尔逊觉得她很漂亮。和他一样,她也来自南方。她对另一个美国人说,她不想带女仆去伦敦以免把她惯坏,因为英国人对黑人太好了。虽然她具有南方女人善于调情、风情万种的特性,但同时也是个精明的商业女性。前夫去世后,家族的珠宝店由她一手经营。再婚后,威尔逊明确表示,希望她协助他的工作,她欣然接受。虽然谈不上聪明,但她反应敏捷,信心十足,而且对新丈夫异常忠诚,因此威尔逊对她爱慕有加。

在乔治·华盛顿号上,威尔逊夫妇基本在他们的特等客舱用餐,手挽手在甲板上散步,和其他人保持距离。美国专家们则在讨论地图及方案,忧虑不安地互相询问对国家政策的预测。威尔逊就基本原则讲了很多,但很少涉及具体细节。一位名叫威廉·布利特的青年大胆地告诉他,他的沉默让他们非常不解。威尔逊很吃惊,但愉快地答应会见一批主要专家。事后有人说:"这是总统先生第一次让人知道他的想法和他的政策。"后来又有少数几次类似的场合。会后,专家们倍受鼓舞,深为威尔逊折服。他态度随和友好,讲了他们面临的重大任务,期望专家们给他提供最好的信息并随时和他沟通。"你们告诉我应该做什么,我会全力以赴。"他还为谈论自己的想法向大家道歉:"这些想法并不是很好,但比我听过的要好些。"

至于和谈,威尔逊说美国将坚持仲裁者的身份,并严守公正、宽容的伟大传统。毕竟,他们是"和会中惟一没有利害关系的人"。他还警告说:"我们要对付的人不代表他们的人民。"威尔逊坚信这一点,但他自己的国会却由反对派主宰。整个和会期间,他坚信他代表广大群众的利益。如果能够接触到他们,无论法国人、意大利人甚至俄国人,肯定都会赞同他的观点。

他还谈到另一个热门话题:美国参战绝对不是出于私利。正如其他方面一样,在这点上,美国不同于其他国家,因为它不想争夺领土,不想索取赔款,也不想报复(因为美国参战不同于欧洲其他国家,威尔逊一贯坚持美国只是协约国的伙伴而不是其成员)。从行动上来看,美国大体上还是公正无私的,比如占领古巴。他说:"我们和西班牙开战不是为了吞并领土,而是给无助的殖民地一个争取自由的机会。"

威尔逊喜欢用拉丁美洲的例子,因为他外交形成时期的大部分经验都源于此。这一原则已经成为美国外交政策的基本准则,也有很多人说是美国控制邻国的借口。威尔逊认为它是拉美各国和平共处的框架,也是战事不休的欧洲效仿的榜样。兰辛以他一贯的作风对此表示怀疑,他认为:"这一原则是纯粹的美国国家政策,关系到国家安全及重大利益。"

威尔逊认为兰辛的反对意见无关紧要,他很清楚自己的动机是好的。美国军队前往海地、尼加拉瓜或多米尼加共和国是为了推行秩序和民主。在他总统第一任期内,他曾说过,"我要教南美各共和国如何选举好的领导人!"

但对保护巴拿马运河及美国投资他却很少提及。在他担任总统期间,美国多次干涉墨西哥以试图建立符合美国意愿的政府,威尔逊说:"美国的惟一目的,是通过确保中美洲自治进程不被打断或搁浅,以保障该地区的和平和秩序。"当墨西哥人没有看到美军登陆以及随之而来的威胁时,威尔逊大为震惊。

这次墨西哥奇遇也反映出威尔逊无意中忽视事实的倾向,他第一次派兵墨西哥时,对国会说此次行动是为了回应引发墨西哥革命的韦尔塔将军对美国及美国人民的多次挑衅和侮辱。但实际上,这正是韦尔塔一直小心避免的。在巴黎和会上,威尔逊声称他从未见到协约国内部的秘密战时协定,但1917年英国外交部长阿瑟·鲍尔弗向威尔逊展示过这些文件。兰辛尖酸地评价他的总统:"如果既成事实不合他意,他就会视而不见。"

墨西哥错综复杂的局面表明,威尔逊不怕运用美国强大的国力,无论是财政上的还是军事上的。大战结束时,美国比1914年更加强大。那时,它只有一只规模极小的陆军和中等规模的海军,而现在,仅在欧洲就有100多万美军,海军也可以与英国海军抗衡。当然,美国人认为他们是为欧洲同盟打赢了这场战争。由于美国农民及工厂为盟国输出大量小麦、猪肉、铁和钢以供战争之需,美国经济实力迅速上升,其生产与贸易份额急剧增加,而欧洲列强的份额却停滞不前或者有所下降。对未来欧美关系最重要的是,美国成了欧洲的债主,欧洲协约国共欠美国政府70多亿美元,同时欠美国银行将近35亿美元。威尔逊过分自信地认为,只要美国施加财政压力就可以为所欲为。正如他的法律顾问大卫·亨特·米勒所说:"欧洲在财政上已经破产,政府在道德上也已经破产。只要美国因为它追求正义、公正及和平的意愿遭到反对而提出撤退,甚至只是暗示,足以让欧洲各国政府毫无例外地垮台,并在除一国之外的其他各国引发革命。"

在乔治·华盛顿号上的那次会议上,威尔逊还简单地讲了美国与战后中欧涌现出的新国家之间面临的困难,如波兰、捷克和南斯拉夫等等。他们可以建立任何形式的政府,但只能包括那些自愿加入其中的地区。有位与会人员这样写道:"标准不是谁是知识、社会或经济领袖,而是谁是人民大众,他们必须拥有自由——那才是他们想要的政府。"

在威尔逊带入欧洲的所有观点中,自决权始终是最具争议、最含糊其辞的一个。和会期间,在维也纳的美国代表团团长多次致电巴黎和华盛顿要求解释这个名词,但一直没有回音。的确,想弄清威尔逊的真实含义实属不易。诸如"自治政府"、"屈服于权威的人民在自己政府的发言权"、"小国的权力和自由"以及"为每一个像美国一样爱好和平,渴望主宰自己命运,建立自己的机构的国家建立一个安定的世界"之类的新名词不时从白宫涌出。这些口号令全世界人民大受鼓舞,但有什么意义呢?威尔逊真的只是想推广民主的自治政府吗?他真的认为希望独立的任何民族都应该有自己的国家吗?在他起草但未被采用的一份说服美国人民支持和平方案的声明中,他说:"我们说,所有人都有权在自己选择建立的政府统治下自主生活,这是美国的原则。"但是他对爱尔兰民族主义者试图摆脱英国统治的斗争毫不同情。和会期间,他坚持爱尔兰问题是英国的内政。他对法律顾问说,当一个爱尔兰民族主义代表团请求他的支持时,他真想让他们下地狱。他认为爱尔兰人生活在一个民主国家,他们可以通过民主方式解决问题。

对威尔逊自决权这一概念研究越多,问题就越多。兰辛曾自问道:"总统在讲'自决权'时,他头脑里是什么单位呢?他是指一个种族、一个领土区域,还是一个社区?"兰辛认为威尔逊想出这个词组实在是个灾难,"它将挑起永远不可能实现的希望,可能还会导致成千上万的人丧命,最终没有人会相信它,并会称之为理想主义者的美梦,当他们意识到它的危险并想阻止它付诸实践时已经太晚了。"正如兰辛所问,什么是民族?它是共同的公民身份如美国,还是共同的道德文化标准如爱尔兰?难道它必须自治吗?如果是,它应该享有多大的自治权呢?一个民族,无论怎么定义,可以在一个多民族的大国家愉快地生存吗?有时,威尔逊似乎是这样认为的,毕竟他来自一个包容诸多不同民族,并曾为统一而浴血奋战的国家。

起初,他不想分解诸如奥匈帝国和俄国之类的帝国。1918年2月,他对国会说,我们应该在"不引入破坏欧洲乃至世界和平的不和谐及对抗性的旧因素"的前提下实现"定义恰当的"民族主义理想。

这又引出其他一系列问题。什么是"定义恰当的"民族主义?波兰(这个很明显)?但是乌克兰呢?或斯洛伐克?其分支又怎么办?比如说乌克兰天主教徒或波兰新教徒?由于中欧宗教及语言文化繁多复杂,很难将民族划分清楚。大约有一半中欧人民可以分属不同的少数民族。当不同民族的分界线如此模糊时,如何在不同国家间分配人口呢?一个办法是让专家解决,让他们研究该地区的历史,收集数据并咨询当地居民。另一个更民主的办法是在国际机构的监督下举行公民投票。威尔逊自己似乎并不认为自决意味着公民投票,但1918年时,好多人都这么认为。谁将投票呢?只有男人还是包括女人?只有现住居民还是所有在这些有争议的地区出生的人（法国人坚决抵制在其失去的阿尔萨斯和洛林举行公民投票的提议，理由是德国赶走了这两省的法国人，迁入德国人）？而且当地人不知道他们属于哪个国家怎么办？1920年，一位调查人在俄国人、波兰人、立陶宛人、白俄罗斯人以及乌克兰人混杂的白俄罗斯边疆地区询问一位农民是谁时，他回答说："我是这一带的天主教徒。"克恩顿的美国专家问，当有人"不想加入其血脉相连的同胞的国家，或对所有国家问题完全漠不关心"时，你会怎么办？

1919年末，威尔逊对国会说："当我说'所有国家都有自决权'时，头脑中并没有如今很热门的民族概念。"因此，他对18世纪末以来争取民族独立的民族运动的扩散没有责任。但是，正如意大利外交部长西德尼·桑理诺所说："毫无疑问，这场战争使民族感过度兴奋……也许是美国直截了当的原则助长了它。"

会上，威尔逊主要和专家们讨论了他最关心的问题：如何找到解决国际关系的新策略。这一点并不足为奇。在他1918年1月提出的著名的十四点原则及接下来的演讲中，他已经大致勾勒了他的想法。在1918年2月发表的题为"四条原则"的演讲中，他对国会说，均衡力量已不再是维持和平的方式。这种导致欧洲各国互相算计、草率承诺、结盟并最终陷入战争泥潭的秘密外交将不会重演。和平方案不得留下任何可能引发未来战争的隐患。战胜国不得向战败国提出不合理的要求，不得索要巨额罚金——赔款。1870年普鲁士打败法国时就犯了这个错误。巨额赔款及割让阿尔萨斯和洛林两省使法国无法原谅德国。战争必定越来越艰难，因此必须控制武装甚至要普遍解除武装，而且船只可以在世界海域自由航行（英国人很清楚，这意味着他们通过封锁敌国港口、截获其船只以遏制其经济的传统战术完全失效。他们曾借此打败了拿破仑，所以他们认为它也加速了盟军对德的胜利）。国家间的贸易壁垒必须降低，以便使世界各国更加相互依赖。

威尔逊设想的核心是一个能提供集体安全保障的国家联盟。这种保障在统治管理得当的社会是由政府、法律、法庭及警察提供的。一位专家在总统讲话时草草写道："旧的权力体系，权力平衡，都很难实践"。国联必须有能解决纠纷的委员会，"如果不成功，国联将宣布挑衅国非法——'目前非法者吃不开'"。

威尔逊是自由党人，信仰基督教。他认为，均衡国家之间的力量或通过国联平衡各国，不是维持和平的最好方式，国家的强大不能保证其免遭进攻，集体安全才是有效途径。为了回应俄国布尔什维克提出的备选方案，威尔逊提出革命可以带来没有冲突的新世界。他坚信独立和民主的国家是世界上最好的政府，也是正义的力量。如果各国政府是由人民选举的，他们就不会也不可能发生战争。1917年，他对参议院说："这就是美国的原则，是我们坚持的惟一原则，也是所有思想进步人士、所有现代国家以及一切文明社会的原则和政策，更是全人类的原则，因此一定会胜利。"他认为他的话代表了全人类的心声。美国人总认为自己的价值观具有普遍性，他们的政府和社会是其他国家的楷模。毕竟，美国的开国元勋想摆脱旧世界，美国革命从一定程度上说就是要建立一个新世界。美国民主、美国宪法甚至美国人的行为方式都是他人应当效仿的。正如一个在巴黎的美国青年所说："完成此行任务之前，我们将教会他们如何快速高效地办事。"

美国人对欧洲怀有复杂的感情，他们敬仰欧洲历史上的辉煌成果，但坚信如果没有美国，协约国早已不复存在，同时也怀疑，美国人一不小心，狡猾的欧洲人就会再次奴役他们。在为和会作准备时，美国人就怀疑英法已经布置了陷阱。也许，提出让给美国一个非洲殖民地，或让它保护亚美尼亚和巴勒斯坦会让美国人落入圈套，然后一切悔之晚矣。那时，欧洲人洋洋自得，而美国人就遭殃了。

美国的例外论通常有两面：一方面想让世界依法办事，一方面当自己的意见不被采纳时，又会轻蔑地置之不理。威尔逊对同船的乘客说，和平方案必须建立在新原则的基础上："如果处理不当，世界将变成地狱。"那时候，他半开玩笑地说，他要找个地方，"很可能是关岛，把头埋起来"。这种例外论的信念有时让美国人愚钝，使他们爱对其他国家指手划脚却不善于聆听，总以为自己的动机最纯。劳合·乔治评价说，威尔逊是典型的美国人，他就像一个传教士，去和会拯救欧洲异教徒，"布道"中充满直白的话语。

要嘲笑威尔逊很容易，很多人都笑话他。忘记他提出的原则在1919年时有多么重要是很容易的；忘记全世界有那么多人相信他那个建立更美好的世界的梦想也很容易。毕竟，大战遗留的废墟中有着他们痛苦的回忆。而威尔逊始终满怀希望地认为，人类社会在不断改善（虽然没有证据），而且世界各国总有一天会和谐共处。1919年，幻想破灭之前，全世界都迫不及待地想听他的看法。他的话不但打动了自由党人和和平主义者，也在欧洲政治、外交领域的精英中引起共鸣，虽然后来误传这些精英并不赞同威尔逊的观点。英国战时内阁部长及和会秘书长莫里斯·汉克爵士总在装重要文件的盒子里带一份十四点原则并称之为"道德基础"；写有威尔逊大名的广场、街道、火车站和公园遍布欧洲，墙报呼吁："我们要威尔逊式的和平。"在意大利，士兵们拜倒在他的画像前；在法国，左翼报纸发专刊报道法国左翼领袖人物争相称赞威尔逊的文章。沙漠里的阿拉伯叛军、华沙的波兰民族主义者、希腊群岛的起义军、北京的学生以及试图摆脱日本控制的朝鲜人都把十四点原则当作他们的救星。这让威尔逊既兴奋又恐惧。他对在乔治·华盛顿号上的宣传部长乔治·格里尔说："我在想你是不是在无意中给我织了一张无法逃脱的网。"全世界都把希望寄托于美国,但他们都清楚这么严重的问题不可能一下子解决。"我似乎看到了辜负众望的悲剧,但我衷心希望我的感觉错了。"

乔治·华盛顿号于1918年12月13日抵达法国布列斯特港口。大战刚刚结束一个月,总统伫立在舰桥上,他搭乘的船缓缓驶过一排英、法、美三国海军战舰。几天来,阳光第一次这么明媚,街道两旁布满桂枝、花环和旗帜,墙上贴满海报欢迎威尔逊。右翼欢迎他是因为威尔逊把他们从德国的魔爪中解救了出来,左翼则是因为威尔逊许诺的新世界。街道上、屋顶上、树上挤满了欢迎的人群,甚至连路灯杆也被占上了。人们身着华丽的布列塔尼传统礼服,空气中弥漫着布列塔尼风笛嘹亮的乐声以及群众狂热的呼喊:"美国万岁,威尔逊万岁!"法国外交部长欢迎道:"非常感谢你的到来,感谢你带给我们真正的和平。"威尔逊的答复则没作任何表态。美国代表团乘当晚的火车前往巴黎,凌晨3点,威尔逊的医生无意中向车厢外望去,"我看到许多成年男女,还有小孩光着脑袋站在窗外欢迎这趟专列。"

威尔逊在巴黎受到了更加热烈的接待,欢迎的人群规模更大。一位居住在巴黎的美国人说:"这是我所听说过的,当然更是我所见过的,巴黎市民最富激情的一次游行。"他乘坐的列车驶入精心装饰的卢森堡站,站内彩旗飘飘,鲜花遍布。法国总理克雷孟梭及其政府官员,还有其宿敌雷蒙德·庞加莱总统,都在车站恭候威尔逊一行驾到。当礼炮在巴黎齐鸣宣布威尔逊的到来时,人群开始挤守护道路的士兵,威尔逊总统夫妇乘坐一辆敞篷马车前往住处,沿途狂热的欢呼声不绝于耳。当晚,家庭晚餐时,他说他对如此礼遇非常满意,"我仔细观察了群众的态度,很高兴他们都非常友好。"

2 最初印象

抵达巴黎的当天下午,威尔逊会见了最信赖的顾问陆军上校爱德华·豪斯,他看起来不像富裕的得克萨斯人,矮小、面色苍白、谦逊、身体脆弱。因为怕冷,坐着的时候他总是用毯子盖着膝盖。和会刚开始,他就因流感病倒了,并几乎丧命。有评论家说,他说话轻柔,纤细小巧的手不停地摆弄着什么东西。他的话听上去总是很镇静、理智并且令人愉快。看到他,人们总会想起过去一个伟大的法国主教,好像叫马萨林。

上校只是豪斯的一个荣誉头衔,其实他并不是上校。他虽然从未参加过战斗,但对冲突却很了解。在他童年时代的得克萨斯,人们一旦受到侮辱就会掏枪解决问题。在这种环境下,3岁时他就会骑马和射击了。他的一个弟弟在一次枪战游戏中被射掉了半边脸,另一个从吊杠上摔落而死。豪斯也曾出过一次事故,从绳子上掉下来,头部受伤,一直未能完全恢复。因为在身体上没有任何优势,他就学着从心理上战胜别人。他曾对一个传记作家说:"我过去喜欢挑拨伙伴们的关系,看他们怎么办,然后再使他们重归于好。"

最终他成为了解析他人的大师。几乎所有见过他的人都觉得他可爱而友好,连一个仇敌的儿子都说:"即使他正在割你的喉咙,你也会觉得他很亲近。"豪斯酷爱权力和政治,尤其喜欢在幕后操纵。在巴黎,贝克半褒半贬地称他为"诸多重大事件必须通过的小孔"。他几乎不接受采访,也从未在官方任职。当然这使他成为关注的焦点。他常说他只想作个有用的人。然而,在日记中,他却仔细地记下准备见他的权贵,并且忠实地记录所有溢美之词,不管多么虚假。

和多数同种族的南方人一样,他是个民主党人,但比较激进。当威尔逊初入政坛时,豪斯在得州政界已经是个人物了,他认为威尔逊是可以共事之人。1911年他们初次见面时,威尔逊正在准备总统竞选。多年以后,他们的友谊彻底破裂时,豪斯回忆说:"从初次相会,我们就很亲密了,思想非常一致。"他给威尔逊无尽的关爱和忠诚,而威尔逊给他权力。第一任妻子去世后,威尔逊更加依赖豪斯了。他在1915年写道:"你是世界上惟一一个可以和我讨论一切的人,我可以对某些人这么说,对另一些人那么说,但是对你,我总是毫无保留地敞开心扉。"可他的第二任夫人总是以尖锐、妒忌的目光小心地监视着豪斯。

战争爆发后,威尔逊派豪斯前往欧洲各国的首都,希望能阻止战争,但无果而终。战争结束后,他又立即派豪斯去巴黎协商停战条款。威尔逊告诉他:"我没有给你任何指示,因为我相信你知道该怎么做。"豪斯完全同意威尔逊的新外交政策是世界最好的希望。他认为国联是个很好的创意,并相信他能比威尔逊更好地达到他们的共同目的。威尔逊太过理想化、教条化,而豪斯却巧于安排,善于审时度势、察言观色、灵活调整战略重点,化解差异,然后解决问题。其实,他并不希望威尔逊参加和会。在随后的几个月中,这位忠诚的上校在日记中有条不紊地记下了威尔逊所犯的错误:发脾气,前后矛盾,谈判不讲求策略和只能想一件事的头脑。

克雷孟梭很喜欢豪斯,因为他不但幽默,而且似乎很了解法国在关注什么样的问题。克雷孟梭对他说:"我们能相处,你很实际,我能理解你,但与威尔逊谈话就像在听天书。"

劳合·乔治则更冷静一些,他认为豪斯比多数男人甚至女人更能把握事物的真相,也是一个很有魅力的人,但他的局限性使他——"只能是个销售员而不是生产商"。他可以成为很好的大使,但绝不是好的外交部长。最后,劳合·乔治善意地总结道:"或许从他的声誉来看,他并没有想像中那么狡猾。"豪斯却不能忍受劳合·乔治,认为他"喜欢恶作剧,像多变的风向标,对他处理的任何问题都没有深刻见解",但是很关注结果;豪斯以为所有分歧都可以解决,但是这很难做到。贝克认为"他是一个优秀的调解人,这既是他的优点同时也是他的缺点,他总是把微小的分歧调解成为新的僵硬的规则"。在有关停战条款的讨论中,他已经这么做了。

第一次世界大战由一系列的错误引发,又在混乱中结束。协约国(在这儿,让我们把他们的合作伙伴美国也包括在内)没有想到他们会胜利。1918年夏,虽然奥匈帝国明显衰退,但德国看上去依然很强大。协约国的领导人们预计战争至少还要持续一年。但是10月底,德国盟国纷纷垮台并请求签订停战协定。德军迅速向本国撤退,而国内也因革命暴动而动荡不安。最重要也是最具争议的对德停战协定是由三方共同协商制订的,这三方是:柏林的新政府,设在巴黎的协约国最高战争委员会及华盛顿的威尔逊。豪斯作为威尔逊的私人代表是三方之间的重要纽带。德国人知道,他们只能依靠威尔逊的怜悯,才最有可能得到温和的和平条款,于是请求他以十四点原则为依据制订停战协定。急于使并不情愿的欧洲协约国接受其原则的威尔逊在一系列公开外交照会中对此表示赞同。

欧洲人对此感到很愤怒。因为他们从未准备接受未经修改的十四点原则。法国人想确保得到因德国而造成的巨大损失的赔款;英国人反对有关海域自由的内容,因为这使英国无法利用海上封锁抵抗敌人。在巴黎的最后系列讨论中,豪斯同意了协约国的保留意见,并修改了十四点原则,这在和会中引发了有关德国赔款及海域自由的讨论。此外,停战协定中的军事条款,即德军必须撤离法国和比利时领土及其本国西部边境的条款,目的是解除德国武装,正是法国梦寐以求的。

但是停战协定为以后德国反诉留下了方便之路。德国人可以辩称只接受以原十四点原则为基础的协议,后来的和平条款都是非法的。而欧洲人削弱了这项新外交目的之纯粹性,威尔逊及其支持者可以就此责备其狡猾奸诈。

1918年12月14日下午,豪斯和威尔逊第一次谈话时,就已经对欧洲人的企图表示怀疑了。虽然和会几周以后才正式开始,但各国已经开始暗地行动了。克雷孟梭向英国透露,他们基本同意和平条款,欧洲人包括意大利人在月初就在伦敦碰过头了。精明的克雷孟梭还采取了保险措施,他拜访了卧病在床的豪斯,并向他保证伦敦会议微不足道。他去参加只是为了帮助劳合·乔治在大选中获胜。欧洲各国对意大利对亚得里亚海的领土要求存在意见分歧,英法两国也就如何处置奥斯曼帝国争吵不休,总之,大会没有达成一个统一的欧洲方案。欧洲三巨头也不想让威尔逊感到,他们试图在他到来之前私自解决问题。

和威尔逊一样,豪斯也认为美国将在和会扮演仲裁者的角色。虽然没有什么根据,但他觉得克雷孟梭可能比劳合·乔治更理智些。于是,威尔逊首先会见了克雷孟梭。这个狡猾的老政客大部分时间只是听威尔逊说,偶尔插几句对国联表示赞同。威尔逊对克雷孟梭的印象不错,希望美法联合对抗英国的豪斯也很高兴。威尔逊夫妇和驻扎在巴黎市外美军总部的潘兴将军共度圣诞节,然后前往伦敦。

在英国,威尔逊再次受到热烈欢迎,但与英国领导人的私下会谈一开始并不顺利。威尔逊总统对劳合·乔治及英国高级部长没有前往巴黎欢迎他而耿耿于怀,对于和会因英国大选而推迟也感到很恼火。和众多美国人一样,威尔逊对英国的感情复杂,一方面很清楚美国伟大的自由传统来自英国,另一方面又警惕甚至妒忌它的国力。威尔逊对克雷孟梭的亲密同僚安德烈·塔迪厄说:"如果英国坚持在战后维持其海上霸权,美国可以并将会向它展示如何建设海军!"在白金汉宫举行的一次招待会上,威尔逊直截了当地对一位英国官员(这位官员立刻把话传给了上司)说:"你们不能说我们是以堂兄弟的身份来的,更不能说是兄弟,我们之间什么都不是。"他接着说,谈论共同的盎格鲁-萨克逊传统会误导人,因为许多美国人来自其他文化;过分强调两国都讲英语也是愚蠢的。"这些都不是问题所在,只有两点可以建立和维持英美两国的密切关系,即共同理想和共同利益。"而当英国国王向美国总统敬酒称赞美军同时表扬英军时,威尔逊没有回敬,这让英国人更加震惊。劳合·乔治评论说:"我们是患难与共、风险共担的事业伙伴,但我们的会见却没有任何友谊的光芒和愉快的气氛。"

但是与美国保持良好关系至关重要,于是劳合·乔治开始讨好威尔逊;双方第一次谈话时,关系已经开始解冻。劳合·乔治轻松地对同僚说,威尔逊似乎可以在英国所关注的问题上做出让步,如海域自由以及德国殖民地的前途等问题。他好像只关心国联问题并希望和会一开始就讨论这个问题。劳合·乔治同意了,他说,这样可以更容易地解决其他问题。两位领导人还讨论了会议的议程问题。按惯例,他们大概会与德国以及其他战败国坐下来谈判,签订条约。

以往的经验对威尔逊想要建立的新秩序几乎没有任何指导意义。在欧洲历史及以前的战争中,胜利者和征服者所拥有的权利根深蒂固——例如,拿破仑战争结束后,战胜国可以随便占领土地,占有艺术瑰宝,并且战败国还要支付战争费用,有时还要为战争所造成的损失进行赔偿。但在最近这场战争中,大家不是对此表示反对了吗?双方都在讨论没有附加条件的公正的和平,都要求人民有选择领导人的权利。协约国的呼声比同盟国更大,更具有说服力。甚至在美国参战之前,民主、正义之类的口号就已经是战争目标了。威尔逊利用会议议程,把它制订成一套有关美好新世界的许诺。当然,他允许战胜国的一些赔偿要求:法国可以收回其失去的阿尔萨斯和洛林两省,德国赔偿其给比利时造成的损失。然而,法国人还有更多的要求:可能的话,希望德国割地赔偿,但一定要得到不再遭受其进攻的安全保证。英国人想要几个德国殖民地,意大利人想要巴尔干部分地区,日本人则想占领中国的部分地区,这些符合新外交政策的原则吗?此外,中欧的所有国家,有的已经建立,有的还在酝酿,都有各自的要求。还有殖民地人民、女权运动者、劳工代表、美国黑人宗教领袖和人道主义者。相比之下,越南国会显得比较简单低调。

克雷孟梭和劳合·乔治在与威尔逊的第一轮讨论中都指出,在前期会议上,让协约国成员表明各自在和平问题上的立场至关重要。威尔逊没有促成此项提议。如果所有预先制订好的和平条款都得以实现,那么和会就是徒有虚名了。不过,另一方面,他准备举行几次非正式会谈,以促使协约国达成共同立场。劳合·乔治对同僚说:"这其实是一回事,但总统先生还是坚持己见。"最终他们一致同意在巴黎会面进行初步探讨——最多几周时间——然后再坐下来与敌人进行谈判。此时威尔逊认为或许该返回美国了。

在与这些他即将亲密共事的人初次接触后,威尔逊前往意大利,受到了更加狂热的欢迎。但是欢呼声、招待宴会以及私人会面都无法阻拦时间的流逝。他开始怀疑这一切是否是有意的。他觉得人民是渴望和平的,但统治者却故意拖延,迟迟不作决定,其邪恶的动机不得而知。法国政府试图安排他参观战场,他气愤地拒绝了。他对一位圈中密友说:"他们想让我去看那些被战争摧毁的地区,让我看到鲜血,以使我倾向于英、法、意政府。"他不能受其影响,制订和平方案必须冷静,不能感情用事。"即使法国被炸成空壳,也不能改变最后的方案。"法国对此怀恨在心,甚至在三月份威尔逊到法国短暂访问时,依然耿耿于怀。

威尔逊总结,他和法国的意见并不像豪斯所说的那么接近。法国政府起草了一份详细的会议议程,并把国联问题置于要讨论的重大事宜的最后。阅历丰富的法国驻伦敦大使保罗·凯姆对一位英国外交官说,"和会的任务是结束与德国的战争",国联问题完全可以往后推。许多法国官员认为,国联只是战时同盟的延续,主要目标就是为了实施和平条款。一份内部文件说,难怪许多法国民众天真地认为"国联对我们有利"。克雷孟梭公开对此表示怀疑。威尔逊在伦敦发表演讲时强调,国联是为成员国提供安全的最佳方式。讲话第二天,克雷孟梭在议会发表演说,在热烈的欢呼声中,他明确表示:"有一种旧的联盟体制叫均衡权利——我并不拒绝,它将是我在和会上的指导思想。"他还不无恶意地提到威尔逊的"Candeur",这个词可以理解为"直率",但有时也可以理解为"可怜的天真"[官方记录上把这个词换成了 Grandeur(庄严)]。美国代表认为,克雷孟梭的讲话是对美国的挑战。

那次讲话以及美国的反应,埋下了最终演变为暴烈持久的戏剧化局面的导火索,尤其是在美国。一方面,思想行为纯粹的高洁之士,照亮了通往光明前途的道路,另一方面,畸形丑陋的法国怪兽,满怀愤怒和恶意,一心想着报复。一面是和平,一面是战争,听起来可以编成一个好故事,但这对双方都不公平。两者都是自由党人,都保守地对巨变持怀疑态度,但性情和经历把他们截然区分开。威尔逊认为人性本善,克雷孟梭却表示怀疑,他和欧洲有很多相通的地方。他曾经对威尔逊说:"请不要误解我,我们也是带着你常说的崇高的本能和理想来到这个世界上。我们之所以变成现在这个样子,是因为恶劣的生存环境塑造了我们。我们能活下来完全是因为强硬坚韧。"而威尔逊却生活在民主环境中,"我生活的世界是孕育美国民主党追随者的好地方。"威尔逊确信武力最终会失败,而克雷孟梭却看到了它的频频胜利。一次午餐时,他对劳合·乔治的情妇弗朗西丝·史蒂文森说:"我发现运用武力是正确的,这只鸡为什么在这儿?因为它不够强大,敌不过想杀它的人。武力的确是个好东西!"克雷孟梭不反对建立联盟,只是对它不抱有太多的信任。他本来也许支持更大规模的国际合作,但近代历史清楚地表明了时刻保持武装以防万一的重要性。在这一点上,他忠实地反映了民众的观点,法国人始终对德国极度怀疑。

1919年1月的第二周,威尔逊返回巴黎等待前期会议召开。他下榻于法国政府提供的一套私人住宅,非常舒服(威尔逊曾开玩笑说,美国通过给法国贷款间接地支付住宿费用)。缪拉酒店属于拿破仑时代一个伟大战士与拿破仑妹妹的后裔,后来借给了法国政府。随着美法关系恶化,缪拉公主将酒店收回。因此,威尔逊一行人,包括其私人医生以及威尔逊夫人的社交秘书,不得不住在堆满古董、冷清却金碧辉煌的房间里。一位前去采访总统的英国记者看到,威尔逊身穿灰色法兰绒西服坐在一张宏伟的帝王桌前,头顶悬挂着一只铜制巨鹰。

美国代表团的其他人住在稍远一些但同样非常豪华的克里昂酒店。一位美国教授在给妻子的信中说:"我分到一间很大的房间,高顶,白色镶板,有壁炉、宽敞的浴室和舒适的床,全部用鲜艳的玫瑰色装饰。"美国人非常喜欢那儿的食物,对周到的服务也非常满意,而且觉得缓慢的老式液压升降机非常有趣,它有时会突然悬停在楼层之间,直到足量的水从一个水箱流到另一个水箱。由于酒店较小,办公室只好分散在附近,有的就在马克西姆昔日的私人餐厅,那里依然散发着陈旧的酒味和发霉的食物味道。几个月间,美国人为克里昂增加了一些自己的特色：一家理发店，私人电话网络以及一顿丰富的美式早餐。当然还有门卫及在屋顶巡逻的哨兵。曾生动地描述过和会的英国外交官哈罗德·尼科尔森说："整个地方就像一艘美国战舰，味道很怪。"到访的英国人也对美国人严肃的等级观念惊诧不已；与英国人不同，美国的重要人物从不与下级一同就餐。

兰辛及其他两个全权代表怀特和布利斯的房间在二楼。但真正的权力中心却在他们楼上，即豪斯居住的防守最严的大套房。他喜欢坐在那儿，制订计划并吸引权贵前往。总理、将军、大使以及记者纷纷去拜访他。他与总统的关系始终最为密切。他们每天都要交流沟通，要么当面谈，要么通过军队技工安装的专线。有时，威尔逊会漫步到克里昂，但他从不在二楼停留，总是直接去楼上。

3 巴黎

1919年1月，来自世界各地的调停人员齐聚一堂，当时的巴黎悲伤而美丽。人们情绪低沉，神情悲哀，但妇女依然格外优雅。一位加拿大代表在给妻子的信中说："在这儿，经常可以遇到似乎从《巴黎生活》或《时尚》中走出的身影。"有钱人依然可以买到漂亮衣服和珠宝。有物资供应时，饭店依然令人赞叹。夜总会里，舞伴们欢快地跳着新式狐步舞和探戈。天气也异常温和，公园里青草依依，有些花依然绽放。由于前阵子下了很多雨，塞纳河河水猛涨。河堤两岸挤满了观看涨潮的人群，街头艺人欢歌笑舞，庆祝法国的伟大胜利，高唱即将到来的新世界。

然而，刚刚结束的大战的迹象无处不在：来自北部废墟的难民、缴获的德国大炮、德军炸弹所到之处成堆的瓦砾和用木板遮挡的窗户。一个巨大的弹坑印在杜拉瑞宫玫瑰园。由于人们把树砍了当柴火，林阴大道两旁成排的板栗树不时出现空缺。巴黎圣母院大教堂窗户上的彩色玻璃也因安全起见被存放起来，取而代之的是淡黄色的玻璃，温和的光线透过玻璃照射屋内。煤炭、牛奶和面包严重匮乏。

法国社会也满布创伤。虽然胜利的旗帜在路灯杆和窗户上高高地飘扬，但到处可见四肢不全的人及退伍军人身穿破旧的军装在街角乞讨，几乎每两个妇女就有一人服丧。左翼媒体要求革命,右翼要求镇压,罢工和抗议接踵而来。那年冬天和次年春天,满街都是身穿法国蓝色工装的游行示威的男女以及反游行的中产阶级。

英美都不希望和会在巴黎召开。正如豪斯在日记中写道:"公正的和平很难达到,而在交战国首都的氛围中就几乎不可能了。结果也许还不错,但也可能是个悲剧。"法国人易激动,由于遭受的苦难太多,对德国深恶痛绝,所以很难营造和会需要的冷静的氛围。威尔逊一直希望在日内瓦举行,但来自瑞士的警报说日内瓦正处于革命边缘并饱受德国间谍之苦。而克雷孟梭坚决要求在巴黎召开和会。后来,劳合·乔治非常恼火,他说:"我从来不想在他的首都举行和会,豪斯和我都认为在中立国举行会更好,但这个老家伙哭哭啼啼,反复抗议,使我们不得不让步。"

具有传奇色彩的是,克雷孟梭临终前要求正对着德国而葬。他倾其大半生警防法国之强邻,这样说毫不过分。普法战争爆发时,他年仅28岁,是法军战败后依然战斗在巴黎的青年共和军的一员。他目睹了城市的饥荒、法国政府投降及新的德意志帝国在凡尔赛宫镜厅宣布成立。作为一名新当选的代表,他反对同德国签订的和平条约。作为一名记者、作家和政治家并最终作为总理,他一直发出相同的警告:德国是法国的威胁。在他逝世前不久,他对一名美国记者说:"由于德国对法国的罪恶行径,我一生所有的恨全部给了德国。"1871年之后,他没有主动挑起过战争,只是不可避免地接受。他说,问题不在法国,"德国认为主宰他人意味着胜利,而我们不认为战败就要受奴役"。

为了争取胜利,克雷孟梭始终认为法国需要联盟。1914年之前,德国是个不可战胜的对手,其工业、出口额及财富都在增长,而法国则停滞不前,且出生率下降。现在,纯粹的士兵数量在决定战争胜负时影响力变小,人们很难想像在当时召集大规模军队前往战场的重要性。在接下来的许可辩论中,克雷孟梭对法国参议院说,对德和约"没有明确指出法国人必须多生孩子,但这却是包括在内的首要大事"。这些劣势是法国人求助于其宿敌——东部的沙皇俄国和海峡对岸的英国的原因,他们需要借助俄国的人力和英国的工业及海军力量抵抗德国。1918年,形势大变,但内在的不平衡依然如故。德国人仍然比法国人多,基础设施大体完整的德国多久能够恢复经济呢?而且,现在法国也不能指望俄国了。

和会期间,法国盟国对法国的顽固、贪婪和强烈的报复心非常恼火。他们没有遭受过法国所经历的苦难。列有一战和二战死亡名单的战争纪念馆遍布每一个城市、乡镇和村庄,向人们讲述着法国的惨重损失。四分之一介于18岁和30岁之间的法国男子死于战争,共有130多万。而战前法国总人口是400万。法国死亡人数占总人口的比例比其他任何一个交战国都高,而且还有260多万士兵在战争中负伤。在北部,大片土地被炸得千疮百孔,带有一排排十字架的战壕纵横交错。在战斗最惨烈的凡尔登周围,生灵涂炭,鸟声绝迹。为法国经济发展提供能源动力的煤矿被淹;工厂要么被夷为平地,要么被德国抢走。6,000平方英里的法国领土战前曾出产法国20%的粮食,90%的铁矿和65%的钢铁,现在完全被毁,如果威尔逊早点去法国亲自看看这些损失,或许更能理解克雷孟梭的要求。

和会中,克雷孟梭想把所有线索都掌握在自己手中。法国代表团动用了法国最好的人选,但在和会最初四个月却根本没有会面。令他们气恼的是,克雷孟梭很少咨询外交部的专家。他曾邀请来自大学的专家起草法国经济及领土索赔报告,并出席和会中多如牛毛的委员会,但对他们也不重视。来自伦敦的聪明的老头保罗·康邦抱怨说:"他的想法毫无组织,工作不讲方法,所有工作及责任都集于一身,因此什么也做不成。而且,这位78岁的老人身体不好,患有糖尿病,每天接待50个人,日理万机,而这些本应该交给部长大臣们处理的……我在战争中都没有像现在和谈时这么难受。"

克雷孟梭的外交部长毕勋和蔼、懒散、优柔寡断,他每天早晨接受指示,从未想过不服从命令。克雷孟梭非常喜欢他,但却是一种漫不经心的喜欢。有一天,他突然问:"谁是毕勋?"有人回答说:"你的外交部长。""原来如此,"他说,"我都忘了。"还有一次,毕勋和一帮专家在幕后耐心等待会议开幕,克雷孟梭嘲笑鲍尔弗的顾问太多,鲍尔弗反讥道:"他们的工作和与你在一起的更大的一帮人做的事一样。"克雷孟梭气急败坏。转过身向毕勋说道:"统统出去,你们一点用都没有!"

如果克雷孟梭也讨论问题,那就是晚上在他房里,与包括忠实助手亨利·莫达克将军,聪明但令人讨厌的安德烈·塔迪厄以及实业家路易斯·卢舍尔在内的一小群人。他让警察看着他们,让他们时刻保持警觉。每天早上,他都会给他们发一份材料,里面详细记录了前一天的活动。他总是尽可能忽略他讨厌的雷蒙德·庞加莱。

在漫长的一生中,克雷孟梭坚持自我,不可战胜。他的敌人声称他歪斜的眼睛和残忍的性格是匈奴人遗传的。他于1841年出生在法国某地一个小绅士家庭,该地区环境优美,却有暴力历史。总的来说,这里的人总是站错立场;在天主教胜出的宗教战争中,他们是新教;法国革命中,他们是天主教徒和保皇派,克雷孟梭一家是少数中的少数,他们是共和党,激进而且坚决反对教士。克雷孟梭觉得小市民都是傻瓜,但他经常回到家族阴暗的庄园宅邸,这里是石板地面,壕沟环绕,陈设简朴。

和父亲一样,他学医出身,也和父亲一样,他从不看病。对他来说,学习始终是位于写作、政治活动和恋爱之后的。和其他年轻人一样,他也被吸引到激进的知识分子、记者和艺术家云集的巴黎。19世纪60年代后期,他在共和党人向往的自由之地美国呆了很长时间。

旅行练就了他流利的英语，偶尔还说几句混合了北方佬拖长调以及法国卷舌音的过时的纽约俚语。在一所女子学校教授法语时，他结识了一位来自新西兰的女孩玛丽·普拉莫。她可爱单纯，非常传统保守并最终成为他的妻子。他带她回到法国，并让她与父母及在旺代的单身姨妈一起生活了很长时间。他们的婚姻并不持久，但玛丽·普拉莫一直住在巴黎，靠带美国游客参观博物馆补贴微薄的养老金。分手后，她几乎没有再见过克雷孟梭，但虔诚地收集有关他的剪报，不幸的是，她看不懂，因为她从未学过法语。1917年她去世后，克雷孟梭不无遗憾地说："她嫁给我真是个悲剧！"

克雷孟梭家族抚养了他们的3个孩子。他没有再婚，宁愿独自走完一生。当然，他有女朋友和情人。他肯定地说："我一生从来不用求女人。"1919年，他略带自嘲地抱怨说，当他年老体衰，已无能为力时，女人们却纷纷自己送上门来。

他热爱法国和政治。1870年，随着拿破仑第三帝国垮台和第三共和国的兴起，参与公众生活的大门向他和其他一些激进的政治家敞开着。克雷孟梭自称是个头脑敏锐、充满智慧的演说家和坚决的反对者。例如，与老朋友艾米莉·左拉一道，他帮助重新展开有关处理阿尔弗雷德·德莱弗斯事件的讨论。但即使在左翼，也没有人信任他。他生活中可疑的金融家太多了，从声名狼藉的女人到讨债的债主。抨击权威时，他毫不留情，并准备为胜利而不择手段。一个了解他的人说："他来自狼窝。"他的对手觉得他像大仲马小说中的人物。克雷孟梭对世俗常规的蔑视以及强烈的愤世嫉俗对他并不利。劳合·乔治曾这样评价他："他热爱法国，却痛恨所有法国人。"直到1906年，60多岁的他才成为政府大臣。

他的密友看到的是另一面。克雷孟梭对朋友忠心耿耿，朋友们对他也很忠实。他善良友好而且也舍得花时间和金钱。他喜欢他的花园，虽然据一位参观过的人说："整个花园就是各种种子乱撒一通。"他拥有一处乡村别墅，靠近吉维尼（莫奈故居所在地——译注）和克劳德·莫奈，他非常好的朋友。在巴黎，他经常顺路去参观那伟大的画作——《睡莲》，"每次进那个房间，我都因它们的美丽而窒息。"但他不能忍受雷诺阿的绘画："他足以让你永远对爱反感，不应该让他画这些少女的屁股。"

克雷孟梭异常勇敢也很固执。1914年，德军开始攻占巴黎，法国国会讨论要撤离。克雷孟梭说："对，我们离前线太远了。"1917年，西线法军全线溃败并谣传国内失陷，在那些黑暗的日子里，胜利之父克雷孟梭最终重新振作。作为总理，他团结法国上下并最终取得胜利。1918年春，德军最后一次大举进攻巴黎，克雷孟梭明确表示决不投降。如果德军占领了巴黎，他打算留到最后一刻，然后乘飞机逃离。当听说德军同意停战协定时，他有生以来第一次激动得说不出话来，双手抱头而泣。11月11日晚，他与他最疼爱的妹妹索菲漫步巴黎。当看到人群把缴获的德国枪支砸成碎片时,他说:"战争胜利了,把这些给孩子们玩吧。但现在我们要赢得和平,或许这会更困难。"

在所有强国中,法国在对德和约中风险最大。英国基本上得到了想要的,德国舰队和主要殖民地已经牢牢在握,而且美国与德国也被大西洋远远隔开。法国不光遭受的苦难最多,需要担心的事情也最多。无论如何,德国还是位于其东部边境,世上的德国人还是比法国人多。甚至1919年在法国销售的刻有"福煦"和"战争胜利"字样的小折刀也是在德国生产的。法国渴望报仇和赔偿,但更需要安全,没有人比总理更明白这一点。

克雷孟梭坚信只有保持战时联盟,法国才安全。1918年12月,他在下议院说:"为了保持国家间互相谅解,我们可以做任何牺牲。"和会期间不管分歧多严重,他都牢记这一点。他对最亲信的顾问说,法国民众必须记住,"没有英美,法国可能已经不复存在了。"在和劳合·乔治的一次激烈争吵中,他说:"我希望你承认,我在和会中的政策与英美非常一致。"

克雷孟梭的政策是一回事,如何说服法国官兵遵守是另外一回事。参加和会的英国秘书汉克抱怨说:"我发现他们诡计多端,一点也不按规矩办事。"对过去的辉煌念念不忘,坚信法兰西文明最优越,憎恨盎格鲁-萨克逊的繁荣,因胜利而解脱,以及对德国的惧怕,这些都让法国变得很难对付。一位英国专家慰问驻扎在莱茵兰的法国占领军时写道:"人们不禁觉得,突然之间,50年来发生的一切都被一笔勾销,法国士兵重新找到了昔日的帝国和革命;自信,愉快,敏捷,而且对他们所肩负着的为德国带去更高文明的历史使命驾轻就熟。"和英国人一样,美国人也觉得有时候法国人非常讨厌。一位美国专家在日记中写道:"法国最根本的问题是,对它而言,胜利是虚假的,但却假设它是真的并让自己相信这一点。"美国官员多次与法国官员发生冲突,普通士兵也常常在大街上和餐馆里互相争吵。

也许,克雷孟梭没有与任何国家领导人建立良好的私人关系是不幸的。和会期间,威尔逊与劳合·乔治经常互相拜访,并在午餐或晚餐时频繁会面。克雷孟梭喜欢独自用餐或和他一小帮顾问一起吃。劳合·乔治说:"那样有不利之处,如果为了社交目的与人会面,你可以提出一些观点。进步了,你可以继续前进,否则就放弃。"克雷孟梭从不关心普通社交生活,1919年,在巴黎,他把日益衰减的精力全部用于谈判。

克雷孟梭是三巨头中年龄最大的,虽然相对于他的年龄来说他的身体还算强壮。他手上的湿疹相当严重,所以总是带着手套。他还有睡眠障碍,经常凌晨三点钟就起床,然后看书看到七点,随便吃点麦片做早餐。之后,他接着工作,直到按摩师兼教练前来陪他锻炼(通常包括他最喜欢的击剑)。上午,他一般都在开会,但中午总是回家吃他的标准午餐:水煮蛋和一杯水,然后工作整整一下午,然后吃简单的晚餐,牛奶加面包,九点上床睡觉。他的仆人来自旺代,已经跟随他多年。偶尔,他也去劳合·乔治位于尼托特大街的公寓喝茶,品尝那儿的厨师烤制的他最喜欢的猫舌饼。

克雷孟梭不太喜欢威尔逊和劳合·乔治。他说:"我发现自己一边是基督耶稣,一边是拿破仑·波拿巴。"这一说法很快传遍巴黎,他觉得威尔逊让人捉摸不透:"我认为他不是坏人,但不清楚他有多好。"他还觉得威尔逊清高、傲慢。"他对欧洲一无所知,而且想理解他简直太难了。他以为按照公式和十四点原则,什么问题都可以解决。上帝也只提出十诫而已。威尔逊却谦逊地要把十四点强加于我们……最空洞的十四条戒律!"

在克雷孟梭看来,劳合·乔治更有趣,也更阴险,不可信任。在英法之间有关中东控制权的漫长而激烈的谈判中,克雷孟梭被所看到的气得怒不可遏,因为劳合·乔治也退出了他们的协议。这两个人有一些共性——步入政坛时都是激进派,办事效率都很高——但同样也有很大的区别。克雷孟梭是个知识分子,而劳合·乔治不是;克雷孟梭理智,而劳合·乔治直觉力强;克雷孟梭有18世纪绅士的品位和价值观,而劳合·乔治属于中产阶级。

克雷孟梭与自己的同僚也有矛盾,包括法国总统。他对一位美国朋友说:"世界上有两个毫无用处的东西,一个是阑尾,一个是庞加莱!"总统矮小精悍,谨小慎微,墨守成规,是个虔诚的天主教徒。"一个十足的讨厌鬼,枯燥乏味,令人生厌,而且不勇敢。""是审慎精明使它存活到今天——一种令人讨厌的动物,不过幸好目前只有这一个标本。"克雷孟梭几年来一直在攻击庞加莱,散布有关总统妻子的丑闻,他会大叫,"想和总统夫人上床吗?好,我的朋友,就这么定了。"战争期间,克雷孟梭非常不公地因战争指挥问题批评总统。正如庞加莱所说:"他很清楚他说的不是事实,宪法没有给我任何权利。"

庞加莱以牙还牙,他在日记中写道,"一个疯子,苍老、愚蠢、虚荣。"但奇怪的是,在一些关键问题上,他和克雷孟梭却能达成一致。他们都憎恨惧怕德国。庞加莱在战争最艰难的时期也反对失败主义者,而且是他把克雷孟梭提拔为总理的,因为他看出克雷孟梭打败德国的决心和意志。有一段短暂的时期,他们似乎宣布停战。1917年,克雷孟梭在第一次内阁会议前问道:"雷蒙德,老朋友,我们会好起来吗?"6个月后,庞加莱忿忿地抱怨克雷孟梭没有征求他的意见。战争胜利后,两人在收复的洛林省省会麦茨公开拥抱,但关系依然紧张。庞加莱对克雷孟梭的办事方式牢骚满腹。停战协定来得太早:法国军队本应该进一步向德国推进。法国对收复的阿尔萨斯和洛林两省处理不当。作为洛林人,庞加莱和那里的许多人还有联系,他们告诉他许多居民都持亲德态度,法国当局言行有失得体,得罪了他们。克雷孟梭不重视财政问题,而且外交政策一团糟,向英美让步太多。当克雷孟梭同意英语与法语一起成为和会的官方语言时,庞加莱气愤不已,公众对克雷孟梭的吹捧更让他怒火中烧。他写道:"所有法国人都像信仰新上帝一样信任他,而我却被媒体侮辱……除了侮辱,没有人再谈论我。"

令庞加莱及有影响力的殖民地游说团沮丧的是,克雷孟梭几乎不关心收回法国殖民地,对中东也不怎么感兴趣。和会开幕前,他有关战争目标的简短发言故意说得含糊其辞,一方面足以让法国民众放心,同时又不至于使自己被任何僵硬的要求捆住。战争期间的官方发言仅仅提到解放比利时,被占领的法国领土,受压迫人民的自由以及阿尔萨斯和洛林。正如他对下议院所说,他的工作就是制造战争。至于和平,他对一位记者说:"有必要提前宣布想做的一切吗?没有!"1918年12月29日,议院的评论家强烈要求他更明确一些,但遭其拒绝。"和平问题极其重要",谈判也将充满欺骗性。"我将不得不做出声明,但现在不会"。为了法国更大的利益,他不得不做出一些牺牲。他要求进行一次信任票选举,结果他以398票比93票胜出,现在他的主要对手是他的盟国。

4 劳合·乔治和大英帝国代表团

1月11日,英国首相大卫·劳合·乔治与往常一样精力十足地登上一艘英国驱逐舰,准备横渡英吉利海峡。他抵达巴黎时,对和会至关重要的三个关键人物终于齐集一地。虽然,他仍然和威尔逊看法一致,但他和克雷孟梭自1908年就熟识了。他们初次相见时,克雷孟梭已经是个有名的政治家了,而劳合·乔治仅仅是个大有前途的青年。会面并不成功。克雷孟梭觉得劳合·乔治对欧洲和美国无知到令人震惊的地步,而他留给劳合·乔治的印象则是"令人讨厌,脾气暴躁的野蛮老头"。他说,他发现在克雷孟梭的大脑中"没有仁慈、尊重和友好"。战争期间,当劳合·乔治不得不和他打交道时,他明确表示不得再恃强凌弱。最后,他声称他非常欣赏克雷孟梭的智慧、坚强和爱国热情。克雷孟梭也勉强喜欢上了劳合·乔治,虽然他经常抱怨劳合·乔治没有教养。这个法国老头严厉地说,他不是个"英国绅士"。

和会三巨头都带着各自国家的特色前去谈判:威尔逊带着美国的仁慈,确信美国的方式是最好的,并且对欧洲可能意识不到这一点而有一丝不安的怀疑。克雷孟梭则带着法国深沉的爱国精神,胜利的安慰以及对德国复兴永远的忧惧。劳合·乔治则关心英国的殖民地及其强大的海军。每个人都代表国家的利益,同时也代表个人。他们的成败、劳累、疾病和喜好都会影响和平方案。从一月到六月底,除了二月和三月中旬(那时,威尔逊和劳合·乔治分别返回国内),三巨头每天会晤,通常是上午和下午。起先,他们都有外交部长和顾问陪同,但三月以后,他们单独会面,只带一两个秘书,偶尔带个专家。如此频繁的面对面的会谈迫使他们相互了解、喜欢,也互相激怒对方。

三人中,劳合·乔治最年轻,他性格欢快,面色红润,有一双漂亮的蓝眼睛和一头蓬乱的白发("你好!请问您是查理·卓别林吗?"有个小女孩曾这样问他)。令威尔逊记忆犹新的美国内战结束时,他才两岁。当克雷孟梭见证在普鲁士打败法国后的战争余殃中重建的德国时,劳合·乔治还在读小学。他不但年轻,而且身体好,适应能力强。威尔逊为遵守自己提出的原则焦虑成疾,克雷孟梭为法国的需求彻夜不眠,劳合·乔治却接受挑战和危机而不断进步。正如罗伯特·塞西尔勋爵,一个从未认可过他的保守党人不无敬佩地说:"无论会上发生什么,工作多么艰难,责任多么重大,劳合·乔治先生总是处于最佳状态——经常发表高明而毫无恶意的评论以戏弄同僚。"

他深爱的一个女儿去世了,个人丑闻和政治上的争议差点毁了他的事业,经历过这些紧张时刻后,他懂得了悲剧的滋味和含义。在他先后担任军需大臣及战争大臣的四年中,他顶着巨大的压力工作。1916年底,协约国似乎已经彻底被摧毁,他接过首相重任成为联合政府首领。和克雷孟梭一样,他使全国上下团结一致并最终走向胜利。1919年,他在选举中再次获胜,但联合政府的大多数人却并不真正属于他。他是自由党人,而其支持者及最重要的内阁成员却基本上是保守党人。虽然他和保守党领导人波纳·劳关系密切稳固,他还是得保持警惕,小心提防。他的竞争对手,已下台的前自由党人首相赫伯特·阿斯奎斯也在潜伏中静坐反思,随时准备反攻。许多保守党人依然记得他过去的激进行为,担心会像以前自己的领导人迪斯雷利一样给他们带来灾难,他们在猜想劳合·乔治会不会太聪明、太敏捷、太不合常规。劳合·乔治在新闻界也面临强敌。媒体大王北岩爵士从夸大狂急转为偏执狂,也许这是使他丧命的梅毒病的早期征兆。他之所以选北岩(Northcliffe)这个名字是因为首字母与拿破仑的一样。他确信是他通过包括《泰晤士报》和《每日邮报》在内的报纸的支持把劳合·乔治扶上首相宝座的;而现在他的创造物却拒绝任命他为战争内阁大臣和驻巴黎的英国代表团代表,为此,他非常生气。

另外,劳合·乔治还得应付没有为和平做好准备的国家,战争的胜利使人们抱有巨大的甚至不理智的期望:他们以为和平谈判轻而易举;工资和福利将会上涨,税收则会下降;

社会会变得和谐,也有人认为社会会出现动乱。公众情绪也难于把握:时而一心复仇,时而逃避。1919年最流行的书是出自一儿童之手的戏剧小说——《年轻的来访者》。由于国内劳工暴动,国会叛乱以及棘手的爱尔兰问题,逗留巴黎期间,劳合·乔治不得不分出精力处理这些问题。但谈判时,他总是全力以赴,似乎头脑里再也没有别的事情。

如果有人和拿破仑很像,这个人并不是受骗的可怜虫北岩爵士,而是他所憎恶的人。拿破仑曾这样评价自己:"不同的问题和事务就像橱柜里的物品一样排列在我的大脑里。当我想打断某种思绪时,我会合上抽屉,打开另一个。我想睡觉了吗?那我就关上所有抽屉,然后我就睡着了。"劳合·乔治具备这种专注然后迅速恢复的能力,精力充沛而且喜欢接受进攻。他对一位威尔士的朋友说:"这个英国人不打不成交,从不尊重别人,只有被人揍了一顿后,才知道该亲切和蔼地待人。"

和拿破仑一样,劳合·乔治也是猜忌心很重的人。他对情人弗朗西丝·史蒂文森说:"我对人很感兴趣——猜他们是谁——他们在想什么——他们的生活怎样——他们生活得愉快还是无聊。"他不但善于言谈而且善于聆听。无论贵贱、长幼,所有见过他的人都觉得有重要的事跟他谈。邱吉尔认为:"劳合·乔治性格中最值得钦佩的优点之一是平易近人,虽然身居高位,却毫不自负,不摆官架。而且他对了解他的人一视同仁,始终如一;随时准备争论并听取逆耳之言,即使颇具争议。"他的魅力来源于好奇心和专注的结合。

劳合·乔治还是个大演说家。克雷孟梭发表观点时清晰明了,具有讽刺挖苦意味;威尔逊长篇大论,布道说教;劳合·乔治则采用精心准备却同样自然的演讲,感人而充满睿智,亲切而鼓舞人心。他就像个优秀的演员,很善于控制听众,他对询问演讲技巧的某个人说:"我时而停顿,时而伸出手让他们向我靠拢。那时他们就像孩子,而且是小孩子。"

喜欢制造有关和会神话的约翰·梅纳德·凯恩斯,为劳合·乔治编造了一个特殊的故事。这位伟大的经济学家问道:"怎样才能为读者公正地描述我们时代这个非同寻常的人物呢?这个海妖,这个魔鬼,这个来自被巫婆施过魔法的古老的凯尔特森林的半人半兽?"这也反映了剑桥及冷漠的约翰·布尔的观点,不过说得想入非非,荒唐离谱。劳合·乔治的家乡威尔士地域狭小,朴素庄重,石矿和造船业比较发达,渔业和农业也别具特色,那里的人都比一般英国人擅长唱歌。

劳合·乔治喜欢说自己出身卑微,但实际上,他来自受过教育的技工阶层。他的父亲是教师,在他很小的时候就去世了。抚养他长大的叔叔是个手艺精湛的补鞋匠和非神职布道者,在当地小村庄德高望重。作为一个参照点,威尔士对劳合·乔治一直很重要,可以衡量他走了多远,成就有多大。当然还有一些情感方面的原因(虽然在那儿呆久了,他很快就会厌烦)。他曾经预见自己在更广阔的天地施展才能。那么哪里有比世界上最大的帝国的首都更大的舞台呢？正如他给后来成为他妻子的一个当地女孩的信中写道："我的最高理想是向上攀登。"

他有那样一个叔叔真是幸运,总给他无微不至的关怀和大力支持。当年少的劳合·乔治发现他失去对上帝的信仰时,作为非神职布道者的叔叔原谅了他。当他决定学习法律时,他的叔叔又提前一步学完法语语法以帮助他达到语言要求。当没钱没势的他下了巨大赌注决心从政时,他的叔叔一如既往表示支持。可惜这位老人只活到侄儿刚刚当上首相就去世了。

劳合·乔治天生适合从政。无论是委员会的辛苦工作还是重大的政治运动,他全都非常热衷。虽然喜欢唇枪舌剑,但本质上却十分善良。与威尔逊和克雷孟梭不同,他不憎恨对手,在政界也不是知识分子。虽然博览群书,依然喜欢咨询专家。他反应敏捷,总是对所讨论的话题驾轻就熟。有一次在和会中,凯恩斯和一位同僚突然发现交给他的有关亚得里亚海的详细介绍有误,他们急忙把需要修改的地方写到一张纸上,然后冲到会场,不过,劳合·乔治已经开始讲话了。当凯恩斯把那张纸递过去时,他瞟了一眼,没有停顿,然后慢慢地调整论证,最后得出一个与刚开始完全相反的结论。

起初,他是个重要的激进派政治家。与攻击大银行的威尔逊和攻击教会的克雷孟梭不同,劳合·乔治的主要攻击目标是地主和贵族,他非常喜欢商人,尤其是那些白手起家的(他也经常喜欢上这些商人的妻子)。作为财政大臣,他推行激进的财政预算,向富人征收收入所得税,同时向穷人发放救济,但他不是社会主义者。和威尔逊与克雷孟梭一样,他不喜欢集体主义,虽然他一向愿意与温和的社会主义者合作,正如他随时准备与保守党人合作一样。

他还是个优秀的、富有个性的行政人员。他打破已有规矩,引进行政机关以外的精英到政府部门任职。他邀请所有利益方评价他的提案以确保其顺利通过,并邀请劳工纠纷双方与他坐下来一同解决矛盾。虽然这种做法目前很普遍,但在当时却非同一般。一位曾亲见他解决一次铁路纠纷的目击者说:"他就像拨弄乐器琴弦一样摆弄那些人,时而请求,时而劝说,一会儿不苟言笑,一会儿轻松有趣,一会儿又威胁恐吓,真是变化多端。"

作为天生的乐天派,他相信再难的问题都有解决办法。他孩子的一位朋友说:"对他来说,每天早上不是新的一天,而意味着新的生命,新的机遇。"有时,他的行为风险很大,而且卷入一些颇具争议的交易——阿根廷矿井或在知情企业购买股票——但他似乎只是为了财政独立而不是受贪婪驱使。他在私生活方面也同样粗心大意。克雷孟梭与女人的绯闻使他名气大增,而劳合·乔治却没有那么幸运。愤怒的丈夫们多次威胁在离婚法庭上指名道姓起诉他,他也几乎因此落难。他的妻子非常坚强,对他忠贞不渝,但最终分居。她喜欢住在威尔士北部照料她爱的花园,他也对长期两地分居的婚姻习以为常。直到1919年,他最终与小女儿的家庭教师,一个年轻女子弗朗西丝·史蒂文森确定关系,她有教养,办事高效而且很有头脑,是他的情人、精神伴侣和工作上的得力助手。

人们通常认为劳合·乔治只不过是个机会主义者。克雷孟梭曾把他看作英国律师。他说:"他为了打赢官司什么手段都用。必要的话,他还会用自己前一天驳斥过的论据。"善于发现他人缺点的威尔逊认为劳合·乔治缺乏原则。他希望能和不像劳合·乔治那么狡猾的人打交道,因为他老是"拖沓敷衍,妥协让步"。实际上,劳合·乔治很讲原则,但却同样讲求实用,他不愿在堂吉诃德式的荒唐行动上浪费精力。当英国向南非小共和国布尔宣战时,他反对布尔战争,因为它既不正义也不值得。在伯明翰演讲时,他公开表示坚决反对,愤怒的人群涌向讲台,差点让他丢了性命。但却给他带来政治回报。当英国人磕磕绊绊终于取得来之不易的和平时,劳合·乔治成了国家领袖。

大战爆发时,他难免扮演重要角色。正如他日益亲密的朋友邱吉尔所写:"劳合·乔治具有非凡的洞察力和勇气,他随机应变——措施影响深远,计策新颖奇特。"他憎恶战争,1916年,他对一位工党代表说:"但是一旦你已经卷入,就必须坚强地打完,否则一切都白费。"英明老练的保守党人阿瑟·鲍尔弗多次见证过领导人更替,他评价劳合·乔治说:"他容易冲动,感情用事,战争之前,他从未考虑过军事问题;也许他还没有充分意识到自己的无知;而且他还有些怪癖,使人有时很难和他共事。"但鲍尔弗认为,只有他才能领导好英国。

虽然劳合·乔治已经从小村庄走出很远,但却从不属于上流社会。在他任首相期间,唐宁街十号的造访者感觉他们置身于移自威尔士北部某个繁荣的海滨小镇的家庭。他和夫人都不喜欢拜访宏伟的皇宫,他还非常讨厌与国王和王后呆在一起。当乔治五世邀请他在国会开幕式上拿象征荣誉的英国国剑时,他私下说"我不要做男仆",并因此拒绝。劳合·乔治的多数朋友都和他一样白手起家,来自名门望族的鲍尔弗是个特例,而且他甘居次位,非常适合作劳合·乔治的外交部长。

劳合·乔治决心以自己的方式争取和平。他尽量忽略外交部并任用自己挑选的一班年轻人马。其他官员非常痛恨他的私人秘书——思想高尚,虔诚而傲慢的菲利浦·克尔。因为劳合·乔治讨厌看备忘录,负责处理信件的克尔就成了他的守门人。有时鲍尔弗问克尔首相是否看过某份文件,克尔告诉他没有,但他自己看过,鲍尔弗会生气地斥责几句,"你看过和首相看过还不是一回事吗,菲利浦,是吗?"外交官们对此也互相抱怨,被留在伦敦看家的寇松勋爵更是痛苦,但劳合·乔治对此视而不见。

这对英国来说是件坏事吗?显而易见,他没有前任索尔兹伯里勋爵或继任邱吉尔的外交手腕,而且知识严重欠缺。1916年,他曾问:"谁是斯洛伐克人?我不知道他们在什么位置。"他的地理知识同样残缺不全,1918年他对下属说:"真有意思,新西兰竟然在澳大利亚东部。"1919年,土耳其军队从地中海向东部撤退,劳合·乔治竟说他们逃往麦加。寇松严厉地纠正道:"是安卡拉。"他漫不经心地答道:"寇松能指出我的小错误真是太好了。"但他也经常得出合情合理的结论(虽然他对专家的蔑视及自身的热情也让他犯了不少错误,比如支持重建希腊)。战争期间,他对一个朋友说,必须战胜德国,但不是毁灭,那对欧洲和大英帝国没有任何好处,反而给俄国的强大制造了机会。他清楚英国的利益所在:贸易及帝国,掌握海上霸权并使欧洲权力平衡以保护其利益不受威胁。

他意识到英国不可能独自达到这些目标。虽然英国的军事力量依然强大,但恢复和平后,其国力迅速萎缩。1919年,英军规模曾一度缩减了三分之二,当时,英军责任繁多,负责巴尔干地区各国、俄国和阿富汗,而且还要处理帝国内部越来越多的问题,包括印度、埃及及家门口的爱尔兰。对于接二连三的派兵请求,总参谋绝望地回答:"没有多余的部队可以派遣了。"权力的重担也使经济不堪重负。英国不再是世界的金融中心,而是美国,而且英国欠美国巨额贷款。劳合·乔治对此一清二楚。不过,和往常一样,他乐观地认为可以和美国搞好关系以弥补英国的弱点。或许,美国会负责诸如君士坦丁堡海峡之类的战略要地。

另一方面,劳合·乔治参加和会相对较有优势,至少比法国和意大利要好。英国的许多要求都已经得到满足。威胁英国在全球势力的德国舰队、在斯卡珀湾的水面舰队以及哈里齐的大部分潜艇都已经在英国的掌握之中了。德国的加煤站、港口以及电报站也被日本和英国瓜分。劳合·乔治在巴黎说:"如果你12个月以前告诉英国人他们能保住现有的一切,他们会以为你在嘲笑他们。德国海军已被接管,商船也被接管,而且德国殖民地也被取缔。我们的主要贸易对手之一已经严重受挫,盟国成了它最大的债主。这些都是不小的成就。"

还有更多:"我们消灭了他国对印度殖民地的威胁。"19世纪以来,俄国南下的野心一直让英国政客惊恐不安,现在,至少短期看来,俄国已不再强大,而且沿其南部边境及波斯、高加索境内都是英国部队及英国势力范围。

另外,与印度的交通路线空前稳固。战前,英国政策大多是为了保护横穿地中海、苏伊士运河及红海的路线,要么像对待埃及问题一样采取直接接管制,要么靠支持摇摇欲坠的奥斯曼帝国。如今这个帝国已经被消灭,但多亏了与法国的一项秘密协议,英国稳稳地得到了它想要的。英国外交部及军队还梦想有新的路线,即横穿黑海到高加索,然后南下或乘飞机经由希腊和美索不达米亚。如果英军能够快速占领所需领土,这些同样可以得到保障。

由于劳合·乔治反对布尔战争,人们通常以为他不是殖民主义者。相反,他一向以大英帝国为荣,但却没能妥善管理。试图让伦敦管理殖民地的一切是愚蠢而不可行的。要保持帝国强大就必须最大限度地允许自治,只在国防及共同的外交政策等重大问题上采取殖民政策。因为自治——他同时在想苏格兰、家乡威尔士和麻烦不断的爱尔兰——各殖民地会心甘情愿地花钱管理自己。在一次演讲中,有人起哄喊道,"让地狱也自治!""对,"劳合·乔治回击道,"让每个人都为自己的国家说话。"英国自治领——澳大利亚、加拿大、新西兰、纽芬兰及南非——已经开始部分自治。连印度也在缓慢地向自治过渡,但由于印度种族混杂,欧洲人极少,而且宗教及语言繁多,劳合·乔治怀疑它是否有能力自治。他从未去过印度,对那里知之甚少,但按当时的观点,他认为印度人及其他棕色人种都是劣等民族。

1916年,当选为首相后不久,劳合·乔治对下议院说,时机已经成熟,我们可以正式与自治领及印度磋商赢得战争的最佳途径。为此,他打算组建皇家战争内阁,不但是个姿态,同时也很必要。自治领及印度为支持英国作战提供原材料、军火、贷款以及最重要的人力——将近125万印度士兵及来自自治领的100万战士。正如澳大利亚总理比利·休斯不厌其烦地强调,到1918年,澳大利亚阵亡人数超过美国。

到1916年,原本对英国毕恭毕敬的自治领逐渐发展壮大。其人民及其将军已经对加拿大总理罗伯特·博登所说的"英军总部的无能及愚蠢"见怪不怪了。他们知道自己对战争的贡献有多重要,也清楚为此付出的血的代价。作为回报,他们希望能够参与对战争及接下来的和平的讨论。英国人民对此表示理解,战前他们鄙视粗俗的殖民地人民以示爱国情结,而现在却对其顽强的生命力表示敬佩。1916年,比利·休斯访问伦敦时成了明星,妇女们高举"我们要休斯回来"以及画有其卡通像写着"没有他的战争都不完整"的标语上街游行。还有南非的外交部长、战士及政客简恩·斯马兹,有人甚至把他看作先知,战争后半期,他大部分时间是在伦敦度过的。虽然,斯马兹曾反抗英国15年,但现在却是劳合·乔治设立的战争内阁委员会中最让人信服的顾问之一。他广受赞誉,劳合·乔治说:"在这痛苦的几年中,他所做的贡献怎么赞扬都不过分。"

停战前最后几天,澳大利亚的休斯及加拿大的博登非常气愤,因为英国战争内阁授权劳合·乔治和鲍尔弗前往设在巴黎的最高战争委员会与其他协约国共同商量对德和约条款,却没有通知自治领。休斯也强烈反对把威尔逊十四点原则作为和谈基础,认为它是"对信仰的严重破坏"。最令自治领领导人恼怒的是,英国人认为他们应该作为英国代表团的一部分参加和会。为了缓和他们的情绪,劳合·乔治提议可以让自治领的某个总理作为英国五个全权代表之一。但选哪一个呢?正如汉克所说:"自治领之间像猫一样互相嫉妒。"博登在给妻子的信中说,有关代表的根本问题在于自治领的地位从未被妥善地处理过。加拿大是"一个民族却不是一个国家,现在是该改变的时候了"。他还不无遗憾地说:"英国部长们已经尽了最大努力,但还是不够好。"他对汉克说,如果加拿大在和会没有全权代表,他只好"收拾行李,返回加拿大,召集国会并向他们汇报全部经过"。

最终劳合·乔治做出让步:不但五个主要代表之一会选自自治领,而且他会告诉盟国,自治领和印度要求在和会有单独代表。这是1919年1月12日他到达巴黎后最先提出的问题之一。由于仅仅是英国傀儡——和额外的英国选票,美国人和法国人对此漠不关心。当劳合·乔治勉强提出自治领和印度可以像泰国和葡萄牙一样分别派一个代表时,又激起帝国同僚新的不满。他们说鉴于他们做出的巨大牺牲,他们不能忍受小国待遇。无可奈何的劳合·乔治又说服克雷孟梭和威尔逊同意加拿大、澳大利亚、南非和印度分别派两个全权代表,新西兰派一个。

殖民地的自信使英国人大吃一惊。一个外交官说:"这很棘手,外交部该怎么办呢?"原则上支持自治的劳合·乔治此时也发现现实将会难以应付。例如:休斯在最高委员会公开声明,英国再次作战时,澳大利亚可能不会参加(这句话后来被删出会议记录,但又被南非再次提起)。旁观的盟国对此有点幸灾乐祸,法国人高兴地发现起草对德和约时,他们可以利用自治领牵制英国。豪斯更加高瞻远瞩:自治领及印度在和会及其他国际机构——如国联和国际劳工组织——的单独代表权只会加速"大英帝国最终解体",英国将回到起点,只拥有其岛屿。

由劳合·乔治率领的到巴黎参加和会的是大英帝国代表团(名字本身对自治领来说就是一个胜利)。代表团一行400多人,包括官员、特别顾问、秘书及打字员,共占据了凯旋门附近的五个酒店,其中最大的,也是社交中心的是马捷斯特酒店,战前是巴西贵妇买衣服时最爱去的地方。为了防止间谍(法国人而不是德国人),英国当局用英格兰中部英格兰酒店的人马更换了马捷斯特酒店所有员工,包括厨师,因此酒店的食物是典型的铁路酒店式的:早餐为稀饭、鸡蛋和咸肉,午餐为肉和蔬菜,然后是晚餐。另外全天供应劣质咖啡。尼科尔森及同僚抱怨说,这个牺牲没有意义,因为存放机密文件的办公室都在阿斯托利亚酒店,而那里的员工全都是法国人。

A NEW WORLD
ORDER
第二章　世界新秩序

我非常有兴趣地观察到,从所有的地方,从所有的思想中,从所有的讨论中,都建议:现在必须有的不是实力均衡,不是一个反对另一个的强大的国家集团,而是建立一个单一的、压倒一切的强大的国家集团,它是世界和平的委托人。

——威尔逊,1918年12月28日

5 我们是人民的联盟

1月12日,抵达巴黎的第二天,劳合·乔治与克雷孟梭、威尔逊及意大利总理奥兰多在法国外交部会面,这是主要调停人上百次会谈的第一次。每个人都带着外交部长和顾问。第二天,顺从英国的意愿,两个日本代表加入其中,组成"十人会议",虽然许多人依然称之为"最高委员会"。小的协约国及中立国未被邀请,暗示了其作为和会旁观者的命运。3月底,和会到达关键时期,最高委员会去除了外交部长及日本代表成了"四人会议":劳合·乔治、克雷孟梭、威尔逊和奥兰多。

外交部宏伟的政府公寓在经历了时间的风蚀及德国后来的占领之后依然保存完好。它目前的外形成形于19世纪中期,当时,处于拿破仑三世统治之下的法国依然做着成为世界强国的美梦。来访的重要客人从俯瞰塞纳河的正门进入,经过通往各公寓的繁多楼梯来到镶着木地板、点缀着奥布松挂毯并带有巨大壁炉的会客厅及办公室。高高的窗户伸向装饰豪华的屋顶及精美的枝状吊灯,厚重的桌椅脚都包有金箔,整个公寓的主色调是金色、红色和黑色。

最高委员会在内室,即法国外交部长毕勋的办公室会面。虽然今天它金碧辉煌,但在1919年却阴沉暗淡。墙上依然装饰着雕花的木质镶板,已经褪色的17世纪的花毯依然悬挂在原处;双扇门依然正对着圆形大厅,门外的玫瑰园依然保留。作为主人的克雷孟梭坐在炉火旺盛的壁炉前主持会议,他的同僚坐在靠近玫瑰园那一边面对着他,每人面前都有一张放文件的小桌,英国人和美国人紧挨着并肩而坐,日本人和意大利人坐在稍远一些的角落里。威尔逊是其中惟一的国家元首,他的椅子比其他人的都高一些,总理们及外交部长们坐着舒适的高背靠椅,背后是一群顾问和秘书。

最高委员会迅速制订了其议事规则,他们基本上每天碰一次头,有时两次,偶尔三次,通常按议事日程讨论,但也处理突发事件,接待请愿群众——这是和会自始至终的一项工作。夜幕降临,绿色的丝绸窗帘统统拉上,电灯全部打开,灯火通明。房间里通常很热,但法国人却怕开窗户。克雷孟梭懒洋洋地坐在椅子上,眼睛不时地望着天花板,脸上一副厌倦的表情。威尔逊烦躁不安,不时地起来活动腿脚;外交部长兰辛无所事事,就画漫画;劳合·乔治不停地低声发表评论。负责英法互译的口译员保罗·曼托全力以赴认真传达每一句话,就好像在为自己争取领土。由于克雷孟梭英语很好,意大利外交部长桑理诺的英语也说得过去,所以四大巨头谈话时常用英语;助手们拿着地图和文件小心翼翼地走来走去。每天下午,随从都会送来茶水和小杏仁饼干,为如此小事而打断有关世界未来的讨论着实让威尔逊吃惊甚至有点震惊。不过,他对私人医生说,这是外国的风俗习惯,他不妨遵守。

从第一次会谈起,最高委员会成员就清楚,随着武装力量的解除,他们的势力正日益缩减。那年春天,驻欧美军司令潘兴将军对豪斯说:"这个月将遣回31万2千人,上个月是30万人,按照这个速度,到8月15日,所有美军都将回到美国。"调停人必须在力所能及时签订对敌和约,也必须返回国内处理因战争拖延的问题并对付政敌。他们还在同另一种敌人斗争:饥饿、疾病——伤寒、霍乱及流感、此起彼伏的革命叛乱和小规模战役——仅1919年就有十多次,这些都威胁着欧洲社会。

战争已经结束两个多月,人们不禁要问为什么和会毫无进展,一方面是由于协约国没有也不可能完全适应战争突然停止,因为他们长期以来一直全力以赴希望打赢这场战争。温斯顿·邱吉尔写道:"生死未卜时,谈什么和平?世界四分五裂时,谁会考虑重建?危急关头需要动员每个人,动用每颗炮弹时,谁还会解除武装?"诚然,战争继续时,外交部、殖民地内阁和战争办就开始在原有目标的基础上拟定新要求,各国都认真考虑过和平问题:1917年,英国成立专门调查组,法国成立学习委员会,最具综合性的还是1917年9月在豪斯的领导下成立的美国调查组。令专业外交官沮丧的是,他们从外界召集专家,从历史学家到传教士都包括在内,并进行了仔细研究,绘制了详细的地图。美国仅就远东和太平洋地区就写了60篇专门报道,其中包括很多有用信息,甚至了解到在印度"绝大多数未婚者是幼童"。但协约国领导人对这些研究都不重视。

和会第一周,最高委员会主要讨论会议流程。英国外交部长绘制了一张五颜六色的六边形图表,六边形内,和会、委员会和附属委员会分布协调,完全对称,而六边形外,协约国委员会却像小行星一样零散。看到这张图表时,劳合·乔治不禁失笑。法国人互相传阅一份详尽的议事日程,上面按重要性罗列着指导原则及要解决的问题。由于这份日程把对德问题摆在第一位,而且几乎对国际联盟只字未提,威尔逊及劳合·乔治都表示反对(日程编写者塔迪厄认为这是"盎格鲁-萨克逊人对思维严密、系统性强的拉丁人与生俱来的反感")。

最高委员会选用一位年轻的外交官担任秘书,谣传此人为克雷孟梭的私生子(办事高效的副秘书汉克很快接管大部分工作)。几经争议,最终确定法语和英语为官方语言。法国人要求法语为惟一官方语言,表面上说是因为法语比英语精确同时更能体现细微差别,实际上是因为他们不愿承认其强国的地位正在下降。他们争辩道,几个世纪以来法语一直是国际交流及外交语言,而英国人和美国人则指出英语正在逐渐取代法语。虽然劳合·乔治一直后悔没有学好法语(他几乎完全不懂),但有1亿7千多万人使用的英语不能享受与法语的平等地位却是不合常理的。意大利人则说,那样的话,为什么不把意大利语也算上,"否则",其外交部长说,"就好像意大利低人一等。"劳合·乔治反驳道,那样的话,为何不把日语也算上?想找麻烦的日本代表团却对此保持沉默。令法国官员惊讶的是,克雷孟梭最终让步。

最高委员会还围绕如何达成决议展开了激烈讨论。12月,法国外交部向所有国家——从利比里亚到暹罗(泰国的旧称——译注)(无论希望多么渺茫)——发出加入协约国的邀请。到1月,巴黎共有29个希望参加和会的国家。鉴于大英帝国与巴拿马拥有相同选票,这些国家会相互联合吗?强国自然不希望那样,克雷孟梭想从小国开始讨论诸如国际水路之类的次要问题,而威尔逊则喜欢无拘无束。他说:"我们要的仅仅是谈话,不是正式会议。"克雷孟梭对此非常恼火:如果协约国一直等到他们在主要问题上达成协议,和会还得几个月之后才能召开,公众也会非常失望。不过,他补充道,必须给聚集的其他国家找点事做。劳合·乔治提出妥协方案并最终决定周末召开全体会议,同时,最高委员会着手处理其他问题。

最高委员会成员包括威尔逊都不愿放弃对会议日程的控制。被拒的法国人罗列的日程上包括:国际联盟、波兰问题、俄国问题、波罗的海国家、奥匈帝国基础上建立起来的国家、巴尔干半岛各国、远东及太平洋地区、犹太问题、国际河运、国际铁路、保障人民自主权的立法、保护少数民族及宗教少数派、国际专利及商标法、对战争罪行的处罚、对战争损失的赔偿以及经济问题。这个列表颇有先见之明。

接下来的五个月,直到6月28日在凡尔赛宫签订对德和约,和会主体基本结束,巴黎收留了一个世界政府。在这个重大仪式的前一天,克雷孟梭说:"我们是人民的联盟。"威尔逊回答说:"我们是政府。"甚至在最初几次会议上,最高委员会就已经在政府代表体系下像内阁一样开始运作。的确,这和他们自身采用的制度有相似之处。他们必须合作,但也不会忘记他们代表本国的选民。

由于数以千计的记者蜂拥至巴黎,他们不得不为媒体劳神。法国政府在某百万富翁家中组织了一个媒体俱乐部。这些人忘恩负义,以男士居多,但也有少量女性,如擅长揭发丑闻的著名美国女记者艾达·塔贝尔。他们嘲笑室内装饰格调粗俗不堪,美国人戏称为"有一千个奶头的房子"。更重要的是,他们抱怨会议进程过于保密。威尔逊曾在十四点中提到"公开的契约,公开达成"。和他创造的许多警句一样,这句话含义不清,甚至威尔逊自己也不清楚,但它抓住了公众的想像力。

当然,威尔逊的意思是不得有秘密条约,他和许多人都认为大战爆发的原因之一就在于此。但他赞同所有谈判都向大众公开吗?这是许多记者及其读者最想知道的。新闻界代表要求参加最高委员会会议的权利,或至少能获取每天会议讨论的概要。克雷孟梭对助手莫达克将军说,他一向支持媒体自由,但也有上限,让媒体每天报道讨论结果简直是"名副其实的自杀"。劳合·乔治说,如果那样的话,和会将永远开下去。他提议向媒体发表声明,宣称国家之间达成协议是一个漫长而复杂的过程,他们不想因公开分歧而引起不必要的争议。威尔逊表示赞同。美国记者因此向威尔逊的媒体顾问忿忿地抱怨,据说紧张得他面色苍白。他们对他说,威尔逊在那件事上既虚伪又无知。记者们扬言要离开巴黎,但很少有人行动。

小国也满腹怨言,要求繁多。向西线支援6万士兵的葡萄牙为只有一个官方代表而愤愤不平,而只派出一个医疗队及若干飞行员的巴西却有三个。英国支持其老盟友葡萄牙,而美国支持巴西。世界权力中心巴黎的承认对已成立的国家非常重要,对被调停人所说的"成形中的国家"也很关键。随着俄国垮台,奥匈帝国及奥斯曼帝国解体,面临类似问题的国家很多。对他们来说,仅向最高委员会提出问题似乎就是某种认可,而且对在国内的名声大有好处。

或许,巴黎收容了一个世界政府,但它的力量却没有当时及以后的多数人想像得那么大。事态的发展比大国的行动快多了。1月12日,最高委员会首次会面时,波兰已经重建,芬兰及波罗的海国家也已经走上独立道路,捷克斯洛伐克也已经合为一体。在巴尔干地区,塞尔维亚与原属奥匈帝国的斯拉夫南部地区的克罗地亚及斯洛文尼亚合并。新实体还没有名称,不过有人称之为南斯拉夫。劳合·乔治评论说:"巴黎的条约制订者的任务不是决定给解放的国家多少公正的待遇,而是决定在跨越了自主的界限之后给他们多少自由。"

但界限是什么呢?没有明确的答案,抑或说每个国家都有不同的答案。一位利沃夫本地人就争议较大的俄国及波兰边界问题问一位美国来客:"看到这些洞了吗?我们称之为'威尔逊点'。这些小的是机枪打的,大的是手榴弹炸的。我们现在致力于自主,谁也不知道结局怎样,何时会有结局。"最高委员会在最初几次会议上不得不处理波兰与其邻国的武装冲突,但一年以后巴黎和会正式结束时,战争仍在继续,而且不止在波兰,其他地区也有。美国军事顾问塔斯克·布利斯在给妻子的信中悲观地预计欧洲还要在战乱中度过30年,"那些'被淹没的国家'陆续浮出水面,而且刚一出现就发动进攻,他们就像蚊子——从出生那刻起就是邪恶的。"

人们很容易把1919年的情形与1945年相比,但这会令人误解。1919年,世界上没有超级大国,没有苏联百万大军占领中欧,也没有经济实力强大并垄断原子弹的美国;1919年,敌国没有被完全挫败;1919年,调停人大谈立国、毁国,但条件还不成熟。当然,调停人有相当大的势力,拥有陆军、海军,并可用食物对付饥饿的欧洲。他们可以通过恐吓和许诺施加影响力,如承认或拒绝承认某国;可以拿出地图随意更改国界,他们的决定多数情况下都会被接受,但也有例外,如即将出现的土耳其问题。由于距离、可使用的交通工具、机动部队以及大国不愿消耗本国资源等因素,巴黎世界政府操纵局势的能力大打折扣。

但在1919年,这些局限并不明显。很多人相信只要他们引起最高委员会注意,过去的失误就会更正,他们的前途就会有保证。里兹大饭店一个厨房的小伙计递上请愿书要求他的祖国脱离法国独立。卑微低贱的胡志明及越南甚至连个回复都没有得到。毕业于普林斯顿的某朝鲜留学生设法去巴黎却被拒签。二战后,李承晚当选为新独立的韩国的总统。

由了不起的英国女子米勒仙·佛赛特领导的争取妇女选举权的团体聚集巴黎,并通过决议要求妇女代表参加和会并享有选举权。同情此项事业的威尔逊会见了她们的代表团,含糊却不乏鼓励地谈到和会将成立拥有妇女成员的特殊委员会处理妇女问题。2月,短期回国之前,他犹豫不决地询问其他调停者是否支持这个提议。鲍尔弗说他强烈支持妇女选举权,但这不是他们应该解决的问题。克雷孟梭表示认同,意大利人也认为这纯粹属于内政问题。当克雷孟梭大声嘀咕"这个小家伙在说什么"时,日本代表团对妇女在文明进程中的作用表示赞赏,但评论说妇女选举权运动在日本不值一提。问题就此搁置再未提起。

调停者还发现他们负责管理欧洲及中东大部分地区。由于旧的统治机构已经崩溃,联合占领部队及联合代表暂居其位。这一点别无选择,因为除了他们没人愿意这么做,或者更糟的是革命者可能乘虚而入。调停者对此已经竭尽全力。在贝尔格莱德,一位英国海军上将凑起一小队驳船沿多瑙河运送食物及原材料。虽然经常受沿河各国政府的阻挠,却使该地区贸易及工业有所复苏,不过这只是临时政策。他认为长远的解决办法是对多瑙河及其他主要欧洲水路实行国际管制。当然还有其他计划和狂热分子,但有政治意志吗?

光经济问题就让人丧气。战争打断了世界经济发展,重新恢复并不容易。欧洲协约国已经向美国借了巨额贷款,现在他们发现几乎再也借不到钱进行重建和复苏贸易了。战争使工厂废弃,农田荒芜,桥梁和铁路被毁。肥料、种子、原材料、船舶和机车样样缺乏。欧洲依然以煤为主要能源,但法国、比利时、波兰甚至德国的煤矿都被洪水淹没。中欧新成立的国家进一步破坏了残留的贸易运输网络。在维也纳,由于北部的煤炭产地被新国界阻断,电灯供电不稳,摇曳不定,电车也停止运行。

欧洲各地,官方及私人救援机构警报频传:千百万工人失业,人民仅靠土豆白菜汤为生,儿童消瘦衰弱。战后第一个寒冷的冬天,美国救援负责人赫伯特·胡佛警告说,2亿战败国人民及2亿战胜国和中立国人民面临饥荒。仅德国每月就需要20万吨小麦和7万吨肉类。原奥匈帝国境内,医院的绷带及药品全部用完;100万捷克斯洛伐克儿童喝不到牛奶;维也纳,婴儿的死亡率远大于存活率;饥饿不堪的人们甚至吃煤灰、锯末和沙子;救援工作者杜撰了一些从未见过的事物的名称,如光靠吃甜菜为生的人患的甜菜病。

人道主义者号召采取行动的呼吁无人响应,政治呼声同样不起作用。威尔逊警告其同僚说:"只要饥饿不止,政府就会继续瓦解。"加拿大、澳大利亚、新西兰、美国,都拥有多余的食物及原材料急于出售,也可以找到运送的船只,但钱从哪里来呢?德国虽有黄金储备,但法国人坚决认为这些应该用于赔款,不希望因进口物资而耗尽。欧洲协约国无法筹集足够的救援资金,而且,除德国以外的战败国全都破产。美国国会及公众左右为难,一方面很想伸出援助之手,一方面又觉得他们已经为赢得战争付出很多。二战后,美国的心态基本没变,但有一个关键区别:革命蔓延的威胁不再,取而代之的是惟一确定的敌人——苏联。二战后对欧洲复兴贡献巨大的马歇尔计划在1919年是不可能的。

另外,美国当时也没有二战后的权力优势。虽然欧洲协约国准备接受美国援助,甚至以接受美国意见为代价,但并没有瘫痪绝望。1919年,欧洲始终认为自己在国际事务中扮演独立角色,不过事实的确如此。战争结束前,英、法、意起草计划以协约国董事会的名义为救援及重建筹集贷款、食物、原材料及船只。美国对此表示反对,他们怀疑欧洲协约国想以控制物资分配(虽然都来自美国)为杠杆强迫战败国接受和约,这一点不无道理。当威尔逊坚持要求胡佛负责联合救济任务时,欧洲人一致反对。劳合·乔治抱怨说,胡佛将成为"欧洲食物独裁者",美国商人也会乘虚而入。最终欧洲人勉强让步,不过却对胡佛的工作百般刁难。

对威尔逊及许多美国人来说,胡佛是个英雄。虽然是个孤儿,他凭借自己的努力从斯坦福大学毕业并成为全球主要工程师之一。战争期间,他为德军占领的比利时组织了大规模的救援活动。美国参战后,他负责储备战用粮食。情人节卡片上这样写道:"餐桌上我可以像胡佛一样,但说到爱你,我绝不会那样!"他工作勤奋、高效但缺乏幽默。劳合·乔治认为他言行笨拙,粗鲁无礼。他提醒欧洲人,是美国给欧洲提供大部分救援物资,欧洲人对此耿耿于怀,同时憎恶他通过抛售诸如库存的猪肉制品等美国商品促进美国经济,从而损害欧洲生产商的利益。

虽然协约国有一些最高经济委员会下属的经济机构,但都管理松散,胡佛负责的食物救济部门是当时最有成效的。他利用美国提供的1亿美元及英国提供的6200万美元在32个国家设立办事处,开设食堂向千百万儿童供应免费汤,并向破坏最严重的地区调集大量食物、衣服及药品。到1919年春,该组织在负责经营铁路的同时还监管矿区,拥有自己的电报网络,并动用成千上万的理发师、成吨的肥皂、美军控制的专用浴室同虱子作战。没有"已除虱"证明的游客将被扣押并进行消毒。同年夏天,胡佛再次激怒欧洲。他说美国已经仁至义尽,该轮到欧洲人自力更生了,勤劳简朴的欧洲人一定能渡过难关。他的观点得到越来越趋向孤立主义的美国政府的赞同,于是美国援助及贷款急剧减少。

实际上,欧洲的生产水平到1925年才恢复战前水平,有些地方甚至更慢。许多政府采取贷款、财政赤字及贸易控制等措施渡过难关,但欧洲整体经济形式依然脆弱,并因此加剧了20年代国内政治紧张,以及因各国采取的保护主义政策所引起的国际紧张局势。或许,如果当初美国提供更多贷款并与欧洲通力合作,欧洲会更强大,更能抵制30年代的挑战。

6 俄国

1919年1月18日,巴黎和会正式召开。克雷孟梭决定在1817年德国皇帝威廉一世加冕仪式的纪念日举行和会开幕式。在法国外交部豪华的钟楼里,和会主席庞加莱向与会代表讲话,提到敌国的邪恶、协约国的巨大牺牲以及对永久和平的期望。他说:"你们手中掌握着世界的未来。"散会时,头戴高顶礼帽的鲍尔弗向克雷孟梭道歉:"有人告诉我,按规定不得戴帽子。"而戴着圆顶硬礼帽的克雷孟梭回答说:"也有人对我说了。"

观察家发现部分代表缺席:希腊首相维尼泽洛斯因塞尔维亚代表比希腊多而愤愤不平;加拿大总理博登因小小的纽芬兰优先而怒不可遏;日本代表团还未抵达。但最令人瞩目的是俄国缺席。

1914年,作为盟友的俄国在东线攻打德国,帮助法国免遭战败厄运。俄国还同盟国作战3年,使其蒙受巨大损失,但自身损害更大。1917年,俄国最终垮台,八个月间,它经历了从独裁到激进民主再到由极少数社会主义者领导的革命政府的巨变。大部分人包括俄国人从未听说过这些布尔什维克党人。由于俄国崩溃,原有帝国四分五裂,波罗的海国家、乌克兰、亚美尼亚、格鲁吉亚、阿塞拜疆和德海斯顿相继独立。协约国曾支援解体中的盟友抵抗德国,但徒劳无功。1918年初,布尔什维克党人与德国讲和,而盟国士兵还在俄国境内,但他们能做什么呢?颠覆布尔什维克及苏维埃政权?支持布尔什维克的反对派、保皇派、自由主义者、无政府主义者、梦想破灭的社会主义者以及各种民族主义者?

在巴黎,人们很难知道东方的情况,也不了解各个国家的立场。各种传言流入西方:社会混乱、内战、民族起义、暴行、惩罚、更多暴行;最后一个沙皇及其家人被杀并被抛尸入井;某英国海军武官的残尸被曝于圣彼得堡的一条大街上;俄国士兵枪杀军官,水手霸占船只;在俄国的广大农村地区,农民为了土地屠杀地主;城市里,青少年别着手枪为非作歹,贫民窟的穷人强占富人公寓。但是由于俄国变得不为人知,很难说这些传闻有多少真实成分(大部分是真实的)。正如劳合·乔治所说:"实际上,我们从未得到过确切甚至是可以确认的事实。俄国就像一个茂密的丛林,没有人能说得清它周围几码内的情形。"他地理知识粗浅,竟然以为哈尔科夫(乌克兰某城市)是某个俄国将军的名字。

1918年夏,各国纷纷撤回其外交官,到1919年几乎所有外国报社记者全部回国。由于战争,道路被阻,电报即使能接通也要几天或几周。直到和会召开,惟一可靠的信息渠道是通过斯德哥尔摩,那儿有一个布尔什维克党代表。和会期间,调停人对俄国知之甚少。

法律上讲,也许没有必要邀请俄国代表。克雷孟梭认为俄国背叛了联盟,使法国任德国宰割。兼为现实主义与宗教狂热者的布尔什维克党领导人列宁为了换取和平,把布列斯特-立托夫斯克(今波兰的布列斯特)的土地及资源让给德国,以便保存即将燎原的马克思主义的星星之火。结果,德国获得了急需物资,并有机会把成千上万的军队调往西线。对克雷孟梭来说,列宁的行为使协约国解除了所有对俄国的许诺,包括从黑海到地中海的海峡的使用权。

另一方面,原则上讲,俄国依然是盟国并与德国作战。毕竟,1918年11月,德国签订停战协定时被迫放弃了《布列斯特-立托夫斯克条约》。无论如何,俄国缺席都非常不便,有个年轻的英国顾问在日记中写道:"讨论中,一切都不可避免地最终引向俄国,然后就是不着边际的讨论;大家一致认为,除非确定总体对俄政策,否则问题无法解决。虽然大家意见统一,但并没有着手处理,而是继而讨论其他问题。"芬兰以及新涌现的波罗的海国家爱沙尼亚、拉脱维亚和立陶宛,还有波兰、罗马尼亚、土耳其及波斯都出席了和会,但除非俄国未来的版图及地位已经明确,否则这些国家的边界不可能最终划定。

俄国问题反复在和会中出现。后来成为威尔逊辩护者的贝克声称,俄国及人们对布尔什维克的恐惧塑造了和平。他说:"俄国在和会中的作用比普鲁士更重要。"和他平时说的话一样,这简直是废话。调停人员并没有花过多时间考虑普鲁士及其革命;他们更关心与依旧完整的德国讲和,以及使欧洲恢复和平。他们担心俄国就像担心接近本国的社会混乱一样,但并不一定把他们看成同一问题的两面。消灭俄国的布尔什维克党人不能神奇地根除引起其他地方混乱的原因。德国工人及士兵夺得权力是因为皇帝的政权失去了威信;奥匈帝国垮台是因为它无法解决自身问题,同时无法压制其各民族群体。福克斯通的英国士兵叛乱是因为他们不想出国,加拿大人在威尔士北部叛乱是因为他们想回去。俄国革命有时助长了叛乱,同时也催生了一些新词汇。博登在日记中写道:"'布尔什维克'现在非常流行。"但他指的是劳工叛乱而不是革命。"布尔什维克主义(或共产主义)"在 1919 年是非常方便的速记。如威尔逊的军事顾问布利斯所说:"如果用'革命的'这个词代替,或许意义会更清楚。"

当然,调停者非常关心革命思想的传播,但不一定是俄国的。大战幸存者疲惫而焦虑,因为原本稳固的结构、帝国、行政机构及军队都不复存在,而且在欧洲大部分地区未来还很渺茫。战前,欧洲的许多愿望都未得到满足:社会主义者渴望更加美好的世界;工人渴望改善条件;民族主义者渴望拥有自己的国家。现在这些愿望变得更加强烈,因为在风云多变的 1919 年,更有可能发生巨变或秩序崩溃的恶梦。葡萄牙总统被暗杀;后来,巴黎的一个疯子企图杀害克雷孟梭。在巴伐利亚和匈牙利,共产主义政府夺得政权,不过只在慕尼黑掌权几天,而在布达佩斯执政时间更长一些;柏林及维也纳的共产主义者分别在一月和六月做了相同的尝试,但都没有成功。不是所有的过错都可以归咎于俄国的布尔什维克党。

除了左翼之外,还有很多人拒绝恐慌,在马捷斯特酒店的一次午宴上,加拿大代表奥立佛·莫瓦特·比加与包括劳合·乔治的私人助理菲利浦·克尔在内的一群人愉快地聊天。他说:"我们都觉得金钱、私利在世界上的发言权太大了。符合逻辑的结论是共产主义,毫无疑问,大约四分之一个世纪之后,我们都会实现共产主义。"同时他告诉在加拿大的妻子,他过得非常愉快:每周六晚在马捷斯特跳舞,在歌剧院听《浮士德》和《蝴蝶夫人》;在剧院,他为妓女的美貌而着迷。他发现法国人与加拿大人的审美标准不同。在一次歌剧表演中，女主角"臀部以上除了几根链条之外一丝不挂，另一次，全身上下只有丝带和鞋子。她的舞跳得并不好"。当妻子提出立刻前往巴黎去见他时，他严肃地拒绝了。当然他也想见她，但现在巴黎的公寓依然奇贵无比，浴室条件令人震惊。而且据一位高级官员说，革命将席卷德国并有可能波及到法国；食物及燃料将严重紧缺，水电都会供应不足。"这里也许会有危险，你必须做好吃苦的准备。"比加夫人最终留在了加拿大。

布尔什维克主义也有用处：当罗马尼亚向俄国索要比萨拉比亚，当波兰入侵乌克兰时，借口就是阻止布尔什维克主义；意大利代表警告说，如果得不到达尔马提亚大部分海岸，国内就会爆发革命；调停人也用它互相威胁，劳合·乔治及威尔逊说，如果对德和约太苛刻会把德国逼向布尔什维克主义。

西方世界对俄国新政权的态度严重分歧。信息缺乏当然不会阻止他们持有强硬观点，反而可能使之变得更容易。左翼和右翼都把恐惧和希望投入东方这个巨大的黑洞中。激进的美国记者林肯·斯蒂芬斯于1919年去了俄国，并在离开时说了一句有名的话："我看到了未来，它是成功的。"他在俄国的所有见闻都没有改变他的想法。而右翼则相信各种恐怖故事，英国政府发表报告，声称有目击者说：布尔什维克党将妇女国有化并成立"自由恋爱委员会"；教堂被改为妓院；引进中国杀手对付政敌。

在和会期间担任英国作战大臣的邱吉尔最先意识到列宁的布尔什维克主义是政治领域的新兴事物，在冠冕堂皇的马克思主义外衣下的一个纪律严明、权力高度集中的政党，为了实现遥远的理想世界，它不择手段。"布尔什维克主义不同于其他政治思想的本质在于必须靠暴力传播和维持。"列宁及其同志准备为理想扫清一切障碍，无论是社会机构还是俄国人民。邱吉尔在伦敦说："布尔什维克专政是历史上最残暴、最具破坏性、最卑劣的。"劳合·乔治认为邱吉尔动机不纯："他的公爵血统使他反对俄国彻底废除公爵制度。"其他人，包括其同僚及英国人民都认为他乖僻、不可信任。灾难性的加利波利运动的阴影始终挥之不去，流光溢彩的语言听上去也很刺耳。1918年11月，在一次竞选演说中他说："布尔什维克党人像一群残暴的狒狒在城市的废墟及受害者的尸体间乱跳，而文明之火就在广大地区完全熄灭。"在一次内阁会议争吵之后，鲍尔弗冷冷地对他说："我很佩服你言过其实的本事。"

1919年，当大部分西方自由党人倾向于认为布尔什维克党无罪时，他们从民主选举大会夺取权利，他们谋杀臭名昭著的沙皇及其家人以及拒付俄国外债的行为却使民众大为震惊（法国人对债务问题尤其气愤，因为许多中产阶级都持有俄国政府证券）。但正如自由党人所说，美国及法国都是革命的产物。威尔逊本人认为，布尔什维克主义就是控制大企业及政府的权力以给个人更大的自由。他的私人医生格雷森提到,威尔逊认为布尔什维克计划有许多可取之处:"当然他说他们所搞的暗杀活动、没收私有财产及无视法律的做法都应当严加谴责,但他们的有些方针是在无视工人权利的资本家的压迫下提出的。他还警告说,如果布尔什维克党人变得理智并同意法治,他们就会很快遍布欧洲,颠覆现有政府。"劳合·乔治说,像他自己以及威尔逊这样的进步思想家认为"无能、放荡而且残暴的"旧秩序罪有应得,"它勒索压迫人民,应对革命分子的残暴负责"。这个威尔士北部勇敢的青年律师劳合·乔治身上还有另外一些东西。寇松对鲍尔弗抱怨说:"首相的问题在于有点布尔什维克主义。他似乎认为托洛茨基是世界上惟一与他意气相投的人。"

许多人认为俄国布尔什维克党人会最终变成资产阶级,而在西方,情况就不同,如果布尔什维克主义渗透西方社会,那是因为它给人民提供养分,一旦废除,就相当于夺走了他们的氧气。农民没了土地,工人没了工作,平民老百姓没了希望,所有这些都是预言家允诺未来的根据。威尔逊说,即使在美国,劳资之间也有危险的鸿沟。"种子需要土壤,布尔什维克的种子找到了为其准备好的土壤。"前往巴黎途中,他向美国专家保证说,他们可以通过建立新秩序战胜布尔什维克。劳合·乔治也比较乐观,他问一位英国记者:"难道你不认为布尔什维克主义会自行灭亡吗?欧洲很强大,完全可以抵制它。"

劳合·乔治希望俄国能参加和会,1918年在伦敦与克雷孟梭会面时,他说他们不能佯装俄国不存在,他还说他深切同情俄国人民。"俄国军队曾赤手空拳作战,残酷地被政府背叛,所以苦难的人民反叛联盟一点也不奇怪。"俄国地域辽阔,横跨欧亚大陆,约有两亿人口。如果索要俄国领土的国家可以参加和会,那么俄国人理所当然应该有发言权,这就意味着应该邀请俄国。他对最高委员会说,他不喜欢他们,但能不承认他们吗?"那种认为我们应该挑选一个伟大民族的代表的想法有悖于我们的所有原则"。法国革命后,英国政府因支持流亡的法国贵族而犯了同样的错误。"这,"劳合·乔治戏剧性地说,"把我们卷入了一场持续了大约二十四年的战争。"

憎恶布尔什维克的克雷孟梭不太赞同他的辩论,一方面因为他认为布尔什维克人是德国人的工具,另一方面他讨厌他们的施政方式。对他来说,1789年的革命是崇高的,但一旦落入不择手段的激进派及罗伯斯庇尔和列宁的追随者手中就变得卑劣可耻了。他经历过普法战争后期激进的巴黎公社的群众暴动及血腥镇压。从那一刻起,他就与极"左"决裂。1919年,与其他盟国领导一样,他也必须注意公众意见。在一次私人会晤中他对鲍尔弗说,如果布尔什维克派代表来巴黎,极"左"分子就会骚动不安,中产阶级就会恐慌,大街上会发生暴动,政府不得不出动镇压。这将对和会不利。如果其他盟国执意邀请俄国,他警告说,他将被迫辞职。

布尔什维克代表所有俄国人民吗?他们只控制俄国核心地区及圣彼得堡(不久改名为列宁格勒)和莫斯科,并面临其他政府的竞争:众所周知的南部安东·邓尼金将军统治的白俄罗斯人政府,还有西伯利亚的亚历山大·高尔察克上将统治的政府。在巴黎,俄国的被流放者,从保守派到激进派,成立了代表所有非布尔什维克俄国人的俄国政治会议。原沙皇政府外交部长谢尔盖·萨佐诺夫发现他与著名的恐怖主义者鲍里斯·萨温科夫一起工作,此人穿着时髦,领口戴着一朵栀子花,在巴黎备受敬仰。讲究效率的劳合·乔治说:"他的暗杀活动总是安排得天衣无缝而且万无一失。"不幸的是,俄国政治会议没有得到邓尼金及高尔察克政府的大力支持(这两个竞争对手也一直在互相残杀),布尔什维克党更不会支持。

1月16日,劳合·乔治把俄国问题提交最高委员会,他认为有三种解决办法:第一,消灭布尔什维克主义;第二,联合起来孤立它;第三,邀请俄国人,包括布尔什维克党人与调停者会谈。他们已经为前两种选择采取步骤:联盟军队已经在俄国境内,协约国对俄国实行封锁,但这些措施似乎都不起作用,因此,他倾向于最后一个方案。其实,他们可以通过说服俄国各方和谈以造福俄国人民,他私下说,这正是罗马人召唤野蛮人时采取的策略。

劳合·乔治的分析完全正确,但调停者发现很难做出决定,每个行动都有反对的理由:帮助推翻布尔什维克政权风险太大,而且代价昂贵;隔离俄国会伤害俄国人民;邀请布尔什维克代表来巴黎或西方世界任何一个地方会给他们散布其思想的机会,更不要说会激怒保守派。威尔逊支持劳合·乔治的意见,而法国及意大利外交部长毕勋和桑理诺表示反对,毕勋提议说,他们至少应该听听刚从俄国返回的法国及荷兰大使的看法,这两位准时出现,并讲了耸人听闻的红色恐怖。但劳合·乔治轻率地认为他们夸大其词了。最终,最高委员会还是无法做出决定。

协约国联盟的对俄政策始终不一致、不连贯,其坚决程度不足以推翻布尔什维克,但却能够让他们明白,西方国家与他们势不两立。反复要求英国政府明确政策的邱吉尔对联盟的优柔寡断非常气愤,他在回忆录中写道:"他们在与苏维埃俄国打仗吗?当然没有,但看到俄国人他们会开枪;他们入侵俄国领土,给苏维埃政府的敌人提供武器,封锁其港口,击沉其战舰,真心希望并策划使其倒台。但战争——骇人听闻!干涉——羞耻难当!"

当然,邱吉尔支持干涉,法国高级军人兼联盟总司令福煦元帅也赞同,英国国会保守党人及痛苦的法国投资商也有相同的立场。与他们对立的是同样嘈杂的一群:与工人运动团结一致的工会;各种人道主义者及实用主义者,他们对伦敦的《每日快报》说:"我们很同情俄国人,但他们必须自己解决自己的问题。"

这也是威尔逊的观点,战争结束前夕他对一位英国外交官说:"我坚信应该让他们自救,虽然要在混乱中挣扎一段时间。我是这样想这个问题的:一大群人在打架,你无法跟他们谈交易,所以就把他们关起来并声明等他们把内部矛盾解决好,你才会把门打开然后做交易。"威尔逊认为房间的形状不会变,但他没有像英国人那样仔细考虑俄国的解体。他认为自治意味着俄国人民管理自己的大国。在同一原则的基础上,他把俄国占领的波兰领土看作惟一例外,认为应该属于重建后的波兰。奇怪的是,他对乌克兰民族主义的态度却不同(可能是因为他的共和党反对者——参议员洛奇支持乌克兰独立),而且坚决反对联盟承认波罗的海国家。要不是这样,他的对俄政策就基本上是完全否定的:不干预,不承认。他的十四点原则的第六点要求外国军队(尤其指日本人)撤离俄国,以便使俄国人民选择最合适他们的制度。等他们选定统治者之后(他希望不是布尔什维克党),美国就会承认。威尔逊指出,这正是美国在墨西哥内战时采取的策略。

麻烦的是,协约国已经干涉了。1918年春,英军在阿干折及摩尔曼斯克北部港口登陆,日本占领位于太平洋的海参崴,并向西扩展到西伯利亚境内以阻止德国霸占俄国的原材料,如粮食、石油,以及俄国港口和铁路。为了监督日本人(可能还包括英国人),并保护从俄国战犯营逃出却又被困西伯利亚的捷克人,美国人勉强登陆。威尔逊那年夏天向豪斯抱怨说:"我在如何正确、可行地处理俄国问题上非常残酷……使它像水银一样四分五裂。"英国人说服加拿大人提供一支部队以牵制美国人和日本人。南部,在卢迪亚·吉卜林(英国作家——译注)的校友领导下的另一支英国部队进驻出产石油的高加索山区。比英国更缺少人力的法国只派了军事特使团和象征性部队。战争结束前夕,当英国人决定不但保留其军队而且支持反布尔什维克的白俄罗斯人时,以反对德国为初衷的干涉行动已经大改其道了。

在协约国的指导下,战败的德国从乌克兰及波罗的海各国撤军。协约国各国争相填补真空。1918年底,俄国境内有超过18万外国部队,一些白俄罗斯军队还接受协约国的资金及武器,人们在谈论反对布尔什维克主义的十字军远征。由于反对军事行动的呼声强烈,协约国领导人不得不暂停。各国民众及军队都厌恶战争,左翼的口号"不许干涉俄国"日益流行,劳合·乔治对内阁说,如果不小心,他们会因为企图压制布尔什维克而使它广泛传播。英国军方报告说,战士们都极不希望被派往俄国。为西伯利亚及摩尔曼斯克远征派兵的加拿大想于夏天撤军;博登对大英帝国代表团同僚说,加拿大的这个问题"非常令人忧虑"。

法国虽然强烈支持干涉，但能做的却很少，因为他们没人力也没资源。战争结束前，法国只派出少量士兵。根据与英国的某项协议，法国理论上负责乌克兰南部及克里米亚，英国负责高加索及中亚（除了支持当地反布尔什维克武装，这个协议的意义从未明确）。近东的法国将军路易斯·弗朗谢·德斯佩雷气愤地抱怨说："我没有足够的部队进驻这个国家，另外，由于士兵不愿意在俄国过冬，可派遣的部队就更少了。"但他的警告没有引起应有的重视，法国政府调集一支混合部队包括法国人、希腊人及波兰人前往黑海港口敖德萨。远征部队立即发现他们的敌人混杂不一，有布尔什维克党、乌克兰民族主义者及无政府主义者。1918年至1919年冬，联盟军队士气锐减，布尔什维克党发现派讲法语的人去打探军情时，很容易得到情报。正如某法国军官报告说："在凡尔登及马恩战场上幸存的法国士兵都不愿在俄国战场上丧命。"1919年4月，法国官方突然放弃并迅速撤军，把敖德萨及其人民留给了布尔什维克党人。港口的平民乞求法军带他们一起回国，却徒劳无益。另一支较小的远征部队也撤离克里米亚港口塞瓦斯托波尔，不过秩序较好，并带回4万俄国人，其中包括遇害的沙皇的母亲。两周后，法国黑海舰队叛变。

虽然法国人依然反对布尔什维克及其方式，但却没有再参与协约国的干涉。福煦提出一系列愈加难以实现的计划：组建一支多国部队进军俄国，该部队包括波兰人、芬兰人、捷克斯洛伐克人、罗马尼亚人、希腊人甚至还有依然在德国的俄国战犯，但却一事无成。一方面由于他选的这些额外演员都拒绝扮演分配给他们的角色，另一方面因为英国人及美国人强烈反对。

法国支持劳合·乔治提出的第二种选择，即在俄国境内隔离布尔什维克主义。和会期间及接下来的几年中，法国全力以赴围绕俄国建立国家，比如波兰，用中世纪的话说，就是沿瘟疫大作的国家建立一条防疫封锁线。对法国人来说更为重要的是，这样做可以牵制德国并阻止德国与俄国联合。1919年只有福煦和邱吉尔等少数人认真对待这种可能性。实际上邱吉尔警告过，要防止布尔什维克俄国与民族主义德国及日本联合。"最坏的结果是，他们组成一个从莱茵河延伸到横滨的破坏性联盟，威胁大英帝国在印度及其他地区的利益，威胁世界的未来。"

1919年底，疲惫不堪的克雷孟梭对劳合·乔治说："我们必须看着布尔什维克党，用带刺的铁丝网包围他们，不花一分钱。"1919年，资金一直都成问题。为了降低邱吉尔干涉俄国的热情，劳合·乔治提及与财政大臣奥斯丁·张伯伦的一次谈话："我们承担不起，张伯伦说即使以目前的高税率，我们也很难使收支平衡。"英国共花费约1亿英镑，法国的开销不及其一半。英国的纳税人不愿继续给俄国投钱，尤其是其他盟国都不这么做的时候。当扩大军事干预问题于 1919 年 2 月提出时,劳合·乔治问道:"法国出多少钱? 我敢肯定它付不起,我们也付不起。美国会出钱吗? 在批准任何计划前,必须让它承担开支。"

由于低效及腐败,许多对白俄罗斯人的援助都浪费了。负责此事的军官把给战士的制服装入私囊;他们的妻女都穿着英国护士裙。当邓尼金的卡车和坦克在严寒中失灵时,每个酒吧都出售防冻剂。

由于各国目的不同而且互相怀疑,协约国的干涉一直混乱不堪。虽然美国表面反对干涉,但却在战后继续驻留西伯利亚以阻止日本的阴谋。1914 年之前,法国曾依赖俄国牵制德国,而英国经常担心俄国威胁南部地区及印度。1919 年法国希望重建保守的俄罗斯,而英国则愿意与弱小的激进主义俄罗斯共处。对布尔什维克所代表的一切都深恶痛绝的寇松为俄国人失去高加索而感到高兴,他对邱吉尔说,英国人应小心提防南部白俄罗斯领导人邓尼金再次占领该地区。生性多疑的英国人对法国的动机表示怀疑,劳合·乔治抱怨说,因其中产阶级在俄国遭受了经济损失,法国政府的态度变得摇摆不定,"他们最愿意看到的莫过于我们为他们火中取栗"。

协约国一面不断干涉俄国,一面也在考虑劳合·乔治所主张的谈判。1919 年 1 月 21 日,他和威尔逊向最高委员会提出一个妥协方案。既然法国不想让布尔什维克党人来巴黎,那为何不在靠近俄国的某个地方会见他们以及其他俄国代表呢? 威尔逊补充道,如果调停者拒绝与布尔什维克党人谈话,俄国人民就会相信他们的宣传,认为协约国是他们的敌人。在桑理诺的支持下,克雷孟梭对此表示反对,他认为与布尔什维克党人对话反而会增加他们的可信度。但是另一方面,他又不想因此与盟国决裂,所以只好勉强同意。而桑理诺却固执己见,他催促说,他们必须召集所有白俄罗斯人,为他们提供足够的士兵或至少是足够的武器以消灭布尔什维克党。劳合·乔治提出一个实际的问题,各国能派出多少士兵呢? 短暂的尴尬之后,有人回答,一个也派不出。因此,大家一致同意进行谈判,威尔逊立刻派人去拿打字机,一个英国记者回忆道:"提到打字,我们立刻想到一位漂亮的美国速记员。"但信使却带着威尔逊破旧的机器出现了,总统先生亲自在角落里打出一份邀请函,克雷孟梭离开时对等候的法国记者吼道:"完了!"

威尔逊撰写的草稿表达了协约国乐于帮助俄国人民的真诚无私的愿望,并按时寄给俄国各主要党派,邀请他们在王子岛 – 普林科波会面,该岛位于黑海与地中海之间的马尔马拉海,是君士坦丁堡人最爱去的野营地点。战争前夕,土耳其官方曾在此丢弃成千上万只野狗;整整几周,凄惨的吠声在海域上空绝望地回响。

调停人员还用短波收音机向布尔什维克党发出邀请并等待回音,很难说会得到什么答复。列宁相信俄国革命会向欧洲乃至全世界散布火种,注定灭亡的资本主义用来防止全世界工人联合的工具——国界、国旗及国家主义终将被铲除。他的第一个外交部长,伟大的革命家、理论家里昂·托洛茨基认为他的新职务很简单,"我将向全世界人民发表一些革命宣言,然后与同僚讨论工作。"与威尔逊呼吁公开外交相对的是,他翻阅过沙皇时期的文件和出版物,令协约国尴尬的是,他还看到了秘密战时协议,如瓜分中东。对列宁和托洛茨基来说,惟一的问题就是策略,如果世界革命即将爆发,就没有必要和敌人周旋。但如果有延迟就有可能必须挑拨资本主义国家互相争斗。1917 年,布尔什维克党人认为世界革命近在眼前,到 1919 年,虽然列宁组织召开了一次建立世界革命总部——共产国际的讨论会,但他们也逐渐开始怀疑以前的假设。

他们的外交政策反映了这种矛盾情绪,使协约国更加怀疑。1918 年 10 月,取代托洛茨基担任外交部长的格奥尔基·齐采林,是一个不修边幅、一心向学的学者。他给威尔逊寄了一张便条,嘲笑他钟爱的原则。十四点要求俄国自行决定自己的命运;奇怪的是美国当时已经向西伯利亚派兵。美国人大谈自治,但却绝口不提爱尔兰或菲律宾。他许诺成立国际联盟以结束所有战争,这是在开玩笑吗?谁都知道战争都是资本主义国家挑起的。那时,美国及其同伙英国、法国正在密谋消灭更多俄国人并榨取更多金钱,惟一真正的联盟是人民群众的联盟。

然而,布尔什维克党人也发了求和信。齐采林的代表马克西姆·李维诺夫沉着而且讨人喜欢。他曾在伦敦生活过几年,靠做小职员勉强为生,他的妻子艾维·露尔是小说家,来自布卢姆斯伯里区边缘。1918 年圣诞前夕,他从斯德哥尔摩给威尔逊发了一封电报,讲到世界和平、正义及人道。李维诺夫继续说,俄国人民支持他的伟大原则,这些原则首次提倡自决及公开外交。俄国人民目前需要和平环境以建设更加美好的社会。他们渴望谈判,但联盟的干涉及封锁使俄国痛苦不堪,所以布尔什维克党不得不使用恐怖手段维持其国家。威尔逊能不帮他们吗?他非常感动,劳合·乔治看到这份电报时也有同感,于是美国外交官威廉·巴克勒被派去与李维诺夫会谈。1 月 21 日,威尔逊将巴克勒的报告提交最高委员会。这份报告鼓舞人心,不论俄国至少要支付部分外债还是要对外国企业做出新的让步,苏维埃政府都同意为和平出力,它将不再要求世界革命,因为当初只是迫不得已使用这种宣传手段来自卫,先是防范德国,近来防范协约国。

因此,威尔逊与劳合·乔治期待布尔什维克党人接受前往普林科波的邀请是有理由的。他们各自挑选了代表团成员:美国代表由一位自由主义记者及一位被免职的牧师组成。英国代表是博登——"加拿大的骄傲"。他不知道劳合·乔治很难找到其他人。他们都在等待，终于在 2 月 4 日收到苏维埃政府的回复。布尔什维克党再次错判了西方国家，他们高明地，但却明显地回避了同意停战协议（这是最高委员会拟定的条件之一）；也没有评论邀请函上恳请他们接受原则的呼吁。他们以为资本家只懂一件事，所以在物质方面提出重要的让步，如原材料或领土，毕竟这一招在布列斯特-立托夫斯克与德国人交易时是有用的。威尔逊大为震惊，他说："这个答复不但答非所问，简直是一种侮辱。"劳合·乔治表示赞同："我们不是为了钱，为了他们的让步或领土。"

与此同时，其他被邀请者在法国及邱吉尔等人的暗中支持下也坚持其立场不动摇。普林科波计划使白俄罗斯人大为震惊，在巴黎流亡的白俄罗斯人举行大规模游行；在遥远的阿干折，威尔逊的肖像被匆忙拆除，前外交部长萨佐诺夫问一位英国外交官，协约国怎么能期望他与杀害其家人的凶手会谈。

如果英美对他们施压，白俄罗斯人很快可能屈服，但威尔逊和劳合·乔治都不准备这么做。普林科波成了两人共同的政治问题，媒体及其同僚纷纷提出批评。依靠保守党支持的劳合·乔治已经收到保守党领导人波纳·劳及其副官的警告，声称政府在这个问题上分歧很大。2 月 8 日克雷孟梭对庞加莱说普林科波会议出现危机，威尔逊也没有表现出想对布尔什维克党的部分接受做出回应的任何迹象。为了保险起见，克雷孟梭请求鲍尔弗将讨论推迟到威尔逊总统短暂回国之后举行。2 月 16 日，白俄罗斯人拒绝谈判，此时威尔逊在海上，劳合·乔治在伦敦处理可能爆发的大罢工，普林科波计划因此破产。

俄国问题依然没有解决，在伦敦，邱吉尔要求劳合·乔治明断，要么军事干预，要么永久撤出俄国。但这两种选择劳合·乔治都不想要。全面干预会给左翼带来麻烦，而撤军会给右翼造成不便。因此，和他在和会其他场合一样，尤其是德国赔款问题上，他迂回前进，先检验第一种方法，再试第二种，避免暴露自己。

他告诉邱吉尔，任何有关俄国的决定都必须在巴黎做出并且有威尔逊参加。2 月 14 日清晨，威尔逊准备回国那一天，邱吉尔火速穿过海峡赶到巴黎，在回忆录中，劳合·乔治对邱吉尔不请自到深表恐惧。由于过于匆忙，在飞速驰往巴黎途中发生了一场撞车事故，挡风玻璃全部粉碎。不过，止当威尔逊起身离开时，他冲到了最高委员会，并向洗耳恭听的威尔逊指出，协约国的优柔寡断不利于驻扎在俄国的联盟部队及白俄罗斯人。在他看来，撤军将导致灾难性后果，"这就相当于把机器的轮轴抽掉一样，俄国不会再有反对布尔什维克的武装对抗，等待它的只有无尽的暴力和苦难。"不过，威尔逊不愿妥协。虽然盟军在俄国无所作为，但局势令人迷惑不解。

邱吉尔在巴黎逗留了几天，试图督促最高委员会出台明确政策；但是由于威尔逊和劳合·乔治缺席,要做出决策很困难。虽然劳合·乔治身在英国,但忠实的克尔每天向他汇报情况,使他遥控巴黎事务。他高兴地对一位朋友说:"温斯顿在巴黎,他想向布尔什维克开战,那将会引发一场革命,英国人民是不会同意的。"他向邱吉尔发出混杂的信号,一方面暗示英国会向白俄罗斯人提供武器和志愿者,而另一方面又警告他不要策划反对布尔什维克的军事行动。劳合·乔治声称,战争办认为盟军驻留俄国是个错误,他本人也赞同:"这不光不该我们干涉而且肯定会有麻烦,这将使布尔什维克思想更加牢固。"劳合·乔治要求克尔务必把此信息传达给大英帝国代表团成员及豪斯。还在大西洋上的威尔逊发来警告表示:"我对邱吉尔有关俄国的提议大为震惊,如果进一步卷入俄国事务后果将不堪设想。"他的担心是多余的,2月19日,最高委员会原定重新讨论俄国问题,但当天克雷孟梭遇刺受伤,所有决定都被无限期推迟。盟军依然在俄国境内,但没有大规模军事行动。

也许,正如威尔逊所暗示的,调停者需要更多信息才能决策。几个美国青年,包括想亲眼目睹俄国革命的激进记者斯蒂芬斯,以及反对干涉的俄国问题专家威廉·布利特已经提议进行调查研究。劳合·乔治认为这个建议不错,尤其是可以拖延时间。

2月17日,豪斯告诉布利特,他将率领秘密代表团与布尔什维克领导人会谈以弄清他们同意和谈的条件。布利特非常高兴,他在巴黎的工作枯燥无聊,现在马上要成为瞩目的焦点了。作为费城享有特权的上层阶级一员,他非常自信。他可算个天才,至少他母亲这么认为,并顺利毕业于耶鲁大学。同时代的人都觉得他才华横溢,但也有人发现他为人处事冷酷而且精于算计,他非常崇拜威尔逊及其原则,但不确定总统先生是否会捍卫这些原则。

豪斯和克尔一道制订了代表团的议题大纲,他向其他美国代表保证道:"布利特此行只为掌握一些情况。"但他没有向布利特本人说清楚,所以甚至在远征计划破产时,布利特还坚持认为豪斯(代表威尔逊)和劳合·乔治委托他与布尔什维克协商和谈条件。同去的斯蒂芬斯也认为:"布利特的指示是与俄国人达成初步协议,以便使英美说服法国加入谈判并取得一定成果。"不幸的是,他又错了。虽然豪斯和劳合·乔治都没有放弃解决问题的希望,但如果布尔什维克党顽固不化,他们绝不会因此与法国不和或违背本国民意。由年仅28岁的小人物率领的特使团可能会带回好消息,但即使失败了,也无所谓。

布利特与斯蒂芬斯在莫斯科愉快地度过了一周,他们住在一座没收的宫殿,每天吃鱼子酱,晚上在沙皇的包厢里听歌剧,白天与列宁及齐采林会谈。斯蒂芬斯认为布尔什维克党人正在铲除贫困、腐败、暴政及战争的根源,"他们目前还没有致力于建立政治民主、合法的自由以及通过磋商取得和平,而只是在打基础"。布利特也认为俄国正在开创一项伟大的事业，他们都对列宁印象深刻。布利特说他"坦率直接，又不乏亲切，非常幽默，非常安详"。斯蒂芬斯询问了布尔什维克党对其反对派采取的恐怖行动，并被列宁的忏悔所打动，他认为列宁是个"天生的自由主义者"。

为期一周的谈判结束时，布利特认为交易成功了，双方同意停火并同时做出让步：协约国将撤军，布尔什维克党也不再坚持消灭俄国境内各政府（由于条约要求协约国停止援助白俄罗斯人，所以布尔什维克可以做出慷慨的让步）。但是布尔什维克党人是否真心实意谈判却使人怀疑，因为列宁在与德国人处理布列斯特－立托夫斯克问题时已经表明他妥协仅仅是为了拖延时间。布利特和斯蒂芬斯是"有用的傻子"，他们此行至少有利于舆论宣传。

自豪地揣着协议的布利特，以及对未来怀有美好憧憬的斯蒂芬斯返回了巴黎。豪斯像往常一样对他们的成就表示鼓励，但其他美国代表却颇有疑虑。现已返回的威尔逊一心商讨对德和约问题，根本无暇顾及此事，也不打算会见布利特。3月28日，劳合·乔治邀请他共进早餐，事态的发展着实让他胆怯不安了。上周末，匈牙利库恩·贝拉夺得政权，再次激起人们对布尔什维克主义向西蔓延的恐惧。有关布利特出访俄国的消息已经泄漏，声称英美将承认苏维埃政府的流言广为传播。保守的后座议员像鹰一样紧盯劳合·乔治的一举一动；北岩爵士的报纸也对他时刻关注。当天早上的《每日邮报》登载了一篇由姐妹报《泰晤士报》新编辑亨利·威克汉姆·斯蒂德撰写的文章，这个人和北岩爵士一样憎恨劳合·乔治。由于国际犹太人金融家及德国企业集团的策划，普林科波"阴谋"又复活了。餐桌上，劳合·乔治把报纸递给布利特说："既然英国媒体这么报道，你怎么能期望我理智地对待俄国问题？"

接下来几周，劳合·乔治的压力越来越大。4月10日，国会200多名保守党人联合签发了一份电报，督促他不要承认苏维埃政府。同时，他也因对德和约问题遭受攻击。不过，他懂得把握时机减少损失。4月16日面对下议院他坚定地说，巴黎从未讨论过承认苏维埃政府，而且那是绝对不可能的。当有人问起布利特的出访时，他轻描淡写地说："好像是有个美国青年从俄国回来。"不过他没说这个青年有没有带回任何有用的报道。

布利特大受打击。没人愿意听他的出访任务，就连他敬仰万分的总统先生也没有兴趣。5月对德和约签订后，他对威尔逊彻底失望。悲愤交加的他交了一份辞呈，然后前往里维埃拉海岸"躺在沙滩上，看世界走向灭亡"。同年秋，他返回美国，在参议院证明他及许多美国代表都不赞同条约的许多条款，从而决定着威尔逊及《凡尔赛条约》的命运。他还成功地使出访俄国的报道归入档案。1934年，作为第一任美国驻苏联大使，他重返莫斯科，不

第二章 世界新秩序 ▶ 53

过,这次的经历使他成为狂热的反共产主义分子。

法国依然嘀咕着要进行干预,但又不愿跨过防疫封锁线。威尔逊和劳合·乔治不再与苏维埃政府接触,虽然他们还期望奇迹出现:布尔什维克党转变为民主党。他们甚至想过通过援助食物安抚布尔什维克党人,这也是联合救济部部长胡佛一直主张推行的计划。胡佛对待布尔什维克党的态度与威尔逊接近,即他们是恶劣条件的可理解的产物。虽然很危险,但他们的宣传手段即使在美国这样强大的社会也很有吸引力。协约国应该间接地告诉布尔什维克党人,只要他们不再散播革命,就会得到大量援助。有了时间和食物,俄国人民就会抛弃激进思想。为了避免被误解为联盟将承认布尔什维克,同时不引起法国反对,胡佛提议任用中立国的某个杰出人物负责整个行动。

事实上,他心里已经有了人选——挪威著名的北极探险家,"身体强健,品德高尚"的弗里德托夫·南森,此人当时碰巧在巴黎,并有为国际联盟出力的想法。4月中旬,已演变为四人会议的最高委员会批准了胡佛的计划。一些中立国包括挪威开始筹集食物和药品,只要布尔什维克与敌军停火,他们就把救援物资送到俄国,南森试图发电报告诉列宁这个好消息,但英法都不同意。法国认为该计划是英美,甚至德国企业集团获取俄国让步的手段,而英国则对看似承认布尔什维克的任何行动都非常警惕。最终,电报从柏林发出。

5月15日,由齐采林和李诺维夫起草的回复通过收音机和电缆抵达巴黎。列宁指示起草人:"对南森要彬彬有礼,对威尔逊、劳合·乔治及克雷孟梭要傲慢无礼。"至于计划本身,他说,"计划只是用于舆论宣传,因为显而易见,它也没有别的用处。"他的同僚遵从他的建议,一边刻薄地攻击协约国,一边明确表示拒绝停火,除非和平谈判公正、正义。巴黎的调停者无奈地摇头,同时放弃所有有关人道主义援助的讨论。这个插曲表明协约国的对俄政策再次破产。

1919年,最后一线希望出现了,俄国人也许能自行解决问题。初春时节,冰雪尚未消融,白俄罗斯人联合进攻布尔什维克党。高尔察克从位于西伯利亚东部的基地拉开了一条很长的战线,一支部队北进阿干折与被围攻的白俄罗斯及英国部队的一小支先锋汇合;另一支向西朝乌拉尔山地区逼进;还有一支南下与邓尼金的部队会师。到四月中旬,高尔察克及其盟军已经从布尔什维克手里夺取了30万平方公里的土地。但这是他们最鼎盛的时期。

布尔什维克党有两个重要优势:团结及地理位置。他们控制俄国中心地区,而其他反对派则散布在边缘。被敌对国家分隔的白俄罗斯各司令相互猜疑,经常不知道对方的行动。另外,布尔什维克党的人力是白俄罗斯军队的3倍而且它控制大部分兵工厂。

1919年5月23日,协约国决定部分承认高尔察克政府。邱吉尔后来写道:"选择的时机太晚了。"要求白俄罗斯保证引进民主制度的急件辗转送到西伯利亚,协约国最终收到一份含糊其辞的答复,他们似乎做出了相应的承诺。不久,战败报告也送抵巴黎。六月底,红军冲破高尔察克的中心,白军一溃千里。

　　然而,此时和会已经接近尾声,德国也即将签订《凡尔赛条约》,因此根本无暇顾及俄国问题,只在条约的一项条款中简单规定:必须承认今后协约国与俄国或其任何部分签订的任何条约。另一项条款给俄国提供了索取赔偿的机会。除此之外,其他对俄政策依然模棱两可。虽然反对布尔什维克的封锁还在继续,但对白军的支持逐渐缩减。英法最终抛弃了失败的高尔察克(后来他投靠捷克军团,仍留在西伯利亚东部;捷克人又把他移交布尔什维克党并于1920年2月被杀)。

　　1919年10月,邓尼金在南方全线撤退。1920年1月,在英国的怂恿下,欧洲协约国同意结束军事干预并解除封锁。1921年3月,英国与苏维埃政府签订了一项贸易协议,该协议甚至得到保守党商人的支持,他们惟恐失去在俄国的机会。1924年,英国与苏联正式建交,法国勉强紧跟其后。

　　事后来看,邱吉尔及福煦对待布尔什维克的观点和看法是正确的,劳合·乔治及威尔逊都错了。俄国的执政党没有转变为瑞典社会民主党之类的政党。列宁建立的拥有无限权力的体制使斯大林的权力极度膨胀。俄国人民及世界许多其他地区的人民因布尔什维克党在内战中的胜利而付出了惨痛的代价,而巴黎的调停者们不得不面对自身权力的限制。

7 国际联盟

　　1月25日,和会终于批准成立国际联盟委员会。美国代表团的几个年轻成员认为可以把它改编成一部鼓舞人心的电影,以展示旧外交策略的邪恶性,不断变动的地图表明过去战争的种子如何被撒下:秘密联盟、不义之战以及古老、自私的欧洲强国任意瓜分世界的会议。巴黎和会及世界联盟将与此形成"鲜明对比"。他们相信这个电影一定会赚很多钱。

　　现在,人们很难想像当初竟把这个计划看得那么重要,只有少数古怪的历史学家还在劳神费力地研究国际联盟,相关的档案及丰富的材料基本上无人问津。一提起国际联盟,就会使人想到严肃的资本家、盲目的自由主义者、无用的决议、徒劳的调停任务以及失败:1931年满洲爆发战争,1935年的埃塞俄比亚,最具灾难性的是一战结束仅20年,第二次世界大战即爆发。活跃在两次世界大战之间的领导人——墨索里尼、希特勒及日本军国主义者——嘲笑国联并最终背弃。其主要支持者——英国、法国及其他小民主国家——也反应冷淡。苏联的加入仅仅是因为斯大林当时没有更好的选择,而美国则从未加入。由于这次惨痛的失败,二战期间,当列强再次打算建立永久国家联盟时,他们决定建立一个崭新的联合国。1946年,国联正式宣布解体,其实,1939年它就已经名存实亡了。

在国联最后一次会议上,创始人之一罗伯特·塞西尔勋爵问:"难道我们20年来的努力真的白费了吗?"他勇敢地自答道:"这是有史以来第一个全球性组织,它的成立不是为了保护个别国家的利益,而是消灭战争。"他总结说:"国联是一个伟大的实验。"它把几个世纪以来为和平而努力的人的梦想与希望付诸实践,并使其传统深入人心,即世界各国可以也必须为共同安全而合作。"国联已去,联合国万岁!"

塞西尔说得对,国联的确有重要的代表意义:既认识到国际关系的变迁又为将来下了赌注。正如蒸汽机改变了人们的交通方式,国家主义及民主思想改变了他们相互之间的关系以及与政府的关系。各国的行为方式也在和会召开前的一个世纪发生了转变。当然强权依然有效,各国都在维护自身利益,但意义却不同了。如果18世纪人们为了改朝换代或为了荣誉而建立、解散联盟;发动、停止战争;如果18世纪人们可以完全不顾其居民而霸占土地,那么19世纪人们的观念已经变了,战争逐渐被视为越轨行为而且代价高昂。18世纪,总是有人得,有人失,总体保持平衡;而现在大战已经证明战争对所有参与者都造成损害,而和平则促进国家利益,使贸易及工业繁荣。另外国家本身也不同了,不再由君主或一小撮精英体现而由广大人民组成。

外交政策的形成基本没变:大使呈递国书,签订并确认条约,然而规则却变了。例如,一国占领他国领土的做法已经不再流行,甚至不可接受(殖民地不包括在内,因为从政治发展情况来看,他们被认为低欧洲人一等)。俾斯麦创建德国时就以统一德国的名义这样做了,而没有打征服普鲁士的旗号。1871年,德国侵占法国的阿尔萨斯和洛林地区时,竭尽全力说服世界,声称这么做不是为了战利品,而是因为两省人民在内心深处都是日耳曼人。

还有另外一个因素:公众意见。民主思想的传播、国家主义的发展、铁路及电报网络、劳碌的记者以及印发大发行量报纸的新闻界都催生了一个使政府又怕又恨的庞然大物。

在巴黎,谈判都在公众监督下进行。

对理想主义者来说,这是件好事。普通老百姓会给国际关系提供非常有用的大众化视角,他们不希望看到战争或昂贵的军备竞赛(虽然欧洲人在 1914 年及以前的几十年中对战争很狂热,但这个信念始终没有动摇)。而且,欧洲及世界上有许多理想主义者。19 世纪的繁荣与进步使人们相信世界日益变得文明。不断发展壮大的中产阶级组成一支天然的选民队伍支持和平运动,提倡仲裁,赞成国际法庭、解除武装甚至请求戒绝暴力以阻止战争。反战人员被视为社会楷模,特别是在西欧,政府越来越重视人民的意愿,民警取代了私人卫兵,法制已经被广泛接受。毫无疑问,设想一个类似的为全民提供安全保障的国家团体是有可能的。

在巴黎,威尔逊坚持担任国联委员会主席,因为对他来说,国联是和平方案的核心。如果它能成立,其他问题都好解决;如果和平条约不尽完善,国联有足够的时间事后进行修正;许多地区需要划定新国界,如果有问题,国联可以处理;德国殖民地将被收回,国联将确保其得到合理管理;奥斯曼帝国已经垮台,国联将为这些尚未做好自给准备的人民充当清算人和保管人;为了子孙后代,国联将维护繁荣与和平,鼓励弱者,声讨恶者,并在必要时惩治顽抗者,它向人们许诺人道将成为一种契约。

威尔逊带着新世界的礼物横渡大西洋来到旧世界的画面令人瞩目、赞叹,但遗憾的是,却是虚假的。无数欧洲人长期以来梦想着处理国际关系的好方法。如果刚刚经历的战争能带来一个更美好的世界同时杜绝战争再起,那它才有意义。这也是政府在黑暗时期的许诺,是支撑他们的精神支柱。1919 年,当欧洲人审视这血流成河、灾难深重的几年时,当他们意识到欧洲社会严重地甚至毁灭性地被毁时,国联给了他们——自由党及左翼——最后的机会。哈罗德·尼科尔森说出了多数同代人的心声:"我们前往巴黎不光为了清算战争,而是要在欧洲建立新秩序,我们要的不仅是和平而是永久和平。头顶着神圣的光环,我们必须警觉、严肃、正直、廉洁,因为我们一心致力于伟大、永久、高尚的事业。"

劳合·乔治赞成威尔逊的观点,认为应该把国联确定为和会的第一要务,这样做不止是为了取悦美国。毕竟,他是自由党人,是有反战传统的政党的领袖。作为一个精明的政治家,他也了解英国民众。1918 年圣诞前夜,他对同僚说:"他们对目前的事态非常恐慌,害怕再次演变为悲剧。"如果和会不能成立国联,将会造成一场政治灾难。但它却从未合乎过劳合·乔治的心意,也许是因为他怀疑国联是否真正有效。他很少在演讲中提及国联,也从未在担任首相期间访问过其总部。

在法国,人们对德国的侵略暴行记忆犹新,对前途忧虑不安,整个社会弥漫着对国际停战合作沉重的悲观主义情绪。另一方面，又有人特别是自由党人及左翼希望给国联一个机会。克雷孟梭更希望先解决德国问题，但又不想让人觉得法国阻碍国联成立。他对国联的态度始终摇摆不定，但不敌视。正如他说的一句名言："我喜欢国联，但不信任它。"

公众普遍都支持国联，但对它没有明确的概念。它应该是警察还是牧师？它应该采用武力还是道德规劝？显然，法国倾向于用武力制止侵略者。律师，特别是英语国家的律师则坚信国际法及法庭，对和平主义者来说还有一个补救国际暴力的办法：全体解除武装并且各成员许诺杜绝战争。国联将会是什么样呢？像超级大国？巨头俱乐部？处理紧急情况的会议？但无论采取什么形式，都必须具备成员资格条件、规章、程序及类似于秘书处的机构。

把国联确定为和平中心任务的人在战争期间对这些细节闭口不谈。威尔逊总是说得很笼统，虽然也很振奋人心。他的国联将非常强大，因为它代表全人类的意愿。他在十四点中说，其成员国将保证各国的独立与领土完整；它有可能使用武力，但更有可能不需要。战争表明人民渴望这样的组织，是他们不懈争取的。战争结束前夕，他在位于纽约的大都市歌剧院对一大批听众说："普通人的意见变得比那些老于世故的人的意见更简明、直接，更一致，这些人仍然以为他们在玩高风险的权力游戏。"

威尔逊认为战争还在继续时不应该谈论具体细节，那样只会在协约国之间引起纠纷，并且可能会使敌国以为国联是专门针对他们而成立的。在他看来，这个想法非常理智而且广为接受，一定会发展成一个健康的有机体。甚至在巴黎，国联盟约已经开始起草时，他也拒绝谈论过于具体的细节。在国联委员会，他对同僚说："先生们，我相信我们的接班人和你我一样明智，而且我想国联一定能处理好自己的事务。"

威尔逊不明确的态度甚至让他的支持者都惊慌了。不过，幸运的是总算有几个详细计划出现了。由于战争仍在继续，就不可避免地引发许多有关如何防患于未然的讨论。在美国，坚持和平的联盟使民主党与共和党联合。在英国，国际联盟吸引了许多中产阶级自由党成员。伦纳德·伍尔夫组织费边社（1884年在伦敦成立，主张以渐进的方式实现社会主义——译注）成员赞助了一次全面学习。1918年初，英法政府决定参与，因为国联现在已经是明确的战争目标了。在法国，由杰出的自由党政治家里昂·布尔茹瓦领导的委员会为拥有军队的国际组织起草了一份详细计划。在英国，由著名律师沃尔特·费利莫尔领导的特殊委员会制订出一系列详尽的建议，其中包括许多战前的想法，如仲裁。他采取策略非常谨慎，既否定乌托邦思想又反对实用主义倾向，认为该联盟应当是战时联盟的延续。当英国政府将费利莫尔的报告交给威尔逊时，他并不满意地说他自己正在制订一份计划，并将在适当的时候公布。他告诉英国人他有两个主要原则:必须成立国联,而且必须实实在在,有实权,而不是纸联盟。战争结束前,华盛顿再未对此发表明确看法。

就在这个节骨眼上,大英帝国的一位领导人——斯马兹将军决定起草一份计划。他高大瘦削,一双碧蓝的眼睛闪烁着严厉的光芒。乍一看去,并不起眼(在伦敦,博登的秘书还以为他来修电灯,礼貌地让他在外面等候)。但是,他的人格魅力却深深地吸引了威尔逊,因为他和自己很像:喜欢干大事,有很深的宗教及民族信仰,并且渴望使世界更加美好。两人都出身于稳定幸福的家庭,生活圈子很小,当然威尔逊在美国南方,而斯马兹在好望角的布尔人农业区;两人都对黑仆有美好的记忆(虽然他们对黑人与白人平等都表示怀疑),同时也有关于战争的悲伤往事。威尔逊经历的是美国内战,而斯马兹经历的是布尔人反英战争;两人都表面冷静、严肃而内心热情、敏感;两人都急于指出他人言行中的矛盾之处而对自己的却视而不见。

斯马兹顺利读完中学及斯多伦波斯科大学,然后和许多殖民地有才华的青年一样前往英格兰留学。在剑桥时,他学习勤奋刻苦,获得很多奖项并荣获法学双优荣誉学位。毕业后,他留在伦敦准备担任律师。据悉,在此期间,他从未去过剧院、音乐会或艺术馆。在有限的业余时间里,他阅读诗歌:雪莱、莎士比亚,尤其是沃尔特·惠特曼,他本人和诗人一样深爱着大自然。如果说威尔逊能用平实的语言激励听众,劳合·乔治能用精彩的演讲使听众振奋,那么胜过其他调停者的是,斯马兹能对他们歌唱。他曾对战争中的重大问题提出过建议,自然他也会对和平发表看法。

斯马兹热烈欢迎威尔逊出现在世界舞台上。他对一群美国记者说:"正是这种道德理想主义及对美好未来的展望支持我们度过战争的漫漫长夜。"虽然世界已经被打破,但面前却有一个巨大的机会,"这个机会让我们为重建美好世界而努力,在自由与公正的原则下重组世界,并在各阶级与国家间重建惟一能确保永久国际体系的友善关系。"类似的话语和劝诫演说还有很多。"我们不要低估这个机会,"他对疲惫不堪的世界大声疾呼,"奇迹的时代从未过去。"也许当奇迹能够永远结束战争时,它就会到来。

但有一点,斯马兹却没有大肆宣扬国联可能对大英帝国有用。1918年12月,他为英国同僚准备了一份世界形势分析报告:奥匈帝国垮台,俄国一片混乱,德国战败;世界只剩下三个强国:大英帝国、美国和法国。法国人不能信任,他们是大英帝国在非洲及中东的竞争对手(法国人以牙还牙,非常厌恶斯马兹,特别是一次会上他不小心将机密文件遗漏之后)。斯马兹争辩说,英国必须寻求美国的帮助与合作,"语言、利益及理想"使他们的前途命运紧紧相连。让美国人意识到这一点的最好的途径就是支持国联。大家都知道威尔逊认为国联是他最重要的任务;如果能得到英国的支持,他很可能会在一些难题上松口,诸如坚持海域自由之类。

斯马兹认为威尔逊的思想"非常模糊松散",并开始着手把它梳理连贯。他很快写出一份自称为"一个实用建议"的倡议书,其中包括所有成员国参与的全体会议、较小一些的执行委员会、永久秘书处、解决国际争端的步骤、委托管理尚不能自治的人民,以及许多后来写进国联盟约的内容。除此之外还有很多:对刚过去的战争的恐惧、四分五裂的欧洲、普通民众对美好世界的渴望,以及调停人面临的巨大机会。"由于基础松动了,一切又变得不确定,帐篷已经拆除,人性的大篷车重新踏上征途。"斯马兹自豪地在信中对一位朋友说,"我的论文在高层引起巨大反响,我在内阁会议记录上看到,首相称之为'我看过的最优秀的文章之一'。立即以小册子的形式发表。"

某美国法律专家评论说,"写得非常优美",但有的地方含糊不清,如斯马兹没有探讨德国前非洲殖民地的托管问题(他这样做是有意的,因为他坚信他的祖国应该接管非洲西南部的非洲殖民地)。劳合·乔治给了威尔逊一份,他很喜欢,但绝不是因为斯马兹坚持认为建立国联是和会的首要任务。1919年初,威尔逊巡游完欧洲返回巴黎,并开始着手推延已久的任务——把观点付诸纸上。1月19日,他把成文递交给英国人,其中借用了许多斯马兹的观点。斯马兹对一位朋友说,他不介意,"我觉得得知自己的想法符合天意会有一种特殊的满足感,那样的话,上帝会帮你完成任务"。威尔逊称斯马兹为"慷慨的人"。

威尔逊也很赞同另一位英国专家塞西尔,此人瘦削、严肃、沉静,常常使人联想到和尚。他很少笑,即使笑,克雷孟梭说,也像"一条中国龙"。信仰上,他是虔诚的圣公会教徒,曾受训当律师,职业为政治家并且出身贵族。塞西尔家族从16世纪就开始效忠英国。鲍尔弗是他的表兄,他的父亲是伟大的保守党人索尔兹伯里勋爵,曾于19世纪80年代至90年代间担任首相。年轻的罗伯特见过迪斯雷利和格莱斯顿,拜访过温莎城堡并谒见过普鲁士王子。他所受的教育培养了他强烈的正义感和对公众的使命感。战争爆发时,他50岁,由于年老无法上战场,所以就去法国红十字会当志愿者。1916年,他负责封锁德国。至此,他坚信必须建立一个组织阻止战争,因此他热忱欢迎威尔逊的意见。1918年12月,他与总统先生的第一次会面非常令人失望。他们只在一次大型招待会上简单交谈了几句。1月19日,他们终于在巴黎举行了一次正式会谈,塞西尔发现威尔逊有关国联的想法大部分借自英国人。他在日记中写道,威尔逊"有点仗势欺人,必须采取强硬策略对付,但同时又要绝对礼貌和尊重——很难同时做到"。威尔逊派大卫·亨特·米勒会见塞西尔并写出一份共同草案,标志着英美合作日益加深。

1月25日，和会成立国联委员会，满堂喝彩，气氛高昂。不过这种气氛被小国代表破坏了。他们对自己在和会的角色不满，抱怨委员会只有五大国代表，每国两个——大英帝国、法国、意大利、日本以及美国。比利时首相说他们也遭受了苦难，但主席克雷孟梭对此置之不理，在他看来，五大国是以上千万死伤者为代价换回和会席位的，小国能被邀请就已经很幸运了。不过，作为让步，他们可以任命五个国联委员会代表（最后增至九个）。反叛的风暴虽然平息，但怨恨情绪仍在。当英美推出为国联五大国执行委员会制订的计划时，小国极力抗议，并最终争得另选四位成员的权利。

　　当威尔逊提出两周内完成国联盟约时，塞西尔以为他疯了。但实际上，工作进展很快，部分是因为英美已经事先达成重要协议了。第一次会议于2月3日召开，到14日，综合草案就完稿了。委员会的十九位成员几乎每天会面，地点设在克里昂酒店豪斯的房间，各成员围坐在铺有大红桌布的圆桌旁进行讨论。坐在身后的是各自的口译员，低声给他们做着翻译。英美代表相邻而坐，不时相互请教。法国人被意大利人与英美隔开；葡萄牙人及比利时人喋喋不休而日本人则沉默寡言。主持会议的威尔逊简洁明快，杜绝长篇大论与细枝末节，使国联沿着他希望的方向推进。塞西尔写道："我发现我不喜欢他，但不知道确切原因：有点强硬、虚荣、讲求结果。"另一位美国代表豪斯始终在总统左右，但很少讲话。然而在幕后，他却和往常一样忙碌，"我力图发现问题并及时解决。"

　　劳合·乔治及克雷孟梭都没有来参加委员会，贝克认为这表明欧洲人不重视国联。他阴沉地说，他们很高兴威尔逊忙于此事，而他们可以按惯例瓜分战利品。但威尔逊依然出席最高委员会并参与所有重大决策。劳合·乔治以其一贯风格挑选他信赖的人——这次是斯马兹和塞西尔——作为全权代表。克雷孟梭任命了两位同样很不被他看好的重要专家，一位是巴黎大学法学系主任拉诺德教授，另一位是里昂·布尔茹瓦。

　　布尔茹瓦博学多识，极富修养。他是一位法学专家、梵文学者、音乐鉴赏家，同时是位合格的雕塑家和漫画家。作为自由党人进入政坛以来，他很快攀升到顶峰：内务部长、教育部长、司法部长、外交部长直至总理。他自战前就一直对国际秩序很感兴趣，曾代表法国参加海牙会议，试图限制战争但没有成功。当威尔逊提出国联设想时，他喜极而泣，但1919年，他年老体衰，视力下降，而且受尽严寒之苦。

　　另外，他还得在重重阻碍下拼命工作，许多法国官员执意认为国联是战时联盟的延续，是针对德国而成立的。克雷孟梭认为布尔茹瓦非常愚蠢，并从不掩饰这一想法。当豪斯问为什么他能当总理时，克雷孟梭答道："我撤销内阁时，材料外泄，他们就选了布尔茹瓦。"英美人认为他有点滑稽，他用流利优美的法语发表的长篇大论常常让他们昏昏欲睡。

威尔逊不喜欢他,部分是由于他听说克雷孟梭指示他尽量拖延时间。这很可能属实,他很少自作主张,总是请教希望威尔逊在对德和约问题上做出让步的克雷孟梭。他对布尔茹瓦及拉诺德说:"让他们打败你们吧,没有关系,你们失败了可以让我在莱茵河问题上争取更多保证。"布尔茹瓦非常生气,但却顺从了,他对庞加莱说:"换句话说,他让我在战壕牺牲,自己到别处去战斗。"

在国联委员会会议上,法国代表反对英美要求国联拥有武装,威尔逊本人也曾表示过类似想法。布尔茹瓦争辩道,国联应该像任何现代民主社会的司法体制一样拥有干涉破坏和平的行为的权利,并用武力强行恢复秩序。换句话说,万一国联成员国之间有纠纷,将自动进行仲裁。如果某国拒绝接受国联决定,将对其进行经济甚至军事制裁。他提倡在拥有全面检查权利的某国联机构领导下解除武装,该机构将拥有一支由各国组建的国际部队。英美怀疑这些提议仅是法国建立对德永久武装联盟的策略,但无论在什么情况下,在政治上都是不可能实现的。与总统争夺外交政策控制权的美国国会当然不会让其他国家知道美国何时在何地作战。劳合·乔治政府中的保守派希望用传统稳妥的方法保卫英国。邱吉尔说,国联"不能代替英国舰队"。皇家总参谋亨利·威尔逊说国联"全是垃圾,无用的废话"。英国可能会因此卷入欧洲大陆或更远地方的冲突,但对他毫无益处。

几个自治领代表团也有类似的保留意见,对此,劳合·乔治及其同僚不能轻易忽视。怒火中烧、魔鬼一般的比利·休斯反应强烈,他喜欢法国人,憎恶美国人,但绝不是因为在访问华盛顿期间遭威尔逊冷遇。他说,国联是威尔逊的玩具:"只有得到了,他才会高兴。"为了澳大利亚及其个人利益,他不希望英国被拖在威尔逊凯旋的战车之后。博登也理智而巧妙地表达了他的不满,他赞成国联,但不希望包括过多欧洲人。他一直梦想在英美之间建立友好伙伴关系。刚从英国赢得一定外交政策控制权的加拿大人不想把它转交给别的上级机构。

法国人试图加强国联武装力量的野心使盟国恼羞成怒并威胁延迟和会。正当国联委员会急于在威尔逊第一次短暂回国前完成第一草案时,秘密会议的情况已被大量泄露并造成恐慌。一名美联社记者写道:"会议总部上空乌云密布,被猜疑与痛苦的气氛笼罩,国联盟约的命运依然值得怀疑。"虽然法国媒体开始攻击威尔逊,克雷孟梭也在采访中警告说,绝不能假借崇高却含糊的理想的名义而牺牲法国的利益,但这些都无济于事。有谣言说威尔逊为了报复将把整个和会迁出巴黎或有可能放弃国联。2月11日,威尔逊回国前三天,国联委员会一直在开会,法国提出创建国联军队的修正案。对此,威尔逊评价说:"既违宪又不可能。"因此会议无果而终。第二天,塞西尔冷静地向法国人指出他们的尴尬处境:

"他认为法国人向美国,同时在一定程度上也是向英国表明,他们不会接受近在眼前的礼物,因为他们的更多要求没有得到满足。他坦率地警告他们,如果国联失败,将成立英美联盟。"布尔茹瓦败下阵来,但又在一个月后进行最后一次徒劳的尝试,即提议国联应该自备参谋。他温和地说,这将会给国联提供信息并迅速准备对策,以防止战争爆发时遭受突然袭击。威尔逊怒不可遏,他对私人医生格雷森说:"法国代表简直不可理喻,他们喋喋不休,不停强调已经彻底解决的问题。"作为回应,布尔茹瓦对庞加莱说,威尔逊专断独裁而且极不可信:"他做什么事情都想着提升自己的地位。"

2月13日,第一草案完成,威尔逊十分高兴,因为这个日子很吉利,而且草案共有26篇文章,是13的两倍。国联的主要纲领基本就位:包括所有成员国的全体会议、秘书处及五大国占多数的执行委员会(美国未成为国联一员使该条款失效),但没有国联军队、仲裁和解除武装。另外,国联各成员还保证互相尊重主权与领土完整。由于五大国担心小国可能联合起来在选票上胜过他们,就又添加了一项条款,规定所有决议必须全体一致通过,这导致后来国联失去实效。

国联不允许德国马上加入。法国对此态度坚决,而其盟国却随时准备让步。的确,威尔逊一心要像对待需要救赎的罪犯一样对待德国:"世界有权解除德国武装,使它更加理智。"因此德国的位置比较奇特,一方面要在《凡尔赛条约》中赞成国联,但却无权加入。英美都认为这很不公平。

盟约也反映了一些国际主义者及人道主义者关心的问题,其中包括国联将负责建立一个永久国际法庭,禁止武器走私和奴隶制,支持国际红十字会发展壮大。同时,还成立了国际劳工组织,以制订工作条件的国际标准。

此外还包括一些中产阶级改革派、左翼各党派及工会向往已久的内容(8小时工作制是他们强烈要求的)。战前他们最多只能限制妇女上夜班,禁止在生产火柴时使用磷。布尔什维克革命使西方统治阶级的态度发生奇迹性的转变,甚至在民主国家,工人也浮躁不安。谁知道他们会沿着通往革命的道路走多远呢?欧洲劳工代表扬言要在巴黎举行会议,与和会同步,并同时邀请战败国及战胜国代表。虽然协约国将这个问题转交瑞士伯尔尼处理,劳合·乔治和克雷孟梭都认为在国联盟约中增加有关劳工问题的条款有助于平息工人情绪。和威尔逊一样,无论何种情况,他们的政治倾向都使他们同情工人运动,至少当运动不引发革命时都是这样。

国联委员会成立当天,另一个国际劳工委员会也宣布成立。在主席——美国联邦工会首脑塞缪尔·龚帕斯及副主席——英国工会领导乔治·巴恩斯的领导下,委员会工作安静平稳。巴恩斯对劳合·乔治抱怨,说调停者对其工作"漠不关心"。其实,这很有可能是好事。国际劳工组织成立时不声不响,并于1919年末举行第一次会议。与其所附属的国联不同,它从一开始就包括德国代表,而且它存活至今。

2月14日,威尔逊将国联盟约草案提交和会全体会议。委员会成员已经制订出一份实用、鼓舞人心而且让他们引以为豪的文件。他总结说:"战争带来许多可怕的事物,但同时也带来一些非常美好的事物。"当晚他离开巴黎前往美国,自信已经达到了参加和会的主要目的。

但盟约还没有完全敲定。法国人依然想增加有关军事力量的内容,日本人希望引进一条颇具争议的有关种族平等的条款。此外,德国前殖民地及奥斯曼帝国的托管问题还有待商定。同时还有巩固美国对美洲政策的复杂的门罗主义。国联有权违反门罗主义原则吗?这是许多威尔逊的保守党反对派都担心的问题。如果有,他们将反对国联,并可能导致国会也反对国联。虽然威尔逊讨厌让步,特别是向他憎恶的人,但还是同意在返回巴黎后就一项特殊的保留意见进行磋商,声称国联盟约绝不违背门罗主义。

他发现自己这次与英国人一起卷入了他一向鄙视的外交游戏。虽然塞西尔和斯马兹同情他的处境并准备支持他,劳合·乔治却嗅到了一个机会。他一直设法与美国签订一项防止海军竞赛的协议,但始终没有成功;现在威尔逊暗示他可以反对任何有关门罗主义的保留意见。日本人那边也有麻烦,他们可能要求批准一项类似的理论,警告其他国家不得插手远东事务。这又会转而使已经对日本的意图极度惶恐的中国人更加不安。

4月10日,海军问题已经与英国谈妥,威尔逊提出一份措辞严密的修正案,指出国联盟约绝不影响其他国际协议的有效性,如旨在维护世界和平的门罗主义。因没能主导国联而耿耿于怀的法国对此大加攻击。他们争辩道,盟约中已经有一条,规定各国成员必须确保其国际条约与国联及其原则一致,难道门罗主义不包括在其中吗?当然包括了,威尔逊回答说,它的确是国联的楷模。布尔茹瓦和拉诺德又说,那样的话,为何要把门罗主义单独提出?塞西尔试图帮威尔逊解围,他说提出门罗主义只是举个例子而已。威尔逊一言不发,下嘴唇气得发抖。午夜时分,他开始极力为美国辩护,它不仅是其所在的半球及欧洲大陆反对专制政治、捍卫自由的保护神,在最近的大战中更是如此。"难道美国不值得几句实事求是的夸奖吗?上个世纪以来,它的政策全部致力于自由与独立原则,这些原则将在盟约中作为全世界的永恒宪章而被尊为神圣。"美国人听后大为感动,法国人却无动于衷。

4月28日,一场小雪覆盖巴黎,和会的一次全体会议批准了国联盟约。一位来自巴拿马的代表发表了一篇冗长而博学的和平演讲,以亚里士多德开篇,以伍德罗·威尔逊结尾。

来自洪都拉斯的代表用西班牙语抗议有关门罗主义的条款,由于很少有人听懂,他的反对意见没有引起重视。作为主席的克雷孟梭以其一贯雷厉风行的作风主持会议,一旦有人讨论修正问题,即使来自本国代表团,他就会敲槌加以制止。

威尔逊有充分的理由高兴,他如愿以偿签订了盟约;阻止了法国要求国联拥有武装力量的建议,并给门罗主义加了一个保留条款以确保在美国通过。他相信国联会不断发展变化。时机成熟时,他会吸收敌国加入,帮助他们走和平民主之路。正如他对妻子所说,只要和平方案需要修改,"都可以拿到国联来,它就像一个永久的票据交换所,所有国家都可以前来,无论大小强弱"。由于集中精力在国联,威尔逊让和会许多其他问题都顺利通过。他不反对他认为错误的决定:将讲德语的蒂罗尔分给意大利,或将千百万德国人置于捷克或波兰的统治之下。这些决定一旦做出都很长久,至少持续到下一次战争开始。国联要采取措施将会很困难,因为它规定几乎所有决定都要求全体一致通过。他的另一个危险的假设是他可以获得支持使国会通过国联。

8 委任托管

甚至在国联委员会启动前,委任托管问题就已经在最高委员会提出了,威尔逊明确表示希望国联负责处理德国殖民地。战胜国都认为德国不应该收回其殖民地,其中包括一些太平洋小岛及一部分非洲地区。德国在战争中的表现向协约国表明,它不适合统治其他国家的人民。另外,威尔逊的态度使一些地区的人不悦并且震惊。

令美国人沮丧的是,盟国依然一心想着战利品。法国希望得到多哥兰、喀麦隆并结束德国在摩洛哥的权益(这将使法国成为其惟一的保护人)。意大利人的眼睛主要盯着索马里的部分地区。大英帝国内部,南非想要非洲西南部的德国殖民地;澳大利亚想要新几内亚及附近岛屿;新西兰想要德国的萨摩亚群岛;英格兰想吞并非洲东部的德国殖民地,以填补其南北殖民地之间丢失的连接纽带。他们还与法国人进行秘密交易企图瓜分奥斯曼帝国。日本人则与中国人暗中交易,妄想接管德国在中国的特权及租界,同时英国还想管辖赤道以北的德国岛屿。

在威尔逊的世界新秩序体系中,对于那些尚不能自治的地区必须进行妥善安排,而不是吞并或殖民化。委任托管是个可行的解决办法,是一种直接由国联或由国联授权的国家管理的托管形式。托管期限将由被监护者的进展情况决定。威尔逊在这点上非常含糊。很明显,非洲需要外部管理,但其他从战败国散落的领土该怎么处理?如从奥斯曼帝国分裂出来的阿拉伯中东地区或从俄国分裂出来的亚美尼亚、格鲁吉亚和其他高加索共和国。在混乱的中欧地区,也有一些国家人民似乎不能自治。这里,威尔逊只说他不同意托管欧洲国家的人民。

强国保护弱者的观念由来已久。殖民主义者(常常很真诚)已经在大战前完成了许多使命。最重要的美国非洲问题专家严肃地说,德国从未真正理解它的责任:"土著人普遍被视为达到目的的途径,而不是终极目标,他们及殖民地的福利完全从属于当地德国人及德国本土的利益。"

由于意识到因要求分割德国或其他国家的领土而反对美国人毫无意义,所以英国人支持托管。斯马兹如往常一样雄辩。他在国联备忘录上写道,伟大的帝国正在被清算,国联必须介入。"由俄国、奥地利及土耳其分解而产生的人民大都在政治上不成熟,没有经验,毫无或缺乏自治能力;而且大都赤贫,需要照顾扶持才能走向经济政治独立。"欧洲人如芬兰人或波兰人可以马上自力更生,而中东却需要更长时间。原德国在太平洋及非洲的殖民地则可能永远都无法自理。那里的居民尚未开化,"对他们讲欧洲的政治自治观念行不通"。如果大英帝国将他们直接接管就再好不过了。他对英国同僚说,如果美国人反对,英国可以慷慨地让步,然后要求在国联的监督下管理。那就会迫使其他国家特别是斯马兹的心腹大患——法国为其殖民地接受类似的条件。和斯马兹一样高尚的塞西尔发现了一个实际优势:英国商人及投资者最终可以进入法国和葡萄牙在非洲的殖民地。

"托管"这个词听起来和蔼可亲、令人愉快,最初在和会被生造时,它让很多人迷惑不解。它真如愤世嫉俗者所认为的,仅仅是对霸占瓜分领土的掩饰吗?还是国际关系的新起点?国联会让受委托国单独管理呢还是会不停干涉?当一个迷茫的中国代表被告知原属德国的中国殖民地将要迎接新统治者时,他问:"谁是受委托管理国?"

法国人敌视托管并对此恐惧不安。克雷孟梭激动地对庞加莱说:"国联保护和平,无可厚非,但国联作殖民地的专有者绝对不行!"殖民地是国力的标志,而且还拥有法国急需的人力资源。德国人总比法国人多,但如果算上亚非地区的殖民地,法国就有望在其称为"我们远方的兄弟"的帮助下与德国平衡。如果法国接受国联委任,在招募当地士兵到海外服役时会有苛刻的限制吗?不幸的是,英美似乎都是这么想的,他们提出的委任条款要求委任管理国开展人道主义工作，打击贩奴活动等，但他们同时禁止对当地居民进行军事训练，除非为了培养警务人员及"保卫国土"。

当托管问题提交最高委员会讨论时，克雷孟梭和毕勋对它发动了进攻。如果法国不能在危急时刻在托管地招募志愿者进行自卫，那为何要耗费时间和金钱去照看它呢？英美受其地理位置保护不受德国威胁，但法国必须依靠殖民地战士才能战胜德国。劳合·乔治试图达成某种协议，他说使法国大为不安的条款实际上是为了防止德国在军力强大时进攻他国殖民地，法国人有权自卫或保卫由它管辖的任何领土。克雷孟梭缓和下来："如果这个条款意味着法国有权在战时募军，我就满足了。"劳合·乔治高兴地表示赞同："只要克雷孟梭先生训练一支庞大的黑人部队不是为了侵略扩张——这是所有条款力求避免的。"威尔逊同意劳合·乔治的解释，但问题是没人知道其明确含义。法国人能否在欧洲战役中使用被托管士兵？几个月后，即5月，法国人在即将印刷的国联盟约终稿中的托管条款里增加了关于保卫"委托管理国"的内容。英国的和会秘书汉克在某晚发现了这个改动，法国人声称已经得到其他国家的批准，但汉克不相信。他四处奔走，终于找到已经上床的威尔逊及正在宽衣解带准备睡觉的劳合·乔治。"正如我所怀疑的，这是明知故犯。"威尔逊迫使克雷孟梭删除增加的词组。

英国人对此幸灾乐祸，但英美之间也有难题。南非、澳大利亚及新西兰迫使英国人与美国对抗，因为这些国家有吞并领土的野心，不希望托管。劳合·乔治知道自己要提交的这个问题一定会遭美国反对。1月24日，他在最高委员会心不在焉地争辩说，吞并也是一种管理，其他的论证就留给自治领领导自己去完成。

斯马兹和波萨提出南非索取非洲西南部德国殖民地的要求。他们俩都曾参与1915年由波萨策划的小规模战役并取得成功。他们要求相当于英法两国面积总和但一般认为没有利用价值的大片领土（其丰富矿藏当时尚未被发现）。沿大西洋海岸是沙漠，中间一大片灌木丛生，主要适合放牧。几千个德国人（据说都是因为做了不光彩的事而逃出德国）在温得和克（Windhoek，纳米比亚首都——译注）仿建了城堡、温馨的德国村庄并在此建都。第一任德国殖民地长官恩斯特·戈林（赫尔曼的父亲）确定了对非洲独裁专断、残忍暴虐的统治基调。

斯马兹和波萨就德国对当地居民的残暴大加渲染。斯马兹说，南非白人对当地人非常理解并竭力让他们自治。"他们在野蛮愚昧的大陆建立了白人文明，成了南非各地的文化使者。"现在西南非人民有机会分享这些成果。它与南非领土相连，有坚实的基础合二为一。威尔逊充满同情地聆听着，他喜欢这两个人，尤其是斯马兹，虽然他不准备让步，但他明确表示,他觉得西南非人民的托管一定会非常成功,以至于他们终将会选择与南非合并。

接着主席克雷孟梭邀请"食人肉的野蛮人"——他与休斯开的小玩笑——陈述澳大利亚及新西兰的情况。休斯挥舞着一张破旧的地图,要求拥有新几内亚及附近岛屿,如几乎与澳大利亚接壤的俾斯麦群岛。他提出理由:这些岛屿对于澳大利亚如同水对于城市一样必要,并引证澳大利亚在大战中的贡献:伤亡人员达9万,其中6万人牺牲,欠债3亿英镑。"澳大利亚不希望在此重负下孤独地挣扎,也不希望没有安全感"。虽然他不能明说,但他头脑中未来的敌人是日本,澳大利亚人也考虑过这个论据,即当地人对他们非常欢迎。但当澳大利亚政府在新几内亚调查时发现,居民更喜欢允许他们猎取人头的德国官员。对于总统提出的严肃问题,休斯回答说,传教士可以长驱直入,魔鬼们已经有许多天没有吃饱过了。

同样挥舞着地图的新西兰代表马赛发表了冗长散乱的演讲,要求合并萨摩亚群岛。他说,战争伊始,新西兰军队冒着"巨大危险"占领该群岛(实际上,危险来自无聊,因为在接下来的几年中,占领者除了喝酒无所事事)。萨摩亚人不是野蛮人,他们非常明智,渴望新西兰的统治(但与此同时,萨摩亚人向当地新西兰行政长官请愿要求美国统治,英国统治,除新西兰以外的任何国家的统治)。

威尔逊对休斯尤其不能忍受,很明显他并不同情澳大利亚。法国人觉得很有趣,他们不喜欢托管,但不介意观看大英帝国内部的混乱。澳大利亚代表团一位成员写道:"可怜的休斯似乎变得越来越重要,当然,他只是被想霸占喀麦隆、多哥兰及叙利亚的法国人利用了而已。"

几天后,法国殖民地负责人亨瑞·西蒙在最高委员会发言时表示,法国只想要两小块非洲领土——法属西非殖民地达荷美内陆的多哥兰及1911年被德国抢占的西非国家喀麦隆(另外,法国想独占摩洛哥的保护国地位,不过没有必要提及这一点)。西蒙说他认为合并会更加有效而且有利于当地人民。法国想要的就是能继续在热带非洲传播文明,对殖民地问题毫不关心的克雷孟梭表示他非常愿意在此问题上让步。

威尔逊立场坚定,他对最高委员会说:"如果吞并继续,国联将从一开始就失去威信。"世界对他们满怀期望,他们不应该重蹈覆辙,打发无助的人民。如果他们不小心,公众就会反对,已受革命困扰的欧洲就会出现新动乱。他私下说,他不能忍受"分赃",必要的话,他可以以此要挟,将它公布于众。另一方面,他急于讨论托管以外的其他问题,即欧洲的命运——德国、奥匈帝国及俄国的前途问题。

幕后,主要调停者尽量化解对抗:害怕英美关系紧张化的加拿大劝告休斯和马赛要理智;身体已经恢复的豪斯告诉英国人他们必须让步。斯马兹和塞西尔制订出一项计划,豪斯认为可将其作为解决问题的基础。计划指出,目前有三种托管形式:A代表那些基本可以自理的国家,如中东地区国家;B代表受委托管理国治理的国家;C代表与受委托管理国接壤或接近的领土,它将作为托管国的一部分受其管理,不过有酒精及轻武器销售方面的限制。换句话说,C类里就包括西南非、澳大利亚和新西兰想吞并的岛屿。休斯说,这是期限为999年的租约,而不是无条件的不动产,但他不准备轻易妥协。

1月29日,大英帝国代表团会议制造了一幕用博登的话说"非常温暖"的场景。劳合·乔治简述了他认为美国可以接受的三种托管。休斯强词夺理,对每一点都争论不休,劳合·乔治大发雷霆,并说他已为此事与美国人争辩了三天,但他无意与美国在所罗门群岛问题上争吵。

不幸的是,第二天《每日邮报》(在和会期间发行巴黎版)刊登了一篇明显受休斯指使而写的文章。文章指控英国巴结美国,并声称英国正在牺牲大英帝国的利益以实现威尔逊不切实际的理想。当天早上,最高委员会见证了"第一流的争吵",劳合·乔治对休斯大为恼火,对批评异常敏感的威尔逊也怒不可遏。他漫无头绪地批评了提出的妥协意见,并建议将托管问题推至国联成立后讨论。很明显,他对澳大利亚总理态度粗鲁。劳合·乔治已经不指望能够达成协议,他说:"休斯先生是我最不应该选择的人。"威尔逊粗鲁地问休斯:"如果整个文明世界要求澳大利亚同意对这些岛屿进行托管,澳大利亚是否还会公然反抗?"摆弄着助听器的休斯说他没有听见那个问题,威尔逊又重复了一遍,"大致上就是这样,总统先生。"休斯回答说。马赛咕哝着表示赞同。实际上,休斯并没有表面上那么强硬,他被大家对文章的反应吓坏了,接下来好几天都有意躲着劳合·乔治。

这时,备受尊重的波萨颤颤巍巍地站了起来,他认为报纸上的文章令人厌恶。作为绅士,他们不应该把分歧公开,就他个人而言,他全力支持威尔逊总统的伟大理想。毫无疑问,大家都支持。"他希望他们尽力合作,在小问题上互相妥协让步,迎接挑战,争取实现伟大理想。"因发火而羞愧难当的威尔逊深受感动,马赛表示和解,而休斯什么也没说。于是,三类托管提议就这样通过了,但具体如何分配又被搁置一边。

这是可怕的一周中最艰难的时刻。最高委员会要同时处理是否与布尔什维克谈判、波兰及其要求、捷克的边境问题以及对德和约等问题。此外,中国人要求收回德国租界而日本人要求接管;比利时人也想要非洲领土;罗马尼亚人与斯拉夫人因领土问题争吵不休。周五晚,克雷孟梭向助理莫达克抱怨说他已经筋疲力尽了,非常需要放松,于是,两人一起

第二章 世界新秩序 ▶ 69

去了滑稽剧院。

在所有讨论中,也有不少关于殖民地人民对摆脱德国统治如何欢欣鼓舞的内容。虽然威尔逊十四点中第五点指出会考虑当地居民的利益,但没有人真的会征求非洲人或太平洋岛民的意见。的确,萨摩亚人及美拉尼西亚人都没有派代表前往巴黎,但却有非洲人。实际上,一位来自塞内加尔的黑人法国代表布莱兹·迪亚涅和伟大的美国黑人领袖 W.E.B.杜波伊斯正忙于组织泛非会议。该会议于 2 月按时召开,调停人员对此勉强同意,但和会的主要人物都未参加。比利时代表团的一位成员热情洋溢地谈到刚果正在推行的改革,葡萄牙一位前外交部长赞扬本国对殖民地的管理;几个法属非洲的代表通过赞扬第三共和国的成就展示了"民众教化使命"的成功。会议通过决议,要求和会授权国联直接管辖德国殖民地。豪斯礼貌地接见了杜波伊斯,但对决议只字未提。

几个月过去了,各国在幕后暗中做了种种交易,有些仅仅是对战时安排的重新确认。例如,日本获得赤道以北各岛屿。南半球新西兰和澳大利亚也得到了他们索要的领土。他们曾联手反抗威尔逊,但在后来的几个月中因未分配的瑙鲁岛而争吵不休。该岛只有 20 平方公里,但由于主要由鸟粪组成,因此富含磷酸盐,可用于生产肥料。休斯和马赛都声称,没有瑙鲁本国的农业就会崩溃。为了解决这一问题,英国接手托管该岛并为当地几千人选出皇室。1968 年,瑙鲁独立并接管磷肥生意,岛民的人均收入因此位居世界前列,但脚下的国土也在逐渐消失。大约十亿美元信托基金被用于在国外购买资产,并进入可敬的澳大利亚顾问的口袋。虽然磷肥即将用尽,但瑙鲁目前发现了新的收入来源,即为俄国秘密政党洗钱。

英法在战争期间就已初步划分好德国殖民地了。和会上,英国殖民地大臣米尔纳勋爵与其法国同行亨瑞·西蒙会面并制订出托管 1300 万人民的委任契约细节。法国如愿以偿得到了多哥兰和喀麦隆的大部分地区,英国获得靠近其殖民地的尼日利亚的一长条喀麦隆领土和几乎所有德属东非。葡萄牙人对此不满,他们希望得到一部分德属东非领土扩充其殖民地莫桑比克。葡萄牙某代表对克雷孟梭说,葡萄牙"自 14 世纪起就用鲜血浇灌非洲,为其人性和文明的发展做出了不可磨灭的贡献",因此它有权要求非洲给予一定补偿。葡萄牙还怀疑盟国正在计划如何划分一部分安哥拉领土给比利时,以便使比利时殖民地刚果适当拥有大西洋海岸,他们的估计是正确的。最终,葡萄牙得以完整保留其殖民地并为莫桑比克赢得一小块领土。

比利时人不可轻易忽视。5 月 2 日,他们向四人会议抱怨没有参与托管决定,要求分得一部分德属东非领土。劳合·乔治说,"这是一个厚颜无耻的要求,当大英帝国千百万士兵为比利时而战时,一些黑人部队已经被遣往德属东非殖民地。"劳合·乔治这么说有失公允,比利时领导下的刚果部队在将德军打回东非的战斗中扮演了重要角色。战争结束时,比利时占领了该国领土的三分之一,但其政府对此不感兴趣,它想用东非换沿太平洋的葡萄牙领土。由于无法说服葡萄牙人,英国人处境尴尬,葡萄牙人不会放弃其所得除非有所回报。不幸的是,那块被占领的领土包括一条从好望角到开罗的最佳铁路线路,英国殖民者一直梦寐以求修建这样一条南北通路。因此,英国不重视比利时在战争中的贡献虽然不公平,却是有来由的。

5月7日,德国刚刚接受和约之后,克雷孟梭、劳合·乔治、威尔逊及意大利的奥兰多在凡尔赛宫会晤,并就托管分配问题达成一致。当媒体得到消息宣称比利时将一无所获时,自觉吃亏的比利时人被激怒了。最后,英国决定分给比利时一小块领土(还有其他的铁路线),因此,靠近刚果边境的两省被分出东非。比利时获得了卢旺达及布隆迪的委任管理权。

当国联最终于1920年成立时,仅仅确认了早已做出的决定。在两次大战之间的岁月里,对非洲及太平洋地区的托管确实与直接吞并没什么不同(正如休斯所料)。受委托管理国除了向国联上交年度报告,其他都是自作主张。二战结束后,联合国接管托管地,随着殖民帝国逐渐消失,各国纷纷独立,只有一国例外。南非拒绝放弃西南非,直到1990年才最终成立纳米比亚。1994年,曾于1919年受托于日本并在1945年后受托于美国的帕劳群岛宣布独立,最后一个受托国从此消失,999年的租约提前到期了。

THE BALKANS AGAIN
第三章　又是巴尔干半岛

我提供四匹马

把塞尔维亚人往这拉——

我宁愿拿出八匹

带他们逃离

——塞尔维亚民歌

9 南斯拉夫

当大国全神贯注忙于国联时,小国在精心准备它们的要求。1919年2月17日晚,一个电话打到埃托瓦勒广场附近的美景酒店。由塞尔维亚人、克罗地亚人及斯洛文尼亚人组成的代表团准备好参加第二天下午的最高委员会会议了吗？大国突如其来的关注使它松了一口气。该代表团一月初就来到巴黎了,但其领导者直到1月31日才出席最高委员会,反对罗马尼亚索要位于两国之间的整个富饶的巴纳特地区。

漫长的几周中,美景酒店并非一块乐土。代表团大约有一百多人,人员组成复杂,包括南斯拉夫人、塞尔维亚人、克罗地亚人、斯洛文尼亚人、波斯尼亚人及黑山人,还有大学教授、战士、维也纳会议前代表、来自贝尔格莱德的外交官、来自达尔马提亚的律师、激进派、君主主义者、东正教徒、天主教徒以及穆斯林。许多成员互不相识,实际上,作为塞尔维亚或奥匈帝国的臣民,他们还互相打过仗。该代表团忠实地反应了巴尔干地区两条重要的分界线：西部罗马天主教与东部东正教之间的南北分界线,北部基督教与南部伊斯兰教之间的轴线。来自亚得里亚海的代表,主要是斯洛文尼亚人和克罗地亚人,非常关心来自意大利的安全保障及对原属奥匈帝国的港口、铁路的控制,但对东部的国界变动漠不关心。而塞尔维亚人却准备用达尔马提亚或伊士特里亚在北部和东部换取更多领土。

至于这个代表团或它所属的国家应该叫什么目前还不清楚。由于由塞尔维亚及奥匈帝国南部地区组成,它最终定名为南斯拉夫——南部斯拉夫人的国家。许多人认为是和会缔造了南斯拉夫,但事实却并非如此,代表团在巴黎会面时它就已经成立了。同样,70年后,强国也无法阻止其解体。但巴黎的调停人员能够拒绝分给其领土甚至毁灭这个新成立的国家。他们对巴尔干地区野心勃勃的国家非常警惕。威尔逊认为让南斯拉夫成立海军可能是个错误的决定,"因为他们是不安分的民族,所以他们的国家也将动乱不断,不应该让他们拥有海军四处乱窜。"

1919年2月,调停者尚未决定其态度,但意大利政府希望将婴儿扼杀在摇篮中。奥匈帝国消失后,意大利民族主义者立即把南斯拉夫列为其主要敌人。意大利总理奥兰多抱怨说：''让我们伤心、困窘的是，南斯拉夫将取代奥地利，一切都将和以前一样令人不满。''起先，英法勉强与意大利站在一起，拒绝承认这个新国家。对意大利及其在巴尔干地区的野心没有好感的美国于二月承认该国，随后，英法为了回应意大利不合作的强硬态度（当时甚至威胁要解散和会），也于六月承认该国的合法地位。

南斯拉夫代表团由多年担任塞尔维亚首相的尼古拉·帕西奇率领。他70多岁，眼睛清澈碧蓝，白须垂腰，看上去就像一个慈祥的老和尚。他喜爱花草，虔诚信教，私生活堪称楷模。虽然娶了一位富婆，依然过得简单朴素。晚上，他喜欢与妻女同唱塞尔维亚民歌。在公众场合演讲时，他从容审慎(据说他的塞尔维亚语错误百出)。他只会讲最基本的法语和德语，对英语一窍不通。也许正因为如此，他的睿智声名远扬。劳合·乔治认为他是''东南欧最狡猾、最顽固的政治家之一''。和20世纪90年代另一位塞尔维亚领导人一样，帕西奇刁滑、危险，热爱权力和塞尔维亚。同僚中很少有人信任他，但在塞尔维亚人聚居的乡村他却备受推崇。

第一次会晤时，劳合·乔治询问塞尔维亚人与克罗地亚人是否讲同一种语言。在巴黎许多人都觉得巴尔干人令人迷惑不解。只有少数专家或怪人才把它当作职业进行研究。但多数人知道巴尔干人对欧洲来说很危险；奥斯曼帝国解体后，奥匈帝国与俄国分庭抗礼，几十年来他们麻烦不断；由于塞尔维亚民族主义分子在萨拉热窝暗杀奥地利王储，点燃了第一次世界大战的导火线。

帕西奇出生时，塞尔维亚已经自由并拥有自己的王储，但他成长的环境却留有奥斯曼帝国长期统治的烙印。从罗马尼亚南部到希腊，奥斯曼人留下了他们的烹饪方式、风俗、官僚作风、腐败还有伊斯兰教。''巴尔干''成了一个地理区域的代名词，同时也代表一种思想状态，一段由频繁的战争、入侵及征服谱写的历史。历史教会巴尔干人民，正如有句谚语所说，''不能砍掉的手就要去亲吻。''他们崇拜武士，同时敬佩另一种人如帕西奇，这种人从不相信别人，从不表露真实目的，也从不采用他人建议。

除了塞尔维亚人、克罗地亚人、斯洛文尼亚人、阿尔巴尼亚人、保加利亚人、马其顿人之外，巴尔干人民还包括希腊人(他们喜欢自认为是地中海民族)、罗马尼亚人(喜欢讲其罗马祖先)，还有一些历史上遗留下来的少数民族。萨拉热窝的犹太商人、达尔马提亚海岸的意大利殖民地、阿尔巴尼亚族长、北部德国移民的后代，以及南部的土耳其人都属于巴尔干实体。

塞尔维亚位于巴尔干地区中心，在帕西奇的童年时代，那里非常偏僻，没有铁路与外界连接，也没有电报与外界沟通。除了拥有两万居民的首都贝尔格莱德，其他城镇只是大的村庄而已。那里的人民一直以农业和贸易为生。帕西奇曾在瑞士的苏黎世留学,是同时代少数有此殊荣的人之一。然而这小小的国家却胸怀大志,它的梦想也成为帕西奇的人生目标:扩张领土,建立一个更大的塞尔维亚,东至黑海,西至亚得里亚海,横跨从中欧到爱琴海的大陆通道。随着19世纪民族主义的传播,塞尔维亚历史学家从历史中寻找证据以支持其主张,并使所有塞尔维亚人紧密团结在一起。在奥斯曼帝国统治下的马其顿,一位教师对一位游人说:"我们有孩子,我们让他们意识到他们是塞尔维亚人,教授他们自己民族的历史。"在巴尔干各国,教师、艺术家、历史学家齐心协力着手再现历史,完善民族神话,传播一种新的意识形态。

可是问题是,觉醒的不只是塞尔维亚人。巴尔干地区还有许多值得记忆的辉煌往事。正如邱吉尔评论说,巴尔干创造了无尽的历史。塞尔维亚的盲人音乐家歌颂十四世纪伟大的斯蒂芬·杜山时期的王国,该王国从多瑙河一直延伸到爱琴海;保加利亚人则追溯到十世纪,当时西缅(以色列十二子之一——译注)的帝国基本上统治着同一块领土;希腊人的历史更加辉煌,一直可以上溯到古典时期,当时希腊的影响东至小亚细亚和黑海,西至意大利和地中海。甚至几个世纪前对某块领土的短暂占有,都被拉出来作为使其目前的要求合理化的证据。游人向那个民族主义教师指出:"我们国家也有权要求占领加来。""那你们为什么不这么做呢?"他答道,"因为你们有海军。"

帕西奇是塞尔维亚民族激进党的创建人之一,该党致力于解放和统一所有塞尔维亚人,甚至包括奥匈帝国境内的塞尔维亚人。和许多塞尔维亚民族主义者一样,他不关心克罗地亚人或斯洛文尼亚人,他们信奉罗马天主教并且追随西方,而塞尔维亚人是东正教徒。克罗地亚人和斯洛文尼亚人要加入塞尔维亚,必须遵守塞尔维亚的规矩,由塞尔维亚人领导。

经过一系列小规模的战役之后,巴尔干各国陆续从土耳其独立出来。到1914年,曾一度威胁维也纳的大帝国在欧洲仅存色雷斯的一块弹丸之地和伟大的首都君士坦丁堡(今伊斯坦布尔)。这些新国家获得了象征国家地位的标志:报纸、铁路、大学、艺术学院和科学院、国歌、邮票、军队和王室,主要来自德国。

在混乱的塞尔维亚政界,帕西奇得以存活,这本身就是一个胜利。死刑、流放、阴谋、暗杀、车祸他都经历过,而且全部幸免。他以牙还牙,对敌人也采用这些手段。英国作家丽蓓卡·维斯特一点都不相信有关他事先知道暗杀萨拉热窝大公阴谋的传言,她说:"农民出身、受传统巴尔干教育的政治家,如塞尔维亚首相帕申希先生,在被怀疑参与杀害国敌的阴谋时不会感到难为情,但英国人却会,比如鲍尔弗先生或阿斯奎斯先生。"

1919年，对于任命前往巴黎的代表团领导人选问题，辅佐其老父执政的亚历山大王子坚持要求推选帕西奇，也许是为了让他离开贝尔格莱德。令帕西奇大为恼火的是，他必须和克罗地亚新首相特伦比奇分享权力。一个塞尔维亚官员对一位英国来访者抱怨说："对塞尔维亚人来说，一切都很简单，但对克罗地亚人来说，一切就复杂得多。"特伦比奇是个典型的克罗地亚人，他来自达尔马提亚海岸，精通意大利语，热衷于意大利文化。当帕西奇梦想着消灭奥匈帝国时，特伦比奇还是其国会一员。在那里他学会尊重先例，找各种理由说明不能作某件事情。虽然他一生致力于创建包括塞尔维亚在内的南斯拉夫国，但他把塞尔维亚人视为野蛮民族，深受奥斯曼帝国长期统治的影响。他对一位法国作家说："我希望你不要把克罗地亚人、斯洛文尼亚人及达尔马提亚人和斯拉夫人与土耳其人的混种——尚未完全开化的塞尔维亚人相提并论，前者由于几个世纪以来与奥地利、意大利及匈牙利在艺术、精神及文化方面的交流，已经彻底西方化了。"

到1914年，特伦比奇坚信他的人民必须脱离奥匈帝国才有前途。1915年，他和一位记者及一位年轻的雕塑家一道在伦敦成立南斯拉夫国家委员会，希望建立包括塞尔维亚在内的南部斯拉夫联邦。这似乎又是一个零星散布于欧洲首都城市的自命的委员会，追求无法实现的理想。大国都没有预料到奥匈帝国会解体（直到1918年他们才意识到），塞尔维亚人一心建立大塞尔维亚，对联邦毫无兴趣。即使协约国考虑奥匈帝国所属的南部斯拉夫地区，也是为了在交易中讨价还价。1915年，在秘密签订的《伦敦条约》中，英、法、俄将一大片斯洛文尼亚领土及达尔马提亚海岸北许诺给意大利。条约还暗示，塞尔维亚将得到达尔马提亚及波斯尼亚-黑塞哥维那的其余地区，甚至可能得到一部分克罗地亚领土。

特伦比奇及其支持者，其中包括北美地区繁荣的克罗地亚人及斯洛文尼亚人社区，对此非常不满。帕西奇及塞尔维亚人拒绝加入由平等成员组成的联盟。特伦比奇大为失望，他甚至说要放弃一切去布宜诺斯艾利斯当出租车司机。在伦敦，他们的事业拥有少数但很有势力的支持者，其中包括一位富裕的学者兼语言学家罗伯特·赛顿·沃森和威克汉姆·斯蒂德，此人战前曾是《泰晤士报》驻维也纳记者。两者都厌恶腐败无能的奥匈帝国并自愿为解救它而努力。据英国驻罗马大使说，威克汉姆·斯蒂德尤其热衷于南斯拉夫事业，因为他曾与一位非常聪明的南斯拉夫女子"像家人，而不是像夫妻一样"一起生活过多年。

克罗地亚、斯洛文尼亚及波斯尼亚在战争期间依然属于奥匈帝国，许多士兵忠实地为其战斗到最后一刻。由克罗地亚人、斯洛文尼亚人、波斯尼亚人，甚至还有塞尔维亚人组成的奥地利军队将塞尔维亚首都贝尔格莱德炸成一片废墟，打败塞尔维亚军队并迫使其政府流亡，占领塞尔维亚，奸污、虐待平民。无论他们与萨拉热窝暗杀活动有什么牵连，塞尔维亚人都付出了惨重的代价。450 万人口中,12 万以上在战争中丧生。战争结束时,无论特伦比奇及其委员会如何强调南部斯拉夫人的统一,也很难使敌人互称兄弟姐妹。另一方面,还不清楚他们是否有其他选择。

随着奥匈帝国再次陷入军事灾难,尽管有许多人并不太情愿,但南部斯拉夫人最终还是走向了独立。由于战败及保护国俄国垮台,塞尔维亚逐渐接受建立南斯拉夫国的意见。在科孚岛流亡期间,帕西奇与特伦比奇会面,之后,1918 年 7 月,两人达成协议同意联合塞尔维亚、克罗地亚及斯洛文尼亚组成由塞尔维亚国王统治的南斯拉夫。愚蠢的是,双方没有及时讨论制订宪法,联邦问题(克罗地亚人及斯洛文尼亚人希望的)或单一国问题(帕西奇所希望的)都没有得到解决。特伦比奇可能对塞尔维亚人如何看待联合不同民族的过程心存幻想。正如一位塞尔维亚官员高兴地对他说,对付波斯尼亚的穆斯林轻而易举,塞尔维亚军队将给他们 24 小时或 48 小时使他们皈依东正教。"按照我们的惯例,谁反抗,就杀头。"特伦比奇气喘吁吁地说:"你不会是认真的吧?""非常认真。"

《科孚岛宣言》后的几个月中,帕西奇从所有实质性的联合行动中悄悄地溜开了。他暗中活动,确保协约国拒绝承认特伦比奇和南斯拉夫委员会对原属奥匈帝国的南部斯拉夫人的代表权。10 月,战争即将结束,他在伦敦会见了威克汉姆·斯蒂德,此人依然认为他可以将奥匈帝国的残骸改造成合理的形式。然而帕西奇是不可驾驭的,他对威克汉姆·斯蒂德说,塞尔维亚已经将南部斯拉夫人从奥匈帝国解放出来了,《科孚岛宣言》仅用于宣传,并且塞尔维亚将控制任何新成立的政府。如果克罗地亚人及斯洛文尼亚人不同意,他们想去哪就去哪。"只有他一个人有权决定采取什么政策;他雇佣的人必须服从命令。"威克汉姆·斯蒂德生气地指责帕西奇像个专制的君主,两人从此再没说过话。

除了少数自命的专家如威克汉姆·斯蒂德,联盟方面很少有人考虑中欧的前途,更没人关心巴尔干人。战争结束前几周,哈布斯堡王朝突然解体,引发了许多问题。由奥地利和匈牙利或由另一群哈布斯堡人负责管理的小国还将继续存在吗?或许克罗地亚可成为一个英属小王国。更实际的是,谁来控制铁路和港口?奥匈帝国的舰队怎么处理?年轻的君主卡尔最终把它交给了迅速离开的南部斯拉夫人。也许,因为巴尔干人已经制造了太多的麻烦,大国默许 1914 年之前费尽周折划定的国界将不会变动。

和会开始前,南斯拉夫人已经开始自己处理问题了。1918 年 10 月 29 日,在克罗地亚首都扎格拉布,一个由克罗地亚人、塞尔维亚人及斯洛文尼亚人组成的国家委员会宣布脱离奥匈帝国独立,但下一步将如何还不明确。还有许多人渴望建立单一的南斯拉夫国。另一方面,许多塞尔维亚人赞成加入塞尔维亚。特伦比奇及其支持者希望建立联邦政府,但相当多的克罗地亚人想拥有一个独立的克罗地亚。那时，似乎所有方案都可供选择。

实际上，塞尔维亚及当时的情况使这些选择都不可能。虽然 11 月的第二周，协约国联盟强制帕西奇与特伦比奇及扎格拉布的国家委员会代表组成联合政府，但他确信一定会失败。赛顿·沃森报告说，"这个老头变化多端，每隔几个小时就会改变主意，他的话连五分钟都不能相信。"同时，作为联盟部队的一支，塞尔维亚军队正在从北部和南部向奥地利扩散，然后于 11 月进入克罗地亚及斯洛文尼亚。名义上负责此部分的法国官方对此持观望态度。法国不反对建立一个强大的南斯拉夫，这样可以牵制意大利。当南斯拉夫志愿者——目前与盟军并肩作战的 8 万名奥匈帝国战士——要求联盟认可其占领军身份时，帕西奇竭力阻挠并最终成功，这使特伦比奇及其他克罗地亚人非常沮丧。在塞尔维亚的鼓动下，自命的巴纳特及波斯尼亚-黑塞哥维那全体会议匆忙投票表决，要求与塞尔维亚合并。在被塞尔维亚军队占领的黑山，由持同一意见的人组成的全体委员会同样匆忙地选举表决，要求废黜国王与塞尔维亚合并。

扎格拉布的国家委员会开始恐慌。它没有自己的武装，而且由于农民攻打地主及洗劫民财的匪徒，法制逐渐崩溃。在亚得里亚海沿岸，意大利军队占领了主要港口。扎格拉布的大街上示威游行者要求立即与塞尔维亚合并。11 月 25 日，国家委员会匆忙决定要求与塞尔维亚合并。关键的细节问题如宪法等将稍后解决。一位克罗地亚民族主义领袖警告人们不要像"迷雾中醉酒的蠢鹅"般盲目地挤往贝尔格莱德。当然，很多人认为强国会保护他们。1919 年初，一名美国军人从斯洛文尼亚报道说："政府和人民相信美国会在巴黎保护他们。他们不时提到威尔逊总统及其原则，认为只有和会以这些原则为基础，包括其在内的小国的要求及安全才能得到保障。"

1918 年 12 月 1 日，塞尔维亚的亚历山大王子宣布成立塞尔维亚人、克罗地亚人及斯洛文尼亚人王国。确定该王国名称是个难题；非塞尔维亚人一般喜欢南斯拉夫，因为它表示由平等成员组成的联合。而塞尔维亚人想要一个能突出塞尔维亚中心地位的名称。对因历史、宗教、文化及近来的战争影响而分隔多年的民族来说，这的确是一个困难的婚姻。仅声称拥有共同的民族心理和类似的语言就能让它持久吗？局外人都很怀疑；正如一位美国军事评论家在 1919 年春写道："虽然政府官员一再强调塞尔维亚人和克罗地亚人是一个民族，但这么说却是荒唐的。社会'气候'完全不同。塞尔维亚多为士兵和农民；而克罗地亚则多为知识分子。检察官坦率地告诉我，克罗地亚人早已放弃反抗马札尔压迫者，转而潜心从艺。他发现塞尔维亚军队在克罗地亚领土越来越不受欢迎。"

虽然许多塞尔维亚人坚信他们仅仅扩大了塞尔维亚领土而没有建立新国家，同时他们怀疑克罗地亚人、斯洛文尼亚人及波斯尼亚的穆斯林没有为脱离奥匈帝国统治作很大努力,但这些对存在的问题无济于事。虽然塞尔维亚人不到总人口一半,他们却掌握着新国家的统治权。塞尔维亚军队成为新国家军队,原属奥匈帝国军队的克罗地亚军队被解散。在官僚政府机构,几乎所有重要职位都由塞尔维亚人担任。贝尔格莱德依然是首都,塞尔维亚皇室成为新国家王储。1921年6月28日,即科索沃战争的周年纪念日,也是塞族历史上最重要的一天,亚历山大宣誓效忠宪法。这是南斯拉夫灾难的开端。

巴黎的最高委员会在第一次会议上就开始处理被南斯拉夫排除在外的国家。是否应该把黑山当作独立国家? 与塞尔维亚合并的决定及废黜王室的做法使反对联合的君主主义绿党和对立的白党之间爆发战争(这两种颜色及划分在1991年南斯拉夫垮台后再次出现)。代表意大利的桑理诺反对黑山拥有单独代表,因为他们实际上就是塞尔维亚人。很明显,意大利不希望塞尔维亚拥有更多发言权。而另一方面,意大利又很乐意看到黑山被塞尔维亚吞并,希望这一口让它消化不良。劳合·乔治和威尔逊听取了双方的意见。威尔逊非常担忧黑山的自治权:"塞尔维亚的所作所为使黑山对塞尔维亚产生偏见。这完全违背了自治原则。"大家一致认为难点是在目前情况下找一位能够代表黑山的人。协约国是否应该承认其国王? 鲍尔弗尖刻地说:"我们还给他付钱(英法曾在战争期间资助尼古拉斯,目前还未撤销对他的认可)。"威尔逊反对国王只代表个人利益而不代表黑山。

还有更重大的问题等着调停者,但黑山有点让人着迷。地图上,该国位于克罗地亚与阿尔巴尼亚之间,小得很少有人能发现。它使欧洲其他地区怀疑巴尔干人的所作所为究竟有没有意义。他们的国家称得上真正的国家吗? 或者他们属于约翰·巴肯和安东尼·霍普的历险小说? 根据黑山传说,上帝创世时把大山装在麻袋里,一不小心麻袋破了,山掉到地球上就成了他们的祖国。黑山人与这些山很般配,他们是欧洲最高大的人种,英俊、骄傲、勇敢,但是懒惰,因为他们没完没了地喝咖啡,反复讲过去的辉煌与世仇宿怨,讲复仇、刑罚、死亡的故事,而不讲把敌人的头颅钉在木桩上的耻辱行为(这种做法一直延续到20世纪)。

勇敢的旅行者伊迪丝·达拉谟无意中在一位战士的战利品口袋中发现60只人鼻子,她从此厌恶黑山人,把巨大的忠诚献给阿尔巴尼亚人。

他们的传说中讲道,黑山人是十四世纪从入侵的土耳其人手里逃出的塞族人的后代。的确,他们和塞尔维亚人一样信奉东正教,并讲塞尔维亚方言。他们以大山为据点打得土耳其人寸步不前,因此得以在土耳其的穆斯林海洋中保留一块自治的基督教岛屿。19世纪中叶以前,其统治者都是尚武的主教。1851年,最后一位主教厌倦了独身生活,决定结婚,于是创建了现代王朝。19世纪60年代以后,一直由他的侄子尼古拉斯担任国王。

后来,尼古拉斯身在巴黎,靠英国提供的不断缩减的养老金过活,他的女儿则靠当裁缝维持生计。公众对尼古拉斯的看法分歧很大,有人(丽蓓卡·维斯特)认为他是狡猾的小丑,有人(伊迪丝·达拉谟,战前,她曾与他一起喝马沙拉葡萄酒共度良宵)认为他是一位伟大的国君。国王尼古拉斯带有一点中世纪的味道:他坚持亲自带兵打仗;按照传统伸张正义;慷慨地给自己及朋友授予勋章。该国首都采蒂涅仅仅是个大村庄,黑山银行只是个简陋的小村舍,大酒店其实就是寄宿旅馆。他的旧宫殿比尔加达是根据著名的英国台球桌命名的(前者为 Biljarda,后者为 billiard——译注)。他们把它建在山边,远远望去就像一座英国乡间酒馆。他的新宅邸更像德国私人旅馆,皇子们身穿平民服装与瑞士老师一起做功课,国王坐在门前等待来客。弗朗兹·莱哈尔的《快乐的寡妇》原型就是黑山。

实际上,尼古拉斯并没有看上去那么奇怪。他在法国及其他地方受过教育。战前他对巴尔干的政治形式操纵如此成功,以至于四次扩展其狭小的疆域。而且他也给女儿找到了好婆家,两个嫁给俄国公爵,一个嫁给意大利国王,还有一个嫁给塞尔维亚国王。他曾梦想着吞并塞尔维亚,但事实却正好相反。甚至在1919年,他还希望夺回在战争中失去的王位。

1916年,奥地利入侵使黑山被迫卷入战争。尼古拉斯火速逃往意大利,协约国对此非常惊讶,人们怀疑他与奥地利有秘密勾当。例如,英国外交办认为他是个不忠的盟友,很可能犯有被指控的罪名。事实表明,在讨论黑山代表权问题时,谁都不清楚它的具体情况,因此只好暂时搁置,直到和会结束依然没有解决。

势单力孤的尼古拉斯使出了浑身解数。他试图收买豪斯,写信给威尔逊并发表声明要求分割部分波斯尼亚领土,但他没有得到任何回应。毕竟还有比20万人口的命运更紧迫的问题。在巴黎,基本上没有人支持他复辟。由塞尔维亚监督举办的民意测验似乎表明黑山人希望加入南斯拉夫。1920年末,法国人撤销其对尼古拉斯的支持。1921年春英国人也紧随其后效仿法国。同年春,他在流亡中去世,他的孙子,一位法国建筑师声明,他无意夺回王位。1918年起,黑山始终是南斯拉夫的一块心病。

1919年2月,南斯拉夫代表团终于有机会在最高委员会发言,并提出一系列产生于仓皇争吵之中未经斟酌的要求。为了使大家满意,该国七条边境线中的六条都有待讨论,只有与原奥斯曼帝国马其顿境内的希腊边境除外。西面,斯洛文尼亚人坚持索要位于阿尔卑斯山南脉北面的克拉根福作为防御奥地利的安全屏障。或者,像奥匈帝国与意大利之间的西部边界他们也会满意。帕西奇一如既往地打着他的如意算盘,他的主要兴趣是向东推进保加利亚,北进多瑙河占领部分匈牙利领土。这样至少可以保护首都贝尔格莱德,由于被一条河流与敌对的奥匈帝国分隔,其首都的位置异常暴露。虽然地理位置不佳,塞尔维亚人依然选择此地作为首都,这是因为它地处自北向南而流的多瑙河与自西向东而流的沙瓦河的交汇处,是南欧最重要的战略要地之一。来自北部及西部的商人、朝圣者及军队如果想进入希腊及其大港口萨洛尼卡或向东穿过保加利亚进入君士坦丁堡,都必须经过贝尔格莱德。罗马人、匈奴人、十字军、土耳其人、奥地利人当然还有塞尔维亚人都包围过、保卫过、占领过、劫掠过、争夺过这个城市。

2月18日下午,塞尔维亚人米伦科·维斯尼奇在最高委员会致歉,说他还未准备好完整的备忘录,并嘀咕道还有"一些麻烦"。在塞尔维亚代表中,他最擅长演讲,而且沉稳和蔼,见多识广。他的妻子家境富裕,美丽迷人,对威尔逊的新夫人非常友好。他摊开地图,开始陈述塞尔维亚所提要求的理由:美德的回报(塞尔维亚是个忠实的盟友,奥匈帝国境内的南斯拉夫人为阻断敌人的进攻浴血奋战),自决,安全。斯洛文尼亚及克罗地亚同僚紧接着索要基本属于意大利的的里雅斯特,位于传统的克罗地亚边境以北的匈牙利的巴奇卡和巴兰尼亚两省,巴纳特的罗马尼亚语区或克拉根福周围的德语区。他们否认所要求的领土属于非斯拉夫区域:旧的人口调查不可靠,奥地利人及匈牙利人总是有意压制斯拉夫学校和文化。奥匈帝国时期,有人因在斯洛文尼亚索要火车票而被捕,甚至支持南斯拉夫的人也会遭殃。赛顿·沃森的一位朋友问道:"难道他们一点分寸和良知都没有了吗?"

和会开始时,南斯拉夫已经基本得到奥匈帝国内部它想要的领土——波斯尼亚-黑塞哥维那,原奥地利卡尼奥拉省的斯洛文尼亚中心区域,达尔马提亚大部分区域,当然还包括克罗地亚王国——但它还想要更多。该代表团索要克罗地亚与奥地利、匈牙利交界处的被称为迈贾穆列和布雷克穆列的两小块领土以及更东部的巴兰尼亚和巴奇卡。匈牙利在巴黎几乎没有朋友,不光是个战败国,而且似乎即将爆发革命。需要解决的主要问题是南斯拉夫究竟应该合理地得到多少。迈贾穆列和布雷克穆列基本上是克罗地亚人和斯洛文尼亚人(虽然匈牙利人不这么认为),经过一番讨论之后,最终移交南斯拉夫。然而,巴兰尼亚和巴奇卡的命运却因罗马尼亚与南斯拉夫在东部邻土巴纳特问题上的纠纷而缠结不清,需要更长的时间才能解决。

对南斯拉夫来说,面临的不仅仅是索求。对巴尔干地区各国来说,奥匈帝国覆灭与战前奥斯曼帝国垮台一样令人兴奋。每个国家都想着最大限度地获得更多领土;要求本国自主却不让其邻国自主。1918年10月,在奥匈帝国求和然后在历史舞台上消失那段混乱的岁月中,巴尔干各国政府已经派驻军队开始霸占财产。新机构如雨后春笋一般纷纷涌现;

工人委员会、士兵委员会、克罗地亚委员会、马其顿人、希腊人。谁都不知道这些机构的幕后策划者，但他们似乎层出不穷，而且永不知足。

希腊希望得到土耳其的欧洲部分；保加利亚也有此想法。希腊和南斯拉夫都对阿尔巴尼亚的一部分蓄谋已久；罗马尼亚和保加利亚为黑海西岸的多布罗加的所有权相争不下；塞尔维亚、希腊和保加利亚都希望得到更多马其顿领土。虽然表面上也有维护文明、争取正义与荣誉的冠冕堂皇之词，但暗地里却是权力政治的角逐与算计。1919 年，国界尚未完全确定，似乎所有问题都有商量的余地，在这种情况下，谁都会尽力攫取最大利益。巴尔干政治家声称他们崇拜威尔逊；他们讨论自决、正义、国际合作，并宣称代表人民请愿以支持他们对领土的瓜分。他们还展示了重新划定的地图。一位美国专家写道："必须借助一本巨著才能分析清楚战争与和会催生的各种伪造地图……而这在巴尔干达到了顶峰。"

调停人在判决所有这些要求时基本上无原则可依。威尔逊在十四点原则中涉及到巴尔干人，间接地，他指出奥匈帝国各民族可以"自由选择自治"，另外，更直接的是，他说罗马尼亚、塞尔维亚及黑山应当重新自主。他还许诺塞尔维亚应该拥有制海权，但没有明确具体怎么做；巴尔干各国应该在大国的关照下根据"传统的效忠与民族原则"互为友邦。最后一点究竟是什么意思很不明确，但它暗示了对巴尔干近代历史及民族混杂状况的忽视。

另外，人们觉得忠诚的盟友应该有所回报。塞尔维亚应该为其遭遇和苦难得到补偿，如亚得里亚海港口或至少有使用爱琴海的权利。希腊和罗马尼亚应该要求兑现战争中给出的承诺；而保加利亚和土耳其则必须为错误的决定付出代价，至于他们能付出什么就是另一码事了。很明显，奥斯曼帝国注定灭亡，它在巴尔干地区的领土已经所剩无几。保加利亚不但遭受重创而且已经在 1913 年的一场战役中丧失了大片领土。

像对待大部分中欧问题一样，英国人对巴尔干地区漠不关心，只要能保全英国利益，无论是商业还是海军，就万事大吉。他们希望各国强大、稳定，这样就能防止德国或俄国东山再起。虽然"英勇的小国塞尔维亚"以及黑山、阿尔巴尼亚都不乏虔诚的崇拜者，但英国政府却不准备在他们身上花费人力和金钱。不同的是，法国一如既往以寻求保护、防止德国进攻为原则，它希望扩张后的塞尔维亚和罗马尼亚以及北部的捷克和波兰能够牵制德国，使其不敢再对法国轻举妄动。而且，如果强大的塞尔维亚能够让意大利安分守己就更好了。如果说法国对巴尔干地区有什么情结，那就是罗马尼亚，其人民可以称得上拉丁同胞。

意大利人很清楚自己的要求。特殊的地理位置使他们不得不严肃对待巴尔干地区。虽然他们很高兴看到其宿敌奥匈帝国灭亡，自由主义者也对争取自由的小国充满同情，但意大利民族主义者却不希望任何国家主宰巴尔干地区，无论是布尔什维克俄国还是新的南斯拉夫。他们使意大利政策越来越倾向于好战和扩张。由于害怕出现一个强大的南斯拉夫,意大利准备支持其邻国罗马尼亚、奥地利及保加利亚的要求。在巴黎,桑理诺一再坚持意大利与南斯拉夫的要求只能由最高委员会讨论。他担心专家们只会关心边界的公平而不在乎意大利在战争期间得到的承诺。那就牵涉到意大利与其盟国之间更大的纠纷,整个和会差点因此被毁。

和在别的地方一样,美国人自认为在巴尔干地区扮演着诚实的经纪人角色,穿过旧外交的茂密丛林,实行新的自主标准。不幸的是,巴尔干地区的人口真相很难搞清,按照民族进行自我定义的做法很难让他们接受。那里的大部分居民依然按照地区或宗族,或如在土耳其统治时那样根据宗教进行划分。就像暴风雨后海滩上的一个个小水坑,巴尔干地区也有许多独立的有机体。要把它们按照民族类别理顺的确是个挑战。塞尔维亚人和克罗地亚人仅因为语言基本相同就属于同一个民族?还是因为前者信奉东正教,使用古斯拉夫语经书,而后者信仰天主教,使用拉丁《圣经》就属于不同民族?马其顿人到底应该按历史划归为希腊人,还是应该按照语言划归为斯拉夫人?

更糟的是,语言、道德行为准则或宗教都不能提供明确的界线。在民族如此复杂的地方怎么能划得清楚?怎么能把互相惧怕的人放在一起?巴尔干地区的人口地图非常漂亮,五颜六色的点彩,偶尔夹杂着粗大的色块。但现实却并不那么美丽,到1919年,猜疑和仇恨愈演愈烈。

在巴尔干地区划定的界线使一些少数民族闷闷不乐,也产生了互相仇视的邻邦。南斯拉夫位于该地区中部,虽然是自行成立,但调停人予以承认,而且通过一系列会议讨论划定其国界。结果,新国界几乎是原塞尔维亚的四倍,但敌人却更多了。它合并了奥地利的黑山、斯洛文尼亚及波斯尼亚,匈牙利的克罗地亚及巴纳特部分地区,还有阿尔巴尼亚及保加利亚的部分地区。如同在和会上经常讨论的一样,涉及的问题不仅是土地及其人民的命运,还包括未来欧洲和平所依赖的联盟。拥有统一战线的意大利及罗马尼亚都觉得他们吃亏了。

战败的奥地利、匈牙利及保加利亚为其领土及人民的损失而哀伤。只有南部的希腊是他们的友邦。在南斯拉夫内部,人民除了语言几乎没有共同点,对新国家的意义也从未达成过一致看法。二战中,南斯拉夫为其所得付出了惨重代价。在德国的大力帮助下,其邻国夺回了它在和会中赢得的领土,其人民也开始彼此攻击,互相残杀。虽然共产主义领导人铁托再次使其恢复统一,但在巴黎和会承认其合法存在七十年后,南斯拉夫开始解体。其邻邦一如1919年以来一样,静静地在一旁不安地观望。

10 罗马尼亚

和会正式开始前几天,谣言传到罗马尼亚,称小国中只有比利时和塞尔维亚被邀请参加。罗马尼亚首相扬·布拉蒂亚努盛怒之下,召集所有协约国大使抱怨说:"罗马尼亚被当成一个需要怜悯的可怜虫,而不是拥有正当权利的盟国。"他指示大使转告各自政府,罗马尼亚一直是忠实的盟友(可疑的表述);他影射塞尔维亚要不是遭受进攻肯定不会参战;他还提到与祖国失去联系的人们(他的政敌,有的流亡到巴黎);他警告说,如果协约国一招不慎,将会失去在罗马尼亚的所有影响;他还威胁撤军(从哪里撤军并不清楚)。协约国大使把这些奇怪的论调传达给各国政府,并加上自己的警告:不可疏远罗马尼亚,因为它可以作为反抗俄国及其布尔什维克主义的缓冲器。然而由于大国本来就认为罗马尼亚应该参加,所有举措及警告就显得毫无必要。

罗马尼亚人自认为地位重要而且对和会怀有很高期望。早在1月8日,英国代表团的哈罗德·尼科尔森与两名罗马尼亚代表举行简短会谈:"他们说他们'羞愧难当,不讲内政问题'。然而在外交问题上,他们毫无廉耻,竟然要求匈牙利大部分领土。"罗马尼亚还想要已经占领的俄国的比萨拉比亚以及北部奥地利的布科维纳。要求的确过分却不难实现,因为俄国军队无力阻止他们,匈牙利及奥地利也势力大减。罗马尼亚进军占领了匈牙利的特兰西瓦尼亚以及布科维纳,使和会的最终决议悬而未决。一切都必须等奥地利与匈牙利条约草签后解决。

在巴尔干地区,罗马尼亚索要匈牙利的巴纳特时面临更大困难,因为南斯拉夫也要求占有这部分领土。这块僻静的牧区从特兰西瓦尼亚境内的阿尔卑斯山山麓向西一直延伸到匈牙利平原南端,1919年曾引起不少争议。这是一块富庶之地:占地1万1千平方英里,土地肥沃,水源充足,勤劳的农民在这里生产出大量粮食;成群的长毛牛在草场放牧;肥硕的家禽、家畜在农场四处觅食。巴纳特基本上没有工业可言,也没有人口超过10万的城镇,伟大的历史遗迹更是少见。因此,与其说它壮丽,不如说它风景如画。

1919年1月31日,罗马尼亚及南斯拉夫代表出席最高委员会。一周以前,中国人、捷克人以及波兰人分别陈述了各自的情况,这个先例使劳合·乔治大为担忧,而且绝不止他一个人。在此之前的一天,他询问日程安排是否应该更加紧凑严格。"他认为有关捷克斯洛伐克和波兰的讨论是完全错误的。他没有用'浪费时间',因为那样太过挑衅,他已经看见威尔逊总统眼里的怒火!同时他认为那不是解决问题的最佳方案。"如果他们着手处理领土问题,就应该坚持下去并做出一些决定。在一次没有结果的讨论之后,委员会最终接受鲍尔弗的意见:不妨先听听罗马尼亚及塞尔维亚的想法,因为那样可以使他们更高兴。就像鲍尔弗的其他建议一样,这个提议同样华而不实。

那个阴冷的午后,夜幕逐渐降临,布拉蒂亚努向大会陈述罗马尼亚的情况。他的演说内容丰富,表达有力,言辞优美精炼,并且自认为自己很重要。他曾在巴黎的高等学院接受教育而且从不让任何人忘记这一点。他喜欢别人看见他拿本法国诗歌躺在沙发上欣赏。曾在和会一次午宴上见过他的尼科尔森对他印象一般:布拉蒂亚努是个长胡子的女人、高超的骗子、布加勒斯特的知识分子,很不讨人喜欢。他英俊潇洒,经常把头偏向两边,在镜子中捕捉自己的侧身像。他还乐于讲一些造作的文字笑话,以为是地道的巴黎风格。女人们非常喜欢他,有人说:他有"瞪羚的眼睛,老虎的下颚"。风情万种的罗马尼亚女王玛丽亚回想起一个月圆之夜,满月使他"多愁善感"。她不太客气地对威尔逊说他是一个"无聊、讨厌、乏味的人"。

尼科尔森说他"装腔作势"地打开公文包,然后贪婪地索要整个巴纳特。"很明显,他确信自己是在场所有人中最伟大的政治家。脸上不时浮现嘲讽和自觉的微笑,偏着头呈侧身姿势,他给人的印象糟透了。"他先用合法的理由论证:为了诱使罗马尼亚参战,1916 年,协约国与罗马尼亚签订了《布加勒斯特条约》,其中有秘密条款许诺把巴纳特分给罗马尼亚。然后他又借助威尔逊提出的原则为自己撑腰:罗马尼亚人应该属于同一个国家。高谈阔论中,他提到民族学、历史、地理以及罗马尼亚战时做出的牺牲。他还暗示塞尔维亚人曾经倾向于奥匈帝国(塞尔维亚人也将以此指控罗马尼亚人)。

维斯尼奇和特伦比奇对此做出回应。他们指出塞尔维亚只要巴纳特的西部地区。虽然他们没有秘密条约,但却可以用罗马尼亚人所用的论据。维斯尼奇说:"中世纪以来,塞尔维亚所要求的那部分巴纳特领土一直与塞尔维亚人紧密相连。"从历史上来看,他接着说,"正如法国岛属于法国,托斯卡纳区属于意大利,同理,巴纳特属于塞尔维亚。"是它孕育了塞尔维亚复兴以及后来的塞尔维亚民族主义。当塞尔维亚皇室被流放时,他们自然而然地会去那里避难(针对这一点,布拉蒂亚努很在理地回击道,反复无常的塞尔维亚偶尔会把其统治者驱逐至罗马尼亚,但这不能作为索要罗马尼亚的理由)。

在讨论中,威尔逊惊讶地发现,巴尔干国家的代表"各执其辞,莫衷一是,总有些东西不太明确"。他说美国随时准备在事实的基础上批准解决方案。半睡半醒的鲍尔弗插进一个非常简单的问题:"有关于巴纳特民族混合情况的数据吗?"南斯拉夫人回答说,有,他们索要的西部地区绝大多数是塞尔维亚人,而且巴纳特地区的所有修道院都是塞族人。当然,那里也有大量德国人和匈牙利人,但他们宁愿属于塞尔维亚而不愿成为罗马尼亚的一部分。不,布拉蒂亚努反对说,如果把巴纳特看作一个整体(由于政治及历史原因,这是惟一的选择),罗马尼亚人就占多数;修道院既不在这儿,也不在那儿,因为众所周知,塞尔维亚人和所有斯拉夫人一样虔诚信教;至于德国人和匈牙利人,塞尔维亚人管理不好这么大的少数民族群体。

2月1日,布拉蒂亚努列出了罗马尼亚所有要求的清单:巴纳特、特兰西瓦尼亚、俄国边境的比萨拉比亚以及北部的布科维纳,他声称这些地方无论从历史上还是民族上讲都属于罗马尼亚。协约国对此表示默许,他们不想把比萨拉比亚移交给布尔什维克俄国,也不想把布科维纳移交给貌似布尔什维克的匈牙利。特兰西瓦尼亚地区更大,问题也更加复杂,协约国决定等开始讨论匈牙利条约时,再处理这个问题。

罗马尼亚警告说,大国必须在问题无法控制及"严重情况"出现之前解决其问题。"罗马尼亚需要协约国道义上的支持,如果它还将继续作为欧洲反对布尔什维克的据点。"当然,这是当时在巴黎非常流行的说法,但让地处布尔什维克俄国和革命中的匈牙利之间的罗马尼亚说出来,影响就非同小可了。地理位置帮助了罗马尼亚,它位置偏远,协约国很难对它施加影响。罗马尼亚在大战中也是协约国成员,但极不可靠,那些蹩脚的许诺是英法做出的。

巴黎所知道的罗马尼亚是玛尔特·比贝斯科公主时期那个繁荣世俗的罗马尼亚,她举办的沙龙在战前的巴黎非常有名。她漂亮的堂妹安娜·德·诺阿耶是当时最著名的诗人之一,嫁入了一个古老的法国贵族家庭。罗马尼亚的上层阶级热爱法国:他们让孩子在法国接受教育并在那里购买衣服和家具,法国也对它有所回报。据说,罗马尼亚也属于拉丁国家,罗马尼亚人是罗马军团的后代而且仍然讲拉丁语系语言。19世纪,法国支持罗马尼亚脱离奥斯曼帝国争取独立的斗争;1919年,法国政府预想一个强大的罗马尼亚作为牵制德国的武器,同时也是防卫俄国布尔什维克主义警戒线的重要组成部分。罗马尼亚人非常强调他们与西方的联系:他们是罗马帝国的继承人,西方文明的一部分。在和平谈判中他们可以方便地争论,原罗马帝国省份达契亚,包括原属匈牙利的部分特兰西瓦尼亚地区都应当归还给他们。

然而还有一个历史更加复杂的罗马尼亚:几个世纪以来不断受东方外族入侵,不断被中欧历史上各王国分割,而且与摩尔达维亚和瓦拉几亚一样,它从 16 世纪初以来就处于奥斯曼帝国的摆布之下。那些讲着优美法语,来巴黎购物的罗马尼亚贵族都持有其祖父母身穿有腰带的长袖衣服并佩戴穆斯林头巾的画像。

罗马尼亚社会深受腐败的奥斯曼帝国统治的影响。他们有句俗语:"从头部开始腐烂的鱼。"在罗马尼亚什么都可以卖:官职、许可证、护照;有位外国记者曾因为想通过正当渠道而不是黑市兑换货币而被拘留,因为警察认为他涉嫌狡猾的诈骗案。每项政府合同都有猫腻。虽然罗马尼亚是个富裕的国家,农田肥沃,而且到 1918 年石油业繁荣发展,但是交通条件差,公路、桥梁及铁路匮乏,因为政府的拨款全都进入私囊,如布拉蒂亚努家族。罗马尼亚人似乎认为一切都是阴谋。在巴黎,他们暗示最高委员会已经受制于布尔什维克主义,或者,它已经被邪恶的资本主义势力所收买。

去过罗马尼亚的西欧人都为其异域甚至东方风情感到惊讶,从大部分居民信仰的东正教的洋葱形屋顶的教堂,到身穿蓝色天鹅绒长袖衣服的出租车司机,一切都让他们觉得稀奇。另外,这些司机所属教派规定生育两个孩子之后必须做绝育手术。战前,首都布加勒斯特非常美丽迷人,但也很落后,大部分建筑低矮破旧,未经铺砌的道路上到处是卖鸟、水果、糕点及地毯的小贩。长着灰色眼睛的吉普赛姑娘大声兜售她们的花草;在夜总会吉普赛男子弹奏吉普赛乐器或者流行的"你知道吗你很美"。富裕的家庭带着家畜住在由阿尔巴尼亚人把守的地区。

尽管罗马尼亚一直声称其历史悠久,但相对来说却是个新国家。摩尔达维亚和瓦拉几亚于 18 世纪中期从奥斯曼帝国获得部分独立,并于 1880 年完全独立。罗马尼亚与这两个地区一起构成倒 L 形,富裕发达的瓦拉几亚沿特兰西瓦尼亚境内的阿尔卑斯山南侧呈东西分布,摩尔达维亚位于喀尔巴阡山脉东部。1866 年,他们迎来了自己的德国王子,即后来的卡罗尔国王,他曾经化装成一位旅行推销员坐多瑙河汽船躲过奥地利的堵截。他的妻子是位著名的神秘主义者,以卡门·赛尔瓦为笔名写作诗歌和传奇故事。罗马尼亚经常有点让人不可思议。

罗马尼亚人是中欧的那不勒斯人。男女都喜欢用浓烈的香水。上层阶级,妇女们浓妆艳抹,男士会收敛一些,但即便如此,军方还不得不规定只有一定级别以上的军官才可以化妆。甚至在罗马尼亚参战后,外国人看到闲逛的罗马尼亚军官"涂脂抹粉,引诱妓女或互相引诱"还震惊不已。聒噪、感情丰富、喜怒无常并且喜欢争吵的罗马尼亚官兵甘于尽情纵欲享乐。"除了当地政治,谈情说爱是罗马尼亚所有社会阶层的职业和要务,"一位罗马尼亚女士说,"我的同胞从来不注重道德,但他们可以吹嘘自己美丽迷人、睿智、有趣味而且聪明。"甚至连罗马尼亚正统教会都对通奸管制不严,允许在双方都同意的基础上离三次婚。

布拉蒂亚努抵达巴黎前,罗马尼亚发言人是杰出的泰克·约内斯库。他欢快活泼,衣冠楚楚,体态偏胖,曾在索邦神学院(巴黎大学的前身)学习法律,说一口地道的法语。同样活泼的英国妻子贝茜是布赖顿一家旅馆老板的女儿。约内斯库从战争一开始就支持协约国,并为罗马尼亚加入协约国一方起了非常重要的作用。至于罗马尼亚的要求,他的态度比首相要温和得多。一位美国代表报道说:"他对塞尔维亚人非常友好:他说,保加利亚人行为恶劣;2万8千名罗马尼亚战俘只有1万人生还。"对于巴纳特问题,约内斯库赞成如下主张:他们必须与塞尔维亚人友好相处,他无意霸占整个巴纳特地区而愿意把西南部分给塞尔维亚。

事实上,早在1918年10月交易就已经做成了。约内斯库与南斯拉夫人会谈并达成协议,协议的具体内容和几个月后达成的基本接近,即罗马尼亚分得大部分巴纳特领土,其余部分属于塞尔维亚。罗马尼亚媒体攻击该方案背叛国家利益,布拉蒂亚努最终予以否决,至少是因为他憎恨这个对手。当罗马尼亚有资格参加和会时,布拉蒂亚努千方百计把约内斯库排除在代表团之外。

罗马尼亚对巴纳特的索取不可避免地强调民族因素;它还特别强调罗马尼亚在战争中的贡献。这也许并不是最英明的选择。战争爆发时,罗马尼亚并没有立即参加而是明智地在一旁静候观望。时任首相的布拉蒂亚努对同僚说他们必须等到最有利的时机。然而不够明智的是,他们表现得太明显了,用一位法国外交官的话说,"就像东方集市上的小商贩。"1916年夏,当协约国开始占上风时,罗马尼亚最终决定参战并要求协约国许诺:作为回报,它将得到整个巴纳特地区、特兰西瓦尼亚以及大部分布科维纳。俄国人与法国人私下同意等战争结束后再重新审视这个交易。

罗马尼亚没有选择好时机;等其部队准备好行动时,同盟国已经重整旗鼓了。1916年末,该国一半以上领土被德国及奥地利占领;同年冬,600万罗马尼亚人中有30万因疾病和饥饿而死,其盟国却指责罗马尼亚应该对此灾难负责。1918年,根据与同盟国签订的一项新条约,罗马尼亚退出战争。虽然此举可以理解,但却影响了它对领土的索求权。因为根据1916年签订的《布加勒斯特条约》,罗马尼亚答应不再另行签订和约,因此协约国认为他们已不再对罗马尼亚有任何承诺。克雷孟梭从未原谅过布拉蒂亚努的背叛。为了应付尴尬局面,布拉蒂亚努辞职,让其继任者(他亲自挑选的)承担责任。他在国会得以推迟对新条约的批准,并于1918年11月10日重新对德宣战。他高兴地宣布,这意味着与协约国的交易依然有效。罗马尼亚讲和只是为了保存实力:"罗马尼亚从未真正在法律上、实际上以及道德上与敌国讲和。"然而,为了以防万一,他暗中与急于限制塞尔维亚的意大利达成一致,两国将齐心协力要求坚持战时条约。

最高委员会认为罗马尼亚的要求非常过分,与南斯拉夫在巴纳特问题上的争吵也沉闷乏味(布拉蒂亚努抱怨说有的代表在他发言期间睡着了)。令人欣慰的是,调停人采纳了劳合·乔治的建议,即把罗马尼亚的要求包括对巴纳特的索求转交附属委员会的专家解决。他乐观地补充道,等他们研究了这个问题,找出真相,最高委员会的问题就少多了。威尔逊表示同意,但他认为专家不会从政治角度看待这个问题(什么是"政治"却从未界定)。克雷孟梭,也许是受了威尔逊的干涉,保持缄默;奥兰多请求将国界问题保留给最高委员会处理,但没有成功。因此,巴纳特以及中南欧其他小块领土的前途问题就移交给了特殊领土委员会。这些委员会在解决各方纠纷,使其达成一致时并没有什么成效。罗马尼亚及南斯拉夫事务委员会处理南斯拉夫的所有国界问题,但和意大利的边界除外,因为它坚持要求由最高委员会处理。

虽然最高委员会专家(最终有六个)不可能知道,几乎所有他们提出的建议都原原本本地写进各种条约,因为那些要人根本没有时间考虑细节。罗马尼亚委员会最终扩大了其范围,专家们解决了南斯拉夫、罗马尼亚、希腊,以及保加利亚的边界问题,确定了巴尔干地区匈牙利及其邻国以及苏维埃俄国与中南欧的权力平衡。英国专家尼科尔森写道:"在这里人很容易犯错!一张地图———枝铅笔———张描图纸。一想到我们划的线会把人民强合或分割,关系到千万人的幸福,我就没有了勇气。"

最高委员会没有说明怎样才是公正的解决方案。它是指提供可防御的国界吗?铁路网络吗?贸易路线?最后,专家们只同意尽量沿民族界线划分国界。引发此问题的巴纳特也就其困难发出警告。它的民族组成复杂,包括塞尔维亚人、匈牙利人、德国人、俄国人、斯拉夫人、吉普赛人、犹太人甚至一些散居的法国人和意大利人。因此在民族身份意识很不明确的地区,如何计算人数就是个问题。在法国外交部装饰有挂毯的镀金的宴会厅,罗马尼亚委员会拿出地图,阅读上交的意见,听取证词,然后试图在混乱的世界推行理智的秩序。

他们也始终将祖国利益牢记在心,至少欧洲人是这样。在巴纳特问题上寻找中欧盟友的法国希望罗马尼亚和南斯拉夫强大而友好。另一方面,意大利为了阻碍南斯拉夫的要求在程序问题上无理取闹,并暗示只有意大利在亚得里亚海的要求得到满足,它才会同意部分条款,对此美国人惊骇不已。虽然他们本可以宽宏大量地做一个无需任何代价的姿态,表示接受南斯拉夫对奥地利克拉根福地区的索求,他们也不愿这么做。耶鲁大学一位年轻的历史学家认为他们"缺乏外交手腕"。一位法国同僚更直接:"我不介意意大利人的狡诈,但我的确受不了他们的笨拙。"美国人试图勇敢地压制这个难以捉摸的方案,英国人竭力使美法和解。西摩报道说:"一开始就有许多阴谋,还有许多争夺地位的肮脏勾当。英国人与我们一起坚决扼杀这种风气并诚实公正地开展工作。"

南斯拉夫人又重述了他们的情况,那些渴望加入南斯拉夫的群体提出了一些非常可疑的要求。布拉蒂亚努表现不佳,他拒绝让步,使性子,被追问得过紧时就生气。他发表了奇怪的论调,声称把整个巴纳特地区给罗马尼亚可以改善与南斯拉夫的关系,就像"一颗必须拔掉的牙齿"。他还威胁说,如果得不到巴纳特,他就辞职,让布尔什维克接管罗马尼亚。他试图绕过专家直接请求威尔逊,但威尔逊让他找豪斯,可怜的豪斯不得不忍受他夸大其词的有关罗马尼亚如何被盟友背叛的长篇大论。他还指控胡佛扣留贷款和食物直到美国犹太人在罗马尼亚石油问题上得到让步。来自中欧的消息并没有帮他什么忙。罗马尼亚跨过停战界线入侵匈牙利和保加利亚,其部队正在巴纳特北部边缘集结;它还指控塞尔维亚人屠杀罗马尼亚平民。相对来说,南斯拉夫人显得理智得多。

3月初,玛丽亚女王及其三个丰满的女儿乘火车来到巴黎,罗马尼亚代表团势力得到增援。科莱特为《晨报》这样描述她:"那天早上天气灰暗,但玛丽亚女王浑身散发着光芒。她光亮的金发,白里透红的明净肤色,威严而又柔和的眼神使人说不出话来。"女王讲到她渴望帮助她的国家,并把大家的注意力引到她在战争中的作为。"我的上帝,我去了,他们让我去哪我就去了,而且他们哪里都需要我。"她谦虚地说自己是"祖国的招牌"。

的确,她名副其实。罗马尼亚王位继承者能娶到维多利亚女王的孙女真是幸运,她很快就入乡随俗了。他死气沉沉,羞涩愚蠢;而她活泼可爱,放荡不羁。她的新臣民很喜欢这一点。她的情人包括乔·波意尔、来自克朗代克河的腰缠万贯的加拿大矿工,还有布拉蒂亚努的姐夫,据说,他是所有孩子的父亲,除了后来成为卡罗尔国王的那个。她还非常奢侈,她在巴黎买的东西简直就像为国家采购。"罗马尼亚,"她大声说道,"必须拥有特兰西瓦尼亚和比萨拉比亚。如果为了一件衣服让步会怎么样?"她不停地说"我的"部长,"我的"国家,"我的"军队,却忽略她的丈夫;她声称他寄到巴黎的建议书"几乎无法阅读",但因为第一句话说他对她完全有信心,她就不再往下读了。

从她在里兹大饭店的套房,她开始征服权贵。她祈求福煦看在罗马尼亚反抗布尔什维克的分上给它支援武器并获得一定成功。她还恭维豪斯,他认为她是"我见过的西方皇室中最讨人喜欢的人之一"。与她一起吃过饭的英国驻巴黎大使说:"她的确非常有趣,如果不是因为单纯,你会觉得她很自负。"她问鲍尔弗是否可以与威尔逊讨论她在巴黎的购物或国联。"先谈国联,"他建议道,"然后再谈购物。但如果是劳合·乔治就先谈购物。"劳合·乔治认为她"非常调皮,但很聪明"。克雷孟梭也认为她很有意思。他坦率地对她说,他对罗马尼亚与敌国讲和很不满,而且他不喜欢布拉蒂亚努。当他指控罗马尼亚想吞并大部分巴纳特时,玛丽亚答道:"这正是我来见它的表兄老虎的原因。"克雷孟梭反击道:"老虎从没有狮子生的孩子。"

她在威尔逊那里惨败。第一次会面,她与他讨论爱情,这让他大为震惊;他的医生格雷森说:"我从未听过女人讨论这些事情,我当时真不知眼睛该往哪里看,非常尴尬窘迫。然后她自己要求与我们共进午餐,但迟到了半个小时,而且带了十个人。"有随同人员注意到,"每等一分钟,就可以看到威尔逊总统的下巴短了一些,罗马尼亚的希望也就少了一些"。女王以为午宴很成功;她自认为她在巴黎为其人民做了很多。"我四处求人,解释,攻破了他们的许多防线。我给了我的国家一张活生生的面孔。"

如果她多和要人的下属打交道,结果或许会更好。3月18日,罗马尼亚委员会将巴纳特西部三分之一分给南斯拉夫,其余部分分给罗马尼亚。南斯拉夫还得到大约四分之一巴兰尼亚领土以及巴纳特西端的巴奇卡领土的一大半。一向关心民族公平的美国专家坚持要求将塞格德附近以匈牙利人为主导的地区保留给匈牙利。6月21日,虽然罗马尼亚人高声抗议,最高委员会还是接受了这个建议。然而,麻烦很快就出现了。南斯拉夫拒绝从已分给罗马尼亚的多瑙河的某个小岛撤出;1919年秋,罗马尼亚与南斯拉夫在巴纳特地区局势紧张。直到1923年两国才勉强同意尊重和会的决议。

地图上的新国界不能把人口合理分配。大约有6万塞尔维亚人被留在罗马尼亚,7万4千罗马尼亚人及大约40万匈牙利人留在了南斯拉夫。在中欧取得了胜利的民族国家新世界出现这种情况非常令人不安。虽然他们世世代代生活在那里,还是被视为外来者。罗马尼亚和南斯拉夫都推行同化政策。最终,南斯拉夫把从匈牙利得到的领土合并为伏伊伏丁那省,由贝尔格莱德严格管辖。塞尔维亚语被定为商业语言,商店的标志必须用古代斯拉夫语字母,但拉丁语可以写在下面。音乐会必须包括指定数量的塞尔维亚曲目;报纸及教科书都必须经过严格审查。20世纪30年代,一位外国观察家发现即使伏伊伏丁那省的塞尔维亚人也在传唱一首哀伤的小调:

我提供四匹马

把塞尔维亚人往这拉——

我宁愿拿出八匹
带他们逃离。

二战期间,德国和匈牙利瓜分了该地区,这里也就成了占领者和抵抗者的战场。美国人执意要分给匈牙利的塞格德成了屠杀犹太人的阵营。今天,伏伊伏丁那的犹太人或吉普赛人所剩无几,但人口组成依然很复杂。塞尔维亚人只占一半,匈牙利人占四分之一。贝尔格莱德重新运用恐吓、镇压的手段使其服从管制。因此,和平的未来还很遥远。

罗马尼亚没有得到巴纳特。但从长远来看,它做得很好。在和会所有战胜国中,它收获最大,人口和疆域都扩大了一倍。此外,它还非同寻常地保住了大部分所得。当然,二战后比萨拉比亚回归苏联,苏联人还占领了布科维纳北部大约一半的领土,保加利亚人收回南部多布罗加的部分地区;但罗马尼亚依然拥有它最大的收获——特兰西瓦尼亚。

11 保加利亚

正值讨论巴纳特问题之际,美国人偏偏提出要把它作为一系列复杂的土地交易的一部分。如果罗马尼亚多得一点巴纳特的领土,它就有可能愿意归还1913年占领其西南邻国保加利亚的领土;保加利亚则可能愿意放弃一些领土让给南斯拉夫;而南斯拉夫或许因此会同意损失一部分巴纳特。毫不惊奇的是,这最终一无所获。罗马尼亚与南斯拉夫拒不妥协。

在战争中与德国和奥地利站在一边的保加利亚当然无权参加和会。然而,令人惊讶的是,它没有损失领土,反而几乎得到一部分。它有一些朋友,尤其是美国,也没有不共戴天的仇敌。此外,自决原则也对它很有利;在保加利亚以外,至少还有两个地区保加利亚人占大多数,沿黑海西岸的多布罗加南部地区以及爱琴海北端的色雷斯西部地区。正如保加利亚人声称的,有可能在南斯拉夫的马其顿部分地区,保加利亚人也占多数,但在巴尔干地区想证实这一点非常困难。

保加利亚人的民族特质很不清晰,不是宗教的问题,因为虽然多数讲保加利亚语的人信奉东正教,但也有一些是穆斯林。也许是种族问题,但他们算斯拉夫人呢,还是算来自东方的游牧民族,如蒙古人或混种?毕竟,他们的语言都很相似。和其他巴尔干国家一样,保加利亚民族主义是个新兴事物,或许比其他地方更新,因为保加利亚人自 14 世纪起就在奥斯曼帝国的统治之下,比其他巴尔干国家存在时间都长。19 世纪 70 年代,保加利亚人终于反叛,格莱斯顿一些最著名的演讲就是土耳其人大肆屠杀保加利亚人时所做的。然而到 1919 年,西欧不再视保加利亚为受害者,而更愿意把它看作不可靠的暴徒。至于保加利亚的国界(主要由罗马尼亚和南斯拉夫事务委员会解决),英法专家一致认为应该缩小。

从它成为现代国家之日起,保加利亚就像变形虫一样摇摆不定。1878 年,保加利亚从奥斯曼帝国脱离,成立了一个巨大的自治国,领土向西一直延伸到阿尔巴尼亚,向南延伸至爱琴海北端。这让其邻国和大国都有点难以接受。塞尔维亚抢夺了大部分马其顿地区,希腊霸占了色雷斯西部,土耳其人占领了色雷斯东部。1912 年,短暂的扩张之后,保加利亚南部的多布罗加被罗马尼亚夺走。收复失地成了保加利亚民族梦想的一部分,它更伟大的梦想是再现保加利亚 10 世纪的辉煌,当时的它西至亚得里亚海,东至黑海。

如果说罗马尼亚人是巴尔干的那不勒斯人,那么大约 500 万的保加利亚人(1919 年时的数据)就是低地苏格兰人。保加利亚人顽强、勤劳、节俭、沉默寡言,以倔强著称。当地有句谚语这样说:"保加利亚人可以坐在牛车上捕猎到野兔。"大战中,保加利亚最想得到的是马其顿,这也是其国王——野心勃勃、老谋深算的德国王子——在欧洲被称为"狡猾的费迪南"的一个目标。拥有马其顿不但可以控制爱琴海岸,而且可以掌握连接中欧和南欧以及中东的山谷和铁路。忖度之后,费迪南及其政府认为还是同盟国的开价更诱人,因此,1915 年秋,保加利亚对塞尔维亚发起进攻,协约国也对其宣战。保加利亚曾一度占领多布罗加南部及马其顿大部分地区,但到 1918 年,由于武器和食物缺乏,其军队无力作战。保加利亚成为第一个投降的同盟国成员。

保加利亚战败后,费迪南退位,回到其位于奥匈帝国的宅邸消遣度日,观赏爱鸟——除母亲之外的最大的人生乐趣。其继任者是他的儿子鲍里斯,瘦弱而郁郁寡欢。鲍里斯人生最大的乐趣是开火车;东方特快的司机接到警告,不许他接近驾驶室。他的臣民认为他是个傻瓜,或者连傻瓜都不如。大部分观察家都认为他在位时间不会太长,他自己也这么认为。协约国在一旁焦虑不安,保加利亚会走共产主义道路吗?如果它拒绝和约怎么办?正如英国军事代表在 1919 年指出,"协约国没有军队,而且,如果引发全国性暴乱,将一发不可收拾。"

亚历山大·斯塔姆博里斯基这个人物举足轻重。有英国观察家认为他"就像黑莓丛中流窜的土匪"。作为保加利亚共和党领袖,他和鲍里斯处处相反:强大有力、粗鲁、自信、精力旺盛。他每天在自己的小农舍健身一小时。与鲍里斯不同的是,他并不惧怕费迪南。当保加利亚倾向德国和奥匈帝国时,他不但私下攻击国王,还把细节发表在文章中并因此被关进监狱。

农民出身的斯塔姆博里斯基成就了辉煌。虽然他曾在德国一所大学读过书,但说话依然比较粗俗。许多人怀疑他是共产主义者,但实际上他是一个信仰社会主义的农民,对共产主义和资本主义都持怀疑态度,这在小农阶级占多数的国家是个引人注目的组合。他直言他们对市民阶层及上层阶级的怀疑。"谁把你们送到战场?"他问,"谁让你们失去了马其顿、色雷斯和多布罗加?是他们。"

1918年9月,保加利亚军队溃败,费迪南向宿敌求援。斯塔姆博里斯基出面稳定了军心。次年秋,他当选为首相。但奇怪的是,他没有废除帝制,也许是因为他对"懦弱的小国王"鲍里斯动了恻隐之心。此外,1919年,保加利亚再也经受不起更多的动乱,但它几乎处处受敌。土耳其人和保加利亚人长期不合;北部边境的罗马尼亚军队正准备南下;希腊正在南部边界集结部队,并指责保加利亚的罪行包括偷牛事件。它只和南斯拉夫有友好相处的希望。昔日的梦想——将塞尔维亚和保加利亚合并成南斯拉夫国——在两个国家都没有完全泯灭(实际上,二战后,铁托元帅又重新激活了这个梦想)。鉴于保加利亚在战争中的表现——先是在一次钳形运动中与奥匈帝国和德国一起进攻塞尔维亚,然后劫掠破坏其国土——此时谈论斯拉夫统一依然不吉利。1919年,塞尔维亚曾与希腊商议联合攻打保加利亚,但克雷孟梭坚决予以否定。

令人惊讶的是,保加利亚人乐观地期待和会召开。索非亚的美国代表觉得他们的观点很"奇怪",他们似乎自认为是协约国的一员。"他们意识到了自己的'罪过',但一旦承认这个事实,他们就认为问题解决了。他们似乎不理解为什么协约国对保加利亚心存不满或怨恨,或为什么保加利亚不能恢复其战前地位——巴尔干地区宠坏的孩子。"保加利亚首相承认他们加入德国和奥地利是个巨大的错误,他天真地说:"如果保加利亚认识到参战与英国及其他大国的利益相冲突,它绝不会那么做。"保加利亚人民一直反对战时联盟,认为是"一小撮被德国收买的轻率的政治家"强加到他们头上的。实际上,协约国应该感谢保加利亚首先提出求和,并因此开始和谈。

保加利亚政府对一个国家尤其依赖:"目前,在其历史上最黑暗的时刻,它只有求助惟一能解救它的美国。"据说,保加利亚人非常崇拜威尔逊;尤其是大量侨居国外的保加利亚人非常欣赏他提出的自决原则。这对保加利亚来说是明智之举。它未曾与美国交战,而美国人在新教徒的游说下也对保加利亚非常同情(有愤世嫉俗者称后者都是亲保加利亚派,因为在整个巴尔干地区,他们只在保加利亚尝到过成功的滋味)。美国专家同意给保加利亚爱琴海的使用权、多布罗加的南部或者还包括马其顿部分地区。保加利亚还想得到更多,其政府给巴黎发了一份交易备忘录,其要求还包括整个色雷斯地区。英国代表团认为保加利亚的要求"既不实际也不足取"。

保加利亚的南部边界只有在与奥斯曼帝国达成和平协议后才能确定,但很明显这在短期内不会发生。至于马其顿,协约国最终决定不再为这块是非之地费心。英法也认为插手巴尔干地区1914年以前确立的国界非常危险。因此,马其顿被单置,虽然这使大量保加利亚人处在南斯拉夫的统治之下。

如果英法觉得保加利亚值得,它们本可以破例(正如后来它们把色雷斯西部地区从保加利亚手里分给希腊时所做的),但它们并没有那么做。然而,当南斯拉夫要求保加利亚西部边疆以保卫重要铁路线路以及贝尔格莱德时,英法准备听取它的意见,而仇视南斯拉夫的意大利人则反对。另外,盟军中的意大利士兵故意放走保加利亚战犯,迟迟不解除他们的武装,还为他们提供武器。最终,由于意大利的反对,以保加利亚人为主体的四块领土被移交给南斯拉夫,虽然没有完全满足南斯拉夫的要求,但保加利亚人已经觉得很过分了,并且忿忿地抱怨它失去了分隔两国的山地中所有战略要地。

更让保加利亚人辛酸的是多布罗加南部地区。美国人坚持由最高委员会决定其所属。保加利亚从民族角度出发提出的要求比罗马尼亚的更加合理。该地区人口组成混杂:主要是鞑靼人、土耳其人、保加利亚穆斯林以及保加利亚基督徒。在将近30万的总人口中,罗马尼亚人还不到1万。但它还是得以在和会上紧抓自己的要求不放,一部分是因为,与布拉蒂亚努和协约国之间有关罗马尼亚对匈牙利及俄国的领土要求的更大纠纷比起来,这个问题微不足道。于是人们制造出了事实:和会召开时,法国军方已经允许罗马尼亚军队及政府官员控制该地区。

对保加利亚来说不幸的是,等开始讨论此问题时,美国——惟一支持其要求的国家——正在逐渐脱手欧洲及其事务。虽然1919年夏,留在巴黎的美国代表一直在顽强地争论,但他们对欧洲列强的影响力已经大大减弱。正如鲍尔弗漫不经心地说,欧洲各国认为,虽然罗马尼亚应该适当地放弃"明显不属于罗马尼亚的领土",但现在提出这个要求还不是时候。"也许,多布罗加地区的老边境可以保留,但这样既不公正也对巴尔干地区的和平不利。"

1919年7月,虽然条约还未准备就绪,保加利亚代表团包括斯塔姆博里斯基就被召往巴黎。他们在一所有警卫把守的旧城堡里足足呆了两个半月,而且不准去巴黎,邮件都要经过审查,也不许会客。在给克雷孟梭的一封悲伤的信中,他们抱怨法国媒体攻击保加利亚人为"野蛮民族,不配拥有文明国家的信任和友谊"。

当条约草案最终于9月份上交时,保加利亚代表团更是牢骚满腹。它失去了大约十分之一的领土,包括多布罗加南部地区、色雷斯西部地区,以及爱琴海的使用权(协约国暂时接管色雷斯,但雄心勃勃的希腊一心想得到它)。保加利亚将赔款9000万英镑(再加上外债,保加利亚每年须付金额超过了其年度预算,它最终赖账)。最后,其武装力量被大幅度削减,其军队也只剩2万人。条约细节公布当天,保加利亚举国哀痛。

其代表团祈求修改条约,声称自推翻费迪南以来,保加利亚已经成为一个民主的现代国家,就像法国在大革命之后一样。协约国对此不予理睬,他们惟一的让步就是允许保加利亚在多瑙河保留一小支舰队。有传言说保加利亚将反抗,但现实主义者斯塔姆博里斯基声明他将接受和约,即使其非常不利。1919年11月27日,在纳伊古老的市政大厅举行了一个简单的仪式。手持刺刀的仪仗队排列在楼梯两旁,一群奇怪的围观者在等待保加利亚人出现,但只有面色灰白、忧心忡忡的斯塔姆博里斯基一人走了进来。一个美国人同情地说道,看起来就像"一个办公室的勤杂工被叫来开董事会"。希腊首相维尼泽洛斯也在人群中,"尽力不喜形于色"。克雷孟梭坐在铺有绿色台面呢的桌子旁主持仪式,条约很快就签好了。在雅典,处处洋溢着节日的喜庆气氛和赞美诗的歌声,而在索非亚,却是阴沉的辞职仪式。

11月,协约国还在考虑究竟是否把色雷斯西部地区交给希腊,斯塔姆博里斯基请求维尼泽洛斯要求两国合作:"在所有巴尔干地区的政治家中,只有阁下最清楚各民族之间相互理解的重要性。"一心扩建大希腊并有英国支持的维尼泽洛斯没有理睬他的请求。第二年,西部色雷斯分给了希腊,保加利亚南部边界直到1923年与土耳其签订永久条约之后才最终确定,那时,维尼泽洛斯的梦想早被现实击得粉碎。

事实证明斯塔姆博里斯基还算个政治家。保加利亚接受了新国界,并谴责过去推行的扩张主义政策,即便是在南斯拉夫的马其顿地区。他还进一步与南斯拉夫修复关系,甚至签订协议共同打击恐怖分子;适时压制企图把索非亚变为其封地的马其顿恐怖分子。他开始建立由农民政党组成的绿色国际以对抗苏维埃俄国的共产国际。保加利亚成为国联热情的拥护者,然而,斯塔姆博里斯基的外交及国内政策也使他得罪了不少人:保加利亚民族主义者、军官、马其顿恐怖主义者、饱受通货膨胀与高税收之苦的中产阶级,可能还包括国王。1923年6月,保加利亚发生军事政变,斯塔姆博里斯基被马其顿反叛者杀害,叛军先砍掉了他与南斯拉夫签订反恐怖协议的那只手。国王获悉后低声道:"可怜的伟人。"

斯塔姆博里斯基采取的温和策略在他死后并没有持续多久。不计其数的保加利亚人非常怀念几十年前的保加利亚;他们憎恨《纳伊条约》,并为其同胞在罗马尼亚、希腊和南斯拉夫所受的待遇而愤愤不平。20世纪30年代,巴尔干地区试图达成尊重现有国界的总协议,但因保加利亚拒绝而破产。结果,南斯拉夫、希腊、土耳其以及罗马尼亚之间签订了协议,保加利亚被隔离。当欧洲再次濒临战争时,保加利亚倒向德国阵营。1940年,迫于德国压力,罗马尼亚交回南部多布罗加。1941年春,与德国及意大利一同作战的保加利亚军队占领了马其顿及西部色雷斯。但保加利亚收复的领土并没有保持很久;根据1947年在巴黎达成的协议,保加利亚仅保住南部多布罗加。那时,新的共产主义政权已经牢固确立。鲍里斯早已过世,许多人认为他是被纳粹毒死的,而"狡猾的费迪南"于1948年在德国平静逝世,享年87岁。

12 仲冬之歇

1919年1月底,和平方案概要基本成形,其中有些部分比较清晰。俄国问题、国联以及中欧地区的国界问题都涉及到了,虽然并没有完全解决。特殊委员会在有关对德和约的一些关键细节问题上也有所进展:战争损失、德国的赔偿能力、德国边界、殖民地及武装力量、对德国战犯的惩罚,甚至还包括对德国潜艇海底电缆的处置问题。然而,关键问题——如何惩治德国并使其日后能守规矩——却几乎未被克雷孟梭、劳合·乔治及威尔逊,这几个惟一能真正解决该问题的人提及。

同时出现的另外一景被瑞士某外交官称为"和会的一大奇观":英美之间紧密的伙伴关系。当然,在委任托管问题上英美也有分歧,但在最高委员会、各种其他的委员会,英美发现他们对大部分问题都有一致看法。虽然威尔逊从未真正喜欢过劳合·乔治,但他似乎被其魅力所折服,他们在会前会后谈笑风生,偶尔还共进午餐或晚餐。他还发现他擅长与自由党首相打交道。

1月29日,威尔逊对豪斯说,他认为美国专家应该与英国人紧密合作。豪斯顺从地把此意见传达给英美双方。高度重视英美友好关系的劳合·乔治非常高兴；一向害怕这两国关系紧张的加拿大也很高兴。整体看来，已经开始接触的双方专家也对此很满意。"我们与和会中惟一没有玩弄沙文主义政治的英国（威尔逊花了一周时间才发现这一事实）的关系非常密切，以至于我们可以就欧洲领土问题坦诚地交换意见。"美国专家西摩说。两国代表团成员频繁磋商，交换秘密文件，并通过美军工程师装配的连接克里昂和马捷斯特的安全电话线路讨论问题。尼科尔森后来写道："我们的很多看法惊人地一致。马克西姆的特别内阁有关于盎格鲁及美国的详细阐述，其中包括南斯拉夫、捷克斯洛伐克、罗马尼亚、奥地利以及匈牙利的边境。双方只在希腊、阿尔巴尼亚、保加利亚及土耳其问题上有分歧。即使是分歧也只是细节上的而不是原则上的。"

英美关系繁荣发展时，各国与法国的关系却不断恶化。英国视法国为争夺在中东及中亚的奥斯曼帝国及俄国领土的竞争对手；他们还怀疑（威尔逊短暂回国之际）法国人想按照自己的意愿制订对德和约。汉克写道："我发现他们诡计多端，一点儿都不遵守游戏规则。"2月，由于法郎被迫下跌，法国面临财政危机，但英国人反应冷淡。他们告诉法国人，他们无法提供贷款帮其渡过难关。直到豪斯与劳合·乔治协调之后才得到一些资金。法国人接受了贷款但也对英国故意拖延怀恨在心。英美对法国的无能与不负责任表示不满。

法国与美国的关系尤其糟糕。法国外交官责备威尔逊避开和会实质问题——惩罚德国——而讨论国联。法国财政部长路易·吕西安·克洛茨对同僚说，美国人想把多余的食物卖给德国以换取现金，这使法国更难集齐应得的赔款；美国人则因住宿及军费开支抱怨法国人。在电影院，法国观众曾经一看见威尔逊就欢呼不止，现在却保持沉默。法国警察与美军战士时而在大街上争吵。有人无意中听到美国人说他们选错了阵营。巴黎人嘲笑威尔逊夫人，曾经对威尔逊一片赞誉的法国报纸也开始批评他。

这些攻击激怒了威尔逊，他坚信他们是受法国政府指使的。他气得声音发抖，向一位来访者展示一份秘密文件，该文件教唆法国报纸夸大俄国混乱，强调德国再次冒犯的可能性，并提醒威尔逊他在国内面临共和党的强烈反对。私下里，威尔逊越来越爱发牢骚：法国人"愚蠢"、"小气"、"有病"、"不可信任"、"狡猾"、"我接触过的最难打交道的人"。他对医生说，他依然认为法国民众很不错，但其政客却把他们引入歧途。"这都是因为法国政客纵容对美国人的歧视，以至于美国大众从亲法转为亲英。总统也曾说过英国人似乎非常遵守游戏规则。"

和法美关系一样，天气也逐渐转冷。湿雪降临巴黎，美军士兵在爱丽舍宫打雪仗；还有人在布劳涅森林公园溜冰，在凡尔赛宫滑雪橇。由于煤炭紧缺，即使豪华酒店也冰冷难耐。

许多人因感冒或者始于1918年夏的更危险的流感而病倒。克里昂的军医发放止咳剂并提出一些防治意见。有人称抽烟是一种绝好的预防方式。

代表们——最终共有1000多人——陆续抵达。英国给每位代表印制了1500张名片以分发给其他国家的代表，因为维也纳会议期间就是这么做的。由于许多人抱怨浪费时间，克雷孟梭决定废除这一做法。许多代表都是外交家及政治家，但还有许多人不是，而且是第一次参加重要的国际会议。英国几乎带来了情报部的整个情报局，包括年轻的阿诺德·汤因比和刘易斯·纳米尔，两者是同时代最杰出的历史学家。美国代表团有来自豪斯调查组的教授以及华尔街银行家，如托马斯·拉蒙特和伯纳德·巴鲁克。专业外交家们对此牢骚满腹。朱尔斯·康邦说这是"临时拼凑的代表团"，但劳合·乔治、威尔逊及克雷孟梭都认为无所谓。在劳合·乔治看来，"外交家就是用来浪费时间的。"

巴黎也充斥着请愿者、记者和纯粹的好奇者。传奇小说作家埃莉诺·格林在里兹大饭店的角落招待名人并写文章问道："女人在变吗？""骑士精神死了吗？"时任助理海军部长的富兰克林·罗斯福以监督美国海军财产在欧洲销售为由，说服其上司来到巴黎，同时拖着愤懑不乐的埃莉诺。他们的婚姻已经瓦解；现在她发现他沉迷于巴黎女人。威廉·欧本和奥古斯都·约翰也入驻巴黎，对和会进行官方报道，但后者把大部分精力花在了狂欢会上；英国内阁大臣作了为期一两天的短暂访问。副首相波纳·劳勇敢地身穿特制皮边的飞行服飞来飞去；劳合·乔治的大女儿奥尔雯，一个活泼的少妇，也作了一次短暂访问；克雷孟梭有天下午让她搭便车，聊天时他问她是否喜欢艺术。喜欢，她热情地回答说，然后他突然拿出一沓色情明信片。

埃尔萨·麦克斯韦当时还不是国际餐饮协会的长老。作为一位迷人的离婚女子的陪同，她从纽约来到巴黎，而这位离婚女子的目的是为了找个新丈夫。她们俩在租住的寓所中举办舞会。潘兴将军提供酒水；麦克斯韦用钢琴弹奏最新的科尔·波特的歌曲；离婚女子找到了丈夫——英俊的美国上尉道格拉斯·麦克阿瑟。一天凌晨，两位年轻的军官拿着马刀为争夺另一位美国丽人而决斗。

那年，漂亮的女人在巴黎过得非常愉快。代表团成员几乎都没有携带妻子；当然，对低级军官来说这是明文禁止的。汉克写信对妻子说："所有美丽迷人、衣着光鲜的上流社会妇女都被各部门带过去，我不清楚他们是怎么工作的，但一到晚上他们就唱歌跳舞，打桥牌。"作风严谨的人认为还有比打桥牌更糟的事情发生。一位美国女记者和一位意大利将军"光明正大地打得火热"。在代表团下榻的酒店，妇女随便出入男士的房间。几个加拿大红十字会护士经常故意走错房间然后拒绝离开，她们只好被强行送回国内。战争似乎放松了传统禁忌。埃莉诺·格林严肃地说:"巴黎恶习猖獗,女同性恋公开在拉鲁一同进餐,有时六个一群,男士也一样。这里无所谓庄严神圣,什么都是公开的,甚至连贪婪堕落等恶行都不例外。"

巴黎还有许多娱乐场所:圣克劳德的赛马场;一流的餐馆,只要你能支付得起;歌剧院上演着经典曲目,如《霍夫曼的船歌》、《蝴蝶夫人》及《波希米亚人》。戏院也陆续重新开放,伟大的经典和粗俗的闹剧应有尽有。莎拉·伯恩哈特出席了一个法国慈善机构的庆祝会,伊莎多拉·邓肯的弟弟在会上跳了舞。鲁思·德蕾珀从伦敦赶来朗诵她的独白,加拿大代表被音乐剧所震撼。有人写信给妻子说:"我们都在想应该说说我们的见闻。我想知道法国人是否躲过了在我们当中非常流行的疾病。"甚至连通常十点就睡觉的威尔逊也去看讽刺时事的滑稽剧;他觉得有的笑话很粗俗,但很欣赏"正派得体的部分"。埃尔萨·麦克斯韦把鲍尔弗拉到夜总会,这是他生平第一次去这种地方。这位老政治家礼貌地说:"请允许我谢谢你让我度过一生中最愉快、堕落的一晚。"

其他代表还有更多消遣:清晨在布劳涅森林公园散步,晚上打桥牌。鲍尔弗只要一有时间就打网球;兰辛晚上安静地研读哲学;意大利主要代表桑理诺和奥兰多则呆在酒店;劳合·乔治晚上偶尔去餐馆或戏院,虽然弗朗西丝·史蒂文森发现他的到来总是会引起一阵骚动。她还抱怨他某天晚上与一位英国女代表调情。"然而,他对此毫不隐瞒,我认为这对他有好处,所以我并不介意。"

巴黎的社会生活开始复苏。当穆拉特王子和体态肥胖的埃尔萨·麦克斯韦分别化装成克雷孟梭和劳合·乔治去参加化装舞会时,他们的汽车被爱丽舍宫街道上庞大的欢呼人群所阻拦。在里兹大饭店的酒吧里,人们一起喝鸡尾酒。在凡尔赛城外,装潢师爱莉丝·华芙(即后来的门德尔女士)在她著名的乡间别墅里请尊贵的代表喝茶。威尔逊的夫人强拉着他参加各种舞会和招待会,这令威尔逊的崇拜者很沮丧。

在马捷斯特酒店,鲍尔弗的私人秘书伊恩·马尔科姆当众朗读他的诗作《和平破灭》和《普林科波情歌》。地下室还有业余戏剧演出。欧本曾为一场演出设计了海报,上面画了两个裸体小孩,接下来的滑稽剧中就有合唱队唱道:"我们两个小欧本,没穿衣服光屁股。"不远万里前来报告中欧情况的某英国官员对这一切非常反感,忿忿离去。他对美国同僚说:"没有人愿意听我讲述波兰的惊人现状,因为他们都在忙着讨论是否在周二和周四或仅在周二把舞厅用作业余戏剧演出的场地。"劳合·乔治16岁的小女儿麦格别提有多高兴了,有人诙谐地说整个酒店似乎都是她的了,最终她父亲把她送到女子精修学校。

马捷斯特的舞会逐渐声名远扬。被一位老外交官称为"人间仙女"的年轻护士和打字员们都会跳各种新式舞蹈,从华尔兹到狐步舞。观众都看得着了迷,福煦问道:"为什么英国人老是板着脸,屁股却扭得那么欢快呢?"周六晚上的舞会尤为流行,以至于官方不得不关注其影响并考虑对其加以禁止。

尽管如此,巴黎和会的舞会和奢侈的娱乐与维也纳会议相比就小巫见大巫了。巴黎和会最流行的社交方式是午宴和晚宴,许多工作都是在席间完成的。精力旺盛的劳合·乔治还有早餐会议。在丰盛的宴会上,有些国家倾吐了他们的要求。西摩写信给妻子说:"我又成了外交官了,明天与布拉蒂亚努吃饭,星期六与意大利自由党人共进午餐,晚上与塞尔维亚人吃晚饭,星期一与捷克斯洛伐克的克拉马日(卡雷尔·克拉马日)和贝纳斯一起吃饭"。波兰人请美国人吃午饭竟然一直持续到下午五点;波兰的历史学家、经济学家及地理学家一个接一个地陈述波兰要求的合理性。中国人邀请外国媒体参加了一次特殊宴会。宴会上,时间慢慢地过去,菜也一道道地上来,客人都等着听主人讲述他们的情况。那些中国人用流利的英语与宾客聊天,话题宽泛,什么都谈就是不谈和会。凌晨3点半,美国记者纷纷离开,只留下一个探听消息。但他黎明时分告辞时,中国人依然没有说明设宴的原因。

有些外国代表参观了战场,他们试图写信回国描述他们的所见所闻:断裂的树木、地面上零星的小十字架、路上丢弃的榴散弹、弹坑、乱缠一气的生锈的带刺铁丝网、埋在泥里的坦克和枪支、军装的碎片以及战士未被埋葬的尸骨。豪斯的女婿戈登·奥金克洛斯写道:"一连几英里,地面都是积满水的巨大弹坑,几十辆炸碎的坦克躺在地上。我还从未见过如此可怕的废墟和如此惨重的破坏。"他们还冒险前往战壕,拣了一些德国头盔和弹壳留作纪念。有人找到一些没有用过的保险丝,"给孩子的好玩物"。他们惊叹昔日的城镇如今变成一堆堆废墟。美国教授詹姆斯·肖特韦尔在参观完兰斯之后说,它就像庞贝城遗迹,虽然他在废墟中找到一家供应香肠和泡菜的餐馆。

2月中旬,随着威尔逊短暂回国——表面上是为了参加国会的闭幕会议,实际上是为了处理日渐强烈的反对国联的呼声——以及劳合·乔治回国解决国内问题,和会的工作也慢了下来。最高委员会上,鲍尔弗暂时代替劳合·乔治,而威尔逊再次忽略国务卿而选豪斯作为其代理人。心情沮丧、身体不适的兰辛——他正在尝试新的糖尿病疗法——非常难过,但这已经不是第一次了。当身为经验丰富的律师的兰辛在美国代表团一次会上针对国联提出一些建议时,威尔逊说他不想让律师起草和约。由于兰辛是在场的惟一律师,他认为威尔逊的话是对他本人及其职业的侮辱。威尔逊总是把重要的工作交给豪斯,而让兰辛负责媒体——他讨厌的工作。威尔逊似乎很乐于挑拨豪斯与兰辛的关系,而且每当听到任何有关兰辛的坏话,他都非常高兴。威尔逊夫人的秘书在拜访完泪流满面的兰辛夫人之后在日记中写道："似乎兰辛先生所做的一切都会激怒他,他(总统)不喜欢与他一起吃饭,不喜欢和他一道接受别人的邀请。他不能容忍和自己生活方式不同的人。"威尔逊的行为不但残酷,而且他也将为此付出代价,因为当和约提交美国通过时,兰辛报复了他。

豪斯和鲍尔弗都想乘上司不在时加快和会工作进度。他们决定至少确定对德和约的基本条款(细节可以直接由和会磋商)。特殊领土委员会及其他各种委员会如负责赔款问题的(最后共有60个)均被告知在3月6日之前准备好报告。这样就可以在威尔逊回来之前留有一星期时间做收尾工作;德国代表团可以在月底前召到巴黎。整个计划非常乐观。

抱怨归抱怨,代表们还是全力推动和会不断向前。当尼科尔森在里兹的一次晚宴上遇见"苍白、邋遢、瘦脸"的马塞尔·普鲁斯特时,他发现这个伟大的作家对这项工作的细节很感兴趣。"给我讲讲委员会的情况吧。"普鲁斯特要求道,尼科尔森便说委员们通常每天早上十点开会。普鲁斯特想知道更多,"你们从代表团住地乘车过去,在法国外交部下来,爬上楼梯,进入会议室,然后呢?具体点,朋友,具体点。"

威尔逊返回巴黎时,国联盟约已经基本起草完毕,对德和约也取得一些进展,大多数领土委员会已经创立。然而,奥斯曼帝国问题还没有解决,也几乎未考虑针对奥地利、匈牙利及保加利亚的和约。很少有人再提及和会的准备会议,谈论的焦点集中在召集战败国来巴黎前,和会必须完成的工作。虽然还未经承认,但事实是真正的和会才刚刚开始。在酒店及会议厅,人们在想究竟能否在世界大乱之前达成和平。

2月19日,巴黎的局势似乎是一触即发。当克雷孟梭离开其在富兰克林街的寓所准备开车去克里昂酒店与豪斯和鲍尔弗会谈时,一个身穿工作服潜伏在公厕后面的人突然跳出向车内连开数枪。事后,克雷孟梭对劳合·乔治说,那一刻时间似乎凝固了。一颗子弹射在肋骨之间,差点命中关键器官(由于取出很危险,子弹就一直留在他体内直到十年后逝世)。凶手是精神有点失常的无政府主义者尤金·考廷,旁观的人群抓住他,差点施以私刑。克雷孟梭被抬回房间。当他忠实的助手赶来时,发现他面色苍白但仍清醒着。"他们从背后向我开枪,"克雷孟梭对他说,"他们根本不敢从正面袭击我。"

消息传到克里昂时,鲍尔弗说:"天哪,天哪,我在想这预示着什么。"巴黎的许多人担心情况会进一步恶化,特别是几天后信仰社会主义的巴伐利亚首席部长被暗杀的消息传来后。劳合·乔治从伦敦发电给克尔说:"如果此举是布尔什维克所为,就表明这些无政府主义者多么疯狂,因为暗杀成功对他们危害极大,即使失败也会激怒法国民众,并因此使他们不可能与法国人做成任何交易。"

和平常一样,克雷孟梭没有把这当回事。探访者发现他坐在扶手椅中抱怨考廷的枪法——"近距离平射,竟然七发错过了六发"——并和医生争论道:"医生,我比谁都清楚,因为我是当事人。"来照顾他的妹妹说他能逃脱简直是个奇迹,他回答道:"如果老天有心制造奇迹,就应该阻止他开枪!"他不允许判考廷死刑:"作为一个老共和党员和反对死刑的人,我不能容忍因冒犯君主罪就对某人执行死刑。"考廷被判十年监禁,但中途就被释放。

慰问从四面八方传来:劳合·乔治及伦敦的乔治国王、还在大西洋航行的威尔逊、莎拉·伯恩哈特——"克雷孟梭就是整个法国"——还有成千上万视克雷孟梭为胜利之父的法国人。教皇发来他的祝福(这个反牧师的老激进派回复了他的祝福),普通士兵在克雷孟梭门前留下装饰品。起初非常震惊的庞加莱现在很生气,"如此疯狂、怪异的传奇遮盖了事实,并将注定篡改历史。"刺杀第二天,克雷孟梭就在花园散步,一星期后就开始正常工作,但他还是严重受到了惊吓。许多人包括威尔逊都觉得他再也不像原来那么专注了。

在伦敦,劳合·乔治取得了不少成功。2月10日,他跳下火车径直前去参加与波纳·劳及他的首席顾问的会议讨论劳工问题。内阁秘书向汉克报告说:"稍后我见到了他,看起来非常开心,精神饱满而且对你在巴黎的表现很满意,即使矿工和铁路工人在未来一两周内游行闹事,他已经准备好应付的办法了。"和以前一样,劳合·乔治通过安排调查委员会,召集管理人员与工人谈判阻止了即将爆发的罢工。同样在那几周,他还创建了新的交通部,引进一系列国会议案处理社会问题。

相比之下,威尔逊回国就没有那么顺利了。他在波士顿上岸并立即发表了一篇鼓动人心、党派偏见极强的演说。他说,他和美国正在巴黎开展一项伟大的事业;对此质疑的人不但自私而且鼠目寸光。在座位上,听众发现了国联盟约草案的复印件,而华盛顿的参议院还没有看到。这样做有失得体,也不是威尔逊的第一次政治失误了。波士顿是他的劲敌——来自马萨诸塞州的共和党参议员亨利·卡伯特·洛奇的故乡。

洛奇出身新英格兰贵族家庭,有人说他的头脑就像其故土一样,"虽然先天贫瘠,开发得却很好"。他个头矮小,脾气不好而且极端势利。和威尔逊一样,他坚信美国有义务把世界建设得更美好,甚至还在考虑建立某种形式的联盟以维持和平。但他不同意威尔逊的方式,也不认为他的联盟可以解决所有世界问题。他憎恶威尔逊,不光是因为通常所说的他们政见不合,还因为他觉得威尔逊不光彩,是个懦夫。不过,和威尔逊一样,他也公私不分。

他们两人已经对峙多年——战争爆发时,洛奇认为应该站在协约国一边,而威尔逊主张中立;战争结束时,洛奇希望进攻柏林,而威尔逊却要签停战协定;在和平问题上他们也有分歧。威尔逊相信国联和集体安全是结束战争的方式,而不信任人性的悲观主义者洛奇更愿意相信权力。他想用强国把德国团团包围：重建的波兰、坚固的捷克斯洛伐克、收复阿尔萨斯和洛林两省的法国，或许还包括莱茵兰。如果美国一定要参与某种联合，就应该参加有共同利益的民主国家组织，而不是把美国拖向承担无尽责任的国联。

洛奇代表共和党内温和的中间派。共和党的一半主要来自中西部，是不与欧洲接触的隔离主义者，而另一半主要来自东部沿海，是积极支持国联的国际主义者。威尔逊本可以联合许多共和党成员，但他却把他们赶走了：他拒绝带领主要共和党人一同去巴黎；在1918年的国会选举中坚持认为选择民主党就是选择和平，选择共和党就完全不同了；还有现在回国后的所作所为。

不幸的是，他也没有安抚党内的怀疑者。他拒绝与一位南方参议员讲话，认为他在律师生涯中除了"专办交通事故损害赔偿"之外一事无成，甚至连他现在开的小玩笑都尖酸刻薄。在看到刚出世的孙子时，他说："看他嘴巴大张、眼睛紧闭的样子，我猜他长大后一定能当参议员。"豪斯说服威尔逊在白宫举办晚宴，邀请参议院及国际关系委员会成员参加，结果非常糟糕。坐在威尔逊夫人旁边的洛奇不得不硬着头皮听她喋喋不休地讲威尔逊在波士顿受到的礼遇。有的客人抱怨饭后没有供应足够的香烟和饮料。更严重的是，有人认为威尔逊威吓了他们，正如某人所说，"就像在主日学校因为疏忽功课而被严师责骂一样。"再次见到豪斯时，他愤慨地说："你的晚宴并不成功。"

正如他以后经常做的，他自慰人民是支持他的，虽然人民代表不赞同他。他很可能是对的，因为美国一家主要期刊调查读者是否支持国联，三分之二以上的人表示肯定。不幸的是，对条约进行投票表决的是参议院而不是公众，而在参议院，要想得到保证条约通过的三分之二多数票是非常困难的。3月4日，当威尔逊准备返回欧洲时，洛奇发表联名声明反对盟约，并要求和会在解决好对德和约问题之后再讨论国联问题。39位共和党参议员在声明上签字，占总数96的三分之一强。对此，威尔逊的第一反应是能否干脆绕过参议院。

3月14日，当他乘坐的火车驶进巴黎时，只有为数不多的法国官员来车站迎接。当他抵达位于美国广场的新住处(正对劳合·乔治的公寓)时，也没有像去年12月份时的欢呼的人群。这所房子(属于某富裕的银行家)也没有缪拉酒店那么豪华、宽敞。就像雏菊在草地上盛开一样，问题也开始在和会不断出现。

THE GERMAN ISSUE
第四章　德国问题

> 德国陷入受奴役地位达一代之久、降低数百万生灵之生活水平以及剥夺其整个国家、整个民族之幸福，是一项令人深恶痛绝的政策——即使这种政策事实上可行，即使藉此能够养肥我们自己，即使它不会埋下造成欧洲文明生活堕落的种子，也仍然是令人深恶痛绝的。
>
> ——凯恩斯，《预言与劝说》

13 惩罚方式与预防措施

威尔逊返回之后,就对德和约问题又开始了新一轮的紧张谈判,直到 5 月初才达成最后协议。这段延迟——毕竟战争已经结束四个多月了——引出了一个尴尬的问题:德国战败究竟意味着什么? 德国还有多少实力? 协约国有多强大? 1918 年 11 月战胜国拥有巨大优势,如果他们那时准备和谈并充分认识到他们取得的胜利,就可以随心所欲制订条款。

早在德国政府求和以及内部旧政权垮台之前,德军在战场就已严重受挫,尽管鲁登道夫将军、兴登堡将军以及希特勒下士对此另有说法。1918 年夏,由于美国增援士兵与武器装备,协约国转守为攻。1918 年 8 月 8 日是德军的"倒霉日",当天协约国军队突破德军战线。四年来,西线的变动一直以米来衡量,而现在德军全线溃败,撤退幅度以公里来计算,身后留下不少枪支、坦克和士兵。协约国反攻的最初几天,共歼灭德军 16 个师。8 月 14 日,鲁登道夫将军对德国皇帝说,德国应该考虑与协约国谈判;到 9 月 29 日,他要求不惜一切代价求和。协约国虽然缓慢但却无情地不断逼近德国边境,而德国统帅对此已无能为力。此时,德国基本上已经山穷水尽,公众的好战欲望也逐渐丧失。在柏林的大街小巷,主妇们手持炊具游行示威以表明她们无法喂饱家人;在船坞和工厂,工人放下工具举行罢工;在德意志帝国国会,曾经支持战争的代表现在要求和平。德国的盟国陆续离开:9 月底,保加利亚脱离同盟国,一个月后,土耳其紧随其后,然后是奥匈帝国;11 月,德国爆发起义;11 月 11 日,在一列法国铁路客车上签订了停战协定,这时的德国因战争及政治剧变已摇摇欲坠。毫无疑问,协定条款明显对协约国有利。兴登堡万分沮丧;鲁登道夫戴着假胡须及有色眼镜仓皇逃往瑞典。

德国放弃了 1914 年以来征服的所有领土,包括阿尔萨斯和洛林两省。协约国军队占领整个莱茵兰地区以及该河东岸的三个桥头堡。德国还交出绝大多数战争器械,潜艇、重型枪支、迫击炮、飞机以及 2 万 5 千挺机枪。对此,德国谈判者痛苦地呼喊:"什么? 我们完了! 我们怎么抵抗布尔什维克呢?"曾立下汗马功劳的公海舰队最终驶出港口。11 月的一天,薄雾蒙蒙,69 艘舰艇包括战舰和驱逐舰驶过一排排协约国船只,前往位于英国奥克尼的斯卡珀湾。这一行动是投降的表现,协约国也是这么看待的。

停战协定签订后第二天,法国大使见到了劳合·乔治。"首相先生说他从未奢望过如此迅速地解决这个问题,也没料到德国会像这样完全崩溃。"在所有协约国领导中,只有美军最高司令潘兴将军认为协约国应该继续向前推进,如果必要的话,还要跨过莱茵河。法国人不希望有更多人员伤亡,其统帅兼盟军最高司令福煦元帅警告说,那样的话,他们可能遇到顽抗并遭受严重损失。英国人希望在美国人过于强大之前讲和。当斯马兹阴郁地警告"布尔什维克无政府主义正在悄悄逼近"时,他说出了许多欧洲人的心声。

协约国所犯的错误很久之后才显露出来,由于停战协定,绝大多数德国人没有亲身体验战败的经历,除了莱茵兰地区,他们没见过占领军。协约国没有像德国1871年在巴黎那样耀武扬威地闯入柏林。1918年,德军井然有序地返回国内,人群夹道欢呼;在柏林,新总统弗里德里克·埃伯特向他们致意,"任何敌人都没有把你们征服!"由于德军的勉强支持,摇摇欲坠的德国民主共和党得以幸存,协约国对德国的优势开始逐渐消失。

协约国部队逐渐缩减,1918年11月,盟军共有198个师;到6月,就只剩39个了。他们能靠得住吗?他们基本上没有再战的热情;抗议及偶尔的兵变加速了盟军复员;国内,人们渴望和平和低税收。法国人坚持要求趁协约国还可以规定条款时讲和。克雷孟梭警告说,不能相信德国人,他们已经又变得"傲慢无礼"了。在魏玛,选民大会以歌唱"都是德国的"作为结语。协约国简直疯了,对他们说:"继续,想干什么就干什么。也许,有天我们会以断绝关系为要挟;但目前我们还不会强硬。"等四月份美军回国后会怎么样?"英法将独自面对德国人。"

虽然这种悲观未免太早,但到了1919年春,盟军司令的确越来越怀疑如果对德宣战能否打赢它。尽管德军在战场上被打败,但其指挥机构以及千百万受过训练的人都保留了下来。福煦不断指出,德国人有7500万,而法国人只有4000万。协约国观察家还注意到,人民都反对条约过于苛刻。谁会知道盟军一步步深入德国时会遇到怎样的抵抗。军事专家警告说,他们将面对愠怒不乐的人民,也许还有罢工,甚至还有炮火,协约国几乎不可能打到柏林。

盟军的封锁看起来也非常迟钝。虽然1919年封锁继续有效,盟军舰队依然在海上巡查运往德国的违禁品,但盟军对此越来越心不在焉。在负责执行对德贸易禁令的英国,公众舆论开始询问德国百姓的疾苦。负责驻德英军的将军对弗朗西丝·史蒂文森说,"如果允许德国小孩饥饿得满街独自乱跑,他就无法对部队负责。"海军上将对士兵的情绪非常担忧。第一海军军务大臣对最高委员会说:"如果最终条款能马上确定,海军就不必像现在这样被拴着作为封锁的工具,骚动不安的情绪也影响了海军,在下次更新停战协定时,如果能确定海军条款就可以稳定军心。"

实际上,停战条款还是允许向德国运送食物,尽管协约国军事顾问曾警告说德国可能会建立库存,并因此而不太情愿签和约。法国人也不热情,克雷孟梭讽刺地说:"这个提议原本是为了通过提供食物和原材料换取德国人的好感。战争状态依然存在,任何屈服的表现都会被当成软弱。"威尔逊和劳合·乔治则更担心德国会进一步滑向无政府主义和布尔什维克主义,用劳合·乔治的话说,这些是"滋生散布欧洲的传染病的水池"。

无论德国人如何催促,运送食物的速度总是很缓慢,因此德国人对协约国一直耿耿于怀。实质上很大一部分原因在于缺乏船只,协约国坚持要求德国提供船只,虽然这似乎不甚合理,却也说得过去,因为大部分德国商船都安然无恙地停靠在德国港口。船主虽一再催促,德国政府依旧故意拖沓,担心一出港就再也要不回来。德国还从协约国得到有关食物供应量的保证,并暗示它可以用美国贷款购买食物(很不现实,这也是这一时期德国对协约国的基本态度)。当确信无法从美国国会得到贷款时,德国政府同意使用其黄金储备,然而这惊动了法国人,因为他们想用这笔钱支付赔款。为此,最高委员会展开了一场激烈的辩论,会上,劳合·乔治挥舞着刚收到的来自驻德英军的电报,声称德国正处于饥荒边缘,法国这才勉强放弃原来的主张。到1919年3月下旬,第一批食物陆续运达德国。

和约起草的延迟在另一方面对协约国也有不利。当战争胜利的兴奋被国家利益及竞争的永恒现实所取代时,战时联盟通常会解体。到1919年春,协约国对德态度不一已是公开的事实(德国人当然仔细研究协约国的媒体)。与通常描述的不同,真实的画面并不是报复心切的法国反对慈悲为怀的美国,英国被夹在中间。所有人都同意法国1871年失去的阿尔萨斯和洛林两省必须归还法国。没有人提出自治,也不存在征求当地居民意见的问题,虽然相当一部分人薄情地愿意留在德国。所有人都同意比利时及法国北部受到的破坏必须修复,并且所有人也都同意应该惩罚德国及德国人。威尔逊在战时坚持他只与德国统治阶级争吵,现在似乎连他都责备全体德国人民。他对在巴黎的密友说:"在未来几十年,人们会像躲避麻风病人一样躲避他们,到目前为止,许多德国人不清楚其他国家的感受,没有意识到他们即将无人理睬的处境。"所有人都同意必须阻止德国再次将欧洲卷入战争。

1919年,几乎所有在巴黎的人都认为战争是由德国发动的(直到后来,才有人怀疑这一点)。德国违背了自己的承诺入侵中立国比利时。令协约国及美国人惊骇的是,德军行为恶劣(并不是所有暴行都是为战时宣传所造)。协约国认为,德国也因1918年签订的两个条约(现在经常被人遗忘)受到严重损害。《布加勒斯特条约》使罗马尼亚成为德国属地。在波兰小镇布雷斯特-立脱夫斯克,新的俄国布尔什维克政府与德国签订条约,把从波罗的海到高加索山脉的大片俄国领土交由德国直接或间接管辖。20年后,希特勒再次订立相同的目标。俄国失去了5500万人民,大约三分之一的农田以及大部分重工业、铁和煤炭。布尔什维克还被迫支付亿万金卢布。1918年4月,威尔逊说,德国人可能嘴上谈论着和平,但他们的行动表明了其真实意图。"他们从未在任何地方建立过公正,而是到处发淫威,掠夺一切,扩张自己。"同为教徒,同为自由党人的劳合·乔治和威尔逊都坚信应该严惩恶者。他们也坚信救赎,总有一天德国会被拯救。

各国在惩罚办法、赔款及预防措施等大目标上,已经达成协议,除此之外的其他方面才是问题所在。德国皇帝及其高级顾问应该作为战犯被审判吗?在给德国的账单上应该包括那些项目呢?战争损失(不管什么损失)?人口损失?给战士遗孀及孤儿的抚恤金?还有德国应支付多少赔款?德国应该拥有什么样的武装部队?它应失去多少领土?协约国在与旧德国还是战后出现的新德国打交道?因其前辈的过错而惩罚一个挣扎中的民主国家公平吗?

惩罚办法、赔款及预防措施——都是互相联系的。弱小贫穷的德国必将对其邻国少一些威胁。但如果德国失去很多领土,再期望它支付大量赔款还公平吗?在不同条款之间取得平衡非常不易,特别是因为威尔逊、劳合·乔治及克雷孟梭之间意见不一或经常与各自的同僚有分歧。

没有明确的原则可依使这些问题更加复杂。若是过去,一切会直接得多,战利品,无论是艺术品、大炮还是马匹统统归战胜国,战败国还要支付战争费用,正常情况下还会丧失领土。在维也纳会议上,法国失去拿破仑征服的大部分领土,还要支付7亿法郎赔款以及占领这些地区的费用。1870-1871年的普法战争之后(许多巴黎人对此记忆犹新),法国支付了50亿金法郎并失去阿尔萨斯和洛林两省。但1919年将标志一种新的民主。自由党及左翼呼吁"取缔合并,取缔惩罚性和平";从华盛顿到莫斯科的政治家都采纳了这一建议。人们将按照自治原则而不是强权政治重新划定国界。

公众意见没有任何帮助。人们普遍认为必须有人为如此可怕的战争付出代价;但渴望和平的愿望同样强烈。各协约国民众的呼声互相抵触;1918年12月,英国人希望绞死德国皇帝,但四个月后又开始摇摆不定了;法国人想削弱德国,但他们愿意把它交给布尔什维克吗?美国人希望摧毁德国的军国主义,同时也要复原德国。巴黎的政治家摸索着前进,尝试着关注选民的意见,坚持原则,制订出大家都能接受的解决方案。鉴于面临的重大任务,他们前期在相对简单但象征性很强的问题上——德国皇帝的命运——花费大量时间就不足为奇了。

1919年,俾斯麦建立的帝国的第三个也是最后一个君主威廉,一个60出头的烦躁不安的老人,住在乌得勒支附近一座舒适的城堡里。战争结束时,军队逐渐瓦解,他说了几句豪言壮语宣称将与士兵共存亡但随后流亡荷兰了。连他最忠实的大将都很高兴看到他离开,喜怒无常的他一向难以让人忍受。威廉从来没有真正长大成熟;那个无人疼爱、浮躁的孩子变得喜欢乔装打扮,爱开残酷的玩笑。他怪癖的行为以及疯狂言论在战前使欧洲大为不安。也许从临床上来说,他真的疯了;1914年之前,德国不时有人谈论摄政统治。维多利亚女王还有其他麻烦不断的孙子,但也许谁都没有他的破坏大。正如一位批评家所说,在统治德国的"轻喜剧政权"下,皇帝拥有很大权利,特别在军事及外交领域。性格不同的人,统治的结果也许会有所不同;事实表明,欧洲大陆最强大的国家一步步走向1914年大战的爆发。德国皇帝一直宣称德国是他的,军队是他的,海军也是他的。1918年11月,其表兄弟,英国的乔治五世写道:"他毁掉了德国和他自己,我觉得他是最大的罪犯,因为他把整个世界卷入这场持续了四年零三个月的可怕战争。"这话说出了协约国许多人的心声。当受创的世界寻找应受责备的人时,还有谁比国王、软弱淫荡的皇太子以及军事首领是更好的人选呢?

对于公众,政治家总是会迅速给予回应。在英国,联合政府展开战后选举。劳合·乔治说:"我们不能允许任何报复思想、任何贪欲支配最基本的公正原则。"很快,选民希望绞死德国皇帝的愿望变得显而易见。劳合·乔治似乎不喜欢这个说法,但却有同感。他想出复杂的计划:在伦敦或多佛城堡公开审判德国皇帝,然后在不可避免的有罪判决后把他运到福克兰群岛,这一想法逗乐了他自己,却惹恼了同僚如邱吉尔,激怒了国王。外交办一位官员在日记中评论说:"文件写满了有关绞死皇帝的废话,他们对他就像当初对待庞大的野象一样疯狂。我们必须想些更好的办法。"

意大利人对此反应冷淡。曾经与同盟国签约继而毁约的桑理诺有充分的理由对战争的变幻莫测进行反省,他反复提出抗议,声明开创先例不可取。克雷孟梭对此论调毫无耐心。"什么是先例?让我来告诉你。有个人来了,他做了一些事情——或好或坏。好的,我们把它作为先例,不好的,罪犯——个人或国君——我们把它作为其罪行的先例。"德国的罪行史无前例——"为了结束竞争而破坏财富,折磨囚犯,潜艇海盗,对占领国妇女的暴行虐施。"

威尔逊到来之前,由欧洲人在伦敦举行的会议上,讨论如何惩治德国皇帝及其下属占据了大量时间,但最终的结果是等待听取威尔逊的意见。美国总统也犹豫不决。他痛恨皇帝代表的德国军国主义,他怀疑威廉是否被其部下强逼。由兰辛领导的美国专家对程序的合法性表示不安。他们承认美国人可以不参与;相对来说,美国在战争中几乎没有遭受苦难。威尔逊最终勉强同意派一个委员会调查战争责任并对罪人适当处罚。包括兰辛在内的美国成员不同意以反人类罪审判德国。威尔逊对四人会议的其他调停人说,抛开德国皇帝不管或许会更好。"查理一世是个可鄙的人物,也是历史上最大的骗子;他以做诗而闻名,因被砍头而变身为烈士"。妥协起见,(或许是为了修改国联盟约中的门罗主义),威尔逊最终同意以"严重违犯国际道德及条约神圣性"的罪名指控威廉并要求荷兰政府交出此人。其他德国战犯将在其政府交出他们后由特别军事法庭审判。某美国专家认为,"擒贼先擒王"。

到1919年春,公众对此追击兴味渐减。当荷兰拒绝交出德国皇帝时,很少威逼中立小国的协约国就默许了。6月25日,德国签约前不久,四人会议最后一次讨论该问题,气氛是愉快的而非报复性的。劳合·乔治说,皇帝应该带往英国。"小心别让他沉下去了,"克雷孟梭说,"不错,在英国受审,在法国行刑。"劳合·乔治在想,之后应该把他送到哪里。加拿大?某个小岛?"请不要把他送到百慕大群岛,"威尔逊叫道,"我想自己去!"直到最后一刻,德国政府一直在试图取消相关条款。其实他们本用不着如此担心。

德国皇帝一直活到1941年,写回忆录,读P.G.沃德豪斯的书,喝英式茶,溜狗,严词谴责有辱德国及其本人的国际犹太人阴谋。当希特勒于1939年发动战争时,他兴奋地欢呼,"奇迹的继续!"他最终在德国入侵苏联前夕去世。协约国最终放弃自行审判其他德国战犯。他们给建立了特别法庭的德国政府一个名单——其中包括兴登堡和鲁登道夫,让它完成审判工作。在成百上千指定的人当中,只审判了12人,大多数人当即就被释放了。几个曾击沉载满伤员的救生艇的潜艇军官分别被判处四年有期徒刑,但他们几周后逃脱了,再也没有被找到。

14 压制德国

早在仲冬之歇之前，四人会议已研究的条约中的军事条款警告说，处理德国问题比对付德国皇帝要困难得多。多数人认为军国主义及大规模武装部队，尤其是德国所存有的，对世界很不利；的确，论证军备竞赛导致第一次世界大战的图书已经开始涌现。威尔逊十四点原则中的一点提到，把国家武装削减到"能维护国家安全的最低点"。国联的一大卖点就是它可以为各国提供安全，以促使他们自愿削减武装力量。由于征兵在英国很不受欢迎，劳合·乔治热烈拥护这个想法。很明显，解除欧洲大陆最强大国家的武装是国联全面解除各国武装至关重要的第一步。虽然关系不大，但协约国打算给其他战败国强加严格的军事条件。他们还试图说服其欧洲盟友如捷克斯洛伐克、波兰及希腊同意缩减武装，但没有成功。

解除武装本身无可厚非，但在德国究竟应该保存多少军队的问题上很难达成一致。新的德国政府必须有能力镇压国内反叛，它应该强大得足以抵挡来自东方布尔什维克的威胁吗？对此，协约国无法代劳，他们正在逐渐撤销对俄国的干预，中欧各国也不能代劳，他们一面为生存而挣扎，一面，正如劳合·乔治最亲密的顾问之一汉克严肃地说，"没有任何迹象表明他们将联合起来共同抵抗布尔什维克。与此相反，他们表现出所有我们习以为常的巴尔干恶习。"尽管德国人有很多缺点，但他们至少"稳固、爱国、可靠、组织性强"。然而，对法国人来说，德国军队一直都是威胁。尤其是福煦从一开始就坚持，协约国必须没收德国军事设备，占领莱茵兰以及桥头堡，破坏沿德法边境的德国防御工事，并把德军限制在10万人左右。他说这些要求纯粹是军事上的。

作为少数从战争中脱颖而出的高级将军之一，福煦喜欢自称为普通士兵。他矮小、一头金发、谦逊、衣冠不整。某美国专家认为，"15英尺之外，没人会把他当作大元帅"。福煦出生在比利牛斯山脉地区的一个中等家庭，是个虔诚的天主教徒，同时也是无可指责的顾家的男人。他喜欢园艺、射击和看戏（只要不是太现代），憎恶政客和德国人。他的挚友，英国将军亨利·威尔逊敬佩他的勇气和执着，即使在战争中最黑暗的时刻。他说，福煦有"一种神奇的本能,他知道应该做什么,但不一定能说出原因"。另一方面,与他在战争结束前几天有过冲突的美国司令潘兴将军认为他"狭隘、小气、固执己见"。威尔逊总统逐渐发现他是记仇、盲目的法国人的化身,还觉得他沉闷乏味。

与他相识多年的克雷孟梭一直对他爱恨交加。1919年,他对最高委员会说,"他是个伟大的将军",但"不是军队教皇"。战争期间,为了选最高盟军司令,他在贝当将军和福煦将军之间权衡不定。"我发现我处于两人之间,其中一个对我说我们完了,另一个来去像个疯子,渴望打仗。于是我对自己说,让福煦试试!"克雷孟梭觉得自己的选择是对的。他说:"1918年3月,我看到他比以往更加自信、热情、执着,表现出一位伟大的领导者的风范,而且心中只有一个念头:一直战斗到敌人投降为止。"但另一方面,他又说,"战争期间,我必须每天和他见面,以防止他做蠢事。"

克雷孟梭从来不完全信任任何士兵,尤其是信教的士兵。他没有指派福煦作为法国代表参加和会,并明确只有接到邀请,他才可以参加和会。对此,福煦从未原谅他:"实在匪夷所思,克雷孟梭先生首先想到的对抗威尔逊及劳合·乔治的合适人选竟然不是我。"当福煦及其支持者试图影响和平谈判时,克雷孟梭变得很不耐烦,有时情况非常糟糕。一次,在最高委员会,福煦中途冲出会议室,坐到前厅,当其支持者劝他回去时,他大叫"不,不,决不",喊声在里面可以清楚地听到。克雷孟梭不止一次想撤他的职,但最终都没能狠下心来。"还是把群众的偶像留着吧,"他说,"他们很需要这些偶像。"

福煦坚持要求在1918年11月11日的最初停战协定中写上严格的限制性条款。和会上,他警告说,德国人没有遵守停战条款;比如遣散军队不够迅速,没有交出武器。他说,协约国必须保留大量军队,尤其在莱茵兰地区,否则就无法执行和约。英美对此表示怀疑。威尔逊认为法国人歇斯底里,当潘兴告诉他福煦夸大了德国的力量时,他立刻把他的看法告诉了劳合·乔治。

当开始对和约进行每月一次的补充时,福煦千方百计想加入一些条款。威尔逊说:"这样不公正大度、烦人的小要求不断往停战条件里加,同时不断接到报告声称原先的条款没有兑现。"他们怎么说服德国人接受?福煦生硬地答道:"打。"虽不太情愿,但克雷孟梭还是对此表示支持。"他很了解德国人,如果有人先撤退,他们就变得凶猛残忍。"2月12日,激烈的大讨论之后,最高委员会做出让步:停战协定将不断更新,但不作重大增补,任命福煦负责起草和约的详细军事条款。对于他们起草的究竟是初级还是最终条约,这些条款究竟是先提出还是包括在其他文件里面,谁都不清楚。

3月3日,福煦负责的委员会发回报告建议,保留一小支只有基本装备而没有诸如总参谋部及坦克等一切附加物的德国军队。福煦请求最高委员会立即做出决定,他希望三周之内开始与德国代表谈判,鉴于盟军遣散部队的速度,福煦及其同僚不能保证他们可以长时间占德国的上风;英美调停人并不同情,鲍尔弗说:"这就相当于用枪指着委员会的脑袋。"他也不想在劳合·乔治缺席的情况下做决定,因为福煦的有些提议颇具争议。

例如,福煦希望德国只有14万应征士兵,而且只服役一年,而委员会的英国成员亨利·威尔逊主张有20万可以服役多年的志愿兵。英国人试图劝说法国人,每年训练上万人会造就大量有经验的战士。劳合·乔治说他不愿离开法国时看它面临那样的威胁。福煦回答说,他不担心数量,只关心素质,长期服役的士兵很容易成为部队的核心骨干,结果,德国人——"一群羊"——就会被许多军官驱赶。

劳合·乔治把克雷孟梭拉到一边,说服他放弃德国应征部队,直到最高委员会再次开会时,福煦才得知此事。他愤怒地向克雷孟梭抗议,但克雷孟梭毫不动摇。最终决定保留10万德军。亨利·威尔逊说:"我的素质要求达到了,但数量不足,而福煦得到了量却没得到质,真是奇特。"军事条款就此搁置以等待伍德罗·威尔逊的归来。

和许多法国同胞一样,福煦希望德国更大程度地解除武装。所有调停人员都一致认为德国必须缩减。问题是在哪里缩,怎么缩?波兰索要蕴藏煤矿的上西里西亚以及港口但泽(今格但斯克);立陶宛,如果能存活,想要波罗的海的梅默尔港口(今克莱佩达)以及伸向内陆的一小块领土。作为中欧边界问题的一部分,这些东部边界将引出很多麻烦。

德国西北边界解决起来相对容易一些。中立国丹麦索要石勒苏益格-荷尔斯泰因北部地区,这两块直辖领地在上世纪中叶把欧洲害苦了。由于该地区人口混杂,包括德国人和丹麦人,并且地位古老复杂(俾斯麦经常说,欧洲只有两个人了解这个问题——一个是他本人,另一个在收容所——帕默斯顿似乎也说过类似的话)。普鲁士开始建立现代德国时,曾抓获这里的居民。德国政府曾竭尽全力将他们同化为德国人,但尽管如此,北部绝大多数人依然讲丹麦语。丹麦政府恳求和会迅速行动。旧德国政权的垮台在各地包括石勒苏益格-荷尔斯泰因催生了革命委员会,但他们的行为表现依然是德国人,讲丹麦语的居民不准举行会议,他们的窗户被打碎,更糟的是,在这样一个繁荣的农业地区,他们的牛统统被没收。谁都不愿重新讨论法律问题,但幸运的是,现在有新的自决原则了。最高委员会决定,这个问题应该交给已经成立的处理比利时对德索求问题的委员会。很快,结果反馈回来,主张公民投票表决,这是调停人举行的少量表决中的第一次。1920年2月,某国际委员会监督了由所有超过20岁的公民参加的投票表决。选举结果和该地区的语言分割非常吻合;北部地区要求并入丹麦,南部要求留在德国。这个边界至今未变。

由于法国要求赔偿及安全保障的需求与自决原则违背，同时英国担心强大的法国主宰欧洲，要确定德国西部边界实属不易。在阿尔萨斯北端是德国的萨尔煤矿。法国人需要煤，但其煤矿基本被德国人毁坏。正如克雷孟梭在停战后提醒英国大使，英国曾在拿破仑战争后考虑过把萨尔给法国；为什么不借此机会抹掉"任何有关滑铁卢的痛苦回忆呢"？然而，萨尔只是莱茵河西岸从阿尔萨斯和洛林向北延伸至荷兰的大片领土的一小部分。克雷孟梭争论道，必须使莱茵兰脱离德国管辖以保障法国安全。"莱茵河是德国和高卢的天然分界线。"或许，协约国应该像强国对待比利时那样创建一个中立的独立国家。大使说："我能感觉到他迫切要求那样做。"实际上，只要最主要的安全目标达到了，克雷孟梭随时准备在其他要求上让步。甚至，他还愿意考虑与德国合作重建法国被毁地区，或许还可以考虑发展富有成效的经济合作。

福煦并不这么想，作为一名军人，他终生都面对着莱茵河对岸的威胁，因此话语中自然带着一种权威。法国需要那道河流屏障，一旦东部发起进攻，它需要莱茵兰给它的缓冲时间；另外它也需要更多人口。"因此，"他在1919年写给和会的备忘录中坚持，"应该剥夺所有德国入口及装配场，即莱茵河西岸的领土主权，也就是利于它在1914年快速入侵比利时和卢森堡，抵达北海海岸威胁英国，侧翼包围法国，征服北部省份攻入巴黎的天然条件——莱茵河和默兹河。"

他对塞西尔说，一旦德国发起进攻，就会在英美做出反应之前深入法国。如果还有其他好的天然屏障，他就不会要求莱茵河边境，但可惜确实没有。他希望建立独立的莱茵兰，使之与比利时、法国和卢森堡组成防御联盟。他的朋友亨利·威尔逊说："我觉得福煦有点过头了，但同时我很清楚中立如卢森堡及比利时暴露了法国的侧腹，因此必须采取一些预防措施，比如莱茵河岸不得驻扎德国部队，可能的话，莱茵河各省不得有应征士兵。"福煦的第二个选择是在莱茵兰建立一个或几个非武装国家。他觉得当地居民都偏向法国，迟早他们会意识到他们应该向西靠拢而不是向东。

莱茵兰的占领军大部分是法国人，那里的法国军官完全同意福煦的观点（包括贝当元帅，他在二战中对德国的态度完全不同）。曼金将军说，莱茵兰是"东山再起的不朽的法国"的标志。主要在殖民地工作的曼金把当地居民视为本国人，通过节日、火炬、鞭炮以及牢固的统治来拉拢。法国还通过经济上的让步使莱茵兰人民免受法国对德国的持续封锁，以向其示好。

在1919年令人愉快的几个月中，强大的分离主义势力似乎在挑逗大部分是天主教徒的莱茵兰居民。毕竟，这些居民从未真正在普鲁士的统治下安定下来；但他们准备好投入法国的怀抱了吗？莱茵河的科隆市市长康拉德·阿登纳曾尝试过分离主义,他是一个谨慎、刁滑的政客,代表中间派,但到了春天最终还是放弃了。分离主义的顽固分子依然只占极少数。

克雷孟梭不愿知道他的军队想干什么,他也不直接禁止他们与分离主义者勾结私通。他本人不大关心如何管理莱茵兰,只要它不成为进攻法国的平台。他希望盟军继续占领,而且最好延伸到莱茵河东岸以保护桥头堡。如果能为法国安全赢得保障,他愿意在其他要求上让步,如赔款问题。他督促盟国把和平条款作为一个整体看待,正如他在2月对鲍尔弗所说,他不希望仅因为没有其他问题可商讨就把解除武装条款加于德国,这样只能让其他问题更难办。

克雷孟梭必须在莱茵兰问题上小心翼翼,因为批评家们正在国内紧张观望。庞加莱从爱丽舍宫发出警告:"敌人正在重整旗鼓,如果我们不紧密团结,后果不堪设想。"法国必须直接控制莱茵兰。庞加莱的观点在法国受到普遍支持。虽然在战争中由于宣传方面的原因,法国政府特意不公开谈论合并德国部分地区,但法国人自发建立委员会并出版印刷物(没有审查人员进行阻止)。莱茵河一直是西方文明与较落后、原始的文明的分界线。法国使莱茵兰文明开化,那里曾是查理曼的都城,路易十五曾征服过它,法国革命军再度征服过它(由讲德语的王子统治的更长一段时期却被草率地略过)。莱茵兰人民在基因及内心上都是地道的法国人;他们嗜爱好酒,充满生活情趣,信仰天主教(如反牧师的法国作家所指出的),只要脱离普鲁士,莱茵兰就能恢复法国本性。或许最具说服力的是,莱茵兰可以作为对法国损失的补偿。

美国人无动于衷。解决法国安全问题的是国联而不是莱茵兰。正如豪斯所说:"如果国联建立之后,我们还让德国训练、武装大量部队对世界造成威胁,那我们就会自作自受,为自己的愚蠢行为付出代价。"劳合·乔治犹豫不决。也许,莱茵兰可以成为小中立国;但另一方面,他反复指出他不想创建新的阿尔萨斯和洛林,那将使欧洲在未来几十年内不得安宁。

法国官员提出各种独具创意的方案:盟军永久占领;使其留在德国但与法国组成关税联盟;使其军事上属于法国,但法律上属于德国。有些人的想法更离奇。法国外交部说:"为了保证欧洲的持久和平,必须摧毁俾斯麦建立的德国——肆无忌惮、军事化、官僚作风、有条不紊、可怕的战争机器。它从普鲁士发展而来,而普鲁士被称作拥有国家的军队。"在中欧重建巴伐利亚、撒克逊以及变乖的普鲁士将平息法国的恶梦。

但是,克雷孟梭坚信德国会生存下来,法国还得想办法对付它。他坚持,法国的安全既有赖于自己的努力,但同样需要盟国的帮助。他还必须牢记莱茵兰是法国惟一想要的一块领土。如果法国竭尽全力得到它,盟国会支持法国要求赔款的议案吗?他对整个事件的操纵及真实想法将无人知晓,这正合他的心意。几年后,法国外交部试图总结1919年有关莱茵兰问题的谈判,但找不到任何相关文件。克雷孟梭去世之前把自己的大部分文件都毁了。

在和会最初的几个月中,他尽力通过合作与盟国搞好关系,比如在国联问题上。最高委员会上,他对莱茵兰问题保持沉默,私下里却拿两个备选方案试探其盟国:直接合并或自治国家。他发现美国人对此有同感,尤其是豪斯,但很难争取到英国人的支持。2月14日威尔逊回国之前,克雷孟梭没有明确与他讨论这个问题,也许是因为害怕威尔逊反对。正如劳合·乔治所说(和往常一样不尊重地理),"老虎想在灰熊回到落基山脉之后再撕碎德国这只肥猪!"

2月25日,法国代表安德烈·塔迪厄最终向和会陈述法国在莱茵兰问题上的立场。他的表现和平常一样精彩。出身巴黎雕刻师家庭的塔迪厄(他曾是巴黎高等师范学校班级里的第一名)是个杰出的知识分子、外交家、政治家和记者。1917年,作为克雷孟梭的特别代表,他被派往美国。他非常聪明、精力旺盛而且英俊迷人。他和华盛顿的共和党人关系密切,对此劳合·乔治难以忍受,威尔逊也从未原谅过他这一点。克雷孟梭很喜欢他,也非常信任他,同时牢牢地控制他。在最高委员会的一次会议上,塔迪厄不小心站在了克雷孟梭前面,老人家拍着桌子叫道:"劳驾,先生!"塔迪厄气呼呼地返回自己的座位,但却不敢顶嘴。

他在2月25日提交的备忘录是在克雷孟梭的指示下起草的。文件要求德国西部边界到莱茵河为止,盟军永久占领桥头堡。他强调法国无意吞并莱茵兰任何部分,但他没有说明该地区将如何治理。盟国的反应非常坚决,劳合·乔治说:"我们认为这是对协约国一贯坚持、用于向人民宣传的基本原则的背叛。"他还指出,企图分割德国的现实主义者很可能不会长久,"同时还会引起无尽的摩擦并可能挑起另一场战争"。身在美国的威尔逊态度一样坚决,他对格雷森说:"绝不能这么做,该地区的人民本质上是德国人,把这块领土从德国拿走就会在德国各地引起怨恨和继续战斗的信心。这种情绪和法国人由于失去两省而憎恨德国人是一样的。"威尔逊命令豪斯不得在莱茵兰问题上做出任何承诺,他将在返回巴黎后亲自处理这个问题。

为了达成某种妥协,在威尔逊的船靠岸之前,劳合·乔治、克雷孟梭以及豪斯建立了一个秘密委员会。代表法国的塔迪厄现在公开提出建立独立的莱茵国。他说:"法国不会满足,除非保证1914年的恶梦不会重演,而这种安全保障只有通过沿莱茵河划定边境才能获得。法国有权利期望万一还有战争,将不在法国境内发生。"克尔回答说,英国既不同意将莱茵兰分离出德国,也不赞同在那里永久驻军。英国公众反对这样做,自治领政府也反对,他们的意愿不能忽视。另一方面,如果德国再次进攻法国,英军一定会援助法国。塔迪厄指出援助很可能不及时(劳合·乔治提出帮助法国在英吉利海峡建一条海底隧道,但法国人没有认真对待这个提议)。美国代表几乎没有发言;会谈没有任何有用成果。

威尔逊返回巴黎时,对德和约的军事条款问题已经取得巨大进展,但德国边界问题包括莱茵兰还远没有解决,棘手的赔款问题完全陷入僵局。3月13日,当威尔逊乘坐的船抵达布雷斯特时,豪斯前来迎接并带来了令人气馁的消息:对德和约只初具轮廓。

豪斯觉得他只是简要地向总统汇报了情况。一向不喜欢豪斯的威尔逊夫人及其支持者宣称威尔逊备受打击。"他好像一下子老了十岁,"她在20年以后说,"并努力以超人的毅力控制自己。"他喊道:"豪斯把我在离开巴黎前赢得的一切都放弃了!"之后,格雷森又添油加醋,他说总统非常惊骇,他发现豪斯不但同意建立独立的莱茵共和国,而且参与英法的邪恶阴谋,企图通过去除对德和约中有关国联盟约的内容来降低国联的重要性。其实豪斯什么也没有做,但威尔逊已对他怀有疑心,他周围的人对此幸灾乐祸。

我们永远不会知道威尔逊和这个他曾称为另一个自我的人之间究竟发生了什么,但可以确定的是,那天晚上他们的友谊产生了裂痕。他们继续见面,豪斯也继续为总统卖力,但谣言声称豪斯的意见对主人已经不重要了。劳合·乔治认为,主要问题是后来4月份他、克雷孟梭和豪斯在克里昂酒店豪斯的房间会谈时发生的。豪斯努力想平息一场争论,这次是威尔逊与意大利人之间有关意大利在亚得里亚海的领土索求问题上的争论。总统出乎意料地进来了,并明显地感觉到他们有事瞒着他。劳合·乔治说:"他至少有一个超乎常人的特点,即忌妒心极强;豪斯忘记了这一点,因此犯下了不可原谅的罪过。"

豪斯在布雷斯特可能对威尔逊讲了福煦等人的提议,即除了军事条款及可能的经济条款之外与德国签订初级条约,而把难题如边界及赔款问题留到以后解决。毫无疑问,威尔逊一返回巴黎就听说了此事。他立即发觉这是拖延国联盟约的阴谋。3月15日,他"非常坦率"地对劳合·乔治和克雷孟梭说:"国联建立后有许多相关问题要它处理,因此创建国联应该是第一目标,任何只涉及军事、海军和财政问题的条约都不能通过。"威尔逊拒绝参加当天下午最高委员会旨在批准军事条款的会议,声称他需要时间阅读这些条款。"太放肆无礼了。"英国将军亨利·威尔逊说。两天后,该问题再次提出,美国总统考虑反对允许德国建立志愿军的条款。因威尔逊故意拖延而非常恼火的劳合·乔治威胁说他将否决国联盟约。于是,条约通过了。

协约国也承认,德国所剩军力更接近警力而谈不上是军队。当削减各国军队的许诺没有兑现时,英国对对德条约更觉不安,德国也满心怨恨。由于只有10万陆军,1万5千海军,没有空军、坦克、装甲车、重型枪、飞船或潜艇,德国不可能发动侵略战争;其大部分现有的武器库存以及莱茵河以西和沿莱茵河东岸的防御工事都将被毁;只有少数工厂可以生产战争物资,所有进口统统被禁止。为了确保德国不暗中训练部队,公共服务如警察必须维持战前水平,私人团体如旅游俱乐部或退伍军人协会不得从事任何军事性质的活动。在德国中学及大学,学生不得再受训当警察或军官。所有规定全部由德国人执行并受联盟控制委员会监督。回过头来看,这就如同小人国居民绑在格列佛身上的绳索。

军事条款上的难题还没有结束,威尔逊又与英国在海军条款上陷入严重争吵。首先,英国海军部渴望摧毁连接波罗的海与北海的基尔运河,该运河使德国船只,甚至是最大的船,可以不通过哥本哈根附近的海峡就可以调遣。海军上将担心商业性海运集团以及美国政府可能会反对。把它移交给丹麦人也不可能,他们不想自饮毒酒。最好的选择是使它脱离德国管辖,让各国船只使用。美国人甚至连这个建议都反对,"惩罚性措施。"美国海军代表兼海军行动司令威廉·本森上将评论说。由于巴拿马运河在美国控制之下,美国人不想开创各国合作管理水路的先例。本森还反对向德国施加苛刻的条款,那样的话,美国将不得不为执行这些条款付出无尽努力。最终写入条约的结果是允许与德国友好的国家免费通行。

对于英国要求铲除沿德国海岸的防御工事的提议,美国同样持保留意见。兰辛抱怨说:"已经限制海军武装了,既然如此,为什么德国不能防卫自己的海岸呢?"劳合·乔治提出一个解决办法:防御性工事可以接受,但进攻性工事决不允许。最后除英国真正关心的工事外,其他所有德国工事都被看作是防御性的。1890年,英国曾用北海的两个低地岛屿——赫里戈兰岛和邓恩岛和德国换取桑给巴尔岛。这在当时似乎是个绝好的交易。不幸的是,后来有了飞机、潜艇和长射程枪支——还有盎格鲁-日耳曼海军竞赛,原本无用的两块弹丸之地成了强大有利的基地。海军部想出一个简单的解决办法,一位海军上将说:"狗窝的钥匙必须装在我们的口袋里,因为谁也不知道这只恶兽什么时候会犯狂犬病。"如果美国人反对(很有可能),备选方案将把他们击得粉碎。已退休的半聋人爱德华·格雷爵士建议把赫里戈兰岛改建为避难所。"从人道主义角度出发,这个毫不惹眼的贫瘠小岛是千百万候鸟休息的好地方。"克雷孟梭说,为什么不把它给澳大利亚的休斯?法国支持英国的最终立场,即只摧毁防御工事及海港。威尔逊说:"对于摧毁赫里戈兰岛和邓恩岛上的防御工事,我表示非常同情,但从人道主义角度来看,摧毁防浪堤更加残忍,因为这是在北海遭遇暴风雨的渔民的避难所。"他补充道,他不想给人留下"无故施暴的印象"。英国人说渔民可以轻而易举地在天然海港避难。最后英国人如愿以偿,但这两个岛屿仍属于德国。20世纪30年代,纳粹当政,防御工事被重建,但二战后再次被炸毁。

谈到德国潜艇时,英美终于站在了一边。劳合·乔治在开始讨论这个问题时说:"这些害虫必须清除。"美国海军部长约瑟夫·丹尼尔斯把他们比作毒气:"我坚信应该沉没所有潜艇,如果国联最终成立,应该禁止任何国家制造潜艇。"法国人和意大利人表示反对。法国海军部长说:"没有危险的武器,只有危险的使用方式。"如果真要毁坏潜艇,他们愿意参与这项工作并分享残骸的利益。最后,法国海军得到十艘潜艇,其余全部被毁。

英美的真正冲突在于德国的水面舰艇。起初,英美意见一致:他们的海军上将不想要这些舰艇,把他们合并到自己的舰队即昂贵又困难。虽然威尔逊认为毁坏完好的船只非常愚蠢,但劳合·乔治却主张在大西洋中间仪式性地将它们沉没。法国人和意大利人再次反对:一位法国海军上将说,法国为了赢得陆地战争几乎倾其所有。"我们的舰队遭受了不可修复的损失,而盟国的舰队却大大增强了。"或许瓜分这些船只更有意义。日本人踌躇地暗示他们也想分得几艘。3月初,当豪斯告诉劳合·乔治美国不能容忍英国舰队更加强大时,英国准备让步。瓜分德国舰艇的消息在易激动、憎恶英国的美国海军顾问的心里敲响了警钟。本森指出,无论按战争中的贡献还是损失分配,英国都将得到最大份额。"今后,它惟一的海军竞争对手就是美国,英国每制造或获得一艘舰艇,头脑中只能想着美国舰队。"他坚信英国有信心主宰世界海域和世界贸易。

劳合·乔治想通过另一方法平息这个问题:舰艇可以分发,但英美必须沉没自己的船只。也许,不明智的是,他把这个建议依附在"相信我们不会展开互相抗衡的军备竞赛"的假设之上,否则英国就会获得并保留分得的德国舰艇。提议背后隐藏着英国对威胁其海上霸权、不断扩张的美国海军的关注。1918年末,丹尼尔斯向国会提交了另一项主要建设计划。公众对此举的正当性非常放心:这个计划只是1916年计划的延续或它仅仅是为了支持国联;然而,在巴黎,本森坚定地说,美国不能停止,除非美国海军和英国海军势均力敌。而英国政策的一个基本原则是其海军必须比任何国家的都强大, 或最好比任何两个国家的都强大。另一方面,英国明白它负担不起海军竞赛;此外,他们不想把和美国的新关系搞僵。结果,他们向美国提议(劳合·乔治的建议最笨拙),要求美国海军保证它不会超过英国。

丹尼尔斯亲自来到巴黎缓和紧张局势。他在日记中写道,"总统希望我们详细讨论这个问题以对此有正确的认识。"会谈非常糟糕:英国海军大臣沃尔特·朗对本森和丹尼尔斯说,"英国海军至高无上的霸权不但对大英帝国的存亡绝对必要,而且关乎世界和平。"本森马上接道,美国也有能力维护世界和平。他和他的英国对手罗西·威姆斯争吵得如此之凶,以至于丹尼尔斯担心他们会打起来。"英国海军部认为英国有权利建设世界上最大的海军,我们应该对此表示同意。但对本森来说那就相当于叛国。"英国人威胁要反对国联盟约中对门罗主义所作的特殊修正,而威尔逊认为这是保证国会通过国联的必要条件。愚人节当天吃早餐时,劳合·乔治对丹尼尔斯说,如果美国继续扩建军队,国联将毫无用处。"他们已经停止建设巡洋舰,我们如果真的信任国联也应该停止。"

最后,由于双方都不愿决裂,他们宣布停战。美国人许诺修改建设计划(无论如何他们不得不这么做,因为国会很难对付),英国人答应不反对修正案或国联。双方都同意继续磋商讨论问题,然而,他们对如何处理留在斯卡珀湾的德国舰艇依然有分歧。威姆斯对其下属说:"我们希望看着它们沉没,但它们却是这场游戏中的赌注。"令观察家震惊的英美之间的合作被后来的"巴黎海战"滋扰,并被德国赔款问题更加强烈地动摇了。

15 赔款

为清偿《凡尔赛条约》所强加的赔款,德国在两次大战期间贷款数额巨大。1995年,当重新统一后的德国同意支付贷款的利息时,对德和约的那个重大问题又掀起一丝微澜。美国财政部驻巴黎代表、银行家托马斯·拉蒙特说:"赔款问题在巴黎和会麻烦最多、争议最大、反响最强烈、最耽搁时间。"

20世纪二三十年代的大部分时间里,赔款问题破坏了德国与协约国以及协约国内部成员国之间的关系。1919年,调停人员面临的问题既简单又复杂,说它简单是因为,正如劳合·乔治所说:"必须有人出钱,如果德国不出,英国的纳税人就得出。但出钱的应该是造成损失的人。"复杂是因为这涉及到拟定账单并计算出德国的实际赔偿能力。一提到赔款就立刻会引发争议。这些赔款究竟只是损失的赔偿呢,还是一种变相的罚金以及对战胜国战争开销的补偿?这些开销里包括未征集的税收和因入侵、死亡、破坏而造成的收入上的损失吗?还有给遗孀和遗孤的抚恤金?因主人逃亡而死去的动物?他们是德国对其战争罪行的供认吗？同盟国各国都对这场灾难性的战争负有道义上的责任吗？

制订最终协议的法国、英国和美国需求不同，观点不同。美国奉行高度的道德路线，它自身没有什么要求，只希望欧洲人偿还战争时的贷款；对欧洲人来说，只有得到赔款才能还债和重建。因此赔款清单上应包括哪些内容就至关重要，因为它关系到战利品的分配。例如，法国损失最大，其次是比利时，但英国开销最大。而且对于德国能赔偿多少也有激烈的争论。如果设得太高，德国经济就会崩溃，不利于英国出口商；如果设得太低，德国就可以轻松逃脱处罚，并因此很快恢复，这又使法国人焦虑不安。即使在当时或从那以后要算出确切金额也不容易，因为故意夸大、使问题混乱难懂几乎对所有人都有利：协约国夸大他们应得的，德国夸大他们所支付的。由于调停人员无法对最后数字达成一致，对德和约只包括了一项由协约国代表组成的特殊委员会的条款，它将有两年的时间来确定德国究竟应该赔偿多少。德国因此控诉协约国强迫它签空白支票。

虽然历史学家认为负担从来没有德国及其同情者声称的那么重，赔款问题依然是巴黎和会的显著标志。虽然《凡尔赛条约》440项条款的大多数早已被遗忘，但涉及赔款问题的少数几项仍然证明该文件具有报复性，鼠目寸光，败坏道德。新的魏玛政府一成立就背负沉重的债务负担，纳粹因此可以利用德国人的怨恨情绪。对灾难性后果的责任的讨论从1919年的调停者开始：贪婪而报复心切的克雷孟梭，懦弱胆小、优柔寡断的劳合·乔治以及可怜的威尔逊，用约翰·梅纳德·凯恩斯的话说，他甘愿被蒙骗。

当然，画面不是凯恩斯一个人绘制的，但他的描绘最具说服力，也最持久。这个容貌丑陋的青年非常聪明，顺利读完伊顿和剑桥，在校期间屡次获奖，备受瞩目。其布卢姆斯伯里文化圈一员的身份增强了他的道德优越倾向。他是个可怕的下属，因为他从不掩饰对所有上司的轻蔑。他以首席财政顾问的身份参加和会，因此对德和约签订后，他以一贯权威的口吻撰写了《和平的经济后果》。

凯恩斯说，威尔逊是欧洲人可怕的捉人游戏的受害者。"他被他们的氛围所麻醉，以至于在他们的计划和数据的基础上进行讨论，被牵着沿他们的路线前进。"威尔逊背叛了自己的原则、祖国和所有渴望美好世界的人的希望。劳合·乔治是主妖，这个来自威尔士山区的半人半妖把好人和易受骗的人诱入沼泽。凯恩斯说："他周身散发着一种漫无目的、不负责任、狡猾奸诈、冷酷无情和热衷权利的气息，这些使北欧民间传说中的魔法师更加迷人，更加恐怖。"

年老枯竭，满怀怨恨的克雷孟梭只关心法国及其安全。凯恩斯开始厌恶法国人和他们的贪婪。他在对德救济以及法国需要的英国贷款问题上和法国代表相争不下，而他对在停战委员会见到的德国代表的态度却完全不同。在写给布卢姆斯伯里的朋友的备忘录中,他这样描述汉堡的杰出银行家卡尔·梅尔基奥:"干净优雅,着装整洁,衣领高高地竖起……双眼充满哀伤,就像一只被围困的无辜的小兽。"至于凯恩斯自称他喜爱梅尔基奥,我们大可不必太认真。对于知道他复杂的性经历的老朋友来说,这并不算什么。

调停人员令凯恩斯惊骇不已。当欧洲文明摇摇欲坠、几近崩溃时,他们却想着如何复仇。

> 在巴黎,与最高经济委员会相关的部门几乎每小时都会收到有关中欧和东欧国家(包括协约国和敌国)苦难、混乱和机构腐朽的报告;而且还从德国和奥地利财政代表口中得知他们国家耗尽枯竭的无可辩驳的证据;偶尔去总统房里四巨头会晤的地方拜访只能加重梦魇般的危机感。

他们在镀金的房间里有什么成就?凯恩斯认为他们达成了和平,结束了战争对欧洲经济所造成的破坏。当他们应该建立自由贸易区时,他们却在地图上重划国界;应该把旧账一笔勾销时,他们却在为相互之间的债务争吵不休;还有在德国最受批评的巨额赔款。他大量引用自己为和会写的备忘录以论证德国最多只能支付20亿英镑(100亿美元)。再多就会把它推向绝望,并可能引发革命,那将会给欧洲带来危险的后果。

逗留巴黎期间,凯恩斯制订了一个解决欧洲经济问题及恢复问题的计划。欧洲盟国必须筹集资金,修复战争创伤,偿清各种债务。战败国可以发行债券以复苏经济,但这些债券必须由敌国和协约国共同担保。这样的话,财政河流就会再次畅通,欧洲各国将被共同利益紧密联系在一起,而所有这一切都取决于美国的参与。虽然表面上英国是债权国,法国共欠35亿美元,但实际情况却大不一样。英法两国都借给赖账的俄国大量贷款,同时也借钱给其他协约国成员如意大利和罗马尼亚,但它们现在都无力偿还。英国欠美国47亿美元,法国欠美国40亿美元,同时欠英国30亿美元。1919年4月,劳合·乔治转交凯恩斯的备忘录时对威尔逊说:"欧洲的经济机制堵塞了,我们需要一项能够呈现未来前景,向人们展示重新获得食物、工作和井井有条的生活的道路的建议,这是抵制布尔什维克侵害,确保有利于未来发展的社会秩序的最强有力的武器。"

一段时间以来,那种认为美国应该利用其财政资源帮助重振欧洲的想法一直以各种形式存在着。面临沉重债务以及巨额重建费用的法国尤其热衷于延续并加强协约国战时经济合作。出身农家、工作勤奋认真的法国工商部部长埃提安尼·克拉蒙特尔起草了一份有关"新经济秩序"的详细计划,其中,组织及合作取代了不经济的竞争,资源将被集中并按需分配,而且整个过程将由精明的技术专家指导。等德国政治秩序恢复之后,也可以成为新秩序的一部分,安全地融入一个强大的组织。由于美国的反对和英国的冷淡,该计划逐渐凋萎并最终于1919年4月被协约国拒绝。二战后,当克拉蒙特尔前助手让·莫内建立了后来发展为欧盟的经济组织时,这项努力才出乎意料地有了成果。

英国人暗示,美国应该取消几年的贷款利息,或者,美国承担大部分的战争费用。经常冒出伟大想法的劳合·乔治提出一个更富戏剧性的解决办法,即干脆取消协约国之间的所有债务。然而,美国却坚决不卷入欧洲的财政问题。在给主要顾问之一、金融家伯纳德·巴鲁的信中,威尔逊写道:"我意识到他们费尽心机想把我们和摇摇欲坠的欧洲金融机构捆在一起,我现在指望你来挫败他们的企图。"他的大多数专家以及华盛顿的财政部对此都表示同意。欧洲人应该自己解决自己的问题;美国人帮助得越多,他们越不可能自力更生。无论如何,目前由共和党主宰的国会不太可能批准为欧洲人提供大量财政援助。凯恩斯的计划和其他计划一样遭到拒绝,当调停人试图在赔款问题上有所进展时,他在一旁忧郁地观望。

和会开幕四个月以来,事实证明赔款问题非常棘手。劳合·乔治在回答某内阁成员的疑问时说:"毫无疑问,如果能达成一个总数目,问题就好解决得多。难点在于先确定这个数字;其次是确保各协约国成员认同这个数字,最后决定如何分配。如果你有任何可以解决这三个困难的计划,你就解决了和约中最令人头痛的问题。"最高委员会在和会开幕不久就成立了损失赔偿委员会,负责敌国应该赔多少(当然,主要指德国),能赔多少,怎么赔等相关问题。负责最后一点的附属委员会很少会晤,其他两个整日开会,但除了制造一堆文件外别无他获。到2月14日威尔逊回国时,由于美国竭力压低数字,而英法要求更多,委员会被迫陷入僵局。一名记者讽刺道:"他们对待成百亿金钱就像小孩子玩积木一样,但不论最终达成什么结果都只是空谈,因为德国人绝不可能赔得起这么多。"英国人要求赔偿240亿英镑(1200亿美元),法国认为是440亿英镑(2200亿美元),而美国专家建议赔偿44亿英镑(220亿美元)。

美国人也想在条约中确定一个数目。专家声称这样可以结束妨碍欧洲财政复苏的不确定因素。欧洲人表示反对。正如参与讨论的某英国内阁部长说:"如果数字设得太低,德国会高兴地赔款,但协约国得到的就太少,而如果设得太高,德国就会认输投降,协约国将什么也得不到。"

事后来看,我们很容易发现,战胜国应该集中更多精力重建而不该在德国赔款问题上耗费太多时间；但是这场战争损失如此巨大，并深深地动摇了欧洲社会，政治领导们怎能轻易忘却？无论如何，公众都不会允许他们这么做。英国人说："让匈奴赔偿。"张贴在巴黎大街小巷的海报上写着"让德国先赔"。

欧洲领导人在估算德国赔偿能力时也有风险，因为他们的数字肯定低于公众的期望值。英法也正确地指出，很难判断德国究竟能赔偿多少，该国目前不景气，经济和政府都摇摇欲坠。对外贸易完全停止，断送了一项重要财政来源。即使德国人想提供可靠的数据都不可能。而且，迫于政治原因税率压得很低，战争费用主要通过发行大量债券和记名票据支付。德国人一直期望打赢战争后由战败国支付战争费用。战争的最后一年，这种做法实际上已经开始：与俄国签订的《布雷斯特－立脱夫斯克条约》以及与罗马尼亚签订的《布加勒斯特条约》把大量资源的控制权转交给了德国；布尔什维克也被迫开始偿还高达6亿美元的赔款。1919年，在战败的德国，保守党强烈抗议增加税收或不支付债券，而左翼要求给退伍军人补助金，给遗孀和遗孤抚恤金，发放食物补助并增加工资。政府勉强同意，财政赤字上升，到1921年已经增长到预算的三分之二。至于通过削减开支或增加税收支付赔款也几乎行不通。

同时，确定协约国的账单也并非易事。被解放地区的法国部长说："在我们可怜的法国，成百上千的村子无法居住。要明白：那是荒漠，是凄凉，是死亡。"1919年对法国和比利时的重灾区进行过细致考察的美军工程师及其助手估计，至少需要两年时间才能估算出恢复损害所需的费用。英国怀疑其盟友夸大损失，比利时索要的赔款金额比其战前总财富还多，法国索要的大概是战前总财富的一半。劳合·乔治严厉地说："几乎难以置信。"当然，其盟国索要的越多，英国得到的就越少。

各方对于损失包括哪些内容也有很多分歧。威尔逊曾坚定地说，他只考虑索赔由非法战争行为造成的损失，不包括战争费用或补偿金。他的十四点原则只提到被入侵领土的"重建"并承诺"不会有合并、捐款或惩罚性赔款"。德国就是在这个基础上签订停战协定的。因此德国将修复法国和比利时战场，但不负责他们的战争开支，如军需品或士兵的食物。当劳合·乔治试图模糊赔款与补偿金之间的区别时，威尔逊不予理睬，他说："全世界的劳动人民都反对罚款。"他认为"赔款"这个词已经包含足够信息了。

一向乐观的劳合·乔治对同僚说，他认为威尔逊没有真正排除补偿金的可能性。英国人关心的是，如果威尔逊固执己见，英国只能得到对被德国击沉的战舰的赔偿，而法国将得到最大份额；但英国人认为由于不善财政管理，法国人很可能浪费得到的补偿，英国人还怀疑法国没有竭尽全力向英国还债。正如邱吉尔所说："作为国家，法国濒临破产，但作为个体的法国人却越来越富裕。"

劳合·乔治先是试图说服威尔逊,继而是威胁。1919年3月末,他对威尔逊说,他可能不会在和约上签字,除非赔款中包括英国的部分开销。幸运的是,斯马兹提出一个独创性的解决方案。他指出制订停战协定时,欧洲盟国已经指明,德国应对所有因其侵略而对平民造成的损失负责,而且当时美国也同意他们的观点。因此,赔款必须包括发放给士兵家庭的津贴以及孤寡抚恤金,结果使实际数目翻了一番。而同样是斯马兹,四个月前还警告劳合·乔治不要提出过分要求,并在随后一个月强烈抗议,认为巨额赔款将使德国瘫痪。道德高尚、聪明睿智的斯马兹自我安慰地认为,他并没有前后矛盾,他辩称他只是说出了和会大多数法律专家一致认可的意见。更具讽刺意味的是,他认为如果不包括抚恤金,法国将得到大部分赔款。

威尔逊接受了斯马兹的建议,但美国专家认为他的论证荒唐而不合逻辑。"逻辑!逻辑!我不在乎逻辑,我将把抚恤金包括在内!"威尔逊告诉他们。他的决定最终只影响了赔款的分配,因为最后的数目只能由德国的实际支付能力决定。

虽然威尔逊因放弃原主张而受责备,但正如凯恩斯所说,劳合·乔治遭受的指责更多。他迷惑了美国人,使英国公众梦想得到大量德国赔款。他被当时的许多人看作是不敢坚持自己原则的自由党人。当然,他前后不一致:当澳大利亚的休斯最初索赔成百上千万英镑时,劳合·乔治指出德国只能依靠扩大生产和在世界市场倾销便宜商品才能筹集这笔资金。"这意味着我们将使两代德国人沦为奴隶。"另外,它还将损害英国及其贸易。可是后来劳合·乔治转变了态度,并任命休斯为某委员会主席,该委员会主要由著名的强硬派组成,负责为英国政府起草德国赔偿能力的初级估算。来自加拿大的乔治·福斯特男爵说:"这是我所任职的最奇怪的委员会。"他们几乎不搜集证据而主要依靠个人印象及想当然的想法;如福斯特所说,"最大限度地让匈奴赔款,不论这是否会导致几十年的占有和管辖。"

和会上,劳合·乔治依然犹豫不决。他激烈地与威尔逊和克雷孟梭争论,要求巨额赔款,却又在三月底在其著名的《枫丹白露备忘录》中大谈节制适度。他反对在和约中写下确定数目,因为它有可能太低;而后,六月,当德国人抱怨说协约国应该规定一个确切数字时,他立刻改变了主意。他有时听从温和派凯恩斯和蒙太古,有时听从英格兰银行前主管坝利夫勋爵和一位法官萨姆纳勋爵。凯恩斯戏称他们为"绝配",这二人普遍被视为和会的坏人;"他们经常形影不离,而且一有极坏的事要做总是找他们。"劳合·乔治任命他们为赔款委员会的英国代表,但当3月为打破僵局而成立特殊委员会时,他选择了蒙太古。一个

第四章 德国问题 ▶ 129

美国人说:"当他想做事时,他就选择蒙太古和凯恩斯;当他想避免正面交锋时,就选择萨姆纳和坎利夫。"凯恩斯憎恶这两位对手,劳合·乔治后来也称,他为他们缺乏判断力而感到震惊。和会期间,他毫无诚意地对美国人说,他自己可以接受低额赔款,但却无法让这对"绝配"同意。

坎利夫和萨姆纳都认为他们应该最大限度地为祖国赢得利益,但他们随时准备妥协并接受劳合·乔治的指示。当他反对夸大战争费用时,萨姆纳对赔款委员会的同僚说,"在这儿,我们应该有点政治家的样子。"如果有劳合·乔治的指示,两人都会要求在条约中规定具体金额并且是较低的数目。他为什么不那么做呢?他的优柔寡断毁坏了他的名声也使巴黎的同僚备受其苦。美国专家拉蒙特说:"我希望劳合·乔治先生能够告诉我们他到底想要什么,这样我们就能判断他和威尔逊总统的想法究竟是大相径庭还是紧密一致。"由于劳合·乔治激怒了包括威尔逊在内的美国人,他使自认为最重要的外交关系处于危险之中。问题是他自己也不清楚他或者英国人民到底想要什么。在巴黎,劳合·乔治似乎一直在思考,在摸索。

他性格中的一面促使他希望看到德国被罚。无论他的敌人怎么说,劳合·乔治在道义上都憎恨战争,而德国发动了有史以来最残酷的一场战争。他还以一个律师的眼光来看这个问题。他对大英帝国代表团说:"按所有适用于个体之间的公正原则来看,德国人应承担所有损失及修复这些破坏所需的费用。"由于在某种意义上说,他的所作所为都是为了英国,他必须确保德国的其他债权国没有夸大索赔要求。"那是向濒临破产的庄园索赔时惯用的老把戏。"

然而,他也是一位政治家。战前,他曾是财政部长,懂得金融和贸易,他知道英国迟早要向德国出口商品,他不想毁灭德国。3月初,威尔逊还在美国,劳合·乔治在午饭期间与豪斯讨论赔款问题。他说他必须向英国人民提供"一个合理的理由",说明他为何在战争费用及赔款问题上愚弄了他们。他承认德国无力支付英法索要的赔款。返回巴黎的威尔逊听说此事时并不同情,并督促劳合·乔治抵制要求巨额赔款的呼声。"在这种危机中,没有比因正义而被解雇更好的事了。"想到子孙后代会高度评价他,劳合·乔治就会感到一些安慰。威尔逊对他说:"我无法奢望在历史上拥有更高贵的地位。"

值得称赞的是劳合·乔治没有这么做。作为一位政治家,他必须在正义与实用之间权衡;他还不得不重视公众的意见。在巴黎,他承受着巨大的压力,部分自由党媒体开始谈论和解,但保守党报纸依然强烈要求大量赔款。北岩爵士擅自决定让劳合·乔治坚定立场,这位报业大王向《每日邮报》和《泰晤士报》的编辑暗示,首相在受亲德势力的左右。

劳合·乔治还发现他在一定程度上受1918年大选的限制。他曾许诺严厉压制德国"直到他们发出尖叫",这句令人印象深刻的话一时非常流行。他为德国制订了一张象征性的大额账单:"我们要搜遍他们的口袋让他们偿还。"选举前的最后一次联合声明是这样开头的:"第一、惩罚德国皇帝;第二、要求德国赔款。"许多当选的保守党人都是政界新手。用一位主要的保守党人的话说,这些人"神情严厉,似乎他们在战争中表现出色",他们自认为首要任务是让德国人尖叫。4月,当与威尔逊争执时,劳合·乔治收到一份由370位成员签名的电报,要求他履行竞选演讲的誓言并"拿出一张全额账单"。他火速赶回伦敦,并于4月16日在下议院发表演说驳倒其反对者。他对听众说他无意食言,他们不应该受那个满怀怨恨、自负而愚蠢的家伙的蛊惑——这时他猛地拍了拍自己的脑门——而应该相信政治家们会尽力为人类与和平而努力。临走时,全场掌声雷动。回到巴黎,他对忠诚的弗朗西丝·史蒂文森说,他"完全控制了国会,但没有透露任何和会的消息"。

大英帝国内部也有压力。加拿大支持美国的立场,而澳大利亚要求最大限度地得到德国赔款。休斯讨厌德国人,和大多数同胞一样,他一直认为德国人是澳大利亚的主要威胁;他还认为美国反对高额赔款不合原则,自私自利。正如他对劳合·乔治所说,作为中立国的美国在战争初期赚取了巨额利润,而大英帝国却付出了大量生命和财富。如果得不到大量赔偿,英国将在与美国争夺世界经济霸权的竞争中失手。

实际上,劳合·乔治对赔款问题的处理比表面上看来要成功得多。他通过说服威尔逊将抚恤金纳入赔款,使英国赢得了更大份额。通过不在和约中提及具体赔款金额(对此有充分合理的技术原因),缓和了英国及殖民地国家的民意(对德国民意的影响就是另外一回事了);另外,当他私下督促一位杰出的欧洲社会主义者激起人民反对严惩德国的呼声时,他又提供了另一种保障;最后,他设法给法国人分配了贪婪的角色,其中,财政部长路易斯-路西恩·克劳兹是恶棍头子。

克劳兹被克雷孟梭称为"我所认识的惟一一个不懂财政的犹太人",在回答所有有关法国前途的问题时,他本应该说:"德国必须赔偿。"但实际上,他警告说,不应该指望德国赔偿一切损失。和对许多其他同僚一样,克雷孟梭瞧不起克劳兹。劳合·乔治觉得他冷酷无情:"他满脑子都是债券,根本没有心思顾及人性方面的问题。"连威尔逊也被嘲弄克劳兹头脑的笑话逗乐了。凯恩斯描绘克劳兹,"矮小、肥胖、留着浓密胡子的犹太人,衣着整洁,但两眼游离不定,双肩略微弯曲,似乎总是本能地在向人求情。"他曾竭力阻拦运往饥饿的德国的食物。但无论克劳兹做什么,他都是以克雷孟梭下属的身份做的。如果克劳兹公开要求巨额赔款,就会使法国民众不再攻击克雷孟梭对德国不够严厉。私下里,克雷孟梭承认法国人永远得不到他们想要的东西,他派他最信赖的经济顾问卢舍尔和美国私下商议更加温和的条款。在他们的谈话中,卢舍尔明确指出,他认为从长远利益来看,把德国逼向破产对法国没有好处。

和劳合·乔治一样,克雷孟梭也必须重视民意。大部分法国人想法简单:德国入侵了比利时和法国,侵犯了两国保持中立的权力,这是铁一样的事实;而且几乎所有战斗都在比利时和法国战场上进行。保守的《世界报》头条问道:"谁应该被毁?法国还是德国?"当然,应该赔偿损失的是入侵者,而不该是受害者。美国人也许大谈没有赔款或罚款的新外交,但战败国赔款的传统依然根深蒂固。1815 年,拿破仑战败后,法国人赔款了,1871 年也一样。两次,德国都得到了补偿;现在轮到德国赔偿了。

法国和比利时从一开始就要求直接损失赔偿应该放在赔款分配的首位。他们还指出有关德军占领区的问题:德国在比利时除了攫取有用的东西外,没有造成额外的破坏,而在工业发达的法国北部,德国在夺取了想要的东西之后,把剩余的大多都给毁了;甚至当1918 年德军撤退时,他们还炸毁了法国最重要的几个煤矿。正如克雷孟梭愤恨地说:"历史上的野蛮人抢夺被侵略地区的一切,但不搞破坏,他们定居下来,与当地人共同生活。然而现在,敌人看见什么都毁。"从截获的德国文件来看,德国似乎原想削弱法国工业,为自己留一块空地。

法国和比利时希望赔款中包括战争费用。比利时这次立场坚定,因为威尔逊曾明确表示,他所说的赔偿指的是 1914 年德国最初非法入侵时造成的破坏。法国的态度没有这么强硬,克雷孟梭不想因此和美国作对,因为在对法国安全更重要的一些问题上他还需要美国的支持。他意识到德国赔偿能力有限,但没有明说。克劳兹的确向法国众议院的外事委员会承认说,战争费用之大连小说家都想不到。

和会期间,法国人还意识到,由于英国的战争费用比法国还大,如果赔款包括战争费用,英国所得占德国赔款总数的比例就会增大。法国人悄悄改变方针,要求赔款只包括直接损失——毁坏的城镇、村庄,被淹的煤矿和瘫痪的铁路。这样的话,法国就能得到 70% 的德国赔款,英国得到 20%,然后是其他国家——比利时、意大利或塞尔维亚——获得剩余部分。激烈的讨价还价之后,英国坚持要求得到 30%,法国得 50%,剩下 20% 在小国之间分配。该问题直到 1920 年才最终达成协议,英国得 28%,法国得 52%。

必须注意的是,法国人做出了最大让步。他们在德国赔款数目问题上也有相同表现,一心想从整体解决问题的克雷孟梭先把数字设得很高,这样做一方面是为了说服美国考虑法国要求继续开展盟国经济合作的建议。2 月底,很明显,美国人对此不感兴趣,卢舍尔把数字压到80亿英镑（400亿美元），仅是法国要求的四分之一多一点。代表英国的坎利夫坚决要求不得低于94亿英镑（470亿美元）。英国怀疑法国与美国串通一气把数目设得较低，以便使英国显得最苛求。由凯恩斯等人描绘的一心想搞垮德国、报复心很强的法国的面目开始逐渐消失。

最后，主要由于英国的反对，和约中没有确定具体赔款金额。3月底，协约国领导人——以四人会议的形式开会——决定由特别委员会处理此事。某美国专家在日记中写道，拖延的时间"使英法免去了公开他们将从德国得到的少量赔款而带来的麻烦，因为两位领导人都认为，一旦公开，他们的政府就会被推翻"。他说对了，1921年，委员会最终要求德国赔偿1320亿金马克（大约是65亿英镑或340亿美元），公众的对德情绪，尤其在英国，才逐渐平静下来。

5月，前往凡尔赛的德国代表团对该程序非常不满。"除了德国人民的偿付能力外，其他什么都没有明确限度，而偿付能力不是根据德国人民的生活水平，而是仅根据他们通过劳动所能达到敌人要求的能力确定的。因此，德国人民将永世为奴。"这种情绪可以理解，但解读得太悲观。特别委员会不得不考虑德国的赔偿能力；它还必须咨询德国人。另外，需要赔偿的损失的种类受到了严格的限制；也许限制得还不够，因为仍包括了抚恤金，但绝对不是永无止境。

条约中有关赔款的部分由两个条款开始——第231条和第232条——这成了德国厌恶的对象和协约国良心不安的原因。第231条规定德国及其盟国负责赔偿所有战争损失。接着第232条说由于德国资源有限，把赔款范围限定在指定损失上。第一个子条款——后来称为战争罪行条款——是经过反复讨论和修正后加进去的，主要是为了满足英法的要求，明确德国的合法债务。为此，美国指派了一名精明的青年律师——未来的国务卿约翰·福斯特·杜勒斯，他认为他不但确定了债务同时还成功地限制了它，整体看来，条约相当公正。欧洲盟国对此很满意：一向善于从政治方面考虑问题的劳合·乔治说："和法国公众一样，英国公众认为，德国必须首先承认它负有赔偿其侵略所造成损失的义务，然后再讨论赔偿能力的问题；我们都认为它只能赔偿该文件规定的这么多。"卢舍尔认为，如果德国人不愿赔偿某项损失，协约国可以用无限的索赔来威胁他们。没有人觉得这些条款本身有任何困难。

16 对德和约的僵局

3月14日,威尔逊返回巴黎时,赔款问题依然没有解决——莱茵兰问题同样没有结果。总统与劳合·乔治私下做了简短会晤,劳合·乔治提议,某种军事保证加上他所热衷的海底隧道可以满足法国。两国决定,如果德国再侵犯,他们将援助法国,作为回报,法国必须放弃建立独立莱茵国的计划。威尔逊认为可以说服克雷孟梭:"一旦让他上钩,就先往回拉一点,然后顺其自然,然后再往回拉,直到把他搞得筋疲力尽,完全制服再拉上岸。"

当天下午,克雷孟梭在克里昂酒店与两人会面。他再次谈起法国遭受的苦难、对未来的恐惧和必须让德国人在莱茵河止步的要求。劳合·乔治和威尔逊提出了他们的建议,克雷孟梭很高兴但要求再考虑一下。他没有与内阁或庞加莱商量,而是花了两天时间与私人顾问,包括外交部长毕勋和塔迪厄商议此事。塔迪厄说,当然,如果他们拒绝,他们将是罪人,但问题是:"如果仅这个就能满足,法国政府同样会有罪。"3月18日,法国官方表示,法国还需要其他保证:协约国军队至少要占领莱茵兰及桥头堡五年;莱茵兰地区及莱茵河东岸五十英里内不得有德军。对此,威尔逊怒不可遏,和法国人谈判就像对付一个橡皮球,"你想在它身上留个印子,但手一拿开,它立刻恢复原形。"连鲍尔弗也沉不住气了,他对劳合·乔治说,如果法国为一个强大的国际体系效力,情况将有所好转,但"很多人对此嗤之以鼻"。如果不这样做,"对莱茵河边境的控制只能使法国成为一个二流国家,惟其强大的东邻马首是瞻,而且越来越依赖不断变化的外交政策和不确定的联盟"。

接下来的一个月,由于法国想通过附加条款巩固英美提出的承诺,各种便笺、笔记满天飞。每天克雷孟梭及其同僚都向英美提出新的建议:扩大莱茵河东岸的非军事区,建立一个权力广泛的检查委员会,一旦德国违反和约中从解除武装到赔款的任何条款,将授权法国占领莱茵兰地区。

他们再次索要位于莱茵兰西南边缘与阿尔萨斯和洛林接壤处的萨尔。该地区原本是安静的农业区,河谷风光秀丽,19世纪成为主要的采煤和制造业基地。1919年,几乎欧洲所有燃料都由这里供应,使该地区价值倍增;但不利于法国的是当地65万居民几乎都是德国人。法国人试图从历史上找证据:萨尔路易斯城由法王路易十四修建;法国革命期间,该地区曾短暂属于法国;1814年的边境也把该地区大部分领土划归法国。威尔逊对克雷孟梭说:"你用104年前发生的事做论据,我们不可能根据这么久远的年代的情况重新调整欧洲。"在赔款问题上,法国人表现较好,威尔逊在十四点原则中提到德国向法国赔偿战争损失,所有人都一致认为德国故意破坏法国煤矿。2月以来一直私下合作的英美专家提议,法国应该控制萨尔地区的煤矿,而法国人则要求直接吞并该地区。

3月底,劳合·乔治非常关注对德和约的进展。法国人坚持严加控制莱茵兰地区并要求吞并萨尔;东部,波兰得到包括300万德国人及西里西亚大型煤矿在内的一部分领土;英国民众的意见似乎也转向快速合理地制订较为温和的和平条款。军事及财政专家针对英国在世界各地驻扎大量部队所需费用向劳合·乔治提出警告。他非常担心国内劳工暴动以及欧洲革命。3月21日,消息传来,匈牙利共产党夺取了政权。

次日,劳合·乔治和几个亲密顾问,包括克尔、汉克和亨利·威尔逊,从有关对德和约的商讨中抽身而出,前往位于优美的巴黎郊区——枫丹白露的英法大酒店共渡周末。他们参观了这座美丽的宫殿,但真实目的却是重新审视整个条约,提出英法美都能接受的条款。当天下午,劳合·乔治把一行人召集到他的房内,给每人分配一个角色,盟友或敌人。据我们所知,没人扮演美国。扮演英国的汉克认为德国理应受罚,必须没收其殖民地。然而,协约国却不能一心报复,否则中欧就会陷入可怕的布尔什维克主义。为了欧洲及欧洲人民的利益,必须恢复德国,而且它必须是联盟一员。这一点符合英国利益,因为它不想在欧洲大陆永久驻兵。汉克同时提醒在座各位,是海军再次拯救了英国;他们必须提防对其海军霸权的任何威胁。

亨利·威尔逊全心投入他的角色。他先把军帽反戴扮演一名德国军官,"我说明了德国的现状,我很愿意和英法达成协议,但是却看不到希望,因为从那些强加于我的苛刻条款中可以看出,他们下定决心要置我于死地。由于不能自立,我将投靠俄国并帮助它恢复法律秩序,然后和它组成联盟。"然后,他又扮演一名法国妇女,他说,法国妇女是影响民意的重要因素。他描绘了一幅感人的画面:"许多妇女失去了丈夫、儿子和男同胞,她们忍受着焦虑、长期分离和经济损失,她们为了养家糊口而挣扎、劳累过度。"当然,她们想报复,想让德国赔偿,想得到不再受德国伤害的保证。

劳合·乔治仔细聆听,然后发表了自己的意见。他的主要观点是和约条款不得摧毁德国。讨论还在继续,克尔被指定对这次会议作总结。星期一,他打出一份草案终稿——《枫丹白露备忘录》。劳合·乔治精神抖擞地返回巴黎,弗朗西丝·史蒂文森说,"他这周要大干一番,不会再忍受法国或美国的无稽之谈。他从长远利益考虑和平问题,坚持认为和约不该留下可能再次引发战争的隐患。"但她忽略了他在和约苛刻的条款以及耽搁起草对德和约方面的"贡献"。

劳合·乔治向四人会议展示了这份要求调停人员制订可持续的、温和的和平条款的备忘录。"你们可以没收其殖民地,削减其武装,仅保存一支警力,并将其海军裁至五流国家的海军水平;如果德国觉得1919年的和约处理不公,就会通过其他方式从征服它的人那里得到补偿。"他们不能因置千百万德国人、匈牙利人或其他少数民族于外族统治下,而再次给欧洲留下后遗症;不能刺激来势迅猛的革命力量;最首要的是不能把德国逼向死胡同。"在我看来,目前最大的危险是德国可能倒向布尔什维克并置一切于革命狂热分子的摆布之中,他们妄想通过武力使布尔什维克征服世界。"劳合·乔治描绘了另一幅未来的景象:英、美、法、意将控制各自的海军和陆军建设,只要德国一稳定,作为"全世界正义与自由"的守护神的国联就将接纳崭新的、民主的德国。

这些设想如何才能实现呢？德国必须失去部分领土,但不如有些人想像的那么多;波兰仍将拥有通向海洋的通道,但应尽量少让德国人处于波兰统治之下;适当解除武装的莱茵兰地区必须保留在德国。在萨尔问题上,劳合·乔治没有明确表态。也许,法国可以延续1814年的国界或者只拥有当地煤矿。当然,德国必须放弃所有殖民地,而且还必须赔款。威尔逊对此表示同意,毕竟他自己本来也可以写《枫丹白露备忘录》的。法国人非常气愤,克雷孟梭写信给劳合·乔治说:"如果你觉得和约太苛刻,就让我们把殖民地和舰队都还给德国,也不要为了安抚战败的侵略者,只强迫欧洲大陆国家——法国、比利时、波希米亚和波兰——做出领土方面的让步。"他补充道,认为可以通过温和的条款安抚德国的想法简直是"痴心妄想"。

无论是不是妄想,英国都决定脱离欧洲,不卷入它的问题。欧洲的权力均衡总对英国有利;只有当某个国家威胁着主宰欧洲大陆时,才需要进行干涉。德国曾经是个威胁,但如果现在毁灭它,让法国占上风,是非常愚蠢的。随着情绪逐渐平静,英国记起同法国的竞争以及英德友好的潜势:英国工业需要市场;而德国拥有7000万人口。英国希望欧洲大陆稳定,而不是像遥远的东方那样混乱无序;在欧洲中部有一个稳固的德国将会提供这种稳定。劳合·乔治在和约条款上的多变反映了英国普遍的正反感情并存的矛盾情绪。

从短期来看,《枫丹白露备忘录》成效甚微:英法依然为赔款争执不休;法国人既不估计战争损失也不表示他们想让德国赔什么。威尔逊对格雷森说:"当每一小时都对世界意义重大时,浪费时间就等于犯罪。"但他也担心如果把盟国逼得太紧,他们的政府就会垮台,和平问题就会拖延更久。

克雷孟梭的对德立场似乎变得越来越强硬。他指出英美都有海洋保护,"我们在陆地上必须有同样的屏障。"他索取萨尔并要求对莱茵兰进行军事占领。"德意志民族是一个奴性民族,和他们打交道必须依靠武力。"3月31日,他允许福煦在四人会议恳请建立独立的过渡政府。福煦说:"只有拥有莱茵河西岸地区,也就是说,只有德国不变心,才能保证和平。"劳合·乔治和威尔逊都礼貌地听着,但很明显他们都心不在焉。

威尔逊觉得法国人在故意阻挠。他对格雷森说:"我非常失望,和克雷孟梭谈了两个小时,他几乎一切都同意了,但离开的那一刻他又改变主意,返回原点。"四人会议不停地开会,天气很糟糕,坏消息不断传来:匈牙利共产党当政;俄国布尔什维克似乎赢得内战;但泽的德国当局拒绝让波兰部队登陆。

3月28日,当克雷孟梭再次索要萨尔地区时,引发了一场冲突。威尔逊有失偏颇地说法国人从未提及将此作为战争目标之一,而且把萨尔分给法国有悖于十四点原则。克雷孟梭指控威尔逊亲德并以辞职相威胁,拒绝在和约上签字。威尔逊的下颚因愤怒而突出,他说这是个有意的谎言,很明显克雷孟梭想让他返回美国。同样怒不可遏的克雷孟梭冲出房间,他告诉莫达克说,他没有料到法国的要求会遭到如此坚决的反对。

一直在惊惶失措中观望的劳合·乔治和奥兰多竭尽全力在下午的会议中调解矛盾。威尔逊回应劳合·乔治因迟到而做的道歉时说:"劳合·乔治先生,我不喜欢用'晚了'这个词。"劳合·乔治感激地笑了。当塔迪厄继续大谈萨尔和法国在古代的联系时,奥兰多指出,按这种观点,意大利可以索要原罗马帝国的领土;但这可能对他的好朋友劳合·乔治来说有点尴尬。所有人都开怀大笑,除了克雷孟梭。劳合·乔治提出一个妥协方案:让萨尔自治,法国拥有其煤矿。最后达成协议让专家对此进行调查。克雷孟梭向威尔逊道了歉,并谈起联系美法的情感纽带;然后,他对顾问说,威尔逊坚决不作任何让步。威尔逊也象征性地提到法国的伟大,但私下却抱怨法国人耽误了整个和会的进程。他说,克雷孟梭就像一只老狗,"追着自己的尾巴慢慢地转来转去。"

两天后,下雪了。那年,四月的巴黎天气非常糟糕,而且迅速恶化。虽然四人会议的会晤严格保密,但会议细节还是泄漏了。福煦非常绝望,亨利·威尔逊在日记中写道:"他预言巴黎和会将在一周内破产。"某美代表说流言"伴着一股蓝色的硫磺烟雾"向外扩散。一位加拿大人在家书中写道,德国可能会爆发革命。《每日邮报》巴黎版说:"走向毁灭。"《纽约时报》记者发回电报说:"国联已死,和会失败。"

威尔逊的媒体顾问贝克说,他看起来"一直非常阴沉、严肃"。总统觉得他在建立公正的和平的斗争中势单力孤。奥兰多因意大利索要部分亚得里亚海领土而制造麻烦；劳合·乔治太爱耍政治手腕；克雷孟梭任性地拒绝在十四点原则的基础上和谈。威尔逊夫人的秘书写道："我从未见过他这么生气，他诅咒法国的态度以及由此导致的延误。"威尔逊也被法国媒体的攻击激怒了，看完某报纸后他说："都是毫无根据的猜想，我发现春天总在冬天之后。"他和劳合·乔治"大吵了一架"，并说他绝不会在法国式的和约上签字，他宁愿回美国也不这么做。

4月3日，威尔逊因重感冒卧床休息，豪斯代替他出席四人会议。4月5日，克雷孟梭非常高兴，他对劳合·乔治说："他今天病情恶化了，你认识他的医生吗？难道你不能说服他、贿赂他吗？"病房里，威尔逊静坐沉思，他对格雷森说："我不停地在想，我在想如果这些法国政客可以为所欲为，得到他们声称法国应该得到的一切，世界将会怎样。我的观点是，如果他们那样做，世界将在很短时间内四分五裂。"他略显放松地说他已经做出决定了。他让格雷森安排华盛顿号在布列塔尼海岸的布雷斯特等候。"我不想说一有船我就走；我想让船停在这儿。"第二天，这个消息就泄露了，这正合威尔逊之意。他的威胁引起一场轰动。《纽约时报》头条写道："和会处于危机之中。"

法国对此并不以为然。克雷孟梭对一位朋友开玩笑说："威尔逊就像个厨师，把行李放在走廊里，每天都要挟着要走。"法国外交部的一位发言人粗鲁地讥刺说："回家找妈妈。"但实际上，他们非常担忧。检查员把法国报纸上的相关评论控制在最低，众所周知与官方有密切联系的《时代》急忙发表了一篇文章，声称法国无意吞并任何德国人居住的领土。塔迪厄的助手对美国记者说，法国已经把要求降到最低，而且同意接受1871年的边界，即只索回阿尔萨斯和洛林两省（这番话带来不少乐趣）。

克雷孟梭在国内的政敌也给他添了不少麻烦。众议员和参议员督促他要坚持法国的合法要求；福煦发动了一场媒体运动，要求占领莱茵兰地区。大元帅几乎是在公开表示轻蔑：拒绝传达四人会议的命令并要求与法国内阁对话。这在一个有军事政变传统的国家非常令人担忧，也很令人为难。在一次事件后，威尔逊说："我不会把美国军队交给一个不服从本国政府的将军。"

主要的政治家、记者和战士都警告庞加莱，法国正在走向灾难，克雷孟梭使法国没有任何安全感。也许，庞加莱应该辞职以示抗议？或正如福煦等人督促的那样，运用宪法赋予他的权力来接管谈判，这是他的义务吗？庞加莱嘴上批评，但迟迟不采取行动。消息一向灵通的克雷孟梭来到爱丽舍宫，造了很大声势，他指责庞加莱不忠。"你的朋友都反对我，"他喊道，"我受够了。我每天从早到晚谈判，都快累死了。"他提出辞职。庞加莱反驳道："我一向忠心耿耿,这一点毫无疑问;但此外,我还全心全意,甚至可以说孝顺。"克雷孟梭说他撒谎,庞加莱非常生气。"看,你对我傲慢无礼!"不但如此,会谈结束两人握手言和时,庞加莱用政治家的口吻说:"情况严峻,前途灰暗,在这种情况下,官员的团结非常重要。"他立刻把心情倾诉在日记里:"简单地说,这次谈话让我见识了一个健忘、暴力、自负、仗势欺人、轻蔑、极端肤浅、身体及心智俱聋、不会推理、思考及讨论的克雷孟梭。"

只有劳合·乔治在整个危机中都很快乐。他对报业大王乔治·瑞德尔说:"我们取得了很大进展,我们已经解决了除违反战争法以外的几乎所有重大问题。我们将在下周开始起草和约。"他预计和约的最终条款将于两周后的复活节完成。尤其令他高兴的是,他有关赔款问题的要求得到了满足:最终的赔款数目未包括在和约中。

当4月8日威尔逊康复时,春天终于来临,和会的气氛也好了很多。他对格雷森说,他还是感觉有点"恍惚",但"神智清楚"。然而,他认为留着华盛顿号进行威胁还是有用的。在他缺席期间,即将讨论的协议的基础工作已经基本完成。萨尔问题终于在4月13日解决。专家提出妥协方案:把该地区的煤矿分给法国;国联将接管萨尔地区,并于15年后,当居民可以在独立、法国和德国之间做出选择时,再在委员会监督下举行公民投票表决。1935年,希特勒的新德国(新德意志帝国)备受瞩目,该地区90%的人都希望回归德国。

莱茵兰问题及英美对法国的保证也只用稍长一点的时间就解决了。威尔逊认为自己在为法国提供保证的问题上已经做出足够让步,因此他于4月12日传信给克雷孟梭说,他赞成莱茵兰地区的非军事化,但不同意盟军永久占领。克雷孟梭仔细考虑了一番并于两天后拜访了老朋友豪斯。他说,真可惜,意大利人威胁不在对德和约上签字。当然,他本人准备与同僚合作,接受美国的立场,虽然不合他意,他将让福煦争取法国的要求。作为回报,他只要求威尔逊同意法国暂时占领主要桥头堡周围的三个区域:法国人将于五年后撤出莱茵兰北部的第一个区域(包括科隆周围的桥头堡),十年后撤出中部的第二区域(包括科布伦次周围的桥头堡),15年之后撤出南部的第三个区域(包括美因兹周围的桥头堡)。

4月15日,克雷孟梭手上的湿疹明显恶化,他抱怨有人施了咒语。那天晚上,当豪斯告诉他威尔逊同意法国的临时占领时,他完全变了一个人。他对莫达克说:"我不再担心了,所有关系法国的重大问题都基本解决了。再过十天,我们很可能可以确定和约的主要条款了。今天除了那两个有关英美在德国侵略的情况下援助法国的条约,我还得以占领莱茵兰地区15年,以五年为单位逐步撤军。当然,如果德国不遵守和约,也就无所谓部分撤军、最后撤军了。"作为回报,他向豪斯许诺,所有法国媒体对威尔逊的攻击必须立刻停止。第二天,连一向敌对的报纸都载满了对总统的赞扬。

顺利地解决了议会的反对而返回巴黎的劳合·乔治心烦意乱。多年后他写道:"挑衅事件是外国军队占领其他地区不可避免的后果。协约国军队(其中有些是有色人种)对德国城镇的占领与德国人爱国情绪高涨很有关系,并最终以纳粹的形式表现。"4月22日,他勉强同意莱茵兰条款。

4月25日,克雷孟梭带他们去内阁听福煦等人的批评。让所有人都惊讶的是,庞加莱只要求明确几个问题。克雷孟梭对莫达克说:"他是共和党主要批评者,但是每次向他征求有关三个月来我们一直在处理、而且目前还在处理的无数微妙问题的意见时,得到的回答总是含糊其辞。"内阁一致通过这项密约,5月4日,再次全票赞成整个和约。福煦忿忿地说克雷孟梭是个罪犯。庞加莱考虑辞职,但和往常一样,三思之后又放弃了。

克雷孟梭一直认为他为法国赢得了最好的结果,事实也的确如此。他得到的比盟国最初准备给法国的要多;他保持了英法、美法联盟;通过莱茵兰地区的非军事化和15年的占领加强了法国的安全感;而且占领将一直持续到德国履行完和约其他部分。正如1919年9月他对众议院所说,在讨论批准问题的过程中,"这个条款复杂的和约的价值就是你的价值;你把它弄成什么样它就是什么样……今天你们要表决的还不是开始,仅仅是开始的开始,它所包含的思想将不断成长并且开花结果。你们如今有能力把他们强加给战败的德国。"执行总是个难题。正如克雷孟梭的继任者,包括庞加莱所发现的,如果没有英美支持,法国几乎什么都做不了。到了20世纪20年代,面对德国纳粹的威胁,却再也没有英美支持,而30年代,也没有克雷孟梭的号召。而且德国东部的波兰也不再可靠。

BETWEEN EAST
AND
WEST

第五章　东方与西方

因为在这个世界里，一切都预先被原谅了，

一切皆可笑地被允许了。

——米兰·昆德拉，《生命中不能承受之轻》

17 新生的波兰

波兰的新生是巴黎和会的重大事件之一，也引发了没完没了的麻烦。负责波兰国界的委员会比其他委员会的会议都多。划定波兰国界时应该惩罚德国以前的过失和现在的失败吗？应该建立一个疆域辽阔的波兰作为阻挡布尔什维克的屏障吗？它的生存需要什么？煤矿？铁？铁路？波罗的海的港口？威尔逊在其十四点原则的第十三点中许诺，重建的波兰应该能够"自由、安全地使用海洋"。和十四点中的许多点一样，它的意思不明确。他还说要把"毫无异议"的波兰领土还给波兰；但在中欧要找毫无异议的领土绝非易事。由于波兰人内部分歧很大，究竟是保留过去边界（那样的话，波兰就会有很多非波兰人口），还是只要波兰的心脏地区（这会把许多波兰人分出波兰），还是在两者之间求得一种妥协？问题变得更加复杂。当然，调停人从千里之外的巴黎向这个变化多端的世界强加秩序，这里动荡不安，内战不断，难民成群，土匪成帮，旧帝国的垮台使法制、贸易和通信支离破碎，所剩无几。

协约国与德国签订停战协定之前的两三天，一位头发斑白、眼神犀利、脸庞瘦削、面色苍白的波兰战士痛苦地阅读着协约条款。上面竟然没有提到波兰，可是他曾遭德国监禁。约瑟夫·皮尔苏德斯基倾尽大半生试图重建18世纪末消失的国家。现在劲敌都灭亡了——奥匈帝国、德国和俄国，波兰的机会来了。德国垮台使皮尔苏德斯基重获自由，1918年11月10日，他抵达原波兰首都华沙。波兰本身就是一个梦想，而非现实。它几乎没有盟友，敌人却很多，没有明确划定的国界，没有政府，没有军队，没有官僚。在接下来的三年中，皮尔苏德斯基成立了一个国家。

皮尔苏德斯基很可能是惟一一个能够死里逃生并且成功完成此种任务的人。从某种意义上说，他一生都在为此接受训练。他出生在波兰境内俄国地区的维尔纳（波兰的威尔诺，今立陶宛的维尔纽斯），从小他母亲就给他读俄国严禁的波兰文学。她还给他讲解灾难深重的祖国的历史，从16、17世纪的辉煌到18世纪90年代被邻国瓜分。16、17世纪时，波兰－立陶宛联邦从波罗的海几乎延伸到黑海，包括后来成为德国和俄国的大部分地区，而且当时的欧洲非常崇拜波兰共和政府、波兰文化以及波兰的城市。他还了解了绝望的波兰人民接二连三的起义,被屠杀、监禁,大批被放逐至西伯利亚的流亡者以及他国想要消灭波兰文化的企图。从1795年起,波兰只存在于爱国者的记忆中,伟大的作家和作曲家的作品中。

在许多理智的旁观者看来,似乎时间的流逝将使分裂的局面永存。德国5600万人口当中,有300万波兰人,他们与德国人共享欧洲最发达国家之一的繁荣。他们保留了自己的语言,但在文化上却越来越像德国人;奥匈帝国的波兰人集中在奥地利的加利西亚地区,那里腐败、贫穷,是没落帝国最落后的地区之一,也是苦难的代名词;可以移民的大都去了北美,欧洲剩余的波兰人中,大约有一半处于最残酷、最压迫、最无能的俄国统治之下。

和其他在俄国的波兰男孩一样,皮尔苏德斯基也不会讲自己的语言。虽然和绝大多数波兰人一样,他也是天主教徒,但却被迫参加东正教仪式。他变成了一名激进的社会主义者,这使调停人担心波兰可能会成为布尔什维克,但他首先还是一名民族主义者。战后,返回华沙的第二天,他的社会主义者老朋友前来拜访并称他为"同志"。他说:"先生们,我们曾同在一辆红色的电车上,但我在'波兰独立'那站就下车了,而你们希望一直坐到'社会主义'。一路顺风——但请称呼我'先生'。"

性情和阅历使皮尔苏德斯基成为一只孤独的狼,很难相信任何人。由于参与列宁的哥哥组织的刺杀沙皇的行动,他于1887年第一次被捕,被流放西伯利亚五年(列宁的哥哥被处死)。1900年,他再次被捕,但通过装疯得以逃生。战前的几年,他是社会主义地下党的组织者和筹款人(他抢劫银行、劫持火车)。虽然娶了一位同谋,但这段婚姻因他与地下党一位年轻女人的恋情而告终。

战争爆发时,波兰人被夹在中间,有的为奥匈帝国和德国作战,其他的为俄国人卖命。有时,他们可以听到从敌方战壕传出的波兰歌曲。皮尔苏德斯基加入了奥匈帝国军队,这又是日后在巴黎的一块不光彩的印记。他的想法很简单:俄国是波兰独立的主要障碍。1917年,俄国垮台,奥匈帝国也岌岌可危,他警觉地观望着;他最不希望看到的就是德国的强大。由于拒绝将其军团交给德国,他再次入狱。

1918年,皮尔苏德斯基返回华沙后,由于拥有中欧所剩无几的军团之一,他以波兰的名义从德国占领者手中夺得政权。一位波兰政治家说:"此时此刻,波兰上下兴奋狂热的情绪无法用言语表达。长达120年的警戒线终于冲破了!'他们'走了!自由!独立!我们自己的国家!"一个贵族家庭拿出1772年——第一次分裂时——珍藏的酒庆祝这个时刻。某英国外交官报道说："很奇怪,那酒居然还能喝。"

然而皮尔苏德斯基有很多反对者:害怕社会主义的保守党、不喜欢他的暴力的自由党,还有那些向协约国甚至俄国求助的人。他们的代言人是他的竞争对手罗曼·德莫夫斯基。皮尔苏德斯基出身贵族,而罗曼·德莫夫斯基来自城市平民家庭。他是一个生物学家,喜欢科学、推理和逻辑;而音乐,他对波兰著名的钢琴家帕德雷夫斯基说,"纯粹是噪音。"他鄙视宏大的计划、高姿态和无用的姿势,而波兰民族主义者恰恰太看重这些。他希望波兰人变得更现代。他对旧波兰,其宗教宽容传统,以及向其他国籍人民如立陶宛人、乌克兰人或犹太人妥协的倾向几乎没有什么留恋。像他崇拜的社会达尔文主义者一样,他认为生活就是斗争,强者生存,弱者淘汰。罗曼·德莫夫斯基在西欧备受推崇,虽然英国人持保留意见。和他打交道的一位外交官说:"他是个聪明人,但聪明人不能相信,他的政治理论很有逻辑,但我们讨厌逻辑,他持之以恒,其坚韧能让所有人发疯。"

德莫夫斯基的波兰国家委员会在巴黎声称其代表波兰人民,1918年法国政府同意将霍尔勒将军率领的一支流亡法国的波兰军队交其管辖。战争结束后,波兰有两个潜在的政府,一个在巴黎,一个在华沙,两个竞争对手都有自己的军队。而与此相对的是,捷克已经统一了。

局外人怀疑波兰究竟能否成功。1919年,波兰所有边界都有问题,而且到处都是敌人:德军的残余部队,大部分在东部;再往东有俄国人(布尔什维克或非布尔什维克都不希望波兰独立);还有其他民族主义者,争夺相同的领土:北部的立陶宛人、东部的乌克兰人、南部的捷克人和斯洛伐克人。而且,波兰几乎没有天然屏障。1918年到1920年间,皮尔苏德斯基打了六场战役。他的右边是德莫夫斯基的支持者,左边是激进派,同时还得防着背后。

皮尔苏德斯基变得更加瘦削、苍白、更富激情。他疯狂地工作,经常彻夜不眠,靠不停地喝茶、抽烟提神。最初几个月,他常常穿过霸占的宫殿独自去便宜的饭馆就餐。他的任务令人震惊:10%的波兰财富在战争中被毁。德国人在占领期间已经把原材料、成品、工厂、机器甚至教堂的钟都抢去了。1919年初,到达华沙的一位英国外交官写道:"我从未见过如此极端贫穷、悲惨的景象。"皮尔苏德斯基必须把不同经济形态、不同法律和不同官僚机构嫁接起来,使九个不同的立法体系合理化,从五种货币中选出一种,而他连印刷纸币的资金都没有。而铁路系统简直像恶梦,有66种铁轨,165种机车和各种信号系统。

在一个世纪的挫折之后,波兰人民的抱负远远在其能力之外。停战协定签订不到一个月,一位德国使者报道说:"波兰人的胃口就像刚孵出的麻雀一样增长。"有人谈起1772年的边界,当时波兰包括今天的立陶宛、白俄罗斯和乌克兰大部分地区。在巴黎,德莫夫斯基及其波兰国家委员会提议建立一个大波兰,以阻挡德国和布尔什维克主义。他们的波兰将有相当一部分少数民族,包括德国人、乌克兰人、白俄罗斯人和立陶宛人——占总人口的40%——这些人都将由波兰人统治。德莫夫斯基与协约国谈自决,但在国内却不允许有如此言论。

相比之下,皮尔苏德斯基更加谨慎。他也希望建立一个强大的波兰,但没有德莫夫斯基要求那么高。他也愿意考虑建立联邦政府,让立陶宛人或者乌克兰人与波兰人一起治理国家。他发现他需要协约国的帮助。"我们能从西方得到什么取决于协约国及其压榨德国的程度。"在东部,情况大不相同。"这里,有许多门,形势取决于谁将破门而入以及进入多远。"

但是,有一点波兰人是一致同意的:必须能够使用波罗的海。一位美国军官从华沙报道说,他们忍受着巨大的苦难,因为他们预见到波兰可以东山再起,贸易沿维斯瓦河畅流,铁路一直通向海洋。不打破那个希望至关重要:"他们对未来的信心被粗暴地动摇了,现实更加严峻残酷,爱国热情也完全动摇,如果连那个希望也没有了,他们还有什么理由抵制布尔什维克主义呢?"位于维斯瓦河河口的但泽是建立港口的良好选择。它曾是波兰统治下的一个自由城市,由于它贸易繁荣,商人富裕,建筑优美,人们美其名曰"东方的阿姆斯特丹"。然而,从18世纪90年代起,它便受德国统治,到1919年,90%的人口都是德国人,虽然周边乡村的居民大都是波兰人。

和会之前,协约国一致认为波兰应该独立。然而,英国人却不准备为此耗费太多,因为他们得不到太多国家利益。他们也害怕波兰会成为累赘,如果其邻国尤其是德国和俄国进攻,谁来保卫它? 此外,英国人对波兰哪一派都不很关心。皮尔苏德斯基曾经反抗他们,是个危险的激进分子;德莫夫斯基和波兰国家委员会又太右翼了。一位在华沙的英国外交官说:"实际上,一个在很大程度上影响我的普遍的观点似乎是: 做任何波兰委员会要求的事,将意味着给波兰强加一个邪恶的地主阶级政权,他们把大部分时间花在寻欢作乐上并建立沙文主义政府,以占领非波兰人口居住的领土为目标。"战争期间,德莫夫斯基在英国的言行对他没有帮助。例如,在G.K.切斯特顿举行的晚宴上,他说:"我信仰的宗教来自耶稣,但他被犹太人杀害了。"同样有点排犹的英国人觉得他太粗鲁。有影响力的英国犹太人抗议政府与波兰委员会的交往。在外交部,波兰出身的犹太人刘易斯·纳米尔发动了一场反对德莫夫斯基及其"沙文主义团伙"的运动。

相反,法国不但大力支持德莫夫斯基;而且对波兰非常感兴趣。1917年秋,毕勋公开许诺法国支持波兰独立,支持"辽阔、强大,非常强大的"波兰,比英美早好几个月。法国对波兰的政策既实用又浪漫。法国不能再用俄国来牵制德国,但强大的波兰,或许和捷克斯洛伐克和罗马尼亚结盟就能填补这个空缺。波兰还让法国人想起拿破仑漂亮的情人玛丽·瓦莱夫斯卡(他们的儿子成为法国外交部长);流亡巴黎的悲惨的波兰人;他们的乔治·桑的爱人,弗雷德里克·肖邦;1870年帮助法国抵抗普鲁士的波兰志愿者。对虔诚的天主教徒和自由党人来说,波兰是一项事业。克雷孟梭小时候与逃离沙皇统治的波兰人聊过天。大战爆发时,他在报纸上写道:"波兰一定会重生。历史的重大罪过之一将被弥补。"战争期间,法国给波兰捐资解围;和会期间,他们为尊重波兰而出席晚宴。

美国处在中间立场。它也有关于波兰人的记忆:美国独立战争中的英雄塔德乌什·柯斯丘什科;内战中南北两边的波兰人以及帕德雷夫斯基。到1914年,波兰人是来自中欧的最大的移民群体,大约400万,带着他们的报纸、学校、教堂和选举制度。大战唤醒了他们的爱国热情,但也使亲协约国派和亲德派产生分裂,给人一种波兰人老是在相互争吵的印象。另一方面,就像他们同情比利时一样,美国人被波兰的遭遇感动了。威尔逊逐渐转变态度,支持波兰独立,但对其国界却不表态。他对其他调停人员说:"我见了德莫夫斯基先生和帕德雷夫斯基先生,我让他们按自己的理解定义波兰,结果他们拿出地图,声称世界的一大部分都属于波兰。"

当法国人试图认可德莫夫斯基的波兰国家委员会为波兰人的惟一代表时,英美表示反对。他们督促德莫夫斯基和皮尔苏德斯基建立联合政府。世界上最著名的波兰人伊格纳西·帕德雷夫斯基负责撮合这二人。1918年12月,英国人安排他返回到波兰(圣诞前夕,他为军官们弹奏钢琴)。1918年圣诞节当天,他抵达波兹南,引起轰动,人们非常兴奋,游行示威变得更加猛烈。元旦,他前往华沙时,波兹南人民开始反对德国统治者。有人在伟大的德国前总理俾斯麦的巨大铜像的手中放了一张去柏林的四等车票。

帕德雷夫斯基来自奥地利加利西亚地区的一个中等家庭,他的父亲为一个贵族地主工作。王子后来对尼科尔森回忆说:"他是个不平凡的人,非常不同寻常。你知道吗?他出生在我的一个村子里,是在切佩唐卡?但我和他说话时,我觉得我和他是平等的。"帕德雷夫斯基成了一个国际明星。伯恩·琼斯为他画素描,萧伯纳赞扬他的音乐天赋,女人们给他写情书。1918年,他58岁,一头红发渐渐变得灰白。

几乎所有人都一下子就爱上他了。他健谈、不修边幅、才学广博,而且像个孩子一样满腔热情。战争期间,他发誓要使波兰重获自由。他四处为波兰筹款,游说世界领导。1916年夏,他在白宫的一次私人舞会上弹奏肖邦的曲子。威尔逊后来对一个同僚说:"真希望你听到帕德雷夫斯基为祖国发表的演讲,比打动成千上万人的和谐的音符更庄严,更感染人。"

帕德雷夫斯基的支持者后来声称，是他的努力才使威尔逊把波兰问题包括在十四点中。

当身穿长皮衣的世界名人帕德雷夫斯基和瘦弱苍白、衣着破旧的革命者皮尔苏德斯基在华沙第一次会面时，两人互相拥抱，但并不妨碍他们互相怀疑。皮尔苏德斯基需要帕德雷夫斯基对波兰国家委员会的影响和他广泛的社会联系，而帕德雷夫斯基希望波兰统一。两人达成协议：皮尔苏德斯基将继续担任国家元首及军队总司令，帕德雷夫斯基将成为联合政府总理并与德莫夫斯基一起代表波兰出席和会。他们一起参加各种庆典、宴会，一起去剧院，甚至一起去华沙教堂做了一次弥撒来庆祝新选举的波兰国会，而皮尔苏德斯基和德莫夫斯基依然离得很远。

和会开幕时，帕德雷夫斯基还在华沙，所以，一月份波兰出席最高委员会时，只有德莫夫斯基一人在场。皮尔苏德斯基紧急来电请求救援，尤其是武器和弹药，以帮助波兰抵抗敌人。法国人建议遣回霍尔勒将军率领的波兰军队。福煦说，最简单的方法是用船把他们运到还在德国控制之下的但泽，然后坐火车前往华沙。英美对此表示怀疑，霍尔勒的部队在德莫夫斯基的军营；它返回波兰很可能引发内战。威尔逊还发现利用但泽存在一个危险："把波兰军队遣回波兰，我们将预先判断整个波兰问题。"这正是法国考虑的问题。德国得知此建议后，强烈抗议。最终，这支部队于四月由陆路返回波兰。皮尔苏德斯基没有强烈要求它返回，也不希望像德莫夫斯基那样坚持从但泽返回而激怒协约国，也许他压根不太关心但泽。

1月29日，最高委员会邀请德莫夫斯基陈述波兰的现状。他抓住机会概述了波兰的要求，至少是他主张的要求。他说，他没有索要波兰曾经拥有的一切。虽然立陶宛和乌克兰的部分地区已经没有波兰特性了，但波兰非常愿意帮助它们，因为它们还需要很长时间才能自治；另一方面，波兰必须拥有德国东部。的确，这块领土基本上从未属于过波兰，但那里有很多波兰人，远远大于德国统计数字所显示的。"这些波兰人是波兰受教育程度最高、最有修养的，他们有很强的民族观念和进步思想。"就连当地的德国人都很敬佩他们。波兰还需要西里西亚和泰申（波兰的切申，捷克的泰辛）的煤矿。劳合·乔治很不耐烦地听着，威尔逊则在研究墙上的绘画。

波兰人有激怒他人的诀窍，包括他们在巴黎的朋友。人们开玩笑说，如果英国人写一本关于大象的书，就会讲它的栖息地及怎样捕获；德国人会写一篇生物学论文；但波兰人会这么开头："大象是波兰问题。"连法国也被波兰在俄国的要求搞得惶恐不安，毕竟，俄国总有一天会再次成为盟友。英美对其他代表团抱怨连连。波兰的陆地行动也引起怀疑。鲍尔弗说："波兰人利用停战及和会作决定的间隙，把他们的要求扩大到俄属波兰以外的地区,但在这方面他们几乎没有权力这么做,虽然他们的其他要求都很合理。"威尔逊表示赞同。另外,罗马尼亚人、塞尔维亚人和匈牙利人都在这么做。皮尔苏德斯基正在波兹南附近向德国派遣部队,而同时也在北部向立陶宛、南部向加里西亚进军。困难在于如何阻止他:协约国可以切断供应,但本来他们供应并不多;他们可以威胁,但在中欧没有什么实际的影响力。的确,他们被迫将德军保留在俄国边境,同时也不愿对波兰人太严厉。正如5月四人会议再次考虑如何阻止波兰进攻乌克兰人时威尔逊所说,"如果帕德雷夫斯基失败了,我们再切断给波兰的食物供应,它不会变成布尔什维克吗?帕德雷夫斯基的政府就像抵制混乱的堤防,或许是惟一可能的堤防。"如果这道防线垮了,谁知道布尔什维克的洪流会向西冲到哪里呢?

调停人给波兰发了电报并派出调查团。劳合·乔治说:"未考虑后果而采取的行动将导致混乱。"他们还派出一组军事专家,法国代表之一是年轻的陆军上校查理·戴高乐,英国代表由战争英雄艾德里安·卡顿·德维亚尔将军率领。德维亚尔将军只剩一只胳膊,一只眼睛,一条腿,其无所畏惧、勇猛战斗的精神给波兰人留下了深刻的印象。

调停人基本上把波兰问题交给专家解决。2月,最高委员会成立波兰事务委员会,接收来自波兰的报告。两周后,希望在威尔逊和劳合·乔治回国期间加快和会进程的鲍尔弗发现波兰国界问题还未着手处理。在他的提议下,波兰委员会开始这项工作。缺乏具体指示的委员会成员认为,他们应该根据民族因素和威尔逊向波兰做出的海洋使用权的许诺来决策,但这几乎不可能。

由于波兰缺乏天然屏障,几个世纪以来,常有外族入侵,也使波兰人外流。东部,波兰定居者分别向今白俄罗斯和乌克兰边境的大森林和沼泽地以北、以南推进,以至形成新月形,其中维尔纳附近的北端和利沃夫(德国的伦伯格,波兰的利沃夫,今乌克兰的利沃夫)附近的南端都是波兰人聚居区。巴黎的一位专家说,月牙中部面积很大,"人口情况复杂,可能是白俄罗斯人或乌克兰人,但绝对不是波兰人。"城镇基本上都是波兰人或犹太人(许多犹太人自认为是波兰人),而在乡村只有少量波兰地主。

西部,人口组成情况同样混杂。几个世纪以来,波兰人一直向北朝波罗的海推进,德国人则向东迁移。波罗的海东海岸城市基本上都是德国人;乡村的大地主也通常是德国人——被称为波罗的海男爵——虽然南部也有一些波兰和立陶宛地主;维斯瓦河沿岸大多是波兰人。波罗的海东南角的普鲁士东部基本是讲德语的新教徒。如果波兰有权使用海洋,它应该控制维斯瓦河两岸和但泽吗?那样的话,千百万德国人将在波兰人统治之下,也将切断从德国西部去东普鲁士的陆上通道。

在中欧，数据同样不可靠。连那里的居民都不一定清楚他们到底是谁。身份应该由什么决定？宗教还是语言？东普鲁士南部讲波兰语的新教徒应该和有同样信仰的德国人归在一起呢，还是应该和信仰天主教的波兰人划为一类？立陶宛人是单独的民族还是波兰人的变体？乌克兰人真的是俄国人吗？

波兰委员会的英美专家一致认为，波兰边界应尽可能按民族划分，但其他因素，如波罗的海使用权、铁路控制权或战略方面的问题也必须加以考虑。由英明的老外交家朱尔斯·康邦率领的法国人大体上对此表示接受，但一有争议，总是支持波兰。他们说，波兰的国界必须能够抵制德国和俄国，即使那意味着包括一部分非波兰人。意大利人通常站在法国一边，日本人一般很少发言。

威尔逊从美国返回几天后，委员会就波德边境问题做了第一次报告。专家们尽力把河流、湖泊分在一个国家，确保铁路不在国际边界来回穿梭，尽量少把波兰人和德国人分在错误的一边。波兰将得到波罗的海使用权，因为波兰版图上有一只长长的手臂向北沿着维斯瓦河延伸。这只手臂——后来被称为波兰走廊——在臂肘处向西弯曲包围了波兹南附近那个波兰人聚居的省份。拥有柯尼斯堡港口的（康德曾经住过的地方）东普鲁士依然属于德国。大约有200万德国人将受波兰人统治。只有东普鲁士离波兰最近的阿伦斯坦（居民是讲波兰语的新教徒）将举行公民投票。表决于1920年举行，结果36万3千人比8000人赞成留在东普鲁士。

3月19日，最高委员会在一次处理波兰人与乌克兰人战争问题的会上考虑了这个报告。劳合·乔治认为建议是好的，他只有一个问题："有必要把这么多德国领土加上但泽分配出去吗？"他注意到但泽以南50英里处有一个叫做马林威顿的地区，与东普鲁士接壤，该地区明显德国人居多。当地居民应该投票表决他们的前途吗？他接着说，波兰走廊的提议也不公平，而且很危险。德国有可能不在这样的条约上签字。"我担心这个要求，再加上其他要求，会对德国公众意见造成严重影响。协约国不应该冒险把德国逼向绝路，以至于没有政府敢在和约上签字。"把大量德国人留在波兰不是在制造另一个阿尔萨斯和洛林，为未来的战争埋下种子吗？他还不客气地说，波兰人并不善于管理。最后，委员会被告知重新考虑其报告。

许多波兰人认为劳合·乔治故意跟他们过不去，也许是因为他想安抚德国或布尔什维克俄国，或许是因为他对所有小国家都有一种不理智的憎恨。他不讲原则，傲慢无礼，凌驾于专家之上（他们要求把但泽给波兰）。令人震惊的是，他还孤陋寡闻，如他连维斯瓦河的交通运输量都不知道。德莫夫斯基直率地说劳合·乔治是"犹太人的代言人"，所有认为英国首相是险恶的、反对波兰的强大的资本主义势力的工具的人都赞同这一说法。

和多数自由党人一样,劳合·乔治实际上非常同情波兰的遭遇。他喜欢并钦佩在和会见到的帕德雷夫斯基。另一方面,他认为波兰的某些要求不但不合理而且很危险,不光为波兰树敌同时也为欧洲制造麻烦。正如克尔在给华沙的英国大使馆的信中写道:"劳合·乔治先生一直强调,让德国人和俄国人都觉得公正的方案才是波兰真正需要的。"的确,正如波兰人所指控的,劳合·乔治急于签订对德和约,这不是毫无道理的。此外,劳合·乔治确实对波兰没有什么信心,这也不是毫无道理。

在枫丹白露度过周末之后,劳合·乔治在对德和约备忘录中强调,波兰必须有海洋使用权,但反对把200万德国人置于波兰统治之下。3月27日,他对四人会议说,"我的结论是,我们不应该让波兰从出生那刻起就因一场无法忘怀的争吵与最文明的邻国疏远。"我们应该让但泽成为一个自由城市,划分走廊时,尽量让波兰人在波兰,德国人在德国。希望波兰完全拥有但泽及走廊的克雷孟梭反对劳合·乔治的推理。他说,让德国人抱怨吧。"我们还记得孩子们因用波兰语向上帝祈祷而被鞭打,农民的土地被剥夺以给德国占领者腾地方。"波兰应该得到补偿,也需要资金重建。

威尔逊在会上很少发言,但逐渐开始认同劳合·乔治关心的问题。他也有可能在想另一个需要解决的问题:与意大利在阜姆问题上的纠纷。如果把但泽给波兰人,就得把阜姆给意大利(见22节)。两人私下会晤,决定但泽应该独立,走廊上德国人聚居的马林威顿地区的命运应由公民投票表决。4月1日,他们勉强说服克雷孟梭。劳合·乔治保证道,随着但泽与波兰经济联系的加强,其居民一定会像向日葵一样朝向华沙,同样,萨尔人也会最终意识到他们的利益与法国一致而非德国。听到这个消息,波兰人愤怒了。帕德雷夫斯基说:"但泽对波兰不可或缺,少了这个临海的窗户,波兰将无法呼吸。"据私下见到他的克雷孟梭说,他哭了。威尔逊毫不同情地说:"诚然,但你必须考虑到他非常敏感。"尽管巴黎多次要求停火,被威尔逊称为"难对付的朋友"的波兰人依然在利沃夫附近作战,但这对波兰的事业没有帮助。

在修改过的对德和约中,波兰走廊缩小了。马林威顿最终举行公民投票,绝大多数人选择加入德国。结果,这使连结华沙与但泽的一条铁路置于德国控制之下。但泽本身成为国联管辖的自由城市,与波兰是关税联盟。波兰和德国还将签订一个单独条约,保证波兰拥有其贸易所需的一切设施,从码头到电话。一旦发生纠纷,国联任命的某高级专员将负责仲裁。不幸的是,纠纷太多了:谁制订海港政策,税收,甚至连波兰是否能够设立自己的邮箱也有争议。出现的许多麻烦是因为但泽在工业、行政、人口上依然富有德国特性。走廊也引发摩擦;有关铁路及生活在波兰的德国人的命运问题也是争论的焦点。德国从未真正接受丧失领土的事实,几乎所有德国人,不论是自由党还是右翼民族主义者都看不起波兰。1939年9月,希特勒冲破了被他称为凡尔赛链条的另一个接口,并派兵冲过国界占领但泽和走廊。1945年,波兰再次将其收复,改称格但斯克。那里不再有德国人居住,城市因造船业萎缩而经历艰难时代。

对波兰不利的是,劳合·乔治再次对波兰与德国南部边境以及与西里西亚边境约11,000平方公里(4200平方英里)的地区进行干涉。由于矿产丰富,钢铁业发达,该地区是块肥肉。波兰事务委员会鉴于65%的居民都讲波兰语把它分给了波兰。德国人表示抗议,德国每年将近四分之一的煤炭、81%的锌以及34%的铅都出自西里西亚。德国政府争辩该分配也违反了自决原则:上西里西亚的居民是德国人和捷克人,当地波兰人的方言受德语影响很大,而且他们从未对波兰事业表现出丝毫兴趣。上西里西亚已经和波兰分裂几个世纪了,它的点滴繁荣都归功于德国工业和德国资本,波兰已经有足够煤矿,而丧失了萨尔的德国却没有。"德国不能没有上西里西亚,而波兰不需要它。"如果德国失去了上西里西亚,它将无法履行条约的其他义务。

5月30日,劳合·乔治邀请老朋友瑞德尔共进晚餐。他把笔记递给瑞德尔说:"看看这个,然后告诉我你怎么想。"为了让他进入状态,他放了肖邦的音乐。当瑞德尔说把上西里西亚给波兰对战略有利时,劳合·乔治表示赞成,但指出那将威胁到赔款。"如果波兰人不把煤矿给德国人,德国人就会说他们无法赔款。因此,如果不考虑赔款而把煤矿给波兰人,协约国就自讨苦吃了。"随后,两人去参加楼上鲍尔弗公寓内的演唱会。

第二天,劳合·乔治从伦敦召集内阁主要成员召开紧急会议。6月1日,大英帝国代表团授权他返回四人会议,要求修改有关赔款、占领莱茵兰以及上西里西亚的条款。斯马兹(其南非在布尔战争后经历了令人惊叹的复兴)坚决要求重划波德边界,"波兰是历史上有名的失败者,并将一直是失败者,在这个和约中,我们将推翻历史的判决。"他私下还说,让德国人在波兰统治之下和把他们交给一群非洲黑人一样糟糕。虽然鲍尔弗认为斯马兹对波兰有点强硬,但和其他人一样,他同意必须在上西里西亚举行公民投票表决。

劳合·乔治在四人会议的同僚不愿改变好不容易才达成一致的条款。在6月3日召开的一次严肃会议上,克雷孟梭坚决反对投票表决:虽然波兰人占多数,但由于德国人掌权,他们有可能不能自由投票。威尔逊表示同意,因为专家告诉他大地主和资本家都是德国人。劳合·乔治说,那样的话,协约国将派兵监督,如果能避免德国在和约上制造麻烦,这就是个小小的代价。"派美军或英军一个师去上西里西亚比派军去柏林好多了。"他引用总统的自决原则。公正的威尔逊又开始放弃原来的主张了。备受困扰的克雷孟梭别无选择,只好照做。公民投票肯定要举行,但要等到协约国认为能够保证公平之后。帕德雷夫斯基表示抗议,但无济于事。劳合·乔治尖锐地说:"别忘了,你们的自由是用其他民族的鲜血换来的,如果波兰在这种情况下反对我们的决定,它将与我们所希望的相去甚远。"

安排公民投票表决耗费了几个月的时间,一方面由于波兰人反对德国人而使上西里西亚的局势恶化,一方面因为协约国调不出军队。波兰和德国在是否只有目前居住在西里西亚的人才能投票(波兰政府的选择)还是以前的居民也可以(德国赞成的)的问题上也有分歧,德国政府最终赢得了辩论。1921年3月,和着乐队的音乐,大批德裔西里西亚人蜂拥而至,表决终于开始了。北部和西部选择德国,南部选择波兰,而在拥有德国和波兰都垂涎的工业的中部地区,两种意见持平。接下来几个月的谈判中,由于英国支持德国,法国支持波兰,谈判最终陷入僵局。问题最后移交给国联,四个在此问题上没有任何直接利益的国家——比利时、中国、西班牙和巴西——划了一条线把70%的领土分给德国,但把大部分工业和矿区分给了波兰。1922年,德国和波兰达成历史上最长的条约,两国同意经济和政治合作并保护各自的少数民族。实际上,这是处理这类混居区域的模式,但却没有考虑人民的意愿。德国人对失去上西里西亚像失去但泽和走廊一样怀恨在心。1939年,希特勒把整个地区并入德国。1945年,该地区回归波兰,大部分德国居民或者逃跑或者被驱逐。

解决波兰东北及东部边界更加困难。那里,无政府主义者、布尔什维克主义者、白俄罗斯人、乌克兰人、立陶宛人、拉脱维亚人、爱沙尼亚人和波罗的海德国人互相夺权。调停人不知道他们将和多少国家、哪些政府打交道。和会指示波兰事务委员会处理此事,并适时制订出一个方案,将所有明显属于波兰的领土划给波兰。1919年12月,最高委员会批准寇松线的划定(大体上就是今波兰东部边界),而波兰政府却无意接受。当调停人员在地图上忙碌作业时,波兰部队也在陆地上开始行动了。沿着有争议的边境,波兰把更多领土划为己有,最终结果将由战争的成败定夺。

皮尔苏德斯基的感情深深地投入在东北。他的父亲出身于一个波兰-立陶宛家庭;有个祖先还在15世纪帮助创建波兰和立陶宛联盟。维尔纳是惟一让他感觉自在的地方,他希望为波兰赢得出生地及立陶宛东南部的一小片地区。这使波兰的要求与新兴的立陶宛的要求发生冲突,也使波兰问题成为整个波罗的海和平方案的一部分。

波罗的海东端1919年时的地图让人产生很多疑问。只有北部的芬兰在白党和红党残酷的内战之后得以脱离俄国独立。1919春,和会承认芬兰。其南部的爱沙尼亚人、拉脱维亚人和立陶宛人也试图宣布脱离俄国独立,但他们还涉及德国占领以及国内少数德国人或俄国人等问题。这些国家都没有安全可靠的国界和确定稳固的政府,未被俄国人破坏的东西全被德国人占用了。陆地上,白俄罗斯人、红色布尔什维克、绿色无政府主义者、波罗的海男爵、德国海盗、发展中的国家军队以及土匪此消彼长,城镇的统治者不断更换;海上,处于布尔什维克控制之下的俄国皇家海军残留部队从彼得格勒(不久改名为列宁格勒)冲出。

对此,协约国很关注,但是没有一致连贯的政策。如果他们承认波罗的海各国,就在某种意义上干涉了俄国内政。虽然美国人提倡自决,但也不愿承认,因为它不想单方面改变俄国边界。直到1919年夏,英法一直希望高尔察克上将打败布尔什维克,高尔察克强烈反对俄国任何一部分独立。法国人希望英国关心波罗的海,而由它自己来照顾波兰。英国派出它所能调遣的一小支海军包围位于列宁格勒的布尔什维克舰队并寻求当地民主武装的援助。其海军上将接到警告:小心水雷或冰山,不要抵抗布尔什维克进攻,只需停泊在远离陆地的安全地带。1919年春,上将在写给外交部的信中说:"如果在波罗的海的英国海军军官知道他们应该拥护的政策,他们的工作就会容易得多。"

作为权宜之计,停战协定签订后,协约国命令德国政府将军队留在波罗的海。鲍尔弗说,这很让人感到羞耻,但似乎别无选择,同时它也引发了其他问题。德国最高指挥部非常高兴。军队及德国民族主义者都不想放弃波罗的海,因为他们认为这是阻挡布尔什维克和斯拉夫威胁(也是右翼时常担心的问题)的屏障。波罗的海的土地因几个世纪前为他们而战的日耳曼骑士的鲜血而变得神圣;同时也是德军重整旗鼓反抗协约国的堡垒。

1918年圣诞节,拉脱维亚临时总统——毕业于内布拉斯加州大学的农业专家——在当地英国海军司令的默许下向德军求援:其弱小的军队将被布尔什维克歼灭。他的请求为一种新的日耳曼骑士——自由军团,一群正在德国组建的私人军队——打开了门户。这些人为了土地,或仅仅为了冒险和免费的食物而志愿加入,以阻止布尔什维克,拯救文明。

1919年2月,自由军团涌入波罗的海城镇。部队中有些人看起来像战士,而其他的留着长发,开枪打窗户和路灯作为打靶练习。他们瞧不起当地居民。4月,他们推翻拉脱维亚政府,进军爱沙尼亚,虽然布尔什维克已经在撤退了。本来不太关心波罗的海的调停人也愈加不安。鲍尔弗说:"荒唐!这些地区目前一片混乱,但德国人却阻止当地人组建军队,强迫这些国家完全依靠他们抵抗布尔什维克入侵,以此来巩固他们的永久霸权。"5月,协约国派代表团前往波罗的海各国帮助他们组建自己的军队。

目前的困难是如何使自由军团撤军。巴黎向柏林发出严正照会,德国政府即向自由军团司令冯·德·高兹将军发出命令,但他不予理睬。劳合·乔治抱怨说:"这真是可怕的混乱局面。"8月,德国政府终于将冯·德·高兹将军召回德国,但部队还在后面,由一个妄想夺回俄国,骄傲自大的俄国贵族指挥。由于宣布波罗的海各国属于俄国,并想招募其居民作苦力,他只得到了当地德国人的支持。1919年底,自由军团潜逃回国,斥责协约国、斯拉夫人和德国政府。许多人包括冯·德·高兹都将认同希特勒和纳粹主义。1921年1月,协约国终于承认爱沙尼亚和拉脱维亚独立。

波罗的海最南部的国家立陶宛的来历更加复杂,因为它也和波兰有一定关系。1919年,绝大多数波兰人想重新联合立陶宛,但这次要由波兰领导。德莫夫斯基轻蔑地说,立陶宛只是个部落而已,成为波兰人会好得多。波兰应该吞并所有波兰人占多数的地区——当然,是自决——同时也包括有大量作为文化使者的波兰少数民族的地区。北部立陶宛人聚居区可以建立一个小的立陶宛。如果想并入波兰,它可以享受自治。皮尔苏德斯基和左翼准备建立比较松散的联邦政府。没有人考虑处于逐渐觉醒的民族主义控制之下的立陶宛人的想法。

1919年,立陶宛人的梦想和其他人一样宏大,他们想把维尔纳作为首都。1919年1月,德军撤出,由立陶宛人和白俄罗斯人组成的布尔什维克军队占领该城;4月,波兰军队接管。皮尔苏德斯基向立陶宛人民发表宣言,使用了"自决"这个神奇的词。希望直接吞并的德莫夫斯基的支持者立刻进行攻击。立陶宛总理大声疾呼:立陶宛宁死也不愿失去维尔纳。当地一位犹太人讽刺地说:"新的游行即将开始,但这次只有波兰人,不再有绿党、白党和红党。所有人,除了犹太人,一夜之间都变成波兰人。犹太人也会大踏步去游行,他们一生为许多不同的统治阶级服务。"

双方都向和会求助。立陶宛派代表团前往巴黎,他们与波兰人争吵不休,而且代表团内部也不团结。调停人要求双方停战并试图划定一条公平的国界。劳合·乔治漫不经心地想立陶宛究竟是否应该独立;毕竟它的人口和威尔士一样多。另一方面,调停人看到了让波兰扩张到波兰人占少数的地区的隐患。1919年夏,劳合·乔治支持立陶宛独立。由于英国最终与内战中胜出的布尔什维克建交,立陶宛、爱沙尼亚和拉脱维亚可以作为通向俄国的有用的贸易通道。法国人依然希望建立一个大波兰;但当军队还在进军时,这几乎没有什么影响。一年后,布尔什维克将波兰人赶出维尔纳,并将该城交还给立陶宛。1920年10月,波兰刚刚和立陶宛签订停战协定(协定规定维尔纳属于立陶宛)不久,波兰军队就叛变,夺取了维尔纳。两年后,仍在波兰控制之下的该地区选择并入波兰。二战后,苏联将它分给属于苏联的立陶宛共和国。

后来,立陶宛占领了波罗的海港口梅默尔和一小块伸向内陆的领土。这是一个愚蠢的举动,同时疏远了协约国和德国,因为协约国把该地区从德国收回正是为了给立陶宛提供一个自由港口,而德国人不满是因为,该地区德国人和立陶宛人相当。梅默尔92%都是德国人。1939年希特勒将它夺回,但战后又回归立陶宛,改名为克莱佩尔。得到梅默尔并不足以让失去维尔纳的立陶宛原谅波兰。两国冷战15年,1938年,当他们决定修复两国关系时,为时已晚。直到现在,立陶宛还试图让波兰为此道歉。

1919年,在远离维尔纳的南部地区,波兰还与其邻国在原奥地利省份加里西亚问题上发生争执。所有人都一致认为,波兰人占绝大多数、拥有克拉科夫城、古老的大学、文艺复兴时期优美的建筑的西部应该归属波兰。然而,西部边缘的直辖领地泰申将导致一场与新成立的捷克斯洛伐克之间代价巨大的冲突。加里西亚东部更难处理,和北部一样,城镇基本上是波兰人,但乡村却不是。利沃夫是波兰的岛屿,特洛普(今捷尔诺波尔)也是,但更靠东。总体上,波兰人不到三分之一,犹太人约占14%。绝大多数是信仰天主教的乌克兰人——有时被称作鲁塞尼亚人以区别旧俄国信仰东正教的乌克兰人。德莫夫斯基对最高委员会说,鲁塞尼亚人还远远不能自治,他们需要波兰领导和波兰文明。此外,虽然德莫夫斯基没有提及,波兰还想要利沃夫附近的油田。当劳合·乔治暗示这一点时,帕德雷夫斯基愤怒了。为了抵抗乌克兰人和布尔什维克,保卫利沃夫,波兰人伤亡惨重。"你认为13岁的孩子会为吞并领土和殖民而战吗?"但他的雄辩并没有多少效果,只有法国一如既往地对波兰表示同情。

谁也不清楚鲁塞尼亚人到底属于哪里。他们住在加里西亚东部还是乌克兰西部?语言和文化使他们靠向乌克兰人,而曾属于奥地利帝国的历史以及宗教又使他们倒向加里西亚。1918年11月,一派鲁塞尼亚人宣布脱离奥匈帝国独立,并与基辅的乌克兰共和国组成联盟。不幸的是,该联盟很快遭到当地共产主义者和俄国布尔什维克的进攻。1919年春,前往巴黎的鲁塞尼亚代表团说不出他们想要什么。

在加里西亚,独立宣言也标志着与利沃夫当地波兰人的斗争的开始。随着波兰和乌克兰增援部队的加入,战争不断扩大,而且由于两国白党和红党参战,问题更加复杂。协约国试图说服双方停战,但没有成功。5月,威尔逊说:"由于不清楚我们对正在包围利沃夫的乌克兰人或布尔什维克的立场,我们很难进行干涉。"波兰人一面巩固他们的阵地,一面尽力退出停战谈判。这使巴黎非常反感,但调停人的问题是一旦下定决心就要执行。

劳合·乔治评论说:"我只见过一个乌克兰人,也是最后一个。我不知道我是否还想再见到任何乌克兰人。"至于乌克兰,协约国成员都不赞成其独立。英法都希望只有一个由反布尔什维克政府领导的俄国。另一方面,属于战败国所有的东加里西亚应该由和会处置。

劳合·乔治申辩说,自决原则要求征询当地居民的意愿,因此波兰占领东加里西亚的行为正是他们所要阻止的。"看到那些小国还未取得自由就开始压迫其他种族,我就非常绝望。"如果他们不处罚波兰,将会有另一个阿尔萨斯和洛林。

在一系列陆地上的战斗和巴黎的争论之后,最终决定让奥地利把东加里西亚交由强国处理,或者交给波兰,或者如英国所愿交给俄国甚至捷克斯洛伐克。对英国政府满腹怀疑的波兰人非常气愤。1919年圣诞节,被邀请至驻波兰英国大使家中参加舞会的波兰上流社会人士只吃晚餐而拒绝跳舞以表示轻蔑。英国军事代表团团长霍顿·德维亚尔气得脸色发白,他对女主人说:"如果是我,早就把他们统统赶出去了。"接下来的挑战与反挑战在第二天早上就悄悄地解决了。强国对东加里西亚的命运又仔细考虑了三年,而与此同时,波兰控制了该地区。1923年,波兰对该地区的拥有权最终被承认,虽然鲁塞尼亚人对此抱怨连连,但他们比落入斯大林手里的同胞幸运多了。

从1919年初到1920年秋,波兰主要和俄国布尔什维克作战。一方面,波兰人,甚至包括温和派如皮尔苏德斯基,希望将波兰国界向东推进,并直接或间接控制白俄罗斯,另一方面,布尔什维克想把革命扩散到工业化程度较高的中欧。历史的经验使波兰人警惕所有俄国人,包括那些宣扬国际友爱的;布尔什维克则发现波兰民族主义和天主教是革命的障碍。在他们看来,民族主义者就是试图紧紧握住权力的封建地主、工厂主和各种反革命分子。托洛茨基写道:"在承认自觉原则正确性的同时,我们向群众解释其历史局限性,我们从未把它置于无产阶级革命的利益之上。"这是老套的俄国帝国主义的新表现。

1919年2月起,布尔什维克和波兰全面开战。波兰深入俄国领土,占领了大部分白俄罗斯。1919年夏,双方举行秘密会谈希望暂时停战,但由于波兰坚持乌克兰独立,谈判无果而终。1920年4月24日,皮尔苏德斯基发动新一轮进攻,目标直指乌克兰首都基辅。5月,波兰军队控制该城,但非常迷信的皮尔苏德斯基却深感不安;基辅一向对占领者不吉利。一个月后,布尔什维克夺回该城并开始西进,军队接到的命令是这样的:"消灭白色波兰就能在世界范围内点燃革命的熊熊烈火!"由于形势危急,驻波兰英国大使将其妻子和孩子遣送回国。8月,苏维埃部队已经逼近华沙郊区,大使写信给妻子说:"我已经把所有的盘子、绘画、漆器、瓷器、照片、最好的书、最好的瓷器和玻璃杯、地毯等都打包了,我不知道这些无法打包的上好的家具和床等物品会怎么样。"波兰人拼命地四处求助或对布尔什维克施压要求讲和,但均无回应。法国人也退缩了,他们不喜欢布尔什维克,但也厌倦了波兰的野心。劳合·乔治督促波兰谈判。他对《曼彻斯特卫报》的著名编辑C.P.斯科特说,波兰人无可救药,和爱尔兰人一样没有希望。"他们和所有邻国争吵——德国人、俄国人、捷克斯洛伐克人、立陶宛人、罗马尼亚人、乌克兰人——他们将被打败。"幸运的是,劳合·乔治错了。列宁后来说:"如果当初波兰成为苏维埃,《凡尔赛条约》就会被粉碎,由战胜国建立的整个国际体系就会崩溃。"

华沙战役是波兰历史上最辉煌的一次胜利。曾经互相嫉妒、混战不断的军队在面临共同敌人时重新团结、一致对外。一位英国外交官写道:"我很惊讶,我竟然一点也不恐慌,一点也不焦虑。"皮尔苏德斯基大胆地策划了一次反攻。8月16日,波兰军队从后方进攻苏军,切断了他们的通信线路,苏维埃司令急忙撤退。1920年9月底,列宁要求和谈。1921年3月18日,双方签订《里加条约》,使波兰东部边界远在调停人的建议之外,同时增加了波兰的少数民族:400万乌克兰人、200万犹太人和100万白俄罗斯人。

皮尔苏德斯基没有很好地适应和平和民主政治。1926年,他在军事政变中夺权,直到1935年逝世,他竭尽全力领导波兰走军事路线。他的对手德莫夫斯基未能掌权;他及其支持者变得更加右倾。1919年底,由于因协约国拒绝满足波兰所有要求而遭指责,以及有人攻击其妻子言行不当、爱管闲事(事实如此),备受伤害的帕德雷夫斯基辞去总理职务。从此,他再也没有在波兰居住过。1922年,他心血来潮地在钢琴上随便弹了几个音符,惊讶地发现自己依然喜欢弹琴。他的第二个事业和第一个一样成功。1941年夏,他于纽约逝世。临终前,当得知德国入侵了苏联,祖国可能又有希望时,他非常高兴。

波兰有幸存活并且有过一段时期的辉煌。它虽然没有赢回历史上所有曾经拥有的领土,但依然是个大国,在波罗的海有港口。然而,这些收获的代价是巨大的。强国,甚至包括法国都认为波兰人贪婪软弱。其邻国对其深恶痛绝:立陶宛,维尔纳地区;苏联,150英里宽的一带俄国领土;捷克斯洛伐克,泰申冲突;当然还有德国,通道和但泽。1939年夏,波兰再次从地图上消失。当二战结束后重新浮出水面时,波兰已经大不一样了:领土缩减;犹太人被纳粹清除;德国人被苏联人消灭;整个版图西移200英里。

18 捷克人和斯洛伐克人

波兰人通常引起人们愤怒的叹息,而捷克人却受到普遍赞扬。当然,波兰人非常勇猛,但却不理智;罗马尼亚人迷人、聪明,却不诚实;南斯拉夫人太巴尔干了。捷克人非常西方化。1919年1月,遍游原奥匈帝国的美国某救援委员会报告说:"在旅行中见到的所有人中,捷克人似乎最有能力和常识,有最好的组织和领导。"

1919年2月,捷克代表团、总理卡雷尔·克拉玛尔和外交部长爱德华·本尼斯向最高委员会陈述其情况,本尼斯说得最多。美国专家查尔斯·西摩对他印象深刻:"他为组织推翻哈布斯堡王朝的革命以及在西伯利亚建立捷克斯洛伐克军队做出了巨大贡献;他的外交技巧以及马萨里克总统的诚实赢得了协约国对这个新生国的承认。"

所有在巴黎的人都知道本尼斯和马萨里克为将其人民从奥地利帝国解放而做出的牺牲。所有人都知道捷克军队那个不同寻常的故事:他们向俄国投降,却发现自己处于革命的中央;他们如何奋战前进上万英里,穿过西伯利亚,走向太平洋以及和平。几乎在巴黎的所有人都喜欢并敬佩捷克人民及其领导人(劳合·乔治是个例外。他认为本尼斯——"法国走狗"——和捷克人的要求太过分)。本尼斯和马萨里克总是非常默契,理智,有说服力。他们强调捷克根深蒂固的民主传统,并反对军国主义、寡头政治和巨额融资。的确,这些都是旧德国和奥匈帝国所代表的。

英美都对这个新成立的小国家不感兴趣。它看起来像只蝌蚪,头在西面,尾部向东逐渐变细,被夹在北部的波兰和南部的奥地利、匈牙利之间。但法国人对它很有兴趣,不是为了情感原因而是出于安全考虑。法国需要一个足够强大的国家与波兰和南部斯拉夫国联合,以抵制布尔什维克和德国。这意味着赋予捷克斯洛伐克关键铁路的控制权、位于中欧重要水路——多瑙河的战略地位以及充足的煤炭。

2月5日,也就是维尼泽洛斯提出希腊要求的第二天,费萨尔要求阿拉伯独立的前一天,本尼斯向最高委员会陈述了捷克斯洛伐克的要求。他的任务比前两者都容易,因为捷克斯洛伐克已经得到大国承认,而且它想要的多数领土——奥地利的波希米亚、摩拉维亚、西里西亚以及匈牙利的斯洛伐克——已经属其所有了。所有这些都归功于本尼斯本人和他从法国得到的援助。

1915年,当本尼斯初次抵达巴黎时,他只是一位来自布拉格的名不见经传的社会学教授,代表捷克斯洛伐克国家委员会。他既不是维尼泽洛斯或费萨尔那样的浪漫人物,也不是如皮尔苏德斯基一般的伟大战士,他个头矮小,相貌普通,有点书生气,文笔枯燥沉闷,演讲毫无激情(法国人认为这一点应该吸引盎格鲁－萨克逊人)。他没有明显的爱好和缺点,亲密的朋友寥寥无几;而且,奇怪的是,他和马萨里克的关系总是非常正式。但本尼斯精力旺盛,效率很高。战争期间,在巴黎,他结交所有可能有益于捷克事业的人,从外交部官员到主要知识分子。如果说,本尼斯吸引了法国人的目光,那他英俊迷人的同僚——斯洛伐克人米兰·斯蒂芬尼克就赢得了他们的心。作为一名天文学家,斯蒂芬尼克战前在巴黎就很有名;在取得了法国公民身份并成为法国空军王牌飞行员后,更是名声大噪。

由于崩溃的奥匈帝国各国争着引起强国的注意,本尼斯工作更加努力了。他向法国保证说,与邻国不同,他的祖国已经准备好反抗布尔什维克:"单凭捷克人就能停止这场运动。"对英国人他解释说,他的目标是"建立一个忠诚的国家,尤其对英格兰,以在德国和东方之间形成一道屏障"。本尼斯有一个重要的讨价还价的砝码:捷克军队曾逃出战俘营与协约国并肩作战。1918年6月,德国最后一次大举进攻时,克雷孟梭对本尼斯说:"我需要所有在法国的捷克战士。你可以相信我,我将一直支持你。"法国外交部长正式承认捷克斯洛伐克国家委员会为未来独立的捷克斯洛伐克的合法政府,并督促其盟国照做。法国还带头承认捷克斯洛伐克的边界,甚至包括那些有争议的。本尼斯被邀请参加最高战争委员会有关奥匈帝国停战协定的讨论,这也是衡量他的成就的一种尺度;而南斯拉夫人以及波兰人都未被邀请。和会开幕前,本尼斯已经使捷克斯洛伐克成功大半了,它作为奥匈帝国一部分的不光彩的历史只被轻描淡写而且略带惋惜地一带而过。与南斯拉夫人和波兰人不同的是,捷克人还有内部团结的优势。本尼斯和马萨里克非常合作,这种默契一直持续到马萨里克逝世。

如果本尼斯是劳作的驮马,马萨里克就是给捷克斯洛伐克带来生命活力的人。他有如下资源:一个拥有自己的斯拉夫语言和文学的民族;还有许多记忆:14世纪,富庶、强大的波希米亚王国向北几乎延伸到波罗的海;布拉格作为神圣罗马帝国首都的短暂而辉煌的几年;然后是1526年的悲伤往事:独立的痕迹一点一点被哈布斯堡王朝消灭。但是这段历史没有包括斯洛伐克人,虽然语言相似,但从10世纪他们受匈牙利统治起,就与捷克没有政治联系了。哈布斯堡家族夺取匈牙利后,他们依然留在那里。由于使大部分捷克人皈依新教的宗教改革运动没有波及到他们,斯洛伐克人仍然坚定地信仰天主教。

马萨里克的父亲是一个大庄园的农场主。他出生于 1850 年,那时点燃中欧民族主义的 1848 年革命刚刚过去。受母亲的鼓励,他很早就决定逃离农村生活。仅凭决心,他得以在维也纳大学攻读哲学。他冷静、勤奋、自负,对自己的想法非常有信心。初次在大学任职时,他因不同意一位资深教授的意见而引起轰动。进入新闻界和政界后,他依然喜欢挑战权威。

战争开始后,马萨里克逐渐意识到奥匈帝国大势已去,捷克斯洛伐克(最初,他设想包括斯洛伐克)的未来在于独立,可能需要俄国的赞助(斯拉夫人团结一致是他至死都在追求的梦想)。1915 年,他在瑞士,而家人却不幸被困在布拉格。他的美国妻子经历了精神上的崩溃,而且从未真正恢复;大女儿被捕;儿子简恩被征入奥地利军队。后来,马萨里克移居英国,在伦敦大学教了两年书,结交各界有影响力的人,从外交官到诸如《泰晤士报》编辑威克汉姆·斯蒂德之类引领公众意见的人。

1917 年,推翻沙皇的第一次俄国革命把马萨里克吸引到圣彼得堡。他督促虚弱的临时政府重新攻打奥地利军队,并致力于将捷克战犯改组成军队与俄国人并肩作战。1917 年 11 月的布尔什维克革命和列宁求和的决定使这些计划完全破产。另一方面,布尔什维克很高兴将 5 万捷克军团派往西部前线。惟一可行的是一条迂回路线:乘 6,000 英里的火车横跨西伯利亚通往太平洋上的海参崴,然后坐船去法国。1918 年 3 月得到布尔什维克领导保证的马萨里克先行一步,坚信他的部队会紧随其后。然而在横穿西伯利亚途中,捷克军团与西进会合布尔什维克的匈牙利人发生冲突。事态不断扩大,捷克人发现他们陷入了与布尔什维克的战争。夏末,捷克军队有效地控制了大部分铁路,并偶然获得了沙皇的黄金储备。此时,战争绵延至欧洲,捷克人在所到之处都发挥了重要作用。8 月,登陆海参崴的协约国军队也想西进抵抗布尔什维克。由于协约国干涉俄国内战,思乡的捷克士兵不得不继续在西伯利亚苦熬两年。本尼斯对此并不遗憾;的确,他得到心怀感激的英国政府的许诺:承认捷克斯洛伐克国家委员会为捷克人和斯洛伐克人的官方代表。对此马萨里克表示同意,在离开海参崴前往美国求援时他说:"这些可爱的孩子必须和盟友一起再呆一段时间。"

马萨里克环游了美国——芝加哥、华盛顿、波士顿、克利夫兰,所有有捷克和斯洛伐克移民的地区。在纽约,他为调查东欧自决的专家作演讲;他和来自奥匈帝国其他国家的代表谈论自由友好合作。在卡内基音乐堂举行的一次大会上,他和帕德雷夫斯基互表敬意,并谈到他们为反对压迫所作的共同斗争。大战结束三周前,中欧民主联盟——波兰人、乌克兰人、捷克人、南斯拉夫人、罗马尼亚人、意大利人甚至可能包括美国人和犹太复国主义者在费城举行了为期四天的会议。马萨里克制订了中欧独立国家的《共同目标宣言》。当独立钟敲响时,他把钢笔在美国签订《独立宣言》时曾经使用过的墨水池中蘸了蘸,第一个签了字。

在匹兹堡,马萨里克与捷克和斯洛伐克的一些组织签订了另一项协议,许诺在未来的民主国家内,斯洛伐克人将享有充分的自治权,拥有自己的法庭、国会,使用自己的语言。虽然全世界约三分之一的斯洛伐克人居住在美国,但他们却没有很强的国家民族观念。中欧同胞的怨言——不是所有的斯洛伐克人都想要联盟——还没有横跨大西洋传到美国。后来,当捷克人和斯洛伐克人产生矛盾时,马萨里克不再重视此协议。"签订它是为了安抚一小派斯洛伐克人,没人知道他们究竟希望什么样的独立。"

匹兹堡会议并非毫无用处,它使美国人确信自决原则将把斯洛伐克归入捷克斯洛伐克。马萨里克深知美国的支持至关重要。经查尔斯·克莱恩———一位见多识广、好奇心强、通过生产卫生间洁具致富的大亨——的引见,马萨里克见到了兰辛、豪斯(他认为这个捷克人很理智),并最终于6月18日见到了威尔逊。但会谈并不顺利,两位同是教授出身的人互相教育对方。更重要的是,马萨里克发现威尔逊只想利用在西伯利亚的捷克军团,而对支持捷克斯洛伐克独立没有太大兴趣。美国人还不准备公开宣布奥匈帝国灭亡。

同年秋,事实证明奥匈帝国危在旦夕。奥地利军队在战场上被粉碎;帝国内部,波兰人、南斯拉夫人、捷克人和德国人统统要求独立,少不经事的君主只能无力观望。在布拉格,游行队伍为威尔逊和马萨里克欢呼。用威尔逊的话说,奥匈帝国是"一个四面用支架撑起来的旧建筑物",现在是拆除支架的时候了。9月3日,美国承认捷克斯洛伐克国家委员会为实际交战政府。但和先前英国的承认一样,声明并没有明确新国家的领土。

在巴黎,本尼斯决定编造事实。他在给同僚的信中写道:"既成事实进展十分顺利,目前对局势的把握至关重要。"10月28日,布拉格的捷克政治家温和但坚决地从奥地利政府夺得政权(71年后,丝绒革命清除了最后的共产党地下组织)。本尼斯督促协约国撤出捷克和斯洛伐克的德国和匈牙利军队,并进驻协约国军队。他对法国人说,占领与波兰接壤处的泰申和匈牙利的布拉迪斯拉发(德国的普雷斯堡)非常关键。由于协约国几乎没有可调遣的军队,占领基本上由协约国授权的捷克军队完成。

和会开幕的延迟对捷克非常有利。1919年1月,马萨里克返回布拉格就任捷克斯洛伐克第一任总统,并居住在原波希米亚皇室的宫殿。捷克军队无视当地居民的抱怨,进驻边界的德语区,那里,波希米亚南临奥地利,北接德国。在斯洛伐克,法国军方命令匈牙利政府将军队撤出一条线以外,而这条线恰好是捷克人希望的国界。

当调停人开始关注捷克斯洛伐克时,该国的边界已经大体确定了。本尼斯首先想得到和会的承认,他还想在某些地方扩张国界。在和会发言时,他要求少量波兰领土,以及沿多瑙河指向喀尔巴阡山脉的一小片匈牙利领土。他还索要老波希米亚和摩拉维亚边境以南以北的部分德国和奥地利领土,以使捷克国界更加平滑,易于防守。本尼斯私下声称这些不是他的要求;他很遗憾民族主义者如同僚克拉玛尔不停地逼迫他。

在捷克斯洛伐克东端,本尼斯索要喀尔巴阡山脉南部的乌克兰语区,理由是:虽然当地人基本是罗马尼亚人,但很像斯洛伐克人。他觉得既然捷克斯洛伐克已经做好保护他们的准备,继续让他们忍受匈牙利统治就显得不友好(有利的是,美国的罗马尼亚移民支持加入捷克斯洛伐克)。有了这块领土,捷克斯洛伐克就可以和友好的罗马尼亚为邻了。

他还有几个要求,确切地说,是建议。位于德累斯顿东部的德国南部地区有一些请求捷克斯洛伐克保护的斯拉夫人。这本质上是道德问题,他把它留给和会处理。然后,由于三面被德国和匈牙利包围,捷克斯洛伐克需要朋友。或许,奥地利和匈牙利之间可以有一条向南的走廊连接捷克和南斯拉夫。劳合·乔治认为这个要求"厚颜无耻,毫无理由"。虽然没有实现,但走廊反映了马萨里克建立斯拉夫联邦的旧梦。本尼斯向法国保证,波兰人、南斯拉夫人以及捷克斯洛伐克人都非常清楚他们的共同之处。虽然有关泰申的争议已经使波兰退出该综合体,但捷克斯洛伐克和南斯拉夫仍将和平友好相处。

捷克人有许多理由支持他们的要求:辉煌的过去,热爱自由,冷静、勤劳的优秀品质;当周围的人屈服时,他们却站起来抵抗布尔什维克;他们是斯拉夫人中最先进的,也孕育了西方文明。本尼斯声称,捷克人民有一种反对德国威胁、捍卫民主的特殊使命感。"战争中表现出来的为大家认可的献身精神就来源于此。"因此,捷克人的要求毫不过分,很合理。本尼斯说,"在经历了几乎使它灭绝的长达300年的奴役和兴衰之后,这个国家觉得它必须谨慎、理智、公正地对待其邻国;并且应该避免挑起嫉妒和争斗以防止陷入类似的危险。"他坚信他的政府将竭尽全力维护公正持久的和平。几乎只有劳合·乔治一个人无动于衷。"他的演讲自始至终充满对协约国所宣称的为国际正义而战的崇高理想的同情。"当作为捷克第二代表的克拉玛尔被邀请发表观点时,克雷孟梭(虽然一向对捷克斯洛伐克很同情)毫不客气地打断了他:"我们将任命一个特别委员会,你可以和他们谈,现在我们最好去喝茶吧。"

捷克人顺利渡过了所有难关。他们承认斯洛伐克将包括65万匈牙利人,但仍有35万分离在国外。匈牙利人不能抱怨;他们曾试图把斯洛伐克人同化成匈牙利人,但没有成功,

第五章 东方与西方　163

并因此强迫成千上万人移民。本尼斯说,的确,沿捷克和奥地利、德国边界以及原波希米亚西部地区(德国人称为苏台德区或南国),有讲德语的人居住。但战前奥地利统计的几百万的数据非常不可靠;相对的是,仔细收集的捷克数据表明该地区只有150万德国人,而捷克人大约是德国人的三倍。这些波希米亚德国人知道他们的前途在捷克斯洛伐克,他们不想看到自己的商业被强大的德国经济淹没。如果有人要求加入德国或奥地利,一定是受了外界煽动者的恐吓。无论如何,在他看来这是最有说服力的论证:没有苏台德区的炼糖厂、玻璃厂、纺织厂、炼钢厂和酿酒厂,捷克斯洛伐克就无法生存。捷克人需要原来沿着山脉的国界以自卫。某美国专家讽刺地说:"在波希米亚,他们要求'历史上的国境'而不顾大量德国人的反对。在斯洛伐克,他们强调国家权力却无视匈牙利的'历史国境'。"

由于协约国已经基本接受了这个新国家,负责捷克斯洛伐克的委员会工作相对简单。由于气氛随意(他们可以抽烟),而且英美在会前已经私下达成共识(他们经常这么做),其成员工作轻松,态度友善。偶尔,他们会与英国总代表约瑟夫·库克男爵发生矛盾。有时男爵对某问题一无所知却态度强硬。为此,尼科尔森经常教导他。由于不牵涉意大利的直接利益,意大利代表没有在南斯拉夫国界问题上那么碍事,不过也没帮什么忙。其首席代表,一位老外交家说:"我问自己,目前在我们面前至少摆两种可能是否是更加明智的选择。"

麻烦最多的是斯洛伐克和匈牙利之间的国界。那里,斯洛伐克人和匈牙利人混杂居住;莱茵河以东也没有明显的地貌特征。法国人赞成捷克人索要匈牙利领土的要求;而英美却不支持。所有人都认为建立通向南斯拉夫的走廊的设想行不通。一系列讨价还价和妥协之后,委员会终于在3月的第一个周末结束了它的工作。主席征求英国代表团最后的意见时,库克说:"我只能说我们是个和睦的大家庭,难道不是吗?"口译员把它翻译成法语时,全场一片沉默。

这项报告分给捷克人一些他们希望从德国、奥地利和匈牙利得到的额外领土,但不是全部。4月4日,在对德和约问题上,意见分歧的四人会议同意保留波希米亚王国的老边界。5月12日,它同样赞成捷克斯洛伐克和奥地利之间的老国界。有些调停人担心捷克斯洛伐克境内300万德国少数民族。兰辛为忽略自决原则而烦恼,威尔逊本来应该惊讶地大呼"为什么马萨里克从未告诉我那一点",但他最后却几乎没有考虑苏台德区。虽然后来劳合·乔治声称有重大疑虑,但当时并没有提出来。克雷孟梭没有疑问,他对四人会议说:"和会决定成立一些新国家。如果坚持公正原则的话,能强加给它们不可接受的边界牺牲它们的利益吗?"毕竟,没有人愿意把德国领土分给战败国。许多人大概都同意马萨里克的说法,"所有国家现在都受德国和马札尔人压迫——难道这无所谓吗?"有一点让调停人员印象深刻,即捷克人向他们的少数民族提供各种各样的保证:自己的学校、宗教自由,甚至按人口比例的代表权,因此他们可以有自己的代表。捷克斯洛伐克将成为中欧的瑞士。

1918年和1919年,苏台德区德国人不停抗议,却毫无作用。这些人大都是富裕的农民和稳定的资产阶级,其中有的人鄙视新的捷克统治者,有的害怕左翼革命席卷德国和奥地利。捷克斯洛伐克至少提供了稳定。被自身问题困扰的德国对这些都没有兴趣,凡尔赛的德国代表团只在写给调停人的书面评论中一笔带过。德国外交部长,乌尔里克·布罗克多夫·兰曹伯爵对苏台德区德国人表示同情,但明确表示德国不会为了从未属于过德国的人民而威胁其与协约国的谈判立场。鉴于当时讲德语的居民主要居住在沿奥德边界的月牙形地区,与奥地利合并对苏台德区德国人同样不可行;此外,1919年,奥地利似乎自身难保。

捷克政府的确履行了大部分诺言。在德国人聚居区,他们可以使用德语处理官方事务,还有德语学校、大学和报纸。但捷克斯洛伐克仍然是个斯拉夫国家。其钞票上印的是身穿捷克或斯洛伐克民族服装的妇女。德国人——还有匈牙利人和罗马尼亚人——从未有完全的归属感。也许,如果大萧条没有严重损害苏台德区的工业,如果希特勒没有把这些失落的德国人的事业作为己任,这根本不会有影响。1938年,在慕尼黑,苏台德区德国人为他提供了毁灭捷克斯洛伐克的借口。

解决捷克斯洛伐克与匈牙利的边界耗时更长,部分原因是由于与匈牙利的条约因3月底的共产主义革命和其后更多的战争而延迟了。他们向调停人保证其惟一目的是反对布尔什维克,并在革命后不久占领了匈牙利领土。在福煦的批准下,他们的军队占领了匈牙利境内的重要铁路,然后进一步前进,超越了福煦授权的范围,夺取了匈牙利最后一个煤矿。6月初,匈牙利人进行反攻。捷克人立即向调停人求援,有人认为捷克人挑衅匈牙利人,对此捷克人非常惊讶也备受伤害。克拉玛尔说:"我不知道捷克人有任何冒犯行为,我知道的全都是关于混杂马札尔人沙文主义的匈牙利布尔什维克的扩散。"本尼斯描绘了一幅和平的捷克斯洛伐克的蓝图,但并没有意识到对南部的威胁:"我们忙于改革和将要举行的选举。"捷克军队主要集中在德国边境,如果德国拒绝签约,将随时展开行动。"就是在那时,马札尔人趁斯洛伐克完全没有自卫能力时前进了。"捷克人乘机索要匈牙利领土:如更多铁路,多瑙河南岸的一个桥头堡。忧虑重重的协约国对大多数要求表示反对。劳合·乔治说:"我们对匈牙利人也要公平,他们只是在保卫祖国。"惟一的例外就是多瑙河沿岸德国人占多数的布拉迪斯拉发,该城市被分给捷克斯洛伐克,理由是它需要一个内河港。即便如此,捷克斯洛伐克还是得到了相当一部分匈牙利领土以及100多万匈牙利人。

对于上西里西亚和加里西亚西部接壤处的三角地带泰申,捷克斯洛伐克和波兰也有分歧。作为奥匈帝国的一部分,泰申将被瓜分。它是一个大礼,一方面因为它地处西里西亚大煤矿末端,另一方面因为它是中欧南北、东西两条铁路的交点。在巴黎,德莫夫斯基以民族因素为由,为波兰索求该地区(在 50 万人口中,波兰人约占三分之二)。他说,占多数的波兰人受过良好教育,因此国家民族感非常强烈。本尼斯对此数据提出质疑:许多波兰人只是被较高的生活水平吸引的暂住居民,或已经被捷克语言和文化同化而失去波兰特性,他还举出泰申人民的服饰和建筑为例。而且,泰申的煤矿对捷克工业至关重要,同时,一条铁路也非常关键,由于它连接了捷克斯洛伐克的两部分,若由波兰控制肯定不安全;要求独立的泰申代表团根本没有发言的机会。

与和会议程上其他许多问题一样,它本来可以相对容易地解决。马萨里克和帕德雷夫斯基曾在前一年夏天在华盛顿会面,并同意在战后友好协商这个问题。在泰申,奥地利政府垮台后,当地波兰人和捷克人制订出一个责任分配方案。新波兰政府宣布,将在华沙举行的新国会选举将包括泰申的波兰部分,事后看来,这不是明智之举。布拉格的捷克政府反应过激,1919 年 1 月,它命令所有波兰军队立刻离开泰申。同样不明智的是,波兰人说服几个协约国军官以造成该命令出自协约国的假象。随着双方政府紧急调人增援,紧张局势演变为一场危机。在布拉格拜访马萨里克的某美国教授发现他疲惫而紧张。这位教授说:"我感觉在这个事件中他始终被牵着走而不是由他领头,显然,他对整个事件很不满意。"

在巴黎,调停人正忙于国联和俄国问题,但由于两个友好国家产生敌意,和会进程因此被打断。后来,劳合·乔治问下议院:"有多少人听说过泰申?我可以毫不介意地说我从来没有听说过这个地方。"最高委员会召来波兰人和捷克人,双方互相指责,本尼斯借此机会摆出了所有——"从数据、民族、历史和经济等方面"——泰申属于捷克斯洛伐克的原因。劳合·乔治尖锐地让他遵守会场秩序。调停人成立了一个双方都勉强同意的协约国间特别委员会。

该委员会得以使双方停火,但找到解决办法却很难。劳合·乔治说他很同情波兰人;威尔逊说,他也是。当一群波兰农民来到他的办公室,请求他不要使他们成为捷克斯洛伐克的一部分时,他被深深地感动了。他们告诉他,他们步行 60 英里去最近的火车站然后来到巴黎。一向支持波兰的法国这次却支持捷克人,声称没有泰申波兰很容易存活,但捷克斯洛伐克作为抵制布尔什维克的防疫封锁线的重要部分,没有它却不行。本尼斯尽力煽动布尔什维克幽灵;他警告说停战只会恶惠柏林、维也纳和布达佩斯的反捷克斯洛伐克势力。捷克官方已经揪出了他们的间谍和煽动者,并发现了他们的传单和地图。

协约国间委员会没有给调停人提供多少有用的建议。它指出按民族划分将使国界正好穿过煤矿中央。它还提出备选方案,但无疑会使波兰人或捷克人或两者都不安。4月,调停人鼓励帕德雷夫斯基和本尼斯直接对话。当谈判无济于事时,调停人决定公投。1919年夏,认为自己胜利在握的波兰政府表示同意;捷克斯洛伐克因相反的理由反对。一年后,忙于在泰申的捷克部分宣传的捷克人同意征求当地居民的意见,波兰人却改变了主意。暴动和罢工使投票无法进行。1920年7月,强国最终做出决定:煤矿归捷克斯洛伐克;泰申被一分为二,老城区归波兰,火车站所在的郊区部分归捷克斯洛伐克。一个获得发电厂,另一个获得煤气厂。这种解决办法是旧世界兴起民族国家主义浪潮时,中欧普遍采取的策略。两个本应该成为友邦的国家现在成了仇敌。

波兰考虑过夺取泰申,但它所有的资源都投入与俄国的战争了。由于捷克斯洛伐克趁火打劫并对波兰毫无同情之心,如拦截从奥地利运往波兰的急需的武器,波兰一直对此耿耿于怀。1938年10月1日,《慕尼黑协定》肢解捷克斯洛伐克的第二天,波兰政府要求归还泰申。紧接着,匈牙利索要斯洛伐克和喀尔巴阡山脉南麓的鲁塞尼亚领土。

新成立的捷克斯洛伐克民主共和国基础薄弱。奥地利社会主义领袖认为协约国从几个国家之中建立了一个新国家,这些国家"互相憎恨"。他的话不无道理,捷克斯洛伐克的1400万人口中,德国人占300万,匈牙利人70万,鲁塞尼亚人55万,还有少量波兰人和吉普赛人,剩下三分之二是捷克人和斯洛伐克人,但他们差别很大。捷克领土深深地烙有奥地利统治的印记,而斯洛伐克却保留匈牙利传统。捷克人自认为他们在向落后地区传播文明和进步,而斯洛伐克人对此却满怀怨恨。控制国家政府的捷克人没有兑现马萨里克在匹兹堡做出的授予斯洛伐克人自治权的许诺,声称没有足够有教养的斯洛伐克人来管理他们的政府;更重要的是,他们不想让德国人或鲁塞尼亚人或匈牙利人要求相同的权利。

1919年初,斯洛伐克恶化的经济形势向人们敲响了警钟。它无法进入匈牙利市场,也被切断了来自匈牙利的煤炭供应;甜菜腐烂在田里,炼油厂也纷纷关闭。一位美国观察家报道说,斯洛伐克农民和工人正在暴动,他们对布拉格的新政府说:"我们一点也不感谢你们,你们声称把我们从邪恶的匈牙利政府的压迫中解放了出来,但现在我们必须遵守戒严法,我们没有工作,饥寒交迫,前途一片黑暗。"当地牧师担心信仰新教的捷克人对天主教的威胁。同年夏天,当捷克斯洛伐克和匈牙利发生冲突时,前进的捷克部队遭斯洛伐克人背后袭击。

9月,豪斯的秘密助理斯蒂芬·鲍萨尔接待了两位来访的斯洛伐克人。他们抱怨捷克人禁止他们离开捷克斯洛伐克,他们费劲千辛万苦辗转南斯拉夫、意大利和瑞士,终于得以抵达巴黎。他们请求他见见他们的领导人——生病的海林卡教父。他们甩掉跟踪者,来到一所大门紧闭的修道院。鲍萨尔看到了躺在牧师的厢房里阅读祷告书的苍老的海林卡。这位牧师谈到他对捷克斯洛伐克非常失望,匈牙利都没有这么糟糕。他说:"我们与马札尔人共同生活了一千年。所有斯洛伐克河流都流向匈牙利平原,所有道路都通向布达佩斯,至于布拉格,却因喀尔巴阡山脉的阻隔使我们与它分离。"斯洛伐克人是真正的天主教徒,而捷克人却是异端。鲍萨尔不能向他们承诺调停人会撤销刚刚做出的决定。海林卡悲伤地说:"上帝惩罚我了,但为了纯洁无瑕的人民,我还将继续恳求上帝和人们。"

20世纪20年代海林卡建立了斯洛伐克人民党,成为斯洛伐克最重要的一支政治力量。1938年5月,一群美籍斯洛伐克人成功地要回了1918年签订的《匹兹堡协议》原件,在布拉迪斯拉发举行的一次大型会议上,海林卡要求政府履行马萨里克的许诺。马萨里克于前一年逝世;同年秋天,当《慕尼黑协议》终于打开长期关闭的大门时,海林卡也已经辞世。被盟国抛弃的捷克斯洛伐克四面逢敌,并最终向海林卡的继承人提索教父妥协,同意斯洛伐克全面自治。1939年3月,德国纳粹进军捷克领土,新的斯洛伐克诞生,但并非所有斯洛伐克人都喜欢这种方式和为它祈福的纳粹教父。

提索并没有比他的斯洛伐克多活多久。1946年,受斯大林支持的新成立的捷克斯洛伐克以叛国罪将他处决。新国家不同于1919年调停人批准的国家,而且面积更小;鲁塞尼亚部分被苏联吞并,德国人在捷克人的大力煽动下逃跑。年老体衰的总统本尼斯没有使他的国家摆脱遍布中欧的苏维埃网的控制。1948年9月,本尼斯逝世。在此之前,捷克斯洛伐克发生军事政变,共产党夺权,但当时还预见不到未来的发展趋势。马萨里克的儿子简恩——时任外交部长——在政变中身亡,很可能是被共产党推出窗外致死。1993年1月1日,斯洛伐克和捷克共和国宣布分离,1919年工程的剩余部分全部瓦解。

19 奥地利

1919年6月2日,在巴黎市郊圣·日耳曼·昂莱古老的皇家城堡大厅,举行了一个简单的仪式。在协约国代表的注视下,代表昔日大帝国的奥地利代表在铺着红毯子的谈判桌上接受和平条约。认识其中几个奥地利人的捷克总理故意转过身去。墙上画着石器时代的动物,如今都已经灭绝了。克雷孟梭的助理莫达克说:"我们中的几个人都被它吸引住了。"

由哈布斯堡家族辛辛苦苦从13世纪经营起来的奥匈帝国在1914年之前就开始解体了,大战只是给了它最后的致命一击。波兰人、捷克人、斯洛伐克人、斯洛文尼亚人和克罗地亚人统统逃回本国,一直反抗哈布斯堡王朝统治的匈牙利最终独立。1918年11月,哈布斯堡王朝最后一位君主——温和而柔弱的卡尔悄悄地放弃王位,但却保留了他的头衔——婚姻、交易和征服的产物:奥地利皇帝;匈牙利、波希米亚、达尔马提亚、克罗地亚、斯洛文尼亚、洛多梅里亚、加里西亚、伊利里亚的国王;奥地利大公;托斯卡纳和克拉科夫大公;劳斯瑞几亚、萨尔茨堡、斯塔瑞亚、克恩顿、卡尼奥拉、布科维纳公爵;特兰西瓦尼亚大公及摩拉维亚侯爵;上、下西里西亚、摩德纳、帕尔马、皮亚琴察、古阿斯特拉、奥斯威辛、萨特、特斯茨恩、弗芮奥拉、拉古萨、扎拉公爵;哈布斯堡王朝及蒂罗尔伯爵等等。一切都不复存在了,而他本人也因流感于1922年在马德拉辞世。1989年3月,东西欧分裂局面结束前几个月,他的皇后齐塔逝世。

忙于应付波兰、捷克斯洛伐克和罗马尼亚的调停人倾向于忽视奥地利和匈牙利。绘制新边界的领土委员会和所有人一样,认为将奥地利缩减至德语区,以及将克罗地亚和斯洛伐克从匈牙利剥离出去现在完全可行。根据自决原则,什么对奥地利和匈牙利公平,如果他们要生存,需要什么,这些问题都未在巴黎引起重视。两国都没有自己的委员会。

这个昔日帝国的大部分领土都被协约国吞并。这就引出一个问题:谁来偿还奥匈帝国的赔款?波兰、捷克斯洛伐克,还是南斯拉夫?本尼斯坚决地说:"我们不应该对我们大力谴责的战争负责。"协约国表示同意,只把在帝国核心几个世纪以来一直联系密切的奥地利和匈牙利作为敌人。他们的代表争辩说,他们不应该被看作帝国的继承人。奥地利总理卡尔·伦纳提醒调停人,旧帝国1918年11月就灭亡了。他在6月的某天说:"我们代表已垮台的帝国的一部分前来参加和会。"奥地利是个新国家,"和其他国家一样,我们的新共和国也充满生机,因此不该被视为已亡的君主政体的继承者。"至少,英国法律专家认为这很有道理。希望占奥地利便宜的意大利人却不这么认为。

奥地利和匈牙利都请求怜悯和理解。他们承认过去出现了一些错误甚至邪恶,但并不是他们犯下的。和德国一样,他们声称已经重生:废除了旧政权,全心全意拥护威尔逊的神圣原则。美国人表示同情,威尔逊希望奥地利一签订和约就加入国联。欧洲人则苛刻得多:奥地利和匈牙利必须像德国一样为战争负责,并在此基础上交出战犯,支付赔款。当奥地利询问帝国其他部分的责任时,协约国回答说,奥地利对大战最热衷:"奥地利必须承担给世界带来巨大灾难的罪恶行径的全部责任。"

实际上,连欧洲人也想从轻发落奥地利。劳合·乔治对它没有特别的敌对情绪。克雷孟梭(他的哥哥娶了位奥地利妻子)战前在奥地利居住过很长一段时间。和许多同胞一样,他认为奥匈帝国与德国结盟简直是疯了,但战争结束前,他并没有积极促进其解体。奥兰多说,战争期间,奥地利是意大利的主要敌人,但意大利的政策非常矛盾;奥地利曾经既是敌人也是盟友。意大利想得到奥地利的蒂罗尔地区,但不希望南斯拉夫有同样的想法。意大利外交官向奥地利政府暗示,如果蒂罗尔问题能顺利解决,两国将在经济领域密切合作。

匈牙利是另外一个问题。1919年,它变成布尔什维克,而奥地利还是社会主义;它与多数邻国打仗,而奥地利却处于和平状态;匈牙利应该严惩,而奥地利值得同情。与德国和匈牙利不同,狭小而贫穷的奥地利不足以构成威胁,这一点对它很有利。它也没有很强的国家观念,因为它从来不是一个国家,只是哈布斯堡王国的一部分。1919年,它是一个畸形孤儿,身小头大,头部包括德语区——风景如画但异常贫穷的山脉和峡谷,以及原帝国首都维也纳,那里辉煌的宫殿、宽敞的办公楼、宽阔的街道和阅兵场、大教堂、小教堂,都是为拥有5000万臣民的统治者建造的,而不是300万人。总理向一位心怀同情的美国人抱怨:"我们有上万个冗余的官员,至少20万工人。真不知该怎么处理他们。"奥地利几乎一半人口都居住在城市,但却没有足够的人来养活他们。

帝国垮台后,由奥地利领导的经济组织也相继崩溃。连通黑海和德国南部的多瑙河流经该国。铁路四通八达,连接布达佩斯和布拉格。1918年11月,进口食物和原材料、出口成品的贸易停止了,就像维也纳一家报纸所说的一样,被斧头砍断了。来自波希米亚的煤炭和土豆以及来自匈牙利的牛肉和小麦都在新国界的另一边。奥地利没有钱购买而其邻国也不愿慷慨捐赠。他们忙于索要维也纳的资产中属于他们的那部分:艺术品、家具、收集的盔甲和科学设备、书籍、档案甚至图书馆。意大利人索要意大利成立之前运到维也纳的艺术品,比利时人索要由玛丽亚·特蕾西亚带走的三幅一联的绘画。

有关奥地利局势的警报频频传至巴黎:乡村的家禽被抢劫一光,商店里货架空空,肺结核四处蔓延,人们衣衫褴褛,成千上万人失业——仅在维也纳就有12万5千人。工厂停产,火车和电车只能偶尔运行。原皇家军队总司令现在在经营烟草店,擦皮鞋的军官越来越少;饥饿的孩子沿街乞讨,施舍处门外排满长队;中产家庭出身的女孩为了温饱而卖身。当暴力游行中警察的马匹被杀时,肉几分钟内就被抢光了。

维也纳人的咖啡馆依然开着,乐队也依然在演奏,但顾客却喝着大麦制成的咖啡并始终穿着大衣。为了节省燃料,商店和餐馆很早就打烊了。剧院只准一周开放一次。街道肮脏不堪,无人打扫。窗户用木板挡着,因为没有玻璃来更换。哈布斯堡王朝宫殿被洗劫一空,美泉宫现在是遗弃儿童的收留所,霍夫堡皇宫则出租给私人。一位美国观察家说:"他们就像遭遇了一场严重的自然灾害,如洪水或饥荒,其态度及观点和为印度受饥荒者求助的代表团一样,希望我们能排除怨恨,满怀同情地帮助他们自力更生。"

1919年1月,英国公务员威廉·贝弗里奇被派去评估奥地利的需要。他警告说,如果不立即救援,社会将完全崩溃。但有些省份拒绝给维也纳供应食物。奥地利西端的福拉尔贝格想加入瑞士,其他地区也可能照办。对此,社会主义政府无能为力,还不得不与民兵分享权力。调停人知道这些迹象意味着什么,他们不希望奥地利重蹈俄国和匈牙利的覆辙。3月底,协约国取消封锁并向奥地利提供贷款,他们还送去食物和衣物。奥地利成为仅次于德国、波兰、比利时的协约国援助的第四大受惠者。1919年春,一位杰出的维也纳记者对一位美国人说,形式非常严峻,但还没到不可救药的地步。当年夏天,共产主义者企图武力夺取政权,但阴谋很容易就被粉碎了。

当协约国要求奥地利派代表出席巴黎和会时,对奥和约还远远没有完成,但正如威尔逊所说,向其政府表明协约国的支持也不失为良策。但他们却不能邀请匈牙利政府,因为布达佩斯由共产党执政,毫无疑问与俄国布尔什维克结盟。劳合·乔治比较温和,他听说200名中产阶级在布达佩斯被杀,但他不能保证消息的真实性。他说:"我们不能因为讨厌其政府就拒绝与匈牙利人讲和。"最后,由于匈牙利与邻国开战,传唤他们参加和会根本不可能。

奥地利代表团由其总理伦纳率领,他性格活泼,一表人才,喜欢美食和好酒,爱好纸牌游戏和跳舞。他是个温和的社会主义者和现实主义者。前往巴黎时,聚集在火车站的人群高呼:"带回令人满意的和平!"伦纳回答说:"包在我身上,我一定为我们可爱的人民赢得一切可能的利益。但不能忘记,我们没有赢得战争,我请求你们不要怀有过高的期望。"除了一些专家,他还带了一位著名的和平主义者和一位记者,他战前在巴黎就有朋友,包括克雷孟梭和一位真正的英国英雄。鲁道夫·斯拉丁曾经和戈登将军一起经历在苏丹的灾难性的远征,被马赫迪囚禁数年,然后被基奇纳释放并封为爵士。斯拉丁·帕夏给老朋友鲍尔弗写信,请求允许奥地利代表团面对面与调停人谈判。鲍尔弗很遗憾这一点不可能实现,但却利用斯拉丁作为非官方的交流渠道。

火车抵达巴黎时,伦纳用法语道歉说他不会讲法语。他说第一次来巴黎他非常高兴并亲切地笑对媒体。当被问起坐火车穿越战场的感受时,代表团的另一位成员不动声色地说:"有些有先见之明的人特意让火车放慢速度,以便使我们更好地欣赏法国五月的美景。"甚至,当他们被迫耐心等待时(四人会议一时心血来潮把他们召来,但很快就把他们忘了),奥地利人依然表现得无可挑剔。他们打牌、看书、漫步。其中有一人回忆说:"法国食物及美酒都很好,饥荒多年之后,大多数人都觉得这是享受。"有时,协约国守卫带他们出去探险。作为农民的儿子,伦纳还特意要求去一所农业大学看看。大家都说,奥地利人和德国人完全不同,他们给人留下了美好的印象。在圣·日耳曼,当地人尤其喜欢一位来自蒂罗尔,身穿栗色粗绒夹克,头戴插有黑色羽毛的小绿帽的代表。他们没有意识到他在服丧,因为蒂罗尔南部的德语区已经分给了意大利。

意大利人透露了许多有关和会条款的信息,这使奥地利人抑郁不安。奥地利国界问题基本上交给由专家组成的委员会处理,他们听取了捷克斯洛伐克及意大利等国的要求,不过,当然没有征询奥地利的意见。加里西亚被分给波兰,波希米亚划归给捷克斯洛伐克。大约300万讲德语的人也被一起分出去了。奥地利外交部长,最聪明的社会主义者奥托·鲍威尔在维也纳作了一次激情洋溢的讲演:"有五分之二的国民将受制于外国统治,既没有投票表决,也违背他们的意愿,并因此被剥夺了自决权,"他说得有道理,但巴黎几乎没人理睬。

协约国还决定不允许奥地利与德国联合。1919年,许多奥地利人认为与德国联合是祖国安全和繁荣的惟一希望。在大学和咖啡馆,泛德主义者大谈重新加入德国大家庭。社会主义者非常兴奋,因为如鲍威尔指出的,德国正在向左倾斜,联合奥地利和德国的工人阶级将巩固加强各地的社会主义。伦纳的态度更加实用,更具代表性:"由于害怕饥荒和失业,担心突然缩减企业用地,几乎所有人都认为联合是惟一的解决办法。"但还有许多奥地利人有保留意见:不喜欢北部德国新教徒的天主教徒(占多数的)、害怕德国竞争的商人、不希望维也纳屈就柏林或魏玛的维也纳市民。各个阶级的奥地利人都记得普鲁士和奥地利为领导德国人而长期竞争,以及战争期间德国拒绝让奥匈帝国单独讲和。

战争结束第二天,11月12日,新成立的维也纳临时大会通过决议,赞成与德国联合,并开始与德国谈判。奥地利人很谨慎,明确表示任何联合都要尊重奥地利的独特个性。德国人也同样谨慎,他们不想在对德和约未定之前惹恼调停人员。正如德国外交部长布罗克多夫·兰曹明确向鲍威尔所表示的,德国必须为自己考虑。如果协约国认为它在南部赢得领土,他们,特别是法国人,将夺走德国西部和东部的领土。

他们的讨论很专业。在法国的坚持下,协约国最后决定禁止这两个德语国家任何形式的联盟。战争末期,法国曾想鼓励奥地利和巴伐利亚建立强大的天主教联合组织以抵制信仰新教的普鲁士。1919年春,由于英美都不支持德国分裂,法国政策就转变为防止奥地利投入德国的怀抱。在维也纳,法国政府暗示得很明显:如果奥地利想要比较有利的和平条款,它必须放弃所有联合计划。克雷孟梭说法国希望和平,"但是如果我们缩减军备,而与此同时奥地利给德国增加700万人口,那么邻国德国对我们就是个很大的威胁"。威尔逊担心违背自决原则,但不是对德国而是对奥地利。另一方面,在维也纳的助理报告说,群众对奥地利与德国联合的支持逐渐衰退。他与意大利人的关系已经非常糟糕了,因此不想再与其他调停人发生争执。1919年4月,他和克雷孟梭一致同意在对德和约中包括这样一条:德国必须尊重奥地利国界。劳合·乔治默许(奥地利人后来声称这不可能),因为克雷孟梭许诺法国在波斯做出石油方面的让步。英国首相也提供了一个保全面子的建议,即只要国联同意,奥地利就可以联合德国。威尔逊接受了这个建议,并分别在对德、对奥和约中加入大意相同的条款。由于委员会必须全体一致通过,这有效地否决了法国和意大利。

5月底,奥地利代表团抱怨和平条款模棱两可。对奥地利、匈牙利、保加利亚和土耳其的条约仍然很零碎。必须批准草案终稿的四人会议忙于对德和约的最后谈判,并讨论意大利的要求,奥地利及其问题被排在次要位置。正如一位英国专家抱怨说:"在场所有人都没有足够的知识和经验,当然了,意大利人很难对付。"

6月2日,奥地利代表团最终看到的是一份仓促而就的文件,用汉克的话说,是"条约的幻影"。一些条款直接移自对德和约,连检查准确性和连贯性的时间都没有。当得知条约中包括不得拥有潜艇之类的规定时,奥地利人非常震惊。正如克雷孟梭窘迫地说,条款还不完整。协约国在奥地利某些边界的问题上也有分歧,特别是蒂罗尔地区与意大利的边界和与南斯拉夫的国界。由于最后意见不合,克雷孟梭被迫在把条款递交奥地利之前删除有关奥地利与南斯拉夫边界的部分。

虽然调停人把对德和约作为模板,但他们对奥地利却从轻处置。例如在战争罪问题上,惩罚德国皇帝是一回事,但正如劳合·乔治指出的,奥地利的卡尔皇帝1914年还未登基。至于赔款,专家们原本制订出一个不可能实现的计划,要求奥地利和匈牙利承担帝国的大部分战争债务和赔款。鲍尔弗说:"如果一个人靠救济生存,就不应该要求他还债。"确定赔款金额的任务最终转交赔款委员会,两年后,委员会承认奥地利没有任何赔偿能力。匈牙利没有那么走运,它必须每年用黄金和物资支付一部分。开始几年它都履行了义务,但后来经济形势急剧恶化,以至于协约国暂停赔款并向其提供贷款。1930年,大萧条期间,匈牙利赔款问题被重新提上日程,并于1944年开始支付。

接受递交时就已经公开的条款时,伦纳发表了一篇不失威严同时有意和解的演讲。他说:"我们知道我们必须从你们手中,从战胜国手中接受和平。我们一定尽责地权衡摆在面前的每一个主张和你们提供的每一条建议。"回到旅馆,奥地利代表仔细研究了条款,有人说:"我们原以为他们会手下留情,但发现奥地利的条款比德国的更加严厉时,我们非常伤心、痛苦和沮丧。"为此,奥地利哀悼了三天,全国上下一片震惊,人们幻想破灭。左翼某报纸的社论写道:"没有哪一个条约像《奥地利条约》那样背离其指导原则。"

7月,奥地利人上交了书面评论并等待回复,调停人(许多首要政治家缺席)则在考虑如何应答。一位奥地利财政专家回忆说:"对战胜国强加到战败国的惩罚措施的漫长等待与刚开始的轻松愉悦简直有天壤之别。"他通过阅读亚历山大·大仲马的作品来消磨时间,并避免参与同僚间的讨论。奥地利的战略是抓住关键问题,而不是不分重点地对待所有条款。他们将赔款问题搁置一边,因为他们永远无力赔偿。但他们得到了一些让步,如严禁继任国瓜分奥地利的艺术财富。

调停人员同意在克恩顿州南部的克拉根福地区举行公决。也许是为了补偿分给捷克斯洛伐克的德国人(他们的自决权被忽视),也许是因为南斯拉夫没有捷克斯洛伐克那种热情,或者仅为了化解一场可能爆发的小战争,南斯拉夫也索要该地区。

1919年时,克拉根福的15万人口成分混杂,讲斯洛文尼亚语的人占多数,但主要城镇以德国人为主,许多人能灵活使用不同语言。这里曾经是奥地利帝国和奥斯曼土耳其的前沿阵地,现在却是坐落在卡拉维根山脉北麓、拥有平静的湖光山色的国家,点缀有中世纪的修道院、哥特式教堂、巴洛克宫殿和白色的牧人小屋。战争结束时,该地区北部由奥地利管辖,南部由南斯拉夫占领,由于南斯拉夫人管控过严,很快就激起人民反抗。沿停战线一带,奥地利人和南斯拉夫人关系紧张而且还有零星战斗。2月,一个美国代表团驶经该地区,不时停下来询问路人属于哪个国家。结果让他们大吃一惊:"如果不是亲眼所见,我们永远不会相信很多斯洛文尼亚人不愿成为南斯拉夫人。"

意大利是一块主要的绊脚石,原则上反对南斯拉夫的要求,但迫切希望阻止连接的里雅斯特和维也纳的铁路经过南斯拉夫领土。罗马尼亚和南斯拉夫事务委员会把此问题交给最高委员会,但被打回。5月,克拉根福问题因意大利及其盟友在意大利东部边界上的纠纷而停滞不前。作为局外人的南斯拉夫人对此非常担忧,而奥地利人却开始憧憬。正如英国记者威克汉姆·斯蒂德报道说:"'三巨头'考虑温和处理奥地利的想法已经非常明显。"南斯拉夫人担心,在意大利人与他们在亚得里亚海地区问题上相争不下时,其他协约国国家将支持奥地利,而与他们在位于克恩顿州的斯洛文尼亚的边界问题上讨价还价。南斯拉夫代表团稍微降低了自己的要求,但5月底,当克恩顿州境内的南斯拉夫军队突然北进时,这个妥协的姿态也被破坏了。四人会议命令他们停火,并用了几周时间才得以控制

伍德罗·威尔逊在和会前夕到达巴黎,受到热烈欢迎。他许诺建立国联以结束大战,并主张对某些国家实行自决,欧洲及其他地区的人民对此充满期待,但不久便大失所望。

法国总理乔治·克雷孟梭和英国首相大卫·劳合·乔治一同走过仪仗队。战争期间,两人都得以使祖国保持完整统一。战后,他们来到和会谈判,既有民众的大力支持,同时也背负着沉重的期待。

大卫·劳合·乔治以及在和会给他带来巨大麻烦的大英帝国代表团。左起第二位是富有影响的南非外长斯马兹将军。分别站在劳合·乔治两侧的是英国外交部长亚瑟·鲍尔弗(左)和澳大利亚的比利·休斯(右)。温斯顿·邱吉尔站在桌子右侧,其左后方是劳合·乔治的军事顾问亨利·威尔逊。

巴黎和会的座位安排计划。和会共邀请 32 个国家派代表团出席和会，既有参战国也有中立国。和会全体代表团只举行过 8 次会谈，但每次都使小国抱怨连连。

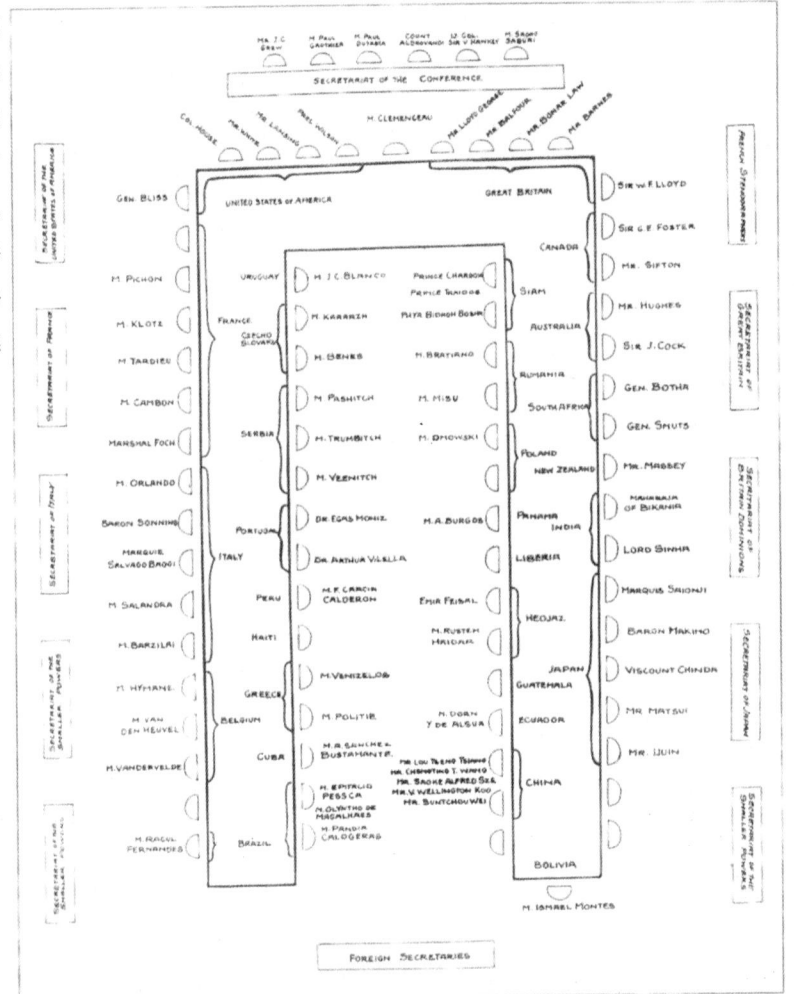

和会的实质性工作基本上都是由特别委员会或四巨头完成的。从左到右依次为：大卫·劳合·乔治（英国），奥兰多（意大利），乔治·克雷孟梭（法国）和伍德罗·威尔逊（美国）。他们一直会谈到三月，参与会谈的还有四巨头的外交部长和两位日本代表（出于礼节，日本也被纳入强国之列），因此就组成了"十人会议"。

在柏林爆发的规模巨大的抗议示威。和约条款令德国人大为惊骇，他们认为这是协约国对停战协议的背叛：当初，协约国承诺和谈将以威尔逊的新外交政策为基础，不提不正当的赔款要求。人们高举标语游行，呼吁"只要十四点原则"。

尽管德国人抗议连连，和谈人员依然立场坚定，只对和约条款进行了细微的改动。他们还规定了签约的最后期限，使德国陷入政治危机。在巴黎，协约国准备就绪，准备迎接签约或重新投入战争。图片上，法国士兵在凡尔赛宫搬动桌椅为签约做准备。

在柏林爆发的规模巨大的抗议示威。和约条款令德国人大为惊骇,他们认为这是协约国对停战协议的背叛:当初,协约国承诺和谈将以威尔逊的新外交政策为基础,不提不正当的赔款要求。人们高举标语游行,呼吁"只要十四点原则"。

尽管德国人抗议连连,和谈人员依然立场坚定,只对和约条款进行了细微的改动。他们还规定了签约的最后期限,使德国陷入政治危机。在巴黎,协约国准备就绪,准备迎接签约或重新投入战争。图片上,法国士兵在凡尔赛宫搬动桌椅为签约做准备。

1922年至1923年间派往洛桑的土耳其代表团。其中，手持拐杖的是阿塔图尔克的心腹伊斯梅特将军，由于他拒绝在和谈中让步而使寇松心烦意乱。1923年，确定土耳其版图的条约最终签订。

和会与战败国奥地利、保加利亚、匈牙利和奥斯曼土耳其签订和约，但对德和约却迟迟难定。由于协约国内部意见分歧，在与敌国谈判之前举行的预备会议逐渐演变为和会的正式会议。直到1919年5月，对德和约才最终确定。布罗克多夫·兰曹(右起第三位)是德国外长兼德国代表团长。德国人一直因协约国不愿与德国认真谈判，仅仅把和约强加于德国而耿耿于怀。

1922年，土耳其人民因从希腊手中夺回士麦那港口而欢呼雀跃，这标志着维尼泽洛斯梦想的破灭，希腊势力也从此在土耳其消失。

1919年9月后担任外长的寇松因劳合·乔治支持希腊而惊惶失措，后来他被迫与土耳其人签订了一项新条约以取代夭折的《色佛尔条约》。

希腊首相维尼泽洛斯，他梦想建立含奥斯曼帝国大部分领土在内的大希腊。他巨大的个人魅力为他赢得了不少支持，尤其是劳合·乔治。因此，希腊获得了色雷斯，并获许派军占领小亚细亚海岸的士麦那港口。

1921年，和谈人员与奥匈帝国在色佛尔签订了惩罚性条约，但却忽视了正在觉醒的土耳其民族主义势力，他们已经推选杰出的凯末尔·阿塔图尔克将军为其领导人。

手持拐杖的意大利首相奥兰多退出和会。1919年4月，意大利与其盟国的关系由于意大利在亚得里亚海的主张，特别是索要阜姆港口而陷入僵局。威尔逊拒绝让步，意大利的退出威胁了整个和会，因为德国人即将被召至巴黎接受和约。

位于亚得里亚海北端的小港口阜姆成了意大利的主要问题，当地的斯拉夫人略多于意大利人。1919年9月，诗人邓南遮占领该城并驻留15个月，他不但蔑视其政府，还发表冗长的民族主义演说。后来的意大利独裁者墨索里尼从他身上吸取了不少经验。

1919年3月,匈牙利共产党人库恩·贝拉在布达佩斯夺得政权,这一消息使巴黎一片恐慌。被和谈人员派往匈牙利调查情况的斯马兹将军在考察后指出,库恩的当权之日不会长久。1919年8月,由于其政敌阴谋造反,库恩被迫出逃。随后,匈牙利邻国捷克斯洛伐克和罗马尼亚开始霸占匈牙利领土。

参加和会的阿拉伯代表团:最前面的是费萨尔王子,他希望建立由其家族统治的独立的阿拉伯国家。在他左边,身穿阿拉伯服装的是T.E.劳伦斯,此人令法国人十分恼火。英法不顾其战时承诺,不准备放弃对中东的控制权,因此,阿拉伯认为巴黎和会是西方列强对阿拉伯的又一次背叛。

波兰人民是众多希望靠和会解决国家问题的民族之一。18世纪末,它曾被邻国瓜分。1918年,随着俄国、德国和奥匈帝国的垮台,波兰终于迎来了新生的机会。后来成为波兰第一任首相的著名钢琴家伊格纳西·帕德雷夫斯基为争取强国支持波兰做出过巨大努力。

帕德雷夫斯基在巴黎开会时,约瑟夫·皮特苏德斯基将军正在华沙试图重建波兰并组建波兰军队。虽然他对领土的要求没有某些波兰爱国者那么多,但还是占领了立陶宛南部部分地区,东进白俄罗斯和乌克兰,并因此与布尔什维克发生冲突。

1919年3月，伍德罗·威尔逊和劳合·乔治分别从国内返回巴黎后，和会决定加速和谈进程，而且主要和谈人员也由十人减少到四人。众所周知，四巨头通常在威尔逊的书房会晤。从左到右依次为奥兰多，劳合·乔治，克雷孟梭和威尔逊。

和谈人员被请愿者包围。其中魅力四射的罗马尼亚女王玛丽亚携带大批随从和服装来到巴黎，索要匈牙利将近一半的领土。

一位艺术家笔下描绘的守候在法国外交部外期望看到和谈人员的人群。

和谈者的司机。

乔治·克雷孟梭从令人厌烦的激进分子摇身变为胜利之父。其77岁高龄使他成为四巨头中的老大。虽然他有幸逃过了和会期间的一次谋杀，但有人认为他从未完全恢复。

法军总司令兼联军最高司令福煦将军。他指责乔治·克雷孟梭在对德和约问题上让步过多，尤其不应该答应由英美帮助法国抵抗德国未来的侵犯。他认为法国应该坚持要求莱茵河以西的德国领土的控制权。

和谈与革命之争。许多评论家认为和谈的动因在于人们害怕俄国布尔什维克的扩张,这种论调过于简单化。的确,和谈者十分担心无政府主义蔓延和中欧经济崩溃,但同时他们相信自己有能力恢复世界秩序。

威尔逊夫妇在圣克劳德观看赛马。虽然和谈工作繁重,代表们仍有休闲娱乐的时间。

巴黎和会的座位安排计划。和会共邀请32个国家派代表团出席和会，既有参战国也有中立国。和会全体代表团只举行过8次会谈，但每次都使小国抱怨连连。

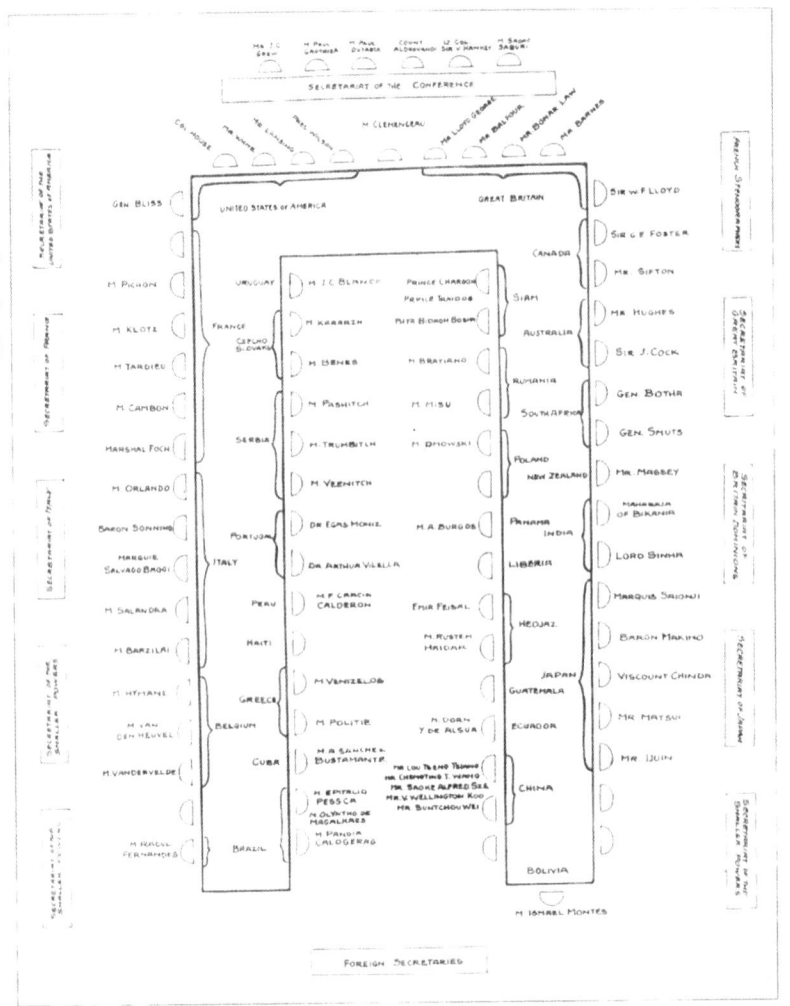

和会的实质性工作基本上都是由特别委员会或四巨头完成的。从左到右依次为：大卫·劳合·乔治（英国），奥兰多（意大利），乔治·克雷孟梭（法国）和伍德罗·威尔逊（美国）。他们一直会谈到三月，参与会谈的还有四巨头的外交部长和两位日本代表（出于礼节，日本也被纳入强国之列），因此就组成了"十人会议"。

1919年6月23日，在最后期限到期前不久，德国政府终于同意签约，仪式定于6月28日举行，人们争先恐后抢票，一些无法进入镜厅的人被迫站在窗外观看。

签订《凡尔赛条约》时的镜厅内景。这个地点对法国人意义重大，因为1870年至1871年间的普法战争结束后，新德国就在此宣布成立。

凡尔赛宫殿及其广场旧址(1919年6月28日)。对德和约签订后,广场上喷泉齐放、礼枪齐鸣,以向等待的人群宣布这一喜讯。虽然巴黎和会直到1920年1月才最终结束,但对德和约的签订标志着和会已度过最重要的关键时期。当晚,威尔逊离开巴黎返回美国,劳合·乔治随后也返回英国。

局势,这表明它在中欧的权威正在减小。同时,南斯拉夫占领了整个克拉根福地区和许多有用的奥地利战争物资。意大利人夺取了一部分关键的铁路线路。

摇摆不定的南斯拉夫人反对分裂,他们还强烈反对英美举行公决的建议,因为他们怀疑自己会输。由于克雷孟梭知道和会可能会要求在阿尔萨斯和洛林举行公投,所以他支持南斯拉夫人。然而,威尔逊坚信在这个地区可以让居民自己选择。5月31日,他在四人会议上宣布:"如果专家愿意听,我将给他们解释这个问题。"四巨头和专家围着地板上的巨幅地图讨论,气愤的奥兰多用头把一个美国佬抵开。

南斯拉夫人本想联合抵制与奥地利的和约,但最终同意妥协。紧邻斯洛文尼亚北部的那部分奥地利将举行公投。如果居民决定加入南斯拉夫,那么北部德国人聚居区也将举行。1920年10月,公决正式举行,所有观察家都认为该表决值得仿效,堪称模范。22000比1500的人要求留在奥地利。投票人似乎受他们与奥地利的经济联系以及奥地利比南斯拉夫更先进的想法所左右。对女性投票者来说,她们的儿子在南斯拉夫必须服兵役而在奥地利则不用,这一点对投票结果也有影响。如果他们能预见未来奥地利加入纳粹德国,斯洛文尼亚儿童被迫上德国学校,其人民的民族身份备受压制,他们会做出不同的选择吗?

结果宣布后,南斯拉夫军队立即进驻这块是非之地,但两天后就撤军了。南斯拉夫的斯洛文尼亚人忿忿地抱怨对其国土的"切断手术",并怀疑塞尔维亚人从未真正准备接受失败,他们更关心塞尔维亚北部和东部边界。但新的南斯拉夫国又添冤情,邻国之间又留下了痛苦的回忆。

奥地利请求协约国做出新的让步——它索要匈牙利边缘的一片领土,那里离建议在捷克斯洛伐克和南斯拉夫之间建立的走廊很近,但该建议被和会否决。奥地利人声辩说那儿的人口大部分是德国人,不幸的是,他们从未被奥地利统治过,似乎把自己视为匈牙利的一部分。某英国专家说,当然,问他们没用,因为匈牙利的共产主义革命让他们大为不解(当匈牙利提出举行公投时,奥地利政府发现这是个有用的论据)。奥地利还从战略方面进行论证——维也纳,以及一些关键的公路、铁路离匈牙利国界太近——而且,让人伤心的是,它还提出营养方面的理由。自从匈牙利独立以来,维也纳人就缺乏蔬菜和牛奶,而这个地区一直为他们供应食物。匈牙利人进行反驳,但调停人听取了奥地利人的意见,该地区大部分归奥地利,只有一个城市除外。1938年,匈牙利劝说希特勒把该地区作为对它在联合中保持中立的奖励还给自己,但没有成功;因此,奥地利成为在和会中惟一获得领土的战败国。1919年,它签订了《圣·日耳曼条约》。

奥地利的初次独立经历并不愉快。20世纪20年代,其经济危机四伏,后来在强国少量贷款的帮助下才渡过难关。甚至在大萧条前,有一年的失业率也远远超过10%。1938年3月,当希特勒在奥地利纳粹的纵容默许下进入时,只要不是犹太或共产党的奥地利人都接受了联合,甚至连伦纳这样理智的人都被同化了。希特勒胜利地从奥地利边缘的出生地进军到维也纳,沿途兴奋的人群高声欢呼,抛洒鲜花。1945年,历经磨难的奥地利重新获得独立,年老的伦纳当选为总统。从那以后,基本上再也没有关于联合的讨论了。

20 匈牙利

1919年3月23日,春天姗姗而来,两位美国专家阴郁地走在布劳涅森林公园。其中一位在日记中写道:"我们刚刚听说匈牙利出现的麻烦,如果扩大的话,将在未来一段时间内使常规失效。"如果说奥地利在巴黎引起些微关注的话,匈牙利则敲响了警钟,特别是当一个不知名的共产主义者库恩·贝拉在布达佩斯夺得政权时。突然之间,布尔什维克似乎在战略地位关键的富庶的匈牙利平原前进了一大步。再跳跃一小步,它将进入由社会主义政府统治的奥地利或者巴尔干半岛,再跳一步就进入共产党即将当政的巴伐利亚。库恩本人发出互相矛盾的信号,一方面安抚协约国,一方面兄弟般地问候其工人阶级。更令人担忧的是,他向列宁提议要求签订协约。或许,这两个共产主义政府可以穿过波兰和捷克斯洛伐克东部边界颇具争议的领土建立某种联系,据说那里的布尔什维克军队正在行军。

甚至在库恩出现之前,调停人就怀疑匈牙利了。虽然它有大地主、小农阶级和悠久的历史(9世纪,大批马扎尔人离开中亚),但它身上还存在一些非欧洲成分。自由党把旧帝国最严重的错误归咎于匈牙利寡头政治。刚听到这个新闻时,劳合·乔治对四人会议的同僚说:"常常有人谈到要镇压匈牙利革命,我不知道为何要那样做,很少有像匈牙利这么需要革命的国家了。就在今天,我和一个去过匈牙利并十分了解这个国家的人聊天,他告诉我匈牙利的土地所有制是欧洲最落后的。农民所受的压迫如同在中世纪,而且庄园制依然存在。"

不了解中欧的劳合·乔治这次没有说错。布达佩斯是个优美的现代化首都,但创造了匈牙利大部分财富的乡村却是另一个世界。虽然农奴制度于1848年就废除了,但大量土地依然掌握在贵族和教会手中。1914年埃斯特哈齐拥有23万公顷土地;他的一位祖先有一件制服,纽扣都是钻石做的,接缝处全部用珍珠镶边。这个富有的家族是国际性的,在维也纳、巴黎都有房产,雇佣英国保姆和男仆、法国厨师、德国音乐教师。他们能轻而易举地使用法语或意大利语,也能用匈牙利语交流。他们家族出了不少政治领袖、将军,偶尔还有激进的改革家,但大部分都很保守,对家族小世界以外的任何事物都不感兴趣。虽然富裕的犹太实业家和银行家开始和他们联姻,但他们不信任犹太人;他们坚信应该牢牢地控制战前占匈牙利人口一半以上的非马扎尔人、克罗地亚人、斯洛伐克人和罗马尼亚人。

1919年库恩·贝拉推翻的那个人是最大的地主。在混战的最后几天接管的迈克·卡洛利拥有25,000英亩土地,一个玻璃厂,一个煤矿,一座豪华的乡间别墅,布达佩斯的一套公寓和几个打猎用的小屋。他回忆说,当他在某饭店给一个吉卜赛乐队通常数量的小费时,家庭教师责备了他。"我给的小费至少应该是其他人的双倍,因为我永远不能忘记我是卡洛利伯爵。"命运给了他很多,但不是全部。他是一个孤独、丑陋、患有颚裂的孩子。由于一直备受亲戚和仆人保护,当他初次踏入匈牙利社会,人们嘲笑他,女人拒绝他时,他深深地被刺痛了。

作为回应,年轻的卡洛利疯狂地投入各种活动。他逼迫自己成为演讲家并开始从政。他赌博、酗酒、超速行驶,成为布达佩斯有名的花花公子,变为最疯狂的人。他疯狂地打马球,强制性地练击剑,是最先在该城市上空飞行的人之一。他发现射击社交会非常无聊;当他拒绝和一位农家女上床(按惯例提供给参加游戏的所有客人)时,他怀疑起了自己的男性能力。他的观点,至少按当时的标准来看,非常激进。战前,他经常与奇怪的人、社会主义者、中产阶级政治家和知识分子来往。

战争爆发时,卡洛利参军了,他那个团在他妻子生下他们的第一个孩子之前一直没有主动行动。1918年,他要求与协约国单独签订和约,并最终结束与奥地利的联盟。10月31日,卡洛利成为匈牙利总理,两周后宣布成立共和国。一个美国人说:"他看起来是个好人,但总是紧张焦虑,也许这并不奇怪。"军队不再服从命令,行政部门瓦解,交通系统崩溃,货币迅速贬值。

丧失领土的匈牙利想方设法四处寻求保护。君主的一位堂兄,现在自称为乔·哈布斯堡给伦敦的乔治五世写信,建议匈牙利成为大英帝国的一部分,或许,匈牙利人希望借一个英国王子。和德国人与奥地利人一样,他们也希望共和国革命能软化协约国。匈牙利研究院请求协约国的知名学者不要肢解匈牙利。卡洛利派遣一位杰出的女权主义者作为代表去中立国瑞士接触协约国,他原以为这可以显示匈牙利自由的新面孔,但结果表明他错了。她使保守的瑞士人震惊不已,而且她大部分时间都在与自己人吵架。布达佩斯最有名的饭店以福煦元帅的名字命名了一道菜,不幸的是,翻译成匈牙利语,它的意思是"腹泻汤"。

和其他人一样,匈牙利人也向美国看齐。卡洛利向在布达佩斯的美国代表保证,他的和平政策是"威尔逊,威尔逊,威尔逊"。全城遍布威尔逊的照片和写着"威尔逊的和平是匈牙利惟一的和平"的标语。至少对匈牙利人来说,它的意思不是给匈牙利境内的少数民族以自决权,而是他们的国家应该保留历史国界。到处都是有关瑞士、宗教自治、语言和其他权利的讨论,卡洛利政府正着手通过这方面的法律。

匈牙利人的请求徒劳无功,协约国依然不信任匈牙利。卡洛利果真是自由主义者吗?毕竟,他是贵族,与引发战争的人有关。如果说英美人态度冷淡,法国人就是非常敌对了。法国的政策取决于它的双重目标:阻止俄国布尔什维克,同时联合匈牙利邻国捷克斯洛伐克、罗马尼亚和南斯拉夫以遏制德国。只有意大利人表示同情,因为他们想利用匈牙利对付南斯拉夫。捷克斯洛伐克和罗马尼亚可以作为协约国提出它们的要求,捷克斯洛伐克委员会、罗马尼亚及南斯拉夫事务委员会粉碎了匈牙利边界,可这些事实都帮不了匈牙利。在这两个委员会,代表英国政府的尼科尔森承认说:"这两个单独的委员会勾结起来分割了匈牙利的领土和人口,两种损失结合起来后果非常严重,但认识到这一点时已经太晚了。"

由于作为中欧协约国军队主体的法国的原因,匈牙利在和会开幕前就已经失去了大量领土。1918年11月,当卡洛利等人前往贝尔格莱德投降时,他们满怀乐观情绪并带了明信片让法国的路易·弗朗谢·德斯佩雷将军签名。但他态度非常冷淡,不相信他们代表自由崭新的匈牙利。他说:"我了解你们的历史,你们压迫非马札尔人。现在又把捷克人、斯洛伐克人、罗马尼亚人和南斯拉夫人看作敌人;这些人都在我的手心里;只消一个手势,你们就完了。"法国人允许塞尔维亚人北进匈牙利领土,让捷克人接管斯洛伐克,罗马尼亚人向西进入垂涎已久的特兰西瓦尼亚。当匈牙利政府向在布达佩斯的法国军事委员会首领维克斯上校抱怨时,他拒绝向本国政府传达他们的意见。

匈牙利人担心临时占领将演变为永久拥有。他们已经接受了失去克罗地亚甚至斯洛伐克的事实,虽然他们本希望能得到更慷慨的国界。而特兰西瓦尼亚却又是另外一个问题。它坐落于分割匈牙利平原和高地的丘陵地带,隐蔽在喀尔巴阡山脉指向黑海的箭头部位。特兰西瓦尼亚几乎是旧匈牙利王国的一半;这块富庶之地与匈牙利历史紧密相连。

地理优势为特兰西瓦尼亚提供了天然屏障,但几个世纪以来,外来人——罗马人、德国人、斯拉夫人和马扎尔人——都曾入侵过。到 11 世纪,它受匈牙利统治并一直以各种形式保持到 1918 年。罗马尼亚学者不承认这段历史,声称罗马尼亚人最先到达那里。2 月,布拉蒂亚努对最高委员会说罗马尼亚就是在这块土地上建立的,它几个世纪以来的所有抱负都是为了在政治上重新统一这块领土(布拉蒂亚努没有说罗马尼亚的要求已经远远超出了特兰西瓦尼亚范围而进入了匈牙利)。他继续说,1916 年,罗马尼亚参战时,《布加勒斯特条约》就把特兰西瓦尼亚许诺给罗马尼亚了。这并不具备说服力,因为所有人都记得罗马尼亚于 1918 年和德国单独签订和约。实际上,他有更好的论据;据匈牙利统计数字显示,特兰西瓦尼亚地区一半以上人口是罗马尼亚人,匈牙利人只占 23%,其余由德国人和其他民族组成。战争结束时,绝大多数特兰西瓦尼亚的罗马尼亚人要求与罗马尼亚合并,当地德国人也支持他们,只有匈牙利人始终反对。调停人担心在特兰西瓦尼亚的匈牙利少数民族——布拉蒂亚努保证他们会受到最自由的待遇——但对特兰西瓦尼亚应该归属罗马尼亚并没有提出质疑。法国人在此之前早已拿定主意。

调停人让罗马尼亚和南斯拉夫事务委员会划定匈牙利和罗马尼亚国界。法国人和意大利人想分给罗马尼亚一部分匈牙利领土,而英美则主张按民族划分,这样的话,国界将更靠东。然而,正如一位英国专家所说,"我们自然应该偏向盟友罗马尼亚而不是敌国匈牙利。"3 月,委员会制订出一份妥协报告,很大程度上满足了罗马尼亚人的要求。相关内容(基本确切)传到匈牙利时引起一片恐慌。附有匈牙利被四分后的地图的海报问道:"那么如何处置阿尔萨斯和洛林?"最高委员会还没来得及决定如何处理,匈牙利革命就爆发了,为这个被围攻的国家增添了布尔什维克的污名。

卡洛利的政府遭遇左右夹击。右派憎恶他提出的改革,左派认为它不会长久,对此,调停人无动于衷。1919 年最初的 6 个月,奥地利获得 288,000 吨食品及衣物救济,而匈牙利只获得 635 吨。卡洛利在流亡中痛苦地回忆说:"由于布达佩斯各外国代表团不怀好意而且效率低下,我们的困难翻了一千番。"3 月 20 号,当维克斯上校告诉他最高委员会决定在匈牙利和罗马尼亚之间建立中立地带时,卡洛利遭受了最后的致命一击。根据决定,匈牙利必须在十天之内将其军队撤出该地区西部,而罗马尼亚可以向东部边缘进军。调停人说这样做是为了防止两国冲突,但匈牙利并不这么认为。

正如卡洛利对维克斯所说,匈牙利人被要求撤离的领土正好是罗马尼亚人索要的那部分,同时罗马尼亚军队可以向西推进 100 公里。怎样才能阻止他们进一步深入匈牙利?匈牙利人不再相信罗马尼亚的承诺。如果卡洛利接受中立区,就会引发革命,他的政府就会倒台。他嘀咕道:"就我来说,我很想抵制这个决定。"维克斯无动于衷,他反复说这不是政治问题。匈牙利人应该冷静下来接受巴黎的最后通牒,他确信协约国会约束罗马尼亚的。卡洛利说现在他们也可以占领整个国家:"使之成为法国或罗马尼亚或捷克斯洛伐克殖民地。"维克斯耸耸肩,不置可否。第二天,卡洛利政府垮台,他逃亡国外并于1955年在法国的里维埃拉去世。

如他所料,他的继承人是革命者。库恩·贝拉来自特兰西瓦尼亚的一个小乡村,父亲是位嗜酒如命,懒惰无能的公证人(他的父亲是个毫无经验的犹太人,后来因被证明卷入了犹太人的马克思主义阴谋而遭逮捕)。他也是个公认的丑八怪,头大身子小,鼻子扁平,耳朵奇大。战前,他是位有名的激进派记者。1914年他应征入伍,在东线与俄国人作战,并被捕送往战俘营。1917年的俄国革命急剧地改变了他的政治生涯和命运。1918年他被释放,并在莫斯科见到了列宁和其他布尔什维克党人,以及一位匈牙利共产主义运动领袖。战争结束时,在新朋友提供的金钱和假文件的帮助下,库恩返回匈牙利宣传革命。这是个天赐的良机。

库恩像一阵旋风吹过匈牙利混乱不堪的政界,他发表宣言、要求,号召罢工和游行,被布达佩斯的警察痛打一顿并被关进监狱。3月21日,也就是协约国最后通牒发出的第二天,政府中卡洛利的社会主义同盟来探监;他们准备将政权交给共产主义者。那天,库恩·贝拉在没有动用武力的情况下赢得了自由、革命和权力。第二天,他宣布匈牙利为苏维埃共和国。

布达佩斯一位年轻的美国军官认为,"这次革命更大程度上是民族主义的,而非共产主义的,坚决拥护祖国统一的匈牙利人民将布尔什维克作为维护国土完整的惟一手段。"巴黎的四人会议犹豫不决了。克雷孟梭及其军事顾问主张增援罗马尼亚,并让他们放松对俄国和匈牙利布尔什维克的控制。福煦拿出地图以说明罗马尼亚是中欧阻挡布尔什维克的关键。他说,忘了俄国南部的白俄罗斯人吧,他们已经失败了,"正因为如此,我告诉你们:把目标移到罗马尼亚,那里不但有军队,还有政府和人民。"威尔逊承认他不知道该如何正确行动。"我们对布尔什维克的立场究竟是什么?"也许,在匈牙利和罗马尼亚之间建立中立带并非明智之举,"似乎这个办法并没有达到预期结果。"和会应该选择立场?"名义上,我们是匈牙利人的朋友,但和罗马尼亚的关系更好。"克雷孟梭尖刻地回应:"匈牙利人不是朋友,是敌人。"在所有奥匈帝国民族当中,他们是最不愿投降的。

不再像当初那样敌视匈牙利的劳合·乔治和威尔逊站在了一边。毕竟,克罗地亚人和斯洛文尼亚人也为奥匈帝国战斗到最后一刻,而协约国对他们是友好的。"为什么不和马札尔人谈判呢?"对德和约应该向他们敲响警钟;上周末,他在枫丹白露度过,反思他们的过失,如把德国人置于波兰人统治之下。而使千百万匈牙利人离开祖国,这对欧洲未来的和平同样危险。因为有与俄国的经验在先,他也对用武力解决布尔什维克的方法表示怀疑。他对其他人说:"我们不要用对付俄国的方法对付匈牙利,一个俄国就已经够我们受的了。"他提议派可靠的人,如斯马兹,调查报道库恩及其政权。威尔逊完全赞成,克雷孟梭也勉强同意。迫于法国的压力,四人会议同意向罗马尼亚提供军用物资。

愚人节的晚上,斯马兹以及助理包括哈罗德·尼科尔森乘坐专列从巴黎出发前往布达佩斯。表面上,斯马兹的任务是说服匈牙利人接受匈牙利与罗马尼亚之间的中立带,实际上却是为了打探能否将库恩作为与列宁沟通的非正式渠道(协约国还没有制订出对俄国的可行性政策)。英国认为,如果这次行动能抵消法国在中欧的影响力,就没有白走一趟。这个消息使布达佩斯人异常兴奋,他们认为这表明和会准备承认新政府。库恩急忙把匈牙利剩余的资产——库存的油脂——卖给意大利,并用这笔钱定购了红色天鹅绒,给从火车站到布达佩斯最著名的酒店的所有建筑装上窗帘,酒店本身用巨大的英国国旗和三色旗装饰。

到达布达佩斯时,斯马兹拒绝下车。他稳稳地坐在专列上,库恩只能上来和他会谈(几英里的红天鹅绒只好等到国际劳动节才能露面)。一向对匈牙利不友好的尼科尔森对共产主义者的态度非常傲慢。"大约30岁的矮子,肥胖的白脸、松弛的嘴唇、刮过脸的脑袋、游移不定的可疑的眼睛,一张阴沉无常的脸活像罪犯。"陪同库恩的匈牙利外交部长同样没有品位,令人讨厌,"油腔滑调的小个子犹太人——非常破旧的皮衣——绿领带——肮脏的衣领。"

在拥挤的餐车里的讨论并不顺利。库恩希望得到承认,斯马兹坚决不予;库恩希望罗马尼亚人撤到中立带以东,斯马兹只准备做出些微让步使罗马尼亚占领特兰西瓦尼亚,他觉得没有必要继续讨价还价。第二天讨论结束时他说:"先生们,我必须说再见了。"他礼貌地和大家握握手然后踏上火车。匈牙利人惊讶地看着火车缓缓驶出了火车站。通过这次短暂的访问,斯马兹得出结论,库恩非常愚蠢,他的政府注定不会长久。

另一方面,他对巴黎的调停人说,他愿意采纳库恩提出的一个有用的建议,即召集原奥匈帝国的所有国家解决共同的边界问题,制订共同的经济政策。斯马兹甚至和凯恩斯短期合作,共同开展一项为复苏多瑙河盆地国家经济而提供国际贷款的计划。这些都是合理的想法,但在巴黎都没有施行。意大利人坚决反对任何带有重振奥匈帝国味道的建议,其他协约国对执行这些建议也都没有特别的兴趣;另外由于奥匈帝国各继承者之间相互仇视敌对,那在1919年几乎不可能实现。而且,由于对遗产分配意见分歧,他们更加不和。不过,两次大战之间那几年,他们有过几次经济或其他方面的小合作。然而,这个梦想并没有完全泯灭,最后一位君主的儿子——在欧洲议会被称作奥托·冯·哈布斯堡·洛林博士——不屈不挠地为"曾经属于其祖先的"各国之间的合作而奋斗。

在匈牙利,共产党控制的报纸声称斯马兹之行意味着协约国已经承认他们的政权。至于他的突然离开,他们只字未提,但不时传出各种说法,使公众大为不安。有谣言声称协约国正在派兵占领布达佩斯,托洛茨基正率领红军向东北进军支持匈牙利革命和刚刚爆发的巴伐利亚革命;奥地利红党即将占领维也纳;共产党逮捕了成千上万名中上产阶级;右翼企图夺取政权;左翼策划实施恐怖。并非所有传言都是捏造的。

托洛茨基没有在行军途中,但布尔什维克希望与其他共产党联合。在贝尔格莱德,弗朗谢·德斯佩雷试图说服南斯拉夫派部分军队北进布达佩斯反对库恩。在维也纳某宫殿,流亡的贵族,包括卡洛利的亲戚正在密谋策划反革命(在对匈牙利大使馆的一次袭击中,同谋者截获一笔现金,不幸的是,由于对如何使用这笔钱发生争执,他们立即变得停滞不前了)。在远离布达佩斯的匈牙利乡村,由卡洛利的另一个堂兄领导的军官策划发动政变。他们说服奥匈帝国海战英雄霍尔蒂上将加入他们的行列。

库恩的政权使局势对其反对者有利。在当政的133天中,它宣布了一系列戏剧性的、基本上无法实行的改革措施:禁酒,使工厂国有化,分配大型资产,废除各种头衔,推行无产阶级文化,强制洗澡,对在校学生进行性教育,强制性地重新分配住房和家具,使坟墓标准化。这使他们几乎疏远了所有群体,从惊骇于把教堂改建成电影院的天主教徒到被审查制度、任意逮捕和秘密警察所震惊的自由党人。公众主要因其无力解决通货膨胀、物资紧缺以及腐败等问题而谴责该政权。

最终消灭库恩政府的是其外部敌人。4月,斯马兹离开布达佩斯一周后,罗马尼亚军队在法国军队的默许和暗示下,穿过中立带进攻布达佩斯。几天后,捷克人也从北面进军。在巴黎,和捷克斯洛伐克人一样,罗马尼亚人声称他们不应被责备。布拉蒂亚努对四人会议说:"恐怕你们不了解罗马尼亚军队的角色和匈牙利的挑衅。"他们的行动完全出于自卫。劳合·乔治抱怨说:"他们都是一心偷取领土的强盗。"当罗马尼亚人向西远远超出他们声称的范围时,连克雷孟梭都觉得他们的要求太过分了。他很担心由此产生的政治暗示:他所在的左翼害怕他参与反对匈牙利共产党;他也不断接到有关在东欧监督停战的法军士气的警报。

匈牙利人暂时重整旗鼓。连保守的军官都发现库恩·贝拉更可取,尤其对罗马尼亚人来说。该政权放弃了无产阶级革命,转而求助于爱国主义;志愿者踊跃参军。敌视匈牙利另一个帝国——南斯拉夫的意大利人向库恩出售枪支和弹药。据英国观察家说,他们也传递协约国计划方面的信息。5月中旬,匈牙利部队打退捷克人并使他们和罗马尼亚人不和。

在巴黎,调停人起先对此并不理解。威尔逊倾向于认为匈牙利人是无辜的一方,但问了一个蹩脚却很熟悉的问题:"我们能阻止罗马尼亚人的行动吗?"劳合·乔治和克雷孟梭只能建议与布拉蒂亚努谈判。必须承认,由于和意大利人在阜姆问题上破裂,他们被搞得心烦意乱。5月的第二周,当四人会议看到专家关于匈牙利与罗马尼亚及捷克斯洛伐克的国界的建议时,几乎未经讨论就通过了。

战争还在继续,使调停人不得不给予关注。6月,一位刚从匈牙利返回的英国记者被邀请与劳合·乔治及其军事顾问亨利·威尔逊共进午餐,向他们讲解匈牙利目前的形势。当他们一起看中欧地图时,他发现首相情绪很好。现在,劳合·乔治指责捷克斯洛伐克和罗马尼亚引起这场冲突,他说:"我觉得匈牙利人是最好的选择,他们总能使其他人遵守秩序。"他们商量让协约国联合起来反对库恩·贝拉,亨利·威尔逊阴郁地问:"军队从哪里来呢?"劳合·乔治认为布尔什维克会自动灭亡。他很喜欢这次谈话;这对后来他与同僚的谈话很有帮助。记者总结道:"很明显,忙于处理主要罪犯的四巨头基本上无暇顾及德国以东的国家。"

和对付波兰人一样,四人会议发出警告和命令,但没有成效。他们告诫罗马尼亚人不得占领布达佩斯。布拉蒂亚努采取了道德路线:"我们想团结起来以重建秩序。"这是老生常谈了;他还反复指控协约国忘恩负义,忘记了罗马尼亚人在战争中的巨大贡献。协约国命令匈牙利立即停止战争。库恩回应道:"如果罗马尼亚和捷克斯洛伐克停战,匈牙利也愿意这么做。"

协约国各成员发现他们很难就接下来应该采取的步骤达成一致。法国主张派遣一支由罗马尼亚人、南斯拉夫人和法国人组成的军队占领匈牙利剩余的国土;美国人指出,一旦进入,罗马尼亚人绝不会离开。劳合·乔治建议他们可以以切断供应威胁罗马尼亚人。6月12日,四人会议向匈牙利、捷克斯洛伐克和罗马尼亚发出电报,告诉他们新的国界,并命令他们将军队撤回自己的领土。掠夺土地的行为不会再发生;协约国的决定也不会因"肆无忌惮地使用武力"而改变。美国代表布利斯将军被委托确保各方军队按规定撤退。他写信对妻子说:"对一个平静、爱好和平、有点疲惫的人来说,这是个不错的差事,不是吗?"

劳合·乔治警告威尔逊和克雷孟梭:"我们必须付诸行动,不能只发空头命令。"战争仍在继续,罗马尼亚人拒绝撤回东部,布拉蒂亚努说他害怕被库恩和俄国布尔什维克同时攻打,或许还包括武装到牙齿的保加利亚的进攻。7月,当库恩试图将罗马尼亚人赶过布达佩斯以东约100公里处的蒂萨河时,匈牙利人又为他提供了一个前进的借口。罗马尼亚人进行反攻。由于匈牙利军队中与霍尔蒂上将的反对派有联系的军团停止作战,匈牙利全线溃败。库恩逃亡奥地利然后逃至苏联。1939年秋,他因被指控勾结罗马尼亚秘密警察而在斯大林的肃清运动中被捕并遭处决。

1919年8月3日,罗马尼亚军队进驻布达佩斯。南斯拉夫人和捷克斯洛伐克人乘机沿边界深入匈牙利。1919年秋,尽管协约国多次抱怨,匈牙利的敌国始终坚定地留在原地不动。柔弱的匈牙利政府既无力对付敌人也对在乡村势力强大的霍尔蒂的军队束手无策。布达佩斯的美军代表在日记中写道:"如果三大强国能够保有军队并向出现麻烦的地区及时派兵,一切都会不同;但由于最高委员会的决定对小小的罗马尼亚毫无作用,其威信不断下降。"现在,和会进入低谷:威尔逊返回美国徒劳地力图使国会批准国联;劳合·乔治大部分时间在伦敦;克雷孟梭正在准备竞选法国总统。

占领了匈牙利大部分领土的罗马尼亚人将库恩及其政权遗留下来的一切洗劫一空:电话、牡马、消防车、鞋、地毯、汽车、粮食、牲畜、铁路客车和机车。玛丽亚女王高兴地对一位美国军官说:"你可以称之为偷盗,或其他什么都行。我觉得我们有权做我们想做的一切。"当布达佩斯的协约国军事委员会反对时,罗马尼亚人反驳说他们只是为军队获取物资。布拉蒂亚努说,毕竟,罗马尼亚从布尔什维克的魔爪中拯救了文明。

11月,强国,主要是英法忍无可忍了。他们命令罗马尼亚、捷克斯洛伐克和南斯拉夫立即撤出和约分给匈牙利的领土。罗马尼亚极不情愿地顺从了,而且故意拖延时间。当稳定的新政府在匈牙利上台后,协约国终于决定开始和谈。12月1日,和会邀请匈牙利派代表前往巴黎。1920年1月5日,一辆火车驶出布达佩斯,途中,等待在轨道两旁的人群祝福乘客们好运。

代表团年老的领袖艾伯特·阿庞尼伯爵来自一个于12世纪移自中亚的家庭,其政见还停留在18世纪。他善良有礼,很有教养,虔诚信教,热爱祖国。他去巴黎并没有抱什么希望:"虽然我对缓解我们的命运丝毫不抱幻想,但还是不能拒绝这个令人悲伤的职责。"匈牙利几乎没有什么值得讨价还价的。库恩逃跑时,国界大体已定,协约国也已经与其邻国签订和约。

法国人冷淡但合乎礼节地接待了匈牙利代表,并将他们安排在马德里城堡——位于布劳涅森林公园的度假酒店。他们受到的待遇比德国人好,可以在森林里散步,甚至可以去当地饭馆。他们在法国外交部举行的简短仪式上接受和约。克雷孟梭简略地对阿庞尼说,他可以在第二天发表一项声明,但没有口头商议,只有书面谈判。离开时,法国总统发出一声轻蔑的大笑。

劳合·乔治认为阿庞尼的声明是精彩之作。他先用流利的法语,然后换成无可挑剔的英语,最后用完美的意大利语作结。他指出对匈牙利的惩罚比对其他任何战败国都严厉:它失去了三分之二的领土和人口;被切断了市场和原材料来源,还要赔偿巨额赔款;350万匈牙利人将与祖国分离。如果自决原则是公平的(他认为如此),就应该应用于匈牙利人,至少应该在将被分割出去的地区举行公投(有失明智的是,他抱怨匈牙利人将受落后国家的统治并因此削弱了其论据)。

为了回答劳合·乔治的一个问题,阿庞尼铺开一张随身携带的巨大的民族地图。劳合·乔治悄声对阿庞尼说:"你很雄辩。"连克雷孟梭也对他彬彬有礼。当匈牙利代表返回酒店准备书面评论时,他们似乎有了一丝希望。在英国,国会就匈牙利条款问了许多问题;一些法国商界要人对重新开展法国与匈牙利的经济联系很有兴趣,而且非正式会谈已经启动。由新总理领导的意大利政府一改往日的敌对态度,督促协约国考虑匈牙利的抗议。最终,英法不准备重新制订条约;意大利人也不愿过于强硬;调停人也可能受了罗马尼亚、南斯拉夫和捷克斯洛伐克的备忘录的影响,备忘录声称任何重新划定国界的尝试都将是背叛。最终由于懒惰,和会没有对匈牙利条约进行修改。正如一位英国观察家在1919年对卡洛利所说:"协约国政府有许多比1000万匈牙利人民的命运更重要的问题等待解决。"

匈牙利只赢得些微让步:如多瑙河上更多的巡逻船。1920年6月4日,在特里亚农宫举行的简短仪式上,匈牙利代表签订了和约。匈牙利公共建筑上的国旗全部降半旗致哀,《特里亚农条约》也成为协约国残酷的代名词,有关它的记忆助长了匈牙利人心中撤销这些条款的愿望。战争期间的主要政治人物是霍尔蒂,现在被任命为摄政王,因为匈牙利依然是个君主制国家(它再也没有找到对英国和霍尔蒂都合适的国王)。霍尔蒂及其支持者尝试各种不现实的计划,以试图把匈牙利恢复至战前边界,如向在斯洛伐克军营的捷克战士放毒气,帮助匈牙利军队等。

20世纪30年代,匈牙利谨慎地向其他修正主义国家——希特勒的德国和墨索里尼的意大利——靠拢。在1938年签订的《慕尼黑协定》使捷克斯洛伐克孤立地暴露给希特勒之后,匈牙利成功地获得一小片斯洛伐克领土及整个鲁塞尼亚地区。1940年,匈牙利占领罗马尼亚;1942年,又占领南斯拉夫。在希特勒的支持下,匈牙利夺回约五分之二的特兰西瓦尼亚领土以及南部巴纳特的部分地区。但好景不长,1945年,战胜国恢复了《特里亚农条约》规定的边界并保留至今。

A TROUBLED
SPRING

第六章　多事之春

风雨沉沉的夜里，前面一片荒郊。

走尽荒郊，便是人们的道。

呀！黑暗里歧路万千，叫我怎样走好？

"上帝！快给我些光明罢，让我好向前跑！"

上帝慌着说，"光明？

我没处给你找！

你要光明，你自己去造！"

——朱自清，《光明》

21 四人会议

1919年,巴黎的春天姗姗来迟,但4月中旬木兰花已经盛开,林阴大道两旁的板栗树也开始发芽。高大英俊、身穿白袍的埃塞俄比亚代表陆续到来。博物馆陆续重新开放,孩子们在公园里快乐地玩耍。国际劳动节那天,全城禁闭,左翼为了一年一度的社会主义者集会出动成千上万人游行示威,政府则调集军队进行回应。巴黎市中心到处都是冲突;谣言声称2000名重伤者被送往医院。

和会上,对德和约基本完成,中欧和南欧的许多国界已经划定——至少在纸上;对奥地利、匈牙利、保加利亚和奥斯曼帝国的和约也已经起步。此时,巴黎城内流传一个尖酸的笑话,说他们正在准备"公正而持久的战争"。

和会中心是新成立的四人会议——克雷孟梭、劳合·乔治、奥兰多和威尔逊——他们从3月的最后一周开始开会。但会上没有专家和秘书,只由他们几人解决一些重大问题。劳合·乔治对最高委员会消息泄漏及和谈进度缓慢非常担忧,克雷孟梭表示同意:和会两个月来成效甚微。威尔逊也这么认为,他一向喜欢非正式的小组开会,这样的话,他可以畅所欲言,必要时还可以改变主意。愤世嫉俗者说,四人会议也是将意大利外交部长桑理诺排除在外的方便的借口,他强硬的态度已经得罪了所有人,包括意大利总理。

四巨头一天开两次会,如果有特殊情况,星期天也不例外。会议地点偶尔在克雷孟梭位于战争部的潮湿寒冷的办公室,但大部分时间在威尔逊的书房。偶尔参加的塔迪厄说,威尔逊僵直地坐在扶手椅里,看上去就像一个"批评论文的大学教授"。威尔逊说话慢条斯理,而劳合·乔治双手抱膝,慷慨激昂,时而愤怒,时而幽默,"无视技术性论证,喜欢奇思异想,但富于雄辩和睿智"。克雷孟梭躺在椅子里,带着手套,双手放在两侧。他没有前两者的话多,但一旦开口比威尔逊有激情,比劳合·乔治有逻辑。有时,为了听得更清楚,他坐在炉栏上。奥兰多通常坐在壁炉旁边,面对他们三个。他在其他方面也与另外三人隔离;他只关心意大利的要求,几乎不参与其他讨论。当其他三人用英语快速谈话时,他就听不懂了。一次,一位朋友问起最近召开的会议的情况,他郁闷地回答,威尔逊讲了一个有关黑人的笑

第六章 多事之春

话,讲了六遍,他才勉强听懂。

被排除在外的日本人表示抗议。他们被打发到五人会议,英国人称之为第二梯队,与英国、法国、意大利及美国外交部长讨论四巨头留给他们的问题。专业外交官对这两个实体代替最高委员会非常反感。保罗·康邦说,"一文不值的计划,临时准备的想法。"媒体因备受限制而大声抱怨。《费加罗报》的记者说和会就像一个用黑漆包裹的大篷车,上面写着:"在黑夜的隧道中进行的黑人的战争。"《纽约先驱论坛报》登载的一幅漫画上画着威尔逊——"最新摔跤冠军"——把媒体打倒在地。

和会的英国秘书——小心翼翼的汉克担心四人会议缺少记录,"从秘书的角度来看,极不方便。"几周后,四巨头发现四人会议也不利于解决问题。他们不记得做出过什么决定或谁应该负责。4月中旬,汉克回来做记录。还有历史学家兼口译员保罗·康邦,他每天早上向克雷孟梭口述他通过回忆作的秘密会议记录(曼托还复制了一份,并在1940年德国人侵巴黎时丢弃;但它却躲过战乱,保存了下来)。4月底,奥兰多也请了一位意大利秘书。至此,一幅完整却不同寻常的画面就形成了:世界上最主要的政治家三个月内每天会晤,共召开200多次会议。汉克的记录把每个人都说成贤明的公务员,并删掉了其间的交易,而曼托和意大利人阿德罗范迪的记录则涵盖了唐突之词和气话。

四巨头相互之间又吵又嚷,但他们,包括奥兰多,也互相开玩笑,互相怜悯。他们仔细察看地图,有时甚至一起趴在威尔逊的巨幅欧洲地图上看,由于太大,只能铺在地上。劳合·乔治和威尔逊谈论起去教堂;克雷孟梭说他一生从未去过。他们就各自担心的问题交换意见。克雷孟梭对其他人说,他从不会因为别人的指责漫骂而失眠,但当他觉得自己出丑时却睡不着。威尔逊和劳合·乔治都明白他的确切意思。其他人礼貌地听着威尔逊朴素的南方笑话,自己也会讲一些。一天,威尔逊一开始便对克雷孟梭说:"我亲爱的朋友。"克雷孟梭叫道:"你一说'我亲爱的朋友',我就有点害怕。"威尔逊回答说:"我别无选择,但如果你乐意,我就说'我杰出的同僚'。"当四人会议全部结束时,克雷孟梭问劳合·乔治:"你觉得威尔逊怎么样?"劳合·乔治说:"我喜欢他,非常喜欢他,现在比刚开始时好多了。"克雷孟梭说:"我也是。"他们都因权力而孤独,因此能够相互理解。

问题越来越多了。例如,3月的最后一天,四人会议讨论了德国赔款、萨尔煤矿、协约国对莱茵兰地区的占领、海峡隧道、比利时的要求、匈牙利革命、匈牙利和罗马尼亚的武装冲突,以及派遣斯马兹代表团。威尔逊还抽空与海军部长讨论英美之间的海军军备竞赛;劳合·乔治与两个顾问共进早餐讨论波兰形势;克雷孟梭与福煦产生了矛盾,而且还得处理一系列的罢工。媒体对和会一片指责,尤其批评了和会对外界封锁消息而且成效甚微。

四人中,劳合·乔治过得最惬意。他后来常说,在巴黎的六个月是他一生中最快乐的时光。他见证了英国顺利地度过战争并参与和平谈判。离开巴黎当天,他对老朋友瑞德尔说:"我觉得我合上了一本再也不会被翻开的书——一本非常有趣的书。这段时光让人焦虑,也让人快乐,我过得很开心。我怀疑是否还有机会再渡这种时光,简直太生动了,一切历历在目。"

相比之下,威尔逊明显老了,而且面部痉挛更严重了。讨论对德和约期间,他病得很厉害,但这次只是轻微中风,是四个月后严重中风的前兆。5月初,媒体秘书贝克说:"我从未见过总统如此疲惫、憔悴。他要费很大劲才能记起上午的会议内容。"威尔逊心力耗尽,一天他说:"我想我有个很好的消息,我将倒地而死。"他变得更加急躁尖利,不理智,而且很容易动怒。他对使用公家汽车大惊小怪,坚持认为他房里的法国员工都是间谍,因为他们操一口流利地道的英语并且突然重新布置了书房。他对医生说:"我不喜欢这些家具的颜色,互相冲突,红绿混杂,一点也不和谐。"四人会议的美国角将是红色的,英国是绿色,而法国可以用花里胡哨的颜色。

4月14日,四人会议邀请德国政府派代表前来巴黎。这个必须由整个和会批准的和约是个奇怪的混合物,既是对战败国的传统条款,又是一幅世界新秩序的蓝图。它谈到战利品——德国将归还1871年从法国夺走的所有国旗和一位非洲统治者的头骨——以及波兰、捷克斯洛伐克等国家的自决。有关德国领土损失以及对挑起战争的国家的惩罚的条款与关于建立世界新秩序的条款并行——如国际劳工组织——如威尔逊坚持的那样,整个讨论从国联盟约开始。由于对德和约是首要问题,威尔逊及其支持者认为它必须包含新外交政策的基本原则和制度。

和会成立了中央起草委员会,负责比较各条款并确保措辞准确一致。贝克的助理顺便拜访法国外交部来看和约。他报道说:"起草委员会非常繁忙,因为他们刚开始负责时收集的材料非常有限,大部分写得都很糟糕,而且前后矛盾。"调停人员不停地修改、增补,直到文件上交付印的最后一刻。即便如此,四人会议发现他们还是忘记提到鸦片走私和卢森堡。劳合·乔治希望增加有关毒气的条款;加拿大外交部长博登要求修改国际劳工组织的相关条款;福煦及其助理怀疑起草委员会放松了有关解除武装的条款,因此坚持要求旁听他们的会议。

4月29日早晨,就像私人舞会的不速之客,比利时代表出现在威尔逊的书房,说他们不能在和约上签字,他们国家的民意一致认为和会对比利时不公。大街上的游行示威者高举标语问道:"英格兰忘记1914年8月了吗?","威尔逊为什么不来看看比利时一片废墟的破败景象？""比利时英雄被埋葬在东非,谁来守卫他们的坟墓？"布鲁塞尔一家报纸的头条写道:"比利时被其盟国遗弃羞辱。"这些都是事实,毫不夸张,但引起欧洲冲突的比利时却基本被和会忽略。类似地,1945年,战胜国联盟将波兰丢给了苏联。

在所有协约国中,比利时在德国的魔爪下损失最为惨重。除了从海岸伸向伊珀尔的一小块领土外,整个国家都在战争中被占领。协约国许多关于德国在比利时的行径的宣传都不真实,但也不全如此。德国残酷而快速地洗劫了这个国家,机器、零部件、工厂,包括屋顶、铁路客车以及机车全部东流。1914年以前,比利时是个繁荣的国家,而1919年,80%工人失业;钢铁产量不足原来的十分之一;在乡村,农民没有化肥,没有器具,家畜也少得可怜,因为大批马、牛、羊甚至连鸡都跑到东部去了。如果没有协约国的救援,比利时人早在战后第一个冬天就饿死了。

不幸的是,几乎没有人支持比利时。把重建比利时作为十四点之一的威尔逊一心处理更大的问题。法国人怀疑比利时想合并卢森堡,英国人认为他们贪得无厌。劳合·乔治因比利时"荒谬"的要求与其外交部长发生争执:"我必须明确告诉他,比利时在战争中的人员伤亡不大,而且它做出的牺牲没有英国多。"

比利时外交部长保罗·海曼斯对祖国的事业没有帮助。他衣着整洁,头脑聪明,坚信自己追求的是正义的事业。他向四人会议作报告,后来,当发现他和比利时被忽略怠慢时,他抱怨连连。一次,他情绪激动地说:"真希望能为比利时做点什么。"克雷孟梭站起来说:"你能为比利时做的最好的事就是要么去死,要么辞职。"

比利时人希望强国向荷兰人施压,并解决两国之间令人不满的国界,特别是流经荷兰、由比利时的安特卫普港口入海的斯克尔特河沿岸。在鹿特丹拥有自己港口的荷兰人在战前几乎没有修缮过河道,如挖掘淤泥。作为中立国而不属于和会的荷兰坚决拒绝放弃一寸国土,即使能得到德国在其他方面的补偿。强国仍然保持缄默。

比利时还想改善与德国的边界。比利时事务委员会提议将欧本和马尔梅迪之间的小块领土分给比利时。这里虽然面积不大,不到400平方英里,人口大约为6万,但拥有宝贵的森林资源,可以弥补比利时在战争中的损失。四人会议表示同意。

但在赔款问题上,四巨头就没有这么心慈手软了。比利时要求在赔款中包括战争费用。这并不是毫无道理,由于国家大部分被占领,比利时政府被迫靠借债来支持战争;他们还要求得到德国赔款的优先权。美国人对他们表示同情,英法却无动于衷,但4月29日,他们放弃原有主张,并于接下来的几天制订出一份协议:德国一赔款,比利时就将得到5亿美元,至于占总赔款的比例依然待定。接下来的几年中,英法尽力削减比利时的要求,而德国想方设法不出一分钱。直到 1925 年,比利时才全额得到这笔优先赔款。最终,和它的盟国一样,它只得到它想要的东西的一小部分。

然而,有一次比利时人在巴黎显露了谈判技巧。他们声称不在和约上签字的威胁来得恰是时候。当时意大利退出和会,日本的要求遭遇严重危机,德国代表也在那天抵达,但条款还未最后敲定。更令人担忧的是,混乱的和会能让他们签约吗?

22 意大利退出

4 月 20 日,比利时最后通牒发出前九天,弗朗西丝·史蒂文森站在劳合·乔治位于尼托特大街的公寓的窗前向威尔逊的房间张望,看四人会议紧急会议是否还在继续。那天是复活节,春光明媚,劳合·乔治答应她一起去野炊。"突然,奥兰多出现在窗前,趴在栏杆上,双手抱头。他看起来像在哭,但我觉得不可能,直到我看见他拿出手绢擦眼睛和脸颊才敢确信。"站在她旁边的劳合·乔治的贴身男仆大叫:"他们对这个可怜的老人做了什么?"屋里,克雷孟梭冷冷地观望。那个英国人被吓呆了;汉克说如果是他儿子,他一定会因在大庭广众之下如此出丑而打他。只有威尔逊走过去安慰意大利总理,鉴于美国人和意大利人之间的仇恨,这的确是慷慨之举。

和会最严重的争端刚刚到达敏感期,发生的时间再糟糕不过了。由于德国代表即将抵达巴黎,在他们面前表现出调停人的团结一致非常重要。虽然,意大利在和会的要求涉及三个方面——非洲、中东和欧洲——但真正引起问题的是亚得里亚海地区,尤其是阜姆港口。争吵既关乎领土也关乎原则,因为意大利人希望得到旧原则许诺他们的一切,但美国人坚决主张用新原则。同时,还有威尔逊和意大利人性格方面的冲突,尤其是和其外交部长桑理诺。正如美国人轻蔑地说,这是关于和谈究竟是分赃还是基于民族因素划分国界的问题。威尔逊根据原则选择了立场,因为意大利的要求已经在英法秘密签订的《伦敦条约》(他很厌恶该条约)下得到了满足,而该地区的居民也主要是斯拉夫人(违背自决原则)。

奥兰多希望避免正面对抗。但是,他没有意识到威尔逊不仅仅是普通的政治家,1918 年的世界和 1914 年相比已经大不一样了。奥兰多是黑暗的意大利政界的产物,他能上台完全是由于交易、猫腻和赞助人的帮助。他是西西里岛人，律师出身，认为所有困难都可以用正确的言语解决。他对祖国和家庭引以为豪，在巴黎时，他对同桌的美国人吹嘘他在31个月内创造了三个孩子，不可能再快了。尼科尔森有偏见地认为他"软弱无力，优柔寡断"，但当意大利面临挫折失败时，他却使它紧密团结在一起。

战前，意大利社会已经明显分化：北部是繁荣的工业区，南部是传统的农业区，而战争使形势更加紧张。19世纪60年代发下的统一的伟大誓言还没有实现。意大利经济增长缓慢，对外国事务的干涉使它窘迫不堪，并且因1896年在阿杜瓦之战中被埃塞俄比亚打败而备受羞辱。和德国一样，其政治体系也有很多敌人：不接受新政府的天主教堂，对在现存体系内改革已经绝望的激进的社会主义者，或渴望冲破腐败无聊的政界束缚的右翼民族主义者。

战争期间，强国中最穷的意大利只得超前消费。到1919年，它共欠盟国7亿英镑，战时通货膨胀比除俄国以外的任何国家都高。在抵抗奥匈帝国的前线，指挥不良、设备落后的意大利士兵在向阿尔卑斯山脉攀登途中死伤惨重。1917年，军队在卡波雷托溃败；为此意大利人责备将军以及国家体制。到1918年，50多万人丧生，重伤人数更多。这一切都是为了什么？"残缺的胜利"这个后来非常流行的词组已经开始出现在意大利，有关革命的讨论也随处可闻。

由于自由党人和温和的社会主义者不再支持政府，奥兰多不得不越发依靠右倾的民族主义者。他急需在巴黎赢得胜利或胜利的曙光。如果桑理诺及其保守党朋友坚持《伦敦条约》，他们就能得到；如果一些民族主义者想得到比许诺给意大利的位于亚得里亚海东岸的地区更多的领土，如阜姆，也是可能实现的。他甚至可以通过谈论对散居国外的意大利人（但不包括将受意大利统治的德国人和斯拉夫人）施行威尔逊的自决原则而赢得自由党的支持。奥兰多提出一个受民族主义者欢迎的方案，但却惹恼了盟国："《伦敦条约》和阜姆。"当阜姆问题变得对意大利民族主义者而言关乎生死，对威尔逊也异常关键时，奥兰多和其他人一样惊讶不已。

意大利代表团另一个强悍人物桑理诺支持《伦敦条约》（毕竟该条约是他参与谈判的），但对阜姆没有兴趣。劳合·乔治认为："他明白事理，不想为了蝇头小利而牺牲更多。"然而，他将对意大利在巴黎的灾难性外交负全部责任。奥兰多得以逃避责任，部分是因为他的英文没有桑理诺好。另外，如劳合·乔治所说："他性格和蔼，和他打交道令人非常愉快。"他还错误地断言，"他和威尔逊总统之间没有观点和原则上的本质分歧。"奥兰多也极受美国人欢迎，豪斯写信给威尔逊说："如果奥兰多在的话，我想我可以有所作为，但桑理诺简直无药可救。"相反,桑理诺"阴沉严厉,刚硬死板,很难对付"。他言语不雅,在巴黎几乎没有朋友。

1919年,西德尼·桑理诺已经七十出头了。他一头蓬乱的白发,胡须无力地下垂,突出的眉毛下嵌着一双凹陷的眼睛,表情非常严肃,看上去是个典型的意大利保守派政治家和传统的欧洲政客。实际上,还远不止这些:在天主教占多数的国家,他信仰新教;他是一个知识分子,满腔热情地写下有关但丁的比阿特丽斯(《神曲》中的人物——译注)的文章;同时也是杰出的雄辩家。他出生在埃及,父亲是意大利犹太商人,母亲是爱尔兰人,因此,桑理诺是以一个外人的身份闯入意大利政界核心的。他是守旧的自由党人,并持续右倾。虽然他立志帮助群众,但却不相信他们的自助能力。战前,他两次担任总理,因为诚实、无私,甚至赢得了敌人的尊重。1914年,他当选为外交部长。

一个不是敌人的人说,他因自己与众不同而非常自豪:"战前,当我还是个年轻的外交官时,我经常在他位于图拉真广场附近的漂亮房子里见到他,但我不喜欢他高傲的姿态。"然而,桑理诺也有另外一面,年轻时,他也深深地爱过,但是没有结果。他在日记中写道:"谁能够爱上像我这么一个毫无外表和人格魅力的人呢?""我会为感情付出一切!只有感情才能减轻那毁灭我、让我令人讨厌并使我无法长期从事严肃事业的黑热病。"当巴黎谈判进展不顺时,他对秘书说他感觉身体不适。

桑理诺对国际关系的看法与俾斯麦相同,他觉得国际关系就是权力。正如另一位意大利外交部长所说,国家都受"神圣的自我主义"驱使。作为一名意大利民族主义者,桑理诺希望祖国安全;对他来说,这意味着土地、联盟、交易、结交朋友和反对潜在敌人。他一向认为谈判徒劳无功。一次,克雷孟梭责备他"太忠实于马基雅维利的思想了,没有提出明确的解决方案"。对于国际关系,桑理诺不相信原则、道德和公开,而且没有意识到其他人相信这些。虽然是在1919年,但他的行为方式却和在维也纳会议上一样,他对世界上的希望和感情几乎没有什么概念。

战争爆发时,意大利与旧敌奥匈帝国和德国结盟。桑理诺和少数同胞一起有意倒向同盟国一边,他设想他们会赢,非常合理的设想。无论如何,他希望欧洲由保守势力主宰,但大部分意大利人主张中立。直到战争持续不停时,主张中立的人——主要是保守派及部分激进的左派,与越来越多的要求加入协约国一方的人的分歧才变得明显。第二群人是个奇怪的组合——自由党人、共和党人还有社会主义者和狂热的民族主义者——这些人对意大利的战争目标意见不一。三思之后,桑理诺认为加入协约国是意大利的最佳选择。

他之所以改变主意是因为这才是理智之举。他不希望奥匈帝国完全被毁;实际上,他从未想过它会灭亡。他对同盟国没有特别的憎恶之情；他最终决定加入协约国是因为那样意大利才能得到想要的领土。他经常把意大利战争与大战区别开，正如他 1917 年所说："若要保证持久和平，意大利必须有安全的国境——这是它完全独立不可或缺的条件。"1918 年，威尔逊宣布十四点原则后不久，桑理诺尖锐地说："他们密谋策划了一场外国宣传运动，影射意大利推行殖民主义，反对民主、反对民族主义等等，但这纯属捏造。"相反，意大利对奥匈帝国领土的索求牢固地建立在"民族和陆海合法防卫"的基础上。他说，意大利渴望与南斯拉夫邻邦友好相处。

战争期间，协约国许诺帮助意大利实现其国家梦想，正如流行于意大利的口号所呼吁的，索要位于一直受奥匈帝国威胁的东北国界对面的从特兰托到的里雅斯特的领土。但 1915 年签订《伦敦条约》时，英法给了它更多：奥匈帝国亚得里亚海沿岸的岛屿和一块达尔马提亚领土，阿尔巴尼亚的法罗拉港口（意大利法罗拉）及其中部的一个保护国，小亚细亚沿岸的多德卡尼斯群岛；如果奥斯曼帝国灭亡的话，还可以分得其部分领土（这在和会引出一些难题，因为劳合·乔治曾把士麦那附近相同领土的一部分许诺给希腊）；意大利还将在阿拉伯半岛和红海与英法享有相同权利。对桑理诺来说，《伦敦条约》代表了一个庄严的契约；而 1919 年时它让英法窘迫不堪。

威尔逊明确表示美国不受任何秘密协定限制（战争期间，美国总统见过《伦敦条约》，但后来却予以否认）。英法觉得意大利对协约国的胜利没有多大贡献。据说，意大利军队没有及时攻打奥匈帝国，而后其表现又是一团糟。虽然反复许诺在地中海和亚得里亚海巡逻，但意大利战舰几乎没有离开过港口；意大利政府从协约国获得资源，但却拒绝在战争中使用。英国大使报道说，巴黎对意大利的态度"刚开始是非常轻蔑，现在是极端讨厌。他们都说停战协定对意大利人来说意味着战斗开始"。

战争末期，当意大利军队快速行动占领所有许诺给它的、乃至更多的亚得里亚海附近的领土时，大家都惊讶地扬起了眉毛。法国外交部长毕勋向英国大使抱怨，说意大利军队故意挑衅当地斯拉夫人，"要得到任何和约都不可能分给他们的领土，就意味着流血。"

1918 年 12 月，塞尔维亚人与奥匈帝国的斯拉夫人合并建国的可能性已成定局，这使意大利与其盟国的关系更加紧张。由于种种原因，英法对这个新国家非常同情；当然，意大利知道，形势已变，他们索要南斯拉夫领土已经没有道理。毕竟，当初的许诺是建立在奥匈帝国在战后依然存在的假设的基础上的。剥夺敌人的港口和海军基地是合理的，但对友邦这么做就说不过去了。英国战争内阁总结说："必须竭尽全力说服意大利理智地对待这些问题。"克雷孟梭也与奥兰多谈过几次话，劝他放弃《伦敦条约》。

意大利政府不准备照办,国内民众的意见将使问题更加复杂。忠实于伟大的马志尼的自由党希望解放受压迫人民,尤其是那些遭受意大利前暴君暴政的人民;而许多意大利人把克罗地亚人和斯洛文尼亚人视为仇敌,他们忠实地为奥匈帝国而战,而且一旦有机会,他们还会这么做。战争结束时,占领克罗地亚和斯洛文尼亚的意大利军队更像征服者而非解放者。塞尔维亚人更加可靠吗?意大利军队副总司令巴多格里奥将军警告其政府说,比塞尔维亚人聪明的克罗地亚人和斯洛文尼亚人很可能最后反过来主宰他们。为此,他制订了一个详细计划,即摧毁南斯拉夫,通过挑拨塞尔维亚人、克罗地亚人和斯洛文尼亚人之间的关系,以及挑起农民和地主之间的矛盾来巩固意大利对亚得里亚海东岸的控制。桑理诺和奥兰多于1918年12月批准了该计划。巴多格里奥建议说,在波斯尼亚可以利用宗教分裂,而且负责人都已经安排好了,就连意大利普通士兵都可以通过引诱"易受影响"的当地妇女为计划出力。

意大利海军的态度基本一样。当哈布斯堡王朝君主将亚得里亚海海军和位于普拉的巨大的海军基地移交给南斯拉夫临时委员会时,它非常气愤。第二天,一艘意大利鱼雷艇驶入普拉,击沉奥地利海军引以为豪的"维里布斯·乌尼提斯号",杀死船长和全体船员。在意大利激烈的反攻下,剩余舰队向协约国投降,意大利占领普拉。接下来的几个月,意大利海军与协约国,特别是和美国人,因意大利对当地斯拉夫人的态度而摩擦不断。在一篇冗长的备忘录中,意大利进行自我辩护,声称老天和意大利开了一个残酷的玩笑:亚得里亚海西岸港口很少,也没有天然屏障;而在东岸,"暗礁和群岛"形成了一道极好的防卫性障碍。"在东岸,海水清且深,很难使用水雷;而在西岸则混且浅,似乎专为使用阴险的海底武器而准备。"对意大利来说,它必须得到亚得里亚海东岸领土。

民族主义者理由更多。意大利不能让零散的意大利人社区受制于斯拉夫人。媒体登载了许多危言耸听的故事,谣传意大利妇女和儿童在伊斯的利亚和达尔马提亚海岸被杀;"南斯拉夫的压迫切断了达尔马提亚意大利人的喉咙,让他们惶恐不安,"博学的教授断言,"在达尔马提亚,凡不是意大利的都是野蛮的。"驻扎在达尔马提亚的意大利司令的态度稍显仁慈:"当地人基本上是好的,就像简单的原始人。但原始人也极其敏感、多疑而且暴力。"很明显,意大利以文明的使者自居。意大利报纸上登满各种照片,有的是前往教堂的农民,但旁边的注释却解释说他们要去向意大利司令表达敬意;有的是等待领取食物的人群,而报纸却说这些斯拉夫人是要请求意大利留下来。

随着1918年接近尾声,罗马、热那亚和那不勒斯热情洋溢的群众上街游行示威。美国大使认为游行受政府指使;据他报道,桑理诺坚定地说,意大利必须把在亚得里亚海地区的安全放在首位,这意味着控制领土而不是接受国联保护。"连警察都要求人们晚上关好大门,以便在警察到来之前把入侵者拒之门外。"和奥兰多一样,桑理诺觉得威尔逊的想法非常愚蠢,"世界可能因为几个外交官在室内的行动而改变吗?去巴尔干测试一下十四点吧。"

意大利政府尽力把盟国带到它的思考方式上来。1918年,奥兰多在伦敦对英法说,南斯拉夫人正在对意大利人实施"真正的迫害";他们攻击意大利士兵,因意大利妇女穿民族服装而骚扰调戏她们,因此他坚决不承认新南斯拉夫政府。英法勉强默许,他们被迫尊重《伦敦条约》,但对此满腔怨恨。正如罗伯特·塞西尔写信给驻意大利英国大使:"贪婪的意大利外交政策正在把它引向苦难的深渊……的确,南斯拉夫的要求很过分,但桑理诺的固执和意大利的过分要求使意大利在欧洲除了我们再没其他朋友,而且它还在尽力使自己更加与世隔离。"

他忘了美国人。威尔逊或许对意大利要求的一些细节的态度还摇摆不定(很明显,起初他以为的里雅斯特是个德国城市),但他知道自己的原则立场。他的法律顾问认为,当意大利在十四点原则的基础上与同盟国签订停战协定时,就暗示它已经接受由停战协定取代《伦敦条约》了。对此,威尔逊表示同意。另一方面,十四点许诺,"对意大利国界的重新划定必须沿明显可分的民族界线进行。"这将分给意大利它想要的东北部边境的部分地区,还有很少一部分伊斯的利亚半岛,而达尔马提亚则全然不包括在内。在有关停战协定的谈判中,奥兰多提出划定意大利边界时必须考虑其安全需要。后来,意大利人声称他们的这个意见被注意到了,但美国人不这么认为。

不过,奥兰多和桑理诺都怀着非常乐观的心情期待威尔逊来到欧洲。豪斯鼓励他们把美国当成朋友,在起草与奥匈帝国的停战协定期间,他允许意大利军队占领《伦敦条约》许诺给它的所有领土。他还给桑理诺一些谈判技巧方面的建议:如果意大利等到英法得到他们想要的之后再提出自己的要求,和会就很难拒绝了。豪斯在日记中写道:"我这样做完全出于恶意,我很想看到桑理诺和奥兰多如何基于英法的要求进行辩论。"意大利人还受意大利驻华盛顿大使马基·迪·切莱雷男爵的误导;此人无视事实,向他们保证威尔逊同情意大利及其目标。奥兰多说:"威尔逊是个好人,但完全不胜任这个工作……而且完全忽视我们意大利人参加和会的原因。"或许,意大利人不想知道。正如美国驻罗马大使所说:"桑理诺男爵很不了解美国,我认为他不清楚总统的动机。"

威尔逊倾向于怀疑意大利人,他觉得他们之所以参战,完全是出于"冷酷的算计"。1918年12月,他到达巴黎后最先做的事之一就是要了一份《伦敦条约》。圣诞前几天,他首次与桑理诺和奥兰多会面,并就意大利在亚得里亚海地区的要求进行了长时间的讨论。意大利人认为会议非常顺利。但第二天与威尔逊讨论的英国大使却有不同看法:"他非常反感意大利……极其讨厌桑理诺和奥兰多及其行为方式,尤其不想和他们谈话。"由于和会延期开幕,威尔逊同意正式访问罗马。可惜,这只加深了双方的误解。

在罗马,他受到了群众的热烈欢迎。"我觉得他们是真正的朋友。"他错下结论,认为意大利人民支持他的计划。他的医生说:"总统说,他觉得意大利人民对防止战争重演(如他们刚刚经历的大战)非常有兴趣。他感觉他们理解国联的真正含义。"四个月后,当他和意大利政府关系跌入最低谷时,他很想直接求助于意大利人民。奥兰多依然乐观,他高兴地对一位朋友说:"我相信威尔逊及其原则,它包含多少意大利的权利和利益,我就接受多少。"桑理诺却持怀疑态度,他不喜欢威尔逊想方设法地与政府的批评者谈话;而威尔逊也不喜欢他,他说,桑理诺"狡猾得像鳗鲡或任何意大利人"。1月13日,威尔逊通知奥兰多,他已经决定《伦敦条约》不再有效。由于最高委员会忙于国联和诸如是否邀请布尔什维克参加和会等复杂问题,这个问题又被搁置了几周。

意大利代表团被安排在位于歌剧院附近豪华的爱德华七世酒店。只有一位代表可以携带妻子,也许是因为他新婚不久。酒店只有一部电话,代表们只有得到奥兰多的允许才能使用。代表团本身也反映了其政府的政治分裂情况。代表团一位年轻的成员回忆说:"一个微型罗马来到了巴黎,唉!还裹挟着其特有的诸多问题:缺乏组织性、人员选择以议会手段为主(目前和将来),还有谣言中伤。"

大家公认它不是一个强有效的代表团。正如被从华盛顿请来帮忙的马基·迪·切莱雷对一位美国人所说:"意大利没有自己的宣传媒体,其国家太古老,其民族太骄傲。"和英美不同,其代表很少与其他代表团发展私人关系。代表团领导中,有前总理萨兰德拉,他只关心自己的健康;奥兰多虽然和蔼可亲却心烦意乱;桑理诺依然不大合群,神秘兮兮而且封锁信息,即使这些信息可能对其他代表有帮助。空闲时,他独自出去散步。他拒绝代表意大利奔走游说,认为"这是那些到处乞讨领土的小国的做法"。随着时间的推移,他和奥兰多的关系更加恶化。有时,一向克制的桑理诺气得脸色发紫。

意大利人不但内部分裂,还不信任其盟国。一位英国外交官说:"他们认为强国的待遇不平等;意大利四面遭受攻击和批评;他们被告知什么对他们有利,但没有真正付诸讨论。"威尔逊鄙视桑理诺为"古怪的牧师",而用马基·迪·切莱雷的话说,美国是个企图主宰和会的放高利贷者。1月底,《泰晤士报》编辑威克汉姆·斯蒂德报道说,威尔逊与桑理诺大吵了一架,桑理诺"似乎大发雷霆,竟然让威尔逊不要干涉欧洲事务"。

在所有欧洲人中,意大利人与英国关系最好。奥兰多崇拜劳合·乔治:"他的凯尔特血统使得他和我们地中海民族一样聪明。"而且两国分歧不多。但与法国却不同,意大利统一应该归功于法国人,但他们为此占领尼斯和萨伏伊让意大利人觉得要价太高。两国都想成为地中海强国,战前他们在突尼斯以及摩洛哥问题上也发生过冲突。意大利之所以加入三国同盟,部分原因是为了找到反法的盟国,它在钢铁、煤炭和人口等方面都落后于法国。劳合·乔治回忆说:"在与意大利人谈判的整个过程中,我发现他们的外交政策很大程度上受妒忌、竞争和怨恨混合而成的一种复杂情感的影响,但更突出的是对法国的惧怕。"对法国来说,这没有什么值得恐惧的(虽然有人关注意大利的出生率),而是谦虚中略带鄙视。

1918年12月,协约国在伦敦会晤之后,奥兰多和桑理诺与克雷孟梭一起返回巴黎。但据克雷孟梭的助理说,"整个旅途中,我们一次也没见过他们,而且在火车北站他们连一声招呼都不打就消失了,克雷孟梭既惊讶又气愤。"克雷孟梭对桑理诺略怀敬意,但对奥兰多不屑一顾:"对任何人在任何方面都极端地意大利化。"

由于两国争夺在中欧的影响力,奥匈帝国的灭亡为他们开辟了新的竞争领域。在亚得里亚海,法国人一面与南斯拉夫结好,一面与意大利保持良好关系。一位法国外交部长写道:"我对亚得里亚海问题厌恶至极,但我们仍然不应该抛弃南斯拉夫人。他们和其他人一样不理智,但他们很弱小。他们在罗马显得多愚蠢啊!"令奥兰多生气的是,一天,克雷孟梭疲惫地说:"上帝啊,上帝啊,意大利还是南斯拉夫?白肤碧眼金发的人还是浅黑肤色的?"1919年4月,克雷孟梭坚定地选择了浅黑肤色的。他对意大利人没有在萨尔问题以及审判德国战争罪问题上支持法国而耿耿于怀。他想当然地以为他还有操纵的余地,意大利终究不得不与法国保持友好。

怀疑盟国,敌视南斯拉夫,受困于联盟(该联盟不敢解散,害怕由此使政府倒台)的奥兰多和桑理诺继续挣扎着前进。就像一颗导火线燃烧缓慢的炸弹,意大利的官方备忘录于2月7日提交和会。这是一个披着新外交外衣的有趣的文件,虽然很少提及《伦敦条约》,但经常原封不动地重复它的条款。开头写道:"意大利的要求反映了正义、公正和节制,这些都符合威尔逊总统的原则,因此所有人都应该予以承认和批准。意大利的要求几乎完全建立在自决原则的基础上,当然是对意大利人来说;他们索要其他民族居住的地区也完全是为了国界安全。"

令本国殖民主义者沮丧的是,奥兰多和桑理诺聚焦在欧洲。意大利殖民部热情地投身于准备宏大的计划,尤其是针对非洲的计划。对意大利民族主义者来说,1896年阿杜瓦战败的耻辱只能通过征服来洗刷。殖民部长加斯帕·科洛西摩督促其政府,英法不得插手,而且要允许意大利独自对付埃塞俄比亚。此外,为了巩固意大利对从红海和印度洋到埃塞俄比亚的路径的控制,英国应该把它拥有的索马里领土以及肯尼亚东北部地区转交给意大利;法国应该放弃其占领的少量索马里领土以及从吉布提港口到亚的斯亚贝巴的铁路。科洛西摩还梦想着扩大利比亚:获得英国统治下的埃及和法国拥有的领土,另外,如果葡萄牙殖民地乞求的话,还可以再加上安哥拉。战争结束前夕,科洛西摩向鲍尔弗和豪斯发出一份列有这些目标的备忘录。该文件经过精心措辞,使之听上去更符合威尔逊的原则,但实际上只给人留下意大利贪得无厌的印象。

奥兰多和桑理诺不准备在巴黎过多地提及非洲问题,英法也不可能给予重视。他们未征求意大利的意见就瓜分了德国殖民地,至于交还意大利领土,两国都表示只要另一方这么做,自己也很愿意照做。结果,什么都没有发生,意大利人的梦想再次破灭。后来,墨索里尼有效地利用了这一点。

在欧洲,意大利提出的惟一容易解决的要求是索要勃伦纳山口以南的奥匈帝国的部分领土、南蒂罗尔及其南方的特伦蒂诺。基本上是意大利语区的特伦蒂诺不是问题,但蒂罗尔绝大多数是德国人。蒂罗尔人反对分割有着悠久自治传统的省份,奥地利新政府表示支持:"迄今为止,除了瑞士,蒂罗尔是自由和抵制外来主宰的中心。"意大利人声称意大利只有控制勃伦纳山口地区才会安全,"南部任何其他边界只会是代价高昂的人工切断手术,与和会应该遵循的原则相悖。"也许是为了向意大利人表明他的理智,威尔逊在和会召开前就告诉他们,他不反对变动意大利北部边界,其他调停人也默许。据豪斯说,劳合·乔治有点担心蒂罗尔,因为他曾去过那里度假,是他比较了解的少数欧洲大陆地区之一。威尔逊后来很后悔把多达 250,000 的讲德语的蒂罗尔人交由意大利统治。他们的确很后悔,特别是 1922 年,法西斯决定把他们改造成意大利人之后,一夜之间,学校、政府全部使用意大利语;孩子的名字不得"冒犯意大利人的感情"。直到 20 世纪 70 年代,意大利和欧洲发生剧变之后,蒂罗尔人才重获自治权。

威尔逊准备接受德国对蒂罗尔人的不公待遇,却拒绝意大利人提出的与南斯拉夫意见相冲突的要求。除城市以外,亚得里亚海东岸的人口基本上都是斯拉夫人:约 750,000 克罗地亚人、斯洛文尼亚人、塞尔维亚人和波斯尼亚人。然而,意大利人想把与奥匈帝国的国界东移 50 至 100 公里,移至今斯洛文尼亚和克罗地亚境内,向南沿达尔马提亚海岸一直到斯普利特(意大利的斯巴拉多)以占领整个伊斯的利亚半岛,包括普拉的海军基地和奥匈帝国的两个主要港口:的里雅斯特及阜姆,另外还有连接中欧的铁路、亚得里亚海东北端的几个重要岛屿以及扎达尔(意大利的扎拉)和希贝尼克(意大利的塞贝尼克)附近的达尔马提亚的大部分地区。意大利还想要阿尔巴尼亚南部的法罗拉港口。得到这些,意大利就可以主宰亚得里亚海地区,新成立的南斯拉夫只剩一小段海岸线,没有像样的港口,只有一条连接海洋和内陆的铁路。这正是意大利的意图所在。

当然,意大利在巴黎没有这么说。他们大谈战略需求而且引用历史,"为了自身发展和世界和平,达尔马提亚在罗马和威尼斯世纪时就与意大利合并。"他们举出海岸广场上修建的威尼斯风格的狮子、天主教堂和罗马式柱子以及在奥地利压迫下依然经久不衰的意大利语为例。他们说让意大利屈尊于"半野蛮"的斯拉夫人既可怕也不公。

烦扰的问题频传巴黎:放逐斯拉夫民族主义者,任意逮捕,封杀斯拉夫报纸,切断南斯拉夫铁路。某英国官员写信给鲍尔弗生气地说:"达尔马提亚人正在忍饥挨饿,但意大利人只给那些宣布效忠意大利的人发放食物。"负责联盟救济的胡佛报告说,意大利官方在的里雅斯特拦截运送食物的船只,2月22日,他们突然中断了与内陆的所有通信联系,"这不但隔离了南斯拉夫人,也切断了到奥地利和捷克斯洛伐克的主要铁路。"威尔逊同意胡佛的结论:"阻截美国对难民的食物供应不能被用作政治武器。"并且接受他的建议,即通过拒给意大利援助进行报复。这个问题破坏了美意关系,直到和会结束也没有修复。

起初,美国在英法的支持下,鼓励意大利和南斯拉夫自行解决边界问题。他们说南斯拉夫人非常愿意妥协;或许,威尔逊可以仲裁任何分歧。对此,意大利代表团惊骇不已。奥兰多对一位美国人说,"虽然南斯拉夫的提议让我窘迫不堪,但却找不到很好的理由拒绝。"在和威尔逊的一次谈话中,他哭着说,南斯拉夫人扼住了他的喉咙,但许诺一旦征求到在罗马的国王和同僚的意见就立刻答复。2月,威尔逊还在返回美国途中,意大利回复说拒绝他的仲裁,声称他们这么做完全是因为南斯拉夫人"残忍地"公开发表了这个建议。

意大利人无意向南斯拉夫人或任何人妥协,这一点在和会一开始就很明显。他们拒绝把任何与意大利边界有关的问题交给专家委员会。在最高委员会和后来的四人会议上,意大利代表除了关系到意大利利益的问题之外几乎从不发言。正如克雷孟梭在3月召开的一次会后抱怨说:"今天下午,奥兰多发表了一篇冗长的演讲,提出了意大利的要求,并暗示哪些是他认为必要且公正的边界。"然后,"我们还得忍受另一个由桑理诺所作的同样无聊的讲话。"对于国联盟约和对德和约,意大利人未发表任何意见(后来,奥兰多不令人信服地声称,这么做是因为意大利觉得他们被其他国家排斥在外)。

意大利的策略令人生厌,显而易见而且经常不当。它反对南斯拉夫索要保加利亚和匈牙利领土的要求,支持罗马尼亚索要巴纳特。它还向匈牙利政府出售武器,甚至与备受鄙视的库恩·贝拉政府签订秘密协议。愚蠢的是,由于拒绝考虑希腊在阿尔巴尼亚的领土要求,并试图紧抓小亚细亚沿岸的希腊多德卡尼斯群岛不放(自巴尔干战争之后,该群岛一直由意大利占领),桑理诺把希腊推向了南斯拉夫一边。当希腊首相要求签订协议时,桑理诺固执地拒绝接见维尼泽洛斯。委员会上,意大利人总是反对南斯拉夫而且顽固地不予合作。紧逼之下,他们通常只说政府没有给他们指示。一位意大利外交官说:"12月我们在伦敦时,你们拒绝单独与我们谈判,在巴黎,你们依然如此,所以我们不对这些问题发表任何看法。"对此,英国外交部的艾尔·克罗表示抗议。

4月,终于要表决意大利的要求了,但此时,其他国家都明显地不大同情意大利了。人们经常引用俾斯麦的名言:意大利的胃口总比牙齿大。鲍尔弗写道:"必须平息意大利人,惟一的问题是如何用最小的代价平息他们。"意大利代表更绝望,奥兰多确信,至少他这么说,如果得不到达尔马提亚,他就会被秘密组织杀害。民族主义媒体狂热地要求控制亚得里亚海地区,政治也从会议室移到了大街上。正在迅速壮大的激进派社会主义政党派出小分队,右翼民族主义者也不甘示弱。当反对意大利要求的杰出的莱奥尼达·比索拉蒂试图在举行于米兰的斯卡拉的一次国联集会上发言时,狂热的民族主义者包括墨索里尼就在听众之列。一位意大利记者报道了后来变得十分熟悉的一幕:

> 然后,在特定时刻,似乎无形的指挥棒给了指示,地狱交响乐开始了。吱吱声、尖叫声、口哨声、牢骚声(很接近人声)和一切能想到的、假冒的野兽的嚎叫声构成了声浪的主体;但一个人,不,是一声爱国的呼喊不时变得清晰可辨并主宰了乱作一团的各种声音。他们在说:"克罗地亚,不!克罗地亚,不!"意思是说他们不想和克罗地亚人和南斯拉夫人成为朋友;他们还说比索拉蒂是克罗地亚人。

阜姆既代表了意大利民族主义者的计划也反映了威尔逊反对这个计划的决心。这个地方看似不太可能在和会引起如此危机,不怎么美丽也不显眼,战前曾是匈牙利通往亚得里亚海的繁忙的小港口。和典型的中欧人口构成一样,这里人口构成混杂,有少量匈牙利人、富足的意大利中产阶级和主要由克罗地亚人组成的工人阶级。在阜姆,意大利人略微占多数,但如果算上附近的苏莎科沙岛,克罗地亚人就占多数了。战前,当地意大利人也许会感伤地谈起意大利,抱怨匈牙利当局,但直到1918年与祖国统一才成为可能。自称为"阜姆青年"的青年团伙突然出现在小餐馆,要求乐队每隔15分钟演奏一次意大利国歌并强迫所有顾客起立。

和接下来两年在阜姆发生的许多事一样，战争结束那段时期的事件成为意大利的传奇。据说，命名为亚尔古英雄（希腊神话，随同贾森乘亚尔古舟去海外寻找金羊毛的英雄——译注）的英勇的志愿者冲破奥地利的枪林弹雨,乘快船前往威尼斯拯救阜姆。美国大使所说的事实——五个来自阜姆的青年乘坐抢来的拖船横渡，被意大利海军误打——却被忽略不提。在停战协议的授权下，占领阜姆的意大利军队坚信阜姆应该留在意大利。一位上将说，外交谈判毫不相干,"这些谈论只是外交官和政客之间的辩论……阜姆属于意大利,将来依然如此……任何干涉都不能破坏意大利的权利。"

意大利突然想要阜姆是有实际原因的。巴黎的一位意大利代表坦率地解释说:"除非我们控制阜姆并把它的贸易转向的里雅斯特,否则很难维持的里雅斯特的商业。"作为一个标志——"亚得里亚海的明珠"——阜姆对意大利民族主义者非常重要。豪斯在日记中写道:"我搞不懂他们为什么一心想要这个只有 5 万人口的小城，其中意大利人刚过半数。"1919 年 4 月,阜姆问题引起巨大骚动,奥兰多焦虑地对豪斯说,如果战争一结束就解决意大利的要求,就不会有这么多麻烦了,"意大利人绝不会把阜姆强塞进协约条款。"

公众意见经常紧抓微不足道的目标。1919 年,意大利又多了一个麻烦,一个非同寻常的人物——将阜姆作为自己事业的加布里埃尔·邓南遮。他矮小、秃顶、丑陋但同时非常迷人,他的演讲总能使人信服。他会问:"你们会牺牲自己的生命吗？"人群大声呼喊,"会！"——正是他想要的回答。他是墨索里尼的先行者;用和他看法一致的尼采的话说,他是个超人。邓南遮还是伟大的诗人、剧作家和电影制片人。他的勇猛,他对普通政客的鄙视以及他虔诚的民族主义情怀吸引了他的同胞。他对常规的蔑视、戏剧感以及激情似火的爱情故事使他成为闻名欧洲的浪漫英雄。16 岁时,当他要卖第一部诗集时,他散布谣言声称自己死了,他很了解宣传的作用。他的生命就是一部传奇:当他光着身子夜泳归来时,他的情人,演员埃莉诺·杜斯穿着紫色睡衣正在岸边等他;他开会的书房里堆满漂亮且富有异国情调的小玩意。

意大利参战时,52 岁的邓南遮加入骑兵团。虽然年事已高,但他却到处作战,在前线,在潜艇上,在空中（他也随便不辞而别）。在战斗中,他失去了一只眼睛,却赢得了英勇奖章。他最有名的铁事发生在 1918 年 8 月,他驾驶飞机盘旋在维也纳上空,满天抛撒传单,呼吁奥地利投降。于是在一场个人英雄不多的战争中,他脱颖而出。正好,意大利需要英雄。

邓南遮满怀激情地为意大利的要求奋斗。"残缺的胜利"这一词组就是他杜撰的。1919年 1 月,他在墨索里尼的报纸上发表了煽动性很强的《致达尔马提亚人书》。这封信严厉惩责了协约国、"威尔逊医生提供的让人虚弱的泻剂",以及"阿尔卑斯山北面的克雷孟梭医生的手术",并且吹嘘意大利在战争中的英勇表现。"我们将会得到怎样的和平?基督徒的和平?高卢人的和平?英国人的和平?星光灿烂的美国的和平?不!够了!胜利的意大利——所有国家中最成功的——超越了自己也超越了敌人——将在阿尔卑斯山和意大利海域享有惟一适合它的罗马帝国统治时期的和平。"

当阜姆和意大利其他要求呼声渐涨时,和会正一心忙于其他问题。2月14日到3月14日,威尔逊在美国;在他缺席期间,有争议的国界以及对奥地利和匈牙利的和约都没有进展。奥兰多也回家了,并在国会发表了一篇温和的演讲,给人留下巴黎一切顺利的印象(当他提到阜姆时,听众站起来高呼"阜姆万岁!")。直到4月,对德和约依然紧张,调停人开始处理意大利和南斯拉夫的国界问题。

在4月3日召开的四人会议上,劳合·乔治让意大利人说明其在亚得里亚海的立场。奥兰多重复了以前的论调,他反对使阜姆成为国联管辖下的独立国家。当大会决定下午听取南斯拉夫的意见时,他生硬地说他不会参加,因为他不想和敌国打交道。接下来的几周,意大利与其盟国私下举行了一系列会晤,但除了伤害感情,别无他获。有传言说奥兰多考虑退出和会。4月13日,四人会议试图决定何时邀请德国代表团来巴黎,奥兰多却要求首先解决意大利问题。"意大利人民的情绪非常容易激动,我正在尽量使他们镇定,但这种失望的后果将非常严重。如果意大利问题没有进展,政府很可能倒台。"听众很同情他,但无动于衷。正如劳合·乔治所说:"我坚信立即召德国代表团对大家都有利,这样我们就可以与惟一还存活的敌国谈判了。"威尔逊提议推迟几天再邀请德国代表并被采纳。同时,他开始与意大利人讨论。奥兰多勉强同意。他对豪斯说,他憎恨克雷孟梭的背叛,尤其是劳合·乔治——"狡猾的变戏法的人",一点也不绅士。

劳合·乔治和克雷孟梭同样恼怒。克雷孟梭说:"我告诉奥兰多,他以为我是波兰神圣的斯坦尼斯拉斯国王,被狗咬了,不但原谅了它还给它一块奶酪。但我叫乔治,不叫斯坦尼斯拉斯。我不会给逃离卡波雷托的人以奶酪。我将遵守我们的条约,另外我非常鄙视意大利。"私下里,克雷孟梭要求意大利人放弃原主张,而意大利人再次强调必须遵守《伦敦条约》。

毫不惊奇的是,威尔逊没有让步。前往欧洲的路上,专家提醒他要说的话——"告诉我什么是对的,我去争取"。他反复向亲信保证,他不会让意大利人得到阜姆。当贝克对威尔逊说,如果意大利因阜姆而选择退出和会,那么美国就没有义务继续提供经济援助了。威尔逊回答说:"这正是你应该说的。"

据意大利人说,4月4日,威尔逊和奥兰多的会谈就像"狂风暴雨"。威尔逊对豪斯说这是他一生中最糟糕的经历之一,和当初在普林斯顿开除一名学生后,不得不听他母亲向他诉说这个孩子将接受一个手术并很可能死去时的感受不相上下。威尔逊给奥兰多一个备忘录,里面说对德和约是在十四点原则的基础上达成的,他不可能对奥地利使用另一个标准。奥兰多对意大利代表团说这个备忘录没留任何商讨的余地。

四人会议被迫又做了一次努力。从4月19日,即复活节前的星期六起,为期六天的讨论开始了。意大利人立即谈起复活节前第二周——受难周。奥兰多说:"我是个新基督徒,必须为拯救祖国做出牺牲。"他威胁着退出和会,无论后果如何。"我理解这个悲壮的时刻,意大利会因此决定而受苦,对它来说,这只是一个选择怎么死的问题。"劳合·乔治问道:"因为阜姆?因为一个只有24,000意大利人的城市(如果算上郊区人口,意大利不一定占多数)?"他祈求意大利人考虑清楚,如果美国也因此撤出和会会有什么后果。"如果美国不和我们站在一起,不帮我们给机器上油,我不知道欧洲怎么能够重新自立。"

威尔逊督促意大利人换个角度思考。"美国人厌恶旧秩序,但不光是美国,全世界都厌烦它。"意大利人无动于衷。正如桑理诺对威尔逊所说:"战争中,500,000意大利士兵丧生,900,000残废,在如此巨大的牺牲之后,让我们回到比战前更糟的状态是不可想像的;为了使我们中立,连奥匈帝国都把达尔马提亚海岸的部分岛屿给我们了,而你们却连这些都不给,这让我们无法向意大利人民交代。"他后悔让意大利加入协约国一边。"对我来说,我是死定了——我是说道德死亡。我以为自己在尽义务,却毁了自己的祖国。"

奥兰多警告意大利可能发生内战。桑理诺问:"国内会发生什么?不是俄国布尔什维克,而是无政府的混乱状态。"这些并不是危言耸听,而是鉴于来自意大利的报道:罢工、游行、暴动;建筑被洗劫一空,示威者被杀,左翼和右翼发生暴力冲突。来自巴黎的传言无异于火上浇油,使局势更加紧张:奥兰多在妥协;协约国已经决定把南斯拉夫建成反布尔什维克国家;威尔逊决心不让意大利得到达尔马提亚;阜姆将成为自由港口。电报纷纷从意大利传来,告诫代表团坚定立场。

坚定立场是奥兰多和桑理诺目前惟一能做的。在他们给自己所定的位置上,任何妥协看起来都像重大让步。劳合·乔治和克雷孟梭尽最大努力填补意大利人与美国人之间的分歧:意大利可以得到群岛,但不包括达尔马提亚大陆;阜姆和达尔马提亚海岸的所有城市都将成为自由城市;在小亚细亚对意大利进行补偿;或者阜姆归意大利,但要给南斯拉夫在别处建一个新港口。威尔逊勉强同意他们的建议:"我不太喜欢向不理智的人妥协,他们总认为只要坚持自己的要求就可以得到更多。"在另一些建议失败之后,汉克在日记中写道:"现在,我们陷入了僵局,意大利人说他们拒绝在对德和约上签字,除非得到阜姆并且兑现《伦敦条约》。没有人会把阜姆给他们,威尔逊总统也不会给他们达尔马提亚,他说那样就违背了民族原则。"但意大利人依然"顽固不化"。而一直静观危机发展的南斯拉夫人警告说,如果意大利得到阜姆或达尔马提亚海岸,他们将与意大利开战。

剩余的时间不多了。德国人将于 4 月 25 日到巴黎接受和约。除意大利之外,还有其他国家威胁退出。一向安静的日本人现在逼迫和会,要求接管德国在中国的殖民地,而且试图在国联盟约中加入有关民族平等的条款。其代表礼貌地暗示,他们也可能不能在对德和约上签字。比利时因其赔款要求没有得到满足而气愤不已。威尔逊、劳合·乔治和克雷孟梭最不希望的就是让德国人看到协约国内部互相争吵不和。

每个人都很紧张。在爱德华七世酒店,意大利人互相指责对方不够强硬。复活节那天,奥兰多哭了;威尔逊形容枯槁,声音颤抖;克雷孟梭对意大利人尤其刻薄粗鲁;甚至连劳合·乔治也显得不安。桑理诺不再掩饰对威尔逊的厌恶;他对劳合·乔治和克雷孟梭说,"现在,在忽略和践踏了十四点原则之后,威尔逊想通过将其用于意大利而恢复其本真。"

这个指控让人觉得刺痛,因为它说得有道理。威尔逊的自决原则在蒂罗尔和波兰走廊问题上就让步了。复活节过后,他重新宣读了十四点原则,并重新考虑了他希望带给世界的新外交。他强调解决问题必须建立在事实的基础上,并与专家重温了地图和数据;民族构成使意大利无权得到阜姆和达尔马提亚。他希望公开的外交,但意大利政府没有向本国人民说实话。现在,威尔逊记起并误解了四个月前访问意大利的经历。他曾对前来迎接的群众印象深刻,他确信他们支持他。他还决心直接求助于意大利人民。

4 月 21 日,他向劳合·乔治和克雷孟梭展示了一份自己写的声明,其中清晰直接地解释了为什么必须取消《伦敦条约》。他提醒意大利人,意大利已经得到很多了,"它的国界已经扩展到可以作为天然屏障的长城了"。意大利有机会与亚得里亚海对岸的新国家结好。他呼吁意大利人与他一起在世界及世界人民享受和平的权利的基础上建立新秩序。对此,劳合·乔治和克雷孟梭印象深刻但小心谨慎。劳合·乔治说,"公开宣传的确在意大利有帮助,但必须是一段时间之后。目前,我们只能期待疯狂。"在克雷孟梭的支持下,他说服威尔逊稍作等待,他将和意大利代表举行最后一次会谈。失败后,威尔逊于 4 月 23 日下午将声明寄给报社。

当《泰晤士报》的一份特刊送到爱德华七世手中时,他们没有惊讶只有愤怒。意大利人早已听说威尔逊的声明,正考虑撤出和会更长时间。奥兰多决定第二天返回意大利。四人会议上,奥兰多和威尔逊谈话时生硬却不失礼貌,会后他就离开去赶火车,桑理诺几天后也回国了。劳合·乔治说，"肥肉终于落在火里了！"

意大利报纸将威尔逊的声明和奥兰多的答复并行登载，后者的字体稍大。欢呼的人群夹道欢迎奥兰多乘坐的火车。在罗马，教堂因他的归来而鸣钟，飞机在头顶上空散发爱国小册子，游行队伍高呼"奥兰多万岁！阜姆万岁！意大利万岁！"意大利政府在美国大使馆附近安排了一个守卫，全国各地的墙上都涂满了要求合并阜姆的口号以及头戴奥地利头盔的威尔逊的讽刺画。在都灵，学生强迫威尔逊总统咖啡馆的老板摘下招牌；他们在因总统的近期访问而命名的"威尔逊大街"上来回奔跑，用"阜姆大街"遮盖原来的街道标识。在阜姆，年轻的意大利人大喊："打倒威尔逊！打倒红皮佬！"民族主义媒体要求立即合并阜姆和达尔马提亚。

在对国会的演讲中，奥兰多一开始就请求人们要"镇定、平静"，他指责盟国应对目前的形势负责，并坚持，"意大利坚信它的要求完全建立在正义和公正的基础上，因此必须被认可"。其政府以382票比40票赢得了人民的信任。包括很多法西斯分子的民族主义者在全国各地举行群众集会。意大利不能向罪恶的阴谋屈服。邓南遮高呼道，"在那里，在伊斯的利亚和达尔马提亚的街道上，难道你没有听到前进的军队的脚步声吗？"

调停人一直非常关注。某巴黎报纸的头条写道——"混乱"。一位美国记者报道说："各国代表团正在举行会谈考虑该怎么办，因为他们突然意识到和会的存在已经受到威胁了。"和会秘书处开始浏览对德和约草案，删除所有关于意大利的内容。在一次全体会议上，巴拿马某代表在奥兰多的椅子上放了一条黑色围巾。但一位葡萄牙代表把它拿开了，说现在哀悼还为时过早。

幕后，意大利政府和协约国都力图使意大利返回和会，但强国似乎在没有意大利参与的情况下，仍然准备继续和谈，这让意大利人非常震惊。当克雷孟梭宣布5月中旬将邀请奥地利代表团前来巴黎时，又给意大利施加了新的压力。留在巴黎的意大利代表向奥兰多发出紧急警告，声称意大利的地位正在急剧下滑。美国拒给意大利急需的2500万美元贷款，英法说意大利的退出使他们不再受《伦敦条约》的束缚，他们已经瓜分了非洲殖民地。另一方面，劳合·乔治在暗示一个可能的妥协方案。

5月5日，意大利宣布奥兰多和桑理诺将返回巴黎。西摩报道说："奥兰多看起来苍白疲惫，没精打采，很少讲话，似乎老了10岁；而桑理诺外表没有什么变化，依然粗野，但不再有攻击性。"秘书处决定手工把"意大利"和"意大利的"等词加到对德和约中去。

导致裂痕的问题依然远没有解决，威尔逊不愿再和意大利谈判。他说："很奇怪，这些意大利人完全无法选择和坚持原则立场。"豪斯提议让意大利人和南斯拉夫人克服困难，直接对话。5月16日,双方来到豪斯位于克里昂酒店的套房,开始一种在20世纪90年代非常普遍的谈判方式,即双方待在不同的房间内,而由美国人来回传话。第二天,克雷孟梭向奥兰多询问会议情况,他阴郁地回答:"什么也没有达成,完全不可能。"也许,豪斯为沟通和拉近意大利与美国的立场所作的努力反而增加了威尔逊对他这位老朋友的反感。

和会的主要议程在一团怒气中继续。威尔逊向贝克痛骂意大利贪得无厌;法国抱怨意大利竟然试图接管法国出资建设的奥地利铁路。克雷孟梭大叫:"对此,法国会充满怨恨,它不会忘记,我不奢望你们会公平。"当一些法国士兵在阜姆被民族主义暴徒处以私刑时,他在四人会议惊呼,"这是对人民的暗杀!"意大利人依然对威尔逊怀恨在心,助理对桑理诺说,"今天早上,威尔逊看起来和蔼可亲。"他回答说,"谁知道他又有了什么新的提议,又准备勒索什么?"奥兰多在回忆录中说,他坚信"威尔逊与南斯拉夫人有私约;具体是什么我不清楚,但的确存在"。意大利媒体说南斯拉夫人贿赂了威尔逊,或威尔逊有个南斯拉夫情人。桑理诺等人则认为他受美国经济利益的驱使,他们想自己发展亚得里亚海地区,或许以红十字会为幌子。

在威尔逊6月底回国之前,意大利人稍作让步,他们不再坚持索要《伦敦条约》许诺的所有领土,但在阜姆问题上依然不依不饶。奥兰多和桑理诺在玩一场非常危险的游戏。他们的主要对手威尔逊很可能18个月之后就离职了;另外,意大利民主可能也维持不了那么久。正如奥兰多对劳合·乔治所说:"我必须找到解决办法,否则国会和意大利大街小巷将出现危机。"劳合·乔治问:"如果失败了,你认为谁会取代你?"他回答说:"也许是邓南遮。"

6月19日,奥兰多政府垮台,但原代表团的桑理诺和其他两名代表留下来代表意大利签署《凡尔赛条约》。后来,奥兰多还因自己不是签字人而自豪;他说,实际上,威尔逊直接求助于意大利人民就等于把他排挤出和会了。虽然意大利几乎没有参与起草和约,但表现并不差:它得到了国联委员会的永久席位和德国的一部分赔款。然而,意大利国内却不这么看,如英国大使写信给朋友说:"这里的人民非常痛心沮丧,也许因为他们觉得自己的代表处理问题不当。"意大利惧怕南斯拉夫、法国,甚至害怕奥匈帝国卷土重来。

继任奥兰多的弗朗西斯科·尼蒂政府一心致力于内政。但如果可以解决突出的外交问题,它也非常愿意去做。新外交部长托马索·蒂托尼与维尼泽洛斯会面,并就阿尔巴尼亚和多德卡尼斯群岛问题与希腊政府达成协议。亚得里亚海也有一些动向。1919年8月,蒂托尼与劳合·乔治和克雷孟梭达成一致:阜姆将成为国联下属的中立城市;整个达尔马提亚地区归南斯拉夫。该提议被寄给了已回美国的威尔逊,但还没有收到回复,邓南遮就决定自行解决问题。

整个夏天,各种团体,有些是军队的,有些是退伍军人协会,法西斯主义者和无政府主义者都在密谋夺取阜姆,他们说服刚卷入一场新的风流韵事的邓南遮作领导。9月11日晚(选这一天是因为他觉得11很吉利),他和其他200人一起出发。第二天,由于被派去阻拦他的军队的加入,他们胜利地进军阜姆。意大利军队司令毫无怨言地撤退了,协约国军队却不大情愿。该城市,至少是意大利部分,欣喜若狂。当晚,邓南遮在总督宅邸的阳台上发表了第一篇戏剧性演讲。

接下来的15个月,阜姆沉浸在各种疯狂的狂欢仪式和舞会中。城市的建筑上挂满旗帜和标语,花园里的花被劫掠一空用来抛向游行的人群。在由酒精和药物助长的民族主义和革命的狂潮下,牧师要求结婚,年轻妇女整夜不归。观察家说,整个城市回响着做爱的声音并留出一家医院专门治疗性病。

意大利和欧洲各地的志愿者以及纯属好奇的人避开封锁蜂拥而至:未来派艺术家F.T.马里内蒂;年轻的阿尔图罗·托斯卡尼尼及其管弦乐团;发明无线电报的马可尼;来自罗马的反对党政治家;土匪和妓女;战争中的王牌飞行员还有墨索里尼。现代海盗进出阜姆抢劫沿亚得里亚海航行的船只。武装的男子身穿自己设计的制服在大街上巡逻。奥斯伯特·西特韦尔报道说:"有的蓄着胡子但剃着光头,有的密发丛生,足有半英寸长,后脑勺扣着黑色土耳其毡帽。"最让意大利政府担忧的是,许多官员,从战争英雄到著名的将军都投靠了邓南遮。

邓南遮的演讲才能再创新高。阜姆是神圣的自由之城,从这里他将领导一场圣战,先解放达尔马提亚,然后是意大利,最后解放全世界。他联系布尔什维克、埃及民族主义者、仇视南斯拉夫的克罗地亚人以及爱尔兰新芬党。谣言(有些属实)传出,阜姆声称派出刺客暗杀尼蒂和蒂托尼。在意大利也有关于军事政变和武装起义的传言。到1921年夏,由于法西斯分子反抗左翼民主党,意大利北部大片地区变得无法控制。

意大利政府试图找到不激怒国内民族主义者及盟国的解决办法,但目前的局势既令人震惊又使人为难。蒂托尼试图通过对阜姆禁运使邓南遮投降,虽然它还允许红十字会运送基本供应。墨索里尼坐壁静观。

与盟国的讨论除了得出更复杂的提议别无收获。威尔逊坚决排除让意大利控制阜姆的可能。劳合·乔治刻薄地指出,美国依然试图领导欧洲但拒绝承担任何责任。英法担心给意大利施加太多压力。克雷孟梭对劳合·乔治说:"意大利国王有名无实,军队不服从命令,一边是180名社会主义者,一边是120名教皇的信徒。"

1920年，意大利和南斯拉夫终于克服万难达成协议。由年老强硬的现实主义者乔瓦尼·乔利蒂领导的新意大利政府(尼蒂政府于6月垮台)希望恢复国内秩序并不再参与有害的国外冒险。它从阿尔巴尼亚撤军，缓解了与南斯拉夫的紧张局势。贝尔格莱德政府急需复苏南斯拉夫贸易，但只要意大利人在亚得里亚海阻挠，该计划就无法实行。11月，美国大选使一位共和党人入主白宫，于是南斯拉夫人放弃了任何美国人可能干预的希望。不久，意大利和南斯拉夫代表在拉帕洛会晤，并起草了解决两国边界问题的条约。意大利得到整个伊斯的利亚半岛、扎达尔(达尔马提亚海岸惟一一个意大利人占多数的城镇)，以及亚得里亚海一些微不足道的小岛屿。南斯拉夫得到其余领土，阜姆成为自由国家，由一小块土地与意大利相连。

许多意大利民族主义者包括墨索里尼认为该条约是个胜利，因为它没有使斯拉夫人控制阜姆。在南斯拉夫，克罗地亚人和斯洛文尼亚人抱怨塞尔维亚人再次牺牲他们的利益。在阜姆，邓南遮撤退至某隐蔽处，并不时出来宣称他宁愿死也不离开。1920年12月1日，他向意大利宣战。受到挑衅的意大利军队终于做出回应，双方于圣诞前夕开火。险些中弹的邓南遮急忙商议投降，谴责意大利人民懦弱胆小、贪得无厌，并潜逃回意大利。

两年后，墨索里尼向人们显示，他成功地吸取了阜姆的经验教训。他顺利进军罗马和意大利(被战争和对"残缺的胜利"的失望而削弱)。1924年1月，墨索里尼将阜姆并入意大利；1940年，他竭尽全力从地图上铲除南斯拉夫。1945年，国界再次变动，伊斯的利亚除的里雅斯特之外的大部分地区回归重新成立的南斯拉夫。300,000意大利人向西逃至意大利。阜姆就是现在的里耶卡，只有老一辈人还记得一些意大利语。

邓南遮在政府的资助下继续他一贯的生活方式。新首领抱怨说，他就像一颗腐烂的牙齿，要么必须拔掉，要么用金子补上。他基本不再扮演公众角色，喜欢呆在家里享受魔法、女人和可卡因。他不赞成意大利与德国日益友好的关系，并在1938年神秘去世。曾任其助理和情人的来自蒂罗尔的年轻德国女子突然离开，后来听说她在希特勒的外交部长约阿希姆·冯·里宾特洛甫的办公室工作。

桑理诺的固执差点毁了整个和会，他从不回应外界的批评，也没有再公开讲过话。他于1922年底去世，对长期服务的国家的惟一要求是把他安放在石棺里，然后用水泥把棺材固定在他位于托斯卡纳海岸的家下面的悬崖上。所有人中，奥兰多的寿命最长，并在1944年推翻法西斯分子的运动中起了一定作用。1952年，作为一名备受尊敬的参议员，他在民主的意大利去世。

23　日本和种族平等

1919年春,法国媒体因一个更引人注目的问题而暂时撇开意大利危机。西园寺王子及日本代表团的首要政客在巴黎吗?人们很少见到他,传言声称他病情严重或已经返回日本了。豪斯无所不在的耳目斯蒂芬·鲍萨尔认为这是典型的东方式行为,王子喜欢独处,"摆弄木偶"。

和日本打交道的西方人总认为东方很神秘。日本的许多方面包括其在世界上的地位都很奇怪,它算主要强国之一吗?它有权和其他强国拥有相同数量的代表吗?对此,各方论点不一。日本是个新兴国家,1914年以前只关注东亚附近地区。虽然向德国宣战,但却并没有为协约国作很大贡献。另一方面,它的确拥有世界上三大或四大海军之一(取决于是否算上德国海军),强大的陆军和非常有利的贸易平衡。加拿大总理博登认为,世界上"只剩三个强国:美国、英国和日本"。国联成立后,日本的贡献被排在第五位,这一点比较可疑。

强国无法前后一致。他们分给日本五个名额,但在最高委员会,却通常忽略日本,不予认真对待。一次会议上,克雷孟梭对其外交部长说(足以让旁边的人听到):"我们认为世界上只有金发碧眼的美女;现在却不得不和丑陋的日本人呆在一起。"当委员会决定成立四人会议以加速会议进程时,日本没有被包括在内。理由是(公正的理由)和其他强国代表团不同,日本代表团没有首相或总统率领。

日本代表团和西园寺王子一样——著名但即将退休。虽然时髦的布里斯托尔酒店住满通晓从海军到劳工等各种问题的专家,但正如英国某评论员所说,和会各机构的日本代表"主要充当看客"。许多人只会一些最基本的英语和法语。一次委员会会议上,主席问日本代表赞成还是反对,他回答说"是"。日本和意大利十分相似,它希望在巴黎实现一些目标,但除此之外对其他问题全不关心。威尔逊的媒体官员贝克写道:"他们是和会的一口价商人,他们具备一种天赋——或许是东方人的天赋——知道如何等待。"

日本代表团中公众活动最多的是两个经验丰富的外交官:曾任首相的牧野男爵和日本驻英国大使真达子爵。豪斯发现他们"沉默、不感情用事、警惕",其他调停人开玩笑说他们都长得很像。两位天皇,美国人这么叫他们。但两人区别很大:牧野是个自由党,支持威尔逊的新外交和国联。不幸的是,由于英语不好,他没有表达出来。真达的英语稍好一些,但奇怪的问题一出现,就很强硬。所有日本代表除西园寺本人都受东京的严格控制。

虽然来晚了,但3月初,西园寺已经在巴黎了。当日本意识到威尔逊、劳合·乔治、克雷孟梭和奥兰多亲自率领代表团参加和会,日本政府匆忙决定派他去以对没有派首相(其政治地位岌岌可危,冒不起这个险)和外交部长(病重)做出补偿。任命西园寺出席表明日本对和会非常严肃。其政府也希望,即便得不到想要的一切,他的名声至少可以避免敌国攻击日本,也能避免诸如日俄战争之后的暴动。在巴黎,西园寺选择留在幕后,并和在日本时一样,通过私人谈话协调各成员工作。

4月15日,鲍萨尔前来拜访住在蒙梭公园附近公寓的西园寺王子。他们原本就认识,此次访问不只是为了重温旧交,另一目的是缓解日本与其盟国的紧张关系。迎接他的是两个强壮的日本侦探,然后穿过一排房间才到达里面的私室。"房间里弥漫着柔和,甚至有点宗教味道的光芒。几秒钟之后,我看见一个高大消瘦,穿着日本服装的身影伸出双手向我走来……面容静谧得如同在镰仓遥望大海的大佛一般。"

两人愉快地聊着过去以及故交。他们也谈到了俄国问题及布尔什维克政府,但都小心地避开日本与西方的紧张关系——除了一些无关紧要的交流。鲍萨尔问起一位日本外交部长在19世纪90年代做过的一个实验,他试图把外国带回的嫩枝嫁接到国内最神圣庄严的伊势神社的松树上。"他把从挪威、苏格兰、俄国和加利福尼亚带回的松枝嫁接到日本松树的树干上,虽然刚开始有暂时的挫折,但不久这种高贵的神道教松树就流行起来了。"

王子非常清楚他传达的信息。在他的一生中,他见证了祖国从一个微不足道的北太平洋岛国转变成世界强国。连日本人都不太理解如此巨变,更不用说外人了。原本由封建贵族统治的封闭的国家摇身一变成为拥有强大支撑的现代化国家:到1919年可以与法国抗衡的工业经济,用机枪和战舰取代钢刀长矛的军队,铁路、电话、学校、大学等基础设施。诸如王子之类的封建地主成了外交官、政治家和实业家;他们的扈从要么从军,要么入警。

王子是个复杂敏感的人,和他的祖国一样具有多面性。他的巴黎之行不光跨越了千万英里而且跨越了几个世纪。他生于1849年,当时的日本还是一个与世隔绝的国家。精心保管的庞大的家谱显示了他家与其他名门望族和皇室的联姻。相比之下,从1600年开始在无能的傀儡天皇之下统治日本的德川家族只能算庸俗的暴发户。他接受了和同等阶级其他孩子一样的教育:中国和日本经典文学、书法、传统乐器和养殖盆景。当他学会骑马时,他家的长辈大为震惊,认为这有伤风化。如果一切按常规进行,他将生活在沉闷封闭的宫廷,位居高官,从很小的圈子里挑选合适的女子为妻。他将不可能出国,甚至连想都不敢想,因为那是不允许的。他也永远不会拥有真正的权力,因为权力只掌握在军阀手中。

日本有个传说,称日本群岛坐落在一个巨龟的背上,乌龟一动,就会发生地震。1853年的地震与往年不同,一个代表美国政府的傲慢水手出现在东京湾,要求日本开放贸易。之后,英国、法国和俄国炮艇接踵而来,要求贸易特权、其公民进入日本的权力以及建立外交关系。接下来的十年,日本的统治阶层讨论究竟是拒绝厚颜无耻的外国人还是试图与他们交往,但强硬的隔离主义者不能忍受不断膨胀的西方。甚至在贵族中,一些激进的青年督促德川家族统治者向外界开放,并允许他们出国。辩论的回声传到京都安静的宫廷,年轻的西园寺赞成激进派的观点,他决定可能的话他自己也要出国。

1868年,贵族改革派以老校友西园寺的名义从德川政府手中夺得政权,明治天皇坐上王位。西园寺在之后的短暂内战中与他们并肩作战。返回朝廷后,由于身着西装,头发剪短,他又引起新的流言蜚语。明治维新(给这次政变所起的令人误解的名字)标志着日本决心开始学习西方,大批青年被派往国外学习,同时政府不惜巨额代价邀请西方专家来日本挑选合适人选。政府总结的口号是:富国强兵,它把英国海军、普鲁士陆军和宪法、美国银行系统以及世界经济作为学习的榜样。

西园寺拒绝了舒适的政府职位,选择出国看外面的世界。1870年,他到达法国,在那里度过了十年。他在巴黎大学获得法律学位,克雷孟梭是他的同学和朋友,认为他"和蔼"但"容易冲动"。他见过龚古尔兄弟和弗朗兹·李斯特;喜欢法语、法国文化和其自由传统,甚至在睡梦中都说法语。临终时,他喝了维希矿泉水,用了科隆香水,这些都是特意为他进口的。

回到日本时,他迷人、爱说反话、优雅还有点漫不经心。一位批评者用三个词形容他:聪敏、懒散、冷漠。他一生未婚,虽然与情妇有长期的感情(当他到达巴黎时,他带了一个比他小将近50岁的年轻女子;但后来因为过于轻浮被打发了)。他从不用为物质财富担心;他的弟弟成为日本一家大型企业的总裁,因此理所当然地资助他。

西园寺曾任新日本的外交官、外交部长,后来在1900年担任首相。1913年,新天皇封他为"政界元老",被不确切地翻译为"资深政客"。虽然政界元老没有日本新宪法赋予的官方职位,但却很有影响,特别是对新政府和外交政策。危机时刻,政界元老一句话就能解决问题。用美国的例子,就好比威廉斯·塔夫脱和西奥多·罗斯福不但选择威尔逊当总统还监督他的政策。

1914年的日本是成功的,它是惟一一个抵制了西方殖民主义并加入其中的亚洲国家。

其国民生产总值——所有货物及服务总价值——在1885年至1920年间增长了三倍,采矿和制造业几乎增长了六倍。1914年,其自制战船已经可以满足海军需要。日本1918年以前的表现只有1945年后的成就可以与之媲美。如此巨变有挑战也有回报。许多日本人怀念过去的简单生活,但西园寺督促国人展望自由民主的未来,告诫他们不能只靠军事力量。这个警告非常必要,因为随着日本日益强大,要求把日本意志强加其邻国——必要时使用武力——的呼声渐涨。

1914年之前,强大的国力似乎开始赢利,日本取得了一系列军事胜利,先是1895年战胜中国,获得台湾并主宰朝鲜半岛。1902年,为了讨好日渐强大的日本,英国放弃了长期以来对联盟的敌视态度。在1919年依然有效的英日海军联盟标志着日本登上历史舞台。1904年,日本在满洲战胜强大的俄国,打败其陆军并击沉两个舰队。据1905年签订的和约,日本在满洲获得许多权利。几年后,1910年,它正式合并朝鲜,因此确认了世界做出的让步(一个小小的朝鲜代表团后来出现在和会并要求独立)。

其他强国既羡慕又担忧。日本太成功了,他们的出口正在遭受日本挑战,如1914年,世界四分之一的棉纱出口来自日本。英国政府开始关注日本对中国及印度市场的占领;美国担心它在亚洲的利益,不但包括与中国的贸易还涉及新占有的菲律宾群岛。然而,亚洲人深受日本鼓舞,把它视为亚洲人也可能打败西方殖民者的明证,甚至因日本的强大而损失惨重的中国也在日本的经历中看到了希望,成千上万的中国青年横渡北太平洋前往日本大学学习。

在亚洲,惟一怀疑日本的却在其国内。与俄国的战争使刚起步的日本经济很难承受。这样做值得吗?其他强国会怎么看日本的胜利?日本人发现西方世界不愿平等对待他们。某主要政治家向一位德国朋友忿忿地抱怨,"当然,我们错就错在是黄皮肤。如果我们和你们一样白,整个世界都会因我们阻止俄国扩张而欣喜若狂。"

日本人非常清楚自己的弱点:资源极其匮乏。如果其他国家切断原材料及市场怎么办?民族主义者的办法是效法其他强国,建立帝国。人们谈论日本肩负着领导亚洲的历史责任。中国是个难以抗拒的诱惑,它最后一个王朝已经奄奄一息,整个国家因猖獗的腐败、地方主义及贼党而四分五裂。1911年,夭折的革命使国家更加混乱。而中国拥有许多日本需要的东西:从原材料到市场。而朝鲜边上的满洲里地广人稀,这对从1885年到1920年间人口增长了45%的日本来说非常重要,日本领导人担心人口过剩会引发社会混乱甚至革命。惟一的障碍就是其他强国,他们在中国划了一条线以保护自己的权益。

民族主义者的梦想使自由主义者如西园寺非常担忧。他说:"我一点也不担心人民缺乏爱国热情,相反我很害怕热情过度将导致的后果。"他主要是个国际主义者,坚信稳定的国际环境将保证日本和其他国家一同和平地繁荣发展。如果日本在亚洲的扩张伤害了与其他强国的友好关系,就必须停止。一战的爆发使讨论更加激烈。

日本人以旁观者的身份看待这场冲突,用一位老政治家的话说,"就像隔岸观火"。起初,其政府不知如何是好。绝不参与?支持同盟国(许多日本军官都是在德国培训的,因此非常仰慕其军事实力)?支持协约国(从与英国联系密切的海军的角度看)?内阁的讨论大体以实用为主,主要围绕日本如何才能取得最佳结果。最后,讨论决定支持协约国。政府宣战时说:"日本必须抓住千年一遇的机会以获得其在亚洲的权益。"日本选择了一种低风险推进这些利益的方式——进攻德国。德国在中国的山东半岛拥有租界并拥有北太平洋的一些小群岛——马绍尔群岛、加罗林群岛以及马里亚纳群岛——但没有防御手段。该运动于1914年11月结束。

战争其他方面同样对日本有利,不但为制造商带来订单,也减少了许多竞争。日本商船的型号扩大为原来的两倍,对英美的出口翻了一番,对中国的翻了两番,对俄国的增长为原来的六倍。1918年,澳大利亚的休斯警告鲍尔弗,勤勉的日本人在向世界各地扩散,"我们必须像他们那样努力工作,否则,就得像我的祖先那样从富饶的平原退居到崎岖贫瘠的山区"。而且英美不只担心经济威胁;日本海军比1914年更强大了;陆军也在向中国和俄国西伯利亚扩张。

日本人担心强国的仇恨。战争期间,老政治家山形记录说:"采取措施制止白人建立反对黄种人的联盟非常重要。"1917年,日本总参谋部说不可能派兵去欧洲作战。战争结束时,日本还需要军队抵抗与西方人在中国的竞争。战争结束前夕,日本某杂志采访一些领导人,问日本应该从战争中得到什么,其回答显示他们对日本的国际地位以及英美在亚洲的企图非常悲观。对白人反日联盟的担忧并非杞人忧天。战后,连负责可靠的西方领导人都说总有一天要摊牌。1917年,在提交给战争内阁的备忘录中,鲍尔弗评论说,万一日本进攻,英国几乎一定要援助美国。日本面临着一个困难的选择(到20世纪30年代更明显),是究竟信任白人与他们一起加盟国际秩序还是全凭自己?

政府还得照顾民意,他们要求补偿攻打德国的损失,日本仅在中国就损失2000人及5000万日元。统治日本的精英们开始害怕狂热的民族主义者以及普通老百姓的意见。战争的利益并没有均衡到社会各阶层,人们憎恶发战争财的新富。俄国革命使人们看到可能的后果;1918年中期,因大米价格而引发的暴动导致政府垮台。

新政府决心坚决拥护日本的收获,但希望不要惊动其他强国。被派往巴黎的日本代表团有三个明确目标:国联盟约中加入有关种族平等的条款;控制北太平洋群岛;接管德国在中国山东的权益。其他方面,根据指示,就是遵守威尔逊的十四点原则。首相亲自吩咐牧野要与英美合作,但说时容易,做时难。

太平洋群岛问题——马绍尔群岛、马里亚纳群岛以及加罗林群岛——首先在最高委员会讨论。太平洋上,从夏威夷到菲律宾,点缀着成千上万微小的环状珊瑚岛和暗礁,这些岛屿及岛上的人民平静地度过了几个世纪。殖民主义竞争、现代科技的传播和海军的发展使他们成为外人——先是德国人,现在是日本人——的宝贵财富。日本军方坚持,必须控制足够的太平洋海域以自卫,并保证亚洲大陆的市场和原材料产地,这就意味着日本有能力与其他海上强国抗衡。1914年以前,日本就战胜了中国和俄国,并与英国签订了一个海军协议——但没有和美国达成和解,也不太可能实现。

1898年,美西战争期间(美国与西班牙),美国控制菲律宾群岛和东部重要的海军基地——关岛。合并夏威夷的部分原因就是为了保护其最新所得。跨一步,美国就向日本接近了上万英里。第一次世界大战前,美国海军一直驻扎在大西洋,但迹象表明美国战略正在转向亚洲。1908年,西奥多·罗斯福总统派舰队巡游世界。他使国会同意增加海军拨款并开始筹建夏威夷的珍珠港。到1914年,美国拥有世界第三大海军,仅次于英国和德国。第二年,美国出资投建的巴拿马运河开放,使船只行动更加自如。1916年,美国政府决心建立驰骋于两大洋的海军;一些美国人谈论说,美国注定要向西扩张。不幸的是,美国命中注定与日本冲突,一国认为的防卫措施在他国看来可能是侵略。

日美军方都意识到两国开始互相冲撞。双方都为可能发生的战争做好计划,主要是预防措施;但,两国都有一部分人严肃地甚至是满怀热情地期待战争。1914年以前,有关日本成功入侵美国的小说在西海岸非常畅销。赫斯特出版社对"黄人危险"大加渲染;当一群日本渔民试图在墨西哥租借一个海湾时,他们还专门集会讨论日本政府企图建立海军基地的阴谋。日本经历了相似的恐慌,"白人危险"一词开始在日本媒体出现。一位退休的日本海军军官写了一本小说——《下一场战争》,讲的是日本进攻美国并占领其在太平洋上的岛屿。当日本准备进军德国在中国的殖民地时,许多军官和士兵以为要去打美国。日本海军建议政府必须占领这些岛屿,以防止美国进攻或作为谈判的筹码换取在太平洋解除武装的协议。

日本可以依靠巴黎的一些支持。1917年2月,为了回报日本海军的援助,英国承认日本对这些岛屿的所有权,接着意大利、法国和俄国紧跟其后。另一方面,英国领地——新西兰、澳大利亚以及加拿大对日本在太平洋的膨胀惊慌不安。英国也觉得日本在战争中的援助既不及时也不情愿。日本给前线的英国士兵运送的橘子柠檬果酱以及 1917 年派往地中海的中队并没有完全安抚英国人。他们对日本的贡献的看法和法国一致；正如 1919 年 1 月克雷孟梭对其他调停人所说，"谁说日本在战争中的作用能与法国的贡献相提并论？日本参战是为了防卫其在远东的利益，若要他们卷入欧洲战场，谁都知道它会怎么回答。"全身心投入殊死搏斗的欧洲政治家很少能意识到日本没有很好的理由干涉欧洲。他们之间的关系并没有因把德国交给日本的试探性建议而改善。虽然日本没有回应，但却给他们留下了不可靠的印象。英国海军开始考虑将来与日本开战。

尽管如此，英国官方在巴黎和会上依然支持日本的要求，这一点英国代表团说得很清楚。为什么英国只说在巴黎支持日本的主张，却没有保证它能得到想要的领土？因为这是英国在 1917 年秘密协议中许诺的一切。劳合·乔治说英国打算坚守承诺。

当然，威尔逊不用秘密外交，他明确表示 1917 年协定不牵涉美国。他也被迫对日本采取强硬态度。美国公众反日情绪强烈，一方面由于常年不断的日本移民，一方面由于对德和约进程。墨西哥是另外一个问题；美国人认为日本给墨西哥内战中错误的一方出售武器。1917 年，为了使日本加入同盟国，德国总理在一封臭名昭著的齐默曼电报中让墨西哥邀请日本加入反对美国的联盟。不公的是，这使日本人再次留下不好的印象。战争末期，日本以反对布尔什维克为幌子扩张至西伯利亚时，威尔逊也和公众一样厌恶阴险的日本。他现在担心的是，如果日本控制北太平洋诸岛，它就有了一系列跳板可以使它跨过太平洋直奔夏威夷。他的军事顾问警告这些可能成为日本未来的基地和飞机场。

1919 年 1 月 27 日，牧野向最高委员会宣读一项声明，提醒诸位日本从德国手中夺回的岛屿保证了战争中运送航线的安全。他带着殖民主义者的口吻说，当地人非常落后，日本的保护和仁慈只会使他们受益。威尔逊温和地强调说他主张委任统治，不赞成直接占领。他不准备在这些岛屿问题上与日本对抗，因为他对日本的其他要求如德国在山东的特权也有异议。他克制地说："美国不同意日本委任托管雅浦岛，这里地处加罗林群岛西端，是国际电缆的重要枢纽。"美国人反复提议在今后几年内采取国际管控，但没有成功。1919 年，日本得到所有想要的岛屿的委任统治权。

两次大战之间，美国海军的担忧都成了事实。虽然委任统治严禁建立军事基地和防御工事，但事实证明这根本无法贯彻实行。外国人参观这些岛屿越来越难，而日本又向岛内移民并驻军。在那里，日本人修建了大港口；位于加罗林群岛中部的特鲁克群岛成为日本在南太平洋的主要海军基地。战争中，原本微不足道的小岛——天宁岛，塞班岛及特鲁克群岛——都变成重要战场。

国联盟约中的"种族平等条款"引出的麻烦更多。它对日本人有重大的象征意义。日本是个世界强国,其国民应该受到尊重。不幸的是,在美国和白人世界,人们想像东方移民浪潮淹没了白人文明。战前几年,日本商人抱怨他们经常在国外受辱。在加利福尼亚,日本人丧失了买地的权利,然后是租地权,最后连妻子都不能来美国一起生活。1906年,旧金山学校董事会将中国和日本孩子(总共不到100人)隔离到单独班级以免他们超过白人儿童。日本人(还有中国人和印度人)发现去加拿大和美国越来越难,去澳大利亚根本不可能。甚至在战争期间,虽然日本是大英帝国同盟,其国民还是被拒之门外。

日本政府一直试图调和,提出限制移民数量,但同时要承受来自公众的压力。如1913年,当一位演讲者在一次会上说日本应该宣战,拒绝接受有关土地所有权的加利福尼亚法律时,20,000名日本人欢呼不已。1916年,日本政府生硬地对英国说:"很遗憾英国殖民地的反日情绪依然强烈。"当日本决定参加和会时,日本报纸一片劝诫,一篇社论说:"现在是为反对国际种族歧视而战的时候了。"

资深政治家告诫政府,日本应该慎重对待国联。如果它只是维持现状,把日本定位于二流国家怎么办?甚至连威尔逊做出的新外交许诺也值得怀疑。一位年轻的爱国者在一篇反响强烈的文章中写道,民主和人道主义固然很好,但他们只是英美企图维护其对世界财富霸权的幌子。近卫王子写道,日本要生存,就得更加进取。日本政府指示其代表团拖延国联,可能的话,要确保国联盟约中包含禁止种族歧视的条款。近卫作为西园寺的助理一起前往巴黎。多年之后,日本与美国交战时,他担任首相。1945年,在审判战争罪之前,他服毒自杀。

当然,威尔逊坚持把国联作为和会的首要议题,因此日本人在幕后悄悄地准备种族平等条款。2月初,牧野和真达拜访一向热心友好的豪斯。他说他一直憎恨种族歧视并将竭尽全力帮助他们。几天后,和鲍尔弗讨论时,他就没有这么乐观了。他尝试了几种方案,但困难在于日本人不想要纯属安慰性的措辞,而对其他人来说——如澳大利亚人——任何有关种族平等的条款都难以接受。鲍尔弗和往常一样冷静客观:人人生来平等的观念很有趣,但他不相信,你不能说中非人和欧洲人平等。他还警告豪斯,英美人民都把它看作解除日本移民限制的第一步。豪斯回答说他意识到这一点了,但日本的确存在人口过多问题。他满怀希望地说,也许,他们可以去西伯利亚或巴西。

在国联事务委员会,牧野和真达小心翼翼地让别人知道他们正在准备一项将在合适时机提出的条款。2月13日,当国联盟约第一草案准备就绪时,牧野宣读了一篇冗长的声明,希望在有关宗教信仰自由的条款中增加一些内容:国联所有成员同意平等对待各国公民。他发现种族偏见很深,但重要的是达成一致原则,然后让各国自定政策。他接着说,国联将是个大家庭,各国互相关心,因此没有道理让一国人民为歧视他们的他国人民做出牺牲,甚至献出生命。大战中,不同种族并肩作战,"我们被前所未有的同情和感激之情紧紧地联系在一起"。

声明虽然感人,却毫无作用。塞西尔代表英国说,这是个颇具争议的问题,已经在大英帝国代表团内部引出了麻烦,他认为最好以后再解决这个问题,大家普遍赞同。希腊首相维尼泽洛斯提议,也许,他们应该取消整个有关宗教自由的条款,因为它本身也是个棘手的问题。对此,葡萄牙代表团坚决反对,声称他们从未签订过不提及上帝的条约。塞西尔幽默地回答说,这次他们都可以尝试一下。最后,将交付和会全体会议讨论的草案中没有涉及种族或宗教平等。日本人明确表示他们会再次提出该问题。第二天,2月14日,威尔逊回国,国联被搁置一旁。

然而,种族平等条款却开始引起公众关注。日本人公开集会要求取消"耻辱徽章"。美国西海岸的政治领导警告白人,如果该条款通过,后果将非常严重。劳合·乔治重述了另一个普遍存在的误解:这个条款也针对生活在诸如澳大利亚和美国等地的日本人遭受的歧视。

在巴黎的调停人中,日本人最多只能得到冷淡的支持。同样遭受歧视的中国人觉得他们也许应该赞成,但正如一位中国代表对一位美国人所说,他们还有更重要的问题要解决——特别是日本在中国的要求。威尔逊必须考虑国内的民意而且他越来越怀疑日本人。他对一位专家说:"我曾经信任过他们,但他们违反了有关西伯利亚的协定。"此外,在种族问题上,威尔逊的观点不太自由。毕竟,他是个南方人,虽然第一次总统竞选时,他提倡黑人享有选举权,但就职后,他几乎没有为黑人做过什么。

反对种族平等的最大呼声来自大英帝国代表团——尤其是澳大利亚的休斯。和多数同胞一样,休斯坚信该条约是保护澳大利亚的堤防的第一道裂口。他的一个下属写道:"如果它损害白人主导的澳大利亚,没有哪个政府能多存活一天。我们的立场是——日本的提议要么有所图要么毫无意义:如果是前者,就放弃,如果是后者,为什么还要提出?"休斯拒绝豪斯提出的任何让步,他说:"也可以,不过一同意,我就将踏入塞纳河,或浮黎·贝尔杰剧院——不穿衣服。"新西兰的马赛表示赞同。这使英国陷入尴尬境地,他们很想保持与日本的联盟,但又必须重视其领地。

2月中旬到3月中旬,趁威尔逊在国内,英国竭尽全力解决这个问题。利益不受威胁的法国在一旁乐不可支地观望。博登和斯马兹在休斯和日本代表团之间来回穿梭。他们安排牧野和真达拜访休斯,日本人认为休斯是个"农民";而休斯抱怨他们"屈膝跪拜、谄媚奉承"。澳大利亚人允许他接受该条款,但要包含一项不改变移民政策的限制性条款,但这次日本人拒绝了。牧野和真达反复向豪斯求助。但他们错了,豪斯并不准备做不受美国人欢迎的事。私下,他很高兴英国人不得不反对种族平等条款,"把如此负担从我们肩上推给英国人需要手腕和技巧,值得高兴的是,我们做到了。"

背负国内压力的日本代表团决定坚持该条款。真达对豪斯说,失败了至少能证明我们尽力了。4月10日,在国联事务委员会的一次会议上,日本人宣布他们第二天将介绍他们提出的修正案。豪斯的女婿戈登·奥金克洛斯说,他们多次延期,使它成为了一个玩笑。4月11日,委员会直到深夜才开会,试图提出一个允许美国维持门罗主义并加入国联的方案。当日本人提议在盟约导言中涉及种族平等时,所有人都已经疲惫不堪了。牧野和真达说起话来都温和镇定,给人们留下了好印象。委员会其他代表——维尼泽洛斯,奥兰多,中国的顾维钧,法国代表布尔茹瓦和拉诺德以及捷克总理——挨个表示赞同。塞西尔看起来非常不适,他只说他不能支持,然后垂下眼睛,阴郁地坐着。

其他人谈话时,豪斯递给主持会议的威尔逊一张便条:"麻烦在于,如果委员会通过了,全世界都会引发种族问题。"威尔逊清楚,只要提到种族平等就会疏远西岸的重要政治家,而他需要他们的支持以使国会通过国联。他督促日本人撤回他们的要求,说不该对种族偏见大惊小怪,那终将会损害国联;而在座的人都知道国联建立在国家平等的基础上。没有必要多说,他已经在用尽可能友好的口吻和日本人讲话了。他知道他们的动机是好的,但他觉得他应该提醒他们走错了。日本人坚持要求投票表决。当大多数代表赞成修正案时,威尔逊却以大学教授擅长的手腕宣布:由于反对意见强烈,表决结果不能执行。日本人没有挑战这个裁决,因此国联盟约中没有包括种族平等条款。

日本媒体痛批"所谓的文明世界"。自由的、信仰国际主义的日本人非常沮丧。他们参与了游戏,准备好加入国际社会,但始终被视为低人一等。牧野在4月28日举行的和会全体会议上警告说,如果国家得不到公正平等的待遇,他们就会对国联的指导原则失去信心:"恐怕,这种想法对国联赖以稳固生存的和谐与合作的基础非常有害。"他是对的,这次失败是使日本在战争期间脱离与西方合作,寻求更具侵略性的国家主义政策的重要促因。

然而,短期内,日本可以转败为胜。4月底,威尔逊对其他调停人说:"日本人非常礼貌地对我说,如果我们不在这个条款上支持他们,他们不能签约。"劳合·乔治看起来泰然自若。克雷孟梭说:"天呐,天呐!如果你只为这个烦心,那我比你还烦。"实际上,他们都很担心,和会承受不起再次变节了。意大利人已经退出,保加利亚人也准备效尤。一心拯救国联但无法接受种族平等条款的威尔逊现在开始考虑满足日本在中国的要求，使他为难的是中国也有棘手的问题。

24 指向中国心脏的匕首

大战结束的消息传到中国时，政府宣布放假三天。6万人，多是爱国学生和老师上街游行庆祝北京胜利。令人高兴的是，两年前政府为被杀的德国外交官修建的纪念碑被推倒。中国媒体满是歌颂民主战胜专制，热情赞扬威尔逊十四点原则的文章。中国青年尤其仰慕西方民主自由理想和西方学问。许多中国人希望和平能使列强不再干涉中国内政。

1917年夏，中国对德宣战，并对协约国胜利做出巨大贡献。西部前线的战壕需要大量的挖掘和维护工作。1918年，约100,000名中国劳工被送往法国，使宝贵的协约国战士得以抵抗德国进攻。许多中国人因被炸、疾病或想家而客死法国，有500多人因德国潜艇击沉法国船只而淹死在地中海。

在中国，找劳工比找参加和会的有经验的外交家容易多了。它从外交部挑出精英，召集驻华盛顿、布鲁塞尔和伦敦的大使以及外交部长组成代表团。但总统和总理都没有参加，因为国内的政治形势如此紧张，谁也不敢离开。然而，它雇用了几个外国专家帮助中国和世界进行交流（希望成为巴黎诚实的经纪人的美国政府不许美国人为中国人工作——至少在官方上不能为他们卖力）。

最终聚集在巴黎鲁特西亚酒店由60个中国人和5位外国专家组成的代表团成为中国的缩影——新旧搭配，南北均衡而且外部影响强烈，很难判断它究竟代表一个国家还是代表一个政府。中国正在四分五裂，一支军队控制北京及北方地区，而另一支则在广东建立政府，宣布独立。巴黎和会召开时，上海也在举行和会，试图和解两个政府。代表团由双方择定，其成员互不信任，也不信任北京的名义政府。

年近半百的代表团领导陆征祥展现了中国的变化。他来自受西方投资和贸易刺激而发展起来的重要港口城市上海。他的父亲是基督徒，为传教士工作，把他送到西式学校接受教育。在那里，他学习了外语，而不是世代中国学子学习的中国传统经典。这些人受统治中国几个世纪的老一辈学者(西方称之为官僚)诅咒。这些学者的思想迂腐顽固,令多数西方人难以理解。他们的自制和礼貌无可挑剔。虽然统治中国上千年,但他们的技巧根本敌不过西方侵略者的洋枪和轮船。

陆征祥成长在新旧文化交替、旧文化逐渐退出的时代。几个世纪以来,中国一直按自己的方式治理国家。中国人称祖国为中心王国——中心并不是指重要性,而是指它是已知世界的中心。当第一批西方人——"高鼻子的长毛野人"——出现在中国时,他们给中国人的印象无异于小虫之于大象。但19世纪,边缘开始骚扰中心——出售鸦片,通过贸易、传教和思想进行入侵。中国人开始抵抗了,结果遭受一系列失败。19世纪末,中国政府丧失了财政和关税控制权;到处都是被外国霸占的领地、港口、铁路、工厂、煤矿和外国军队。列强在中国行使治外法权,理由是原始落后的中国法律和法官无力处理西方文明的产物。据说,上海租界的公园门口写着:"狗与中国人不得入内。"中国人从此一直为洗刷耻辱和恢复世界秩序而奋斗。

正如中国一位著名思想家所问:"为什么他们国家小但却很强大?为什么我们幅员辽阔却国力弱小?"由于两千年的积习一时难改,中国逐渐开始学习西方,派学生出国留学同时邀请外国专家。在创办学校的传教士、沿海大港口如广东及上海经商的商人,以及越来越多出国留学、但回国寻妻养老的中国人的影响下,新思想和新技术已经慢慢渗入。

陆征祥所接受的教育正是中国生存所需要的。他进入外交领域(其本身就是一个创新),并且战前在欧洲许多国家首都呆过很长时间。他引起人们的非议,先是娶了一个比利时妻子,后是剪去了大辫子。他还越来越支持激进思想,谴责封建王朝是中国问题的罪魁祸首,要求建立共和国。

中国的形势日益严峻。列强纷纷瓜分中国,俄国在北部,英国在长江流域(长江从西藏到中国海绵延3500英里),法国在南方,德国在山东半岛,日本人则到处都是。没有参与的美国人——愤世嫉俗者说,部分原因是美国没有资源——提出要中国开放门户使各国机会均等。民族主义者清楚地意识到,危险在于中国可能被列强瓜分,中国及中华文明可能不复存在。如果不是由于列强之间存在分歧,或许这早在大战时就已成事实了。

恐惧刺激了中国现代民族主义的发展。诸如"自主权"和"国家"之类的词开始进入汉语(以前从不需要此类概念)。许多戏剧和歌曲都讲述沉睡的中国的觉醒以及推翻压迫者。激进派组织秘密团体,试图推翻目前被视为中国救亡障碍的统治王朝。人们开始抵制敌国商品,中国各大城市纷纷爆发游行示威。许多人为了爱国而自杀,虽然这些是出于软弱而并非力量的策略,但却显示了一股强大的力量的觉醒。另外,越来越多的中国人把日本作为主要敌人。

1911年,一场没有流血的革命废除了最后一个皇帝——一个8岁的孩子,陆征祥和其他民族主义者实现了部分理想。中国成为共和国,主要是因为现代社会需要现代机构。许多内陆城镇及乡村的中国人不懂什么是共和国,甚至根本不知道封建帝制已亡。20世纪60年代,当红卫兵到一些穷乡僻壤时,当地农民还问"现在谁坐龙位"。

陆征祥既是新共和国的外交部长又是总理。社会有希望的苗头出现:经济开始起步;大城市的现代工业开始发展;新知识正在向大学和学校渗透;社会也在摆脱旧的强制方法。不幸的是,中国第一位总统袁世凯来自保守的旧世界。在为期四年的革命中,他企图称帝。虽然没有成功就去世了,但他使中国四分五裂,国会徒具虚名,最糟糕的是,军阀各据一方。到1916年,中国开始内乱,军阀统治直到20世纪20年代末才结束。

伟大的作家鲁迅把国人比作沉睡在铁房子里的人。房子着火了,里面的人如果不醒来就会丧命。但即使醒来,他们能逃生吗?他们是在无知中死去好还是在清醒中死去好呢?虽然他们疑惑,但鲁迅及其同代激进文人竭尽全力唤醒中国。他们以加速社会变化为己任,努力扫清旧残骸,迫使国人向前看;他们出版诸如《新青年》和《新潮》等杂志,撰写讽刺旧传统的戏剧和故事;其救国口号是"赛先生和德先生"——赛先生即科学,它代表理性,德先生即民主,他们认为中国需要民主来统一政府和人民从而使祖国强大;他们敬重协约国,因为他们希望协约国会遵照西方领导人在战争期间经常阐说的原则公正地对待中国。山东问题就是个检验。

地处北京南方,伸向北太平洋的山东半岛地势起伏,人口稠密,它对中国的重要性不亚于阿尔萨斯和洛林之于法国。维系中国社会的传统思想的创始人孔子就诞生于此(即使今天,在他诞生2600年之后,有的山东家庭依然声称是他的后人)。控制了山东就等于控制了北京的侧腹,并威胁黄河流域以及连接中国南北的大运河。对西方人来说,山东这个名字与一种很受欢迎的丝绸(产于山东)同义,同时也激起人们的可怕回忆:以铲除西方人及西方影响为使命的义和拳的基地。

在霸占租界的争夺战中,山东无疑是块诱人的肥肉。其3000万人口提供了巨大的市场和廉价劳力;而且煤炭及其他矿产丰富。当德国旅行者费迪南·冯·李希霍芬对德国皇帝和海军说中国海岸——半岛南部的胶州湾——拥有得天独厚的天然海港时,他们都很感兴趣。德国力图成为世界强国,在当时那就意味着殖民地和基地。恰好,1897年,两个德国传教士在当地一场骚乱中被杀。德国皇帝说,"一个绝好的机会。"然后派海军占领了胶州湾。中国政府抗议无效并于1898年签订了99年租约,将胶州湾附近100平方英里的领土借给德国。德国还获得修建铁路、开矿以及驻军以保护其利益的权利。

德国在这块新领地的投资比在任何更大的非洲殖民地都要多。它鼓励不愿在山东投资的德国商人修建铁路和开矿(都没有收益)。海军接管了胶州湾的新港口。众所周知,青岛拥有良好的港口设施,道路平整,供水、排水设施齐全,电话网络先进,还开办了德国学校、医院甚至德国酿酒厂(至今犹在)。一个外国游人赞赏地称青岛为"东方的布赖顿(英国南部海岸避暑胜地——译注)"。到1907年,它成为中国第七大重要港口,惟一的不足就是与德国最近的殖民地和德国本身相距千万英里。

虽然德国皇帝通过恐吓威胁在山东占领租界,但1914年以前德国政府对付中国官方时依然显示了机智的策略。它没有坚持本国军队保卫铁路和矿区,而允许中国军队负责;它放弃了修建其他铁路的权利;它使青岛成为中国海关体系的一部分而不是自由港。结果到1914年,德国租界比1898年协议规定的要小得多,德中关系也因此相对友好。但战争爆发时,这一点对德国并没有帮助。德国总督给柏林发电报称,"很可能是与一个错误的交际花订了婚"——这个电报对英国人来说不难破译。日本进攻中国时,中国政府无力抵挡,德国也无能为力。其皇帝仅表同情:"愿上帝与你们同在,在未来的战争中,我会惦记着你们的。"因此,德国在山东的租界、铁路、港口以及矿区都转交日本。

日本声称会把租界归还中国,但中国人并不怎么相信,因为在战争中日本竭尽全力确保夺取该租界。从一开始,占领者就忙于修建新铁路,从中国人手中接管电报及邮政业务,盘剥税收及劳力。日本人对山东的控制远远多于德国。

日本还尽力通过法律等手段缚牢中国政府。它动用巨款,类似于贿赂,诱使中国官员支持其目标。夹杂有军国主义者和财政家的日本秘密民族主义团体拥有自己的目标,不过通常与政府目标不一致。他们向南方叛党提供武器反对日本政府承认的北京政府。在满洲里南部以及毗邻蒙古东部的地区,日本军方与反叛军阀私通。后果是,日本对华政策看似迂回曲折,实际上仅仅是令人困惑、前后不一。

继任的日本政府试图控制中国。1915年1月,在北京的日本大臣拜访了中国总统。他谈到两国人民紧密友好的关系,并说,若外国势力强行把他们分开将是巨大的耻辱。他补充说还有一些需要解决的麻烦问题,然后向总统提出了21条要求。如果中国拒绝,他暗示,日本将采取"强硬手段"。其中一些要求仅仅确认了批准日本目前的在华活动,另一些则要求中国政府提前同意日本和德国对德国租界的任何处理方案。更糟糕的是,还有一些条款实际上是把中国变成日本的保护国(为了防止中国政府犹豫,纸上印有武士和机枪)。

中国政府在任何一条上都迟疑不决。条款的要求泄漏之后,在全国范围内引发了抗议。日本勉强删除比较过分的条款,但于1915年5月25日逼迫中国政府签订一项条约,保证日本在山东得到想要的一切。爱国人士宣布那天为国耻日。在东京,西园寺对其政府的浮躁无能非常伤心,并阻止外交部长当选首相以示不满。

对此,其他国家密切关注却没有行动。英国需要日本的海上援助。日本舰队已经开始在太平洋巡逻,英国希望他们能在好望角和地中海同样这么做。在欧洲,损失惨重的俄国无意在远东对抗其强邻;意大利和法国则效法英国。1917年日本与英国及欧洲其他国家签订了一份秘密协议,保证日本继续维持其对德国租界的所有权及在山东的特权。

惟一公开反对日本在华活动的是美国,它越来越担心日本在太平洋以及亚洲大陆日益膨胀的势力。在威尔逊称为"完全可疑"的21条提出之前,美日就已经在一些问题上产生摩擦:如美国海军要求中国沿海的一个装煤站;满洲里的日本铁路对美国商品收费过高。美国商人抱怨说日本正在把他们挤出中国市场。中日谈判期间,美国督促日本改变对华立场;在北京,反日情绪强烈的美国大使鼓励中国人民坚决抵抗。美国人告知中日双方政府,美国不接受任何有损美国在华利益和中国政治与领土完整的协议(这个保留意见在1931年变得非常重要,美国借此反对日本占领满洲里)。

日本政府于1915年撤销原有主张,但并没有放弃在中国占据上风的企图。1916年,俄国与日本签约,承认日本在满洲里南部和蒙古东部的特殊地位。同时,日本派石井子爵前往华盛顿,力图使美国承认日本在中国的地位。石井与兰辛通过交换纸条进行会谈,但双方都按符合自己意志的方式进行解读。美国人认为他们已经承认日本由于地理优势在华拥有特殊利益。对此,日本人的理解要宽泛得多。

1917年的俄国革命更加坚定了日本留在中国的决心。正如石井在日记中写道:"其他外国政府不会因中国的灾难、疾病、内战以及布尔什维克而感到威胁,而离开中国,日本无法生存,离开中国人,日本人不能立足。"这就是日本经常说"亚洲门罗主义"的原因。正如美国出于安全考虑视拉美为其后院,日本也必须担心中国及其他邻国如朝鲜和蒙古。

1918年,大战基本结束,日本为处理好中国问题做了最后努力。5月,它与中国政府签订防御条约,9月,又交换了秘密照会,强调有关山东问题的协议。东京的中国代表说中国政府"高兴地同意"了照会,这一说法在巴黎对中国尤其不利。也就是说,战争结束前,中国政府就已经让步了。巴黎的中国代表声称他们直到1919年才知道这些秘密协议。

1919年,日本对中国的操控给外界留下了非常不好的印象,连一向支持它的英国也开始担忧日本的傲慢和野心。英国尤其关心日本对长江流域的英国经济范围的袭击。英国驻日大使警告说:"现在,我们知道了日本——真正的日本——是个机会主义者,与其他国家

大国的博弈 ▶ 226

相比，它在战争中的贡献不大，却十分夸大自己在世界上的作用。"英国政府也对日本媒体批评英国士兵抢夺德国租界非常气愤。另一方面，中国看似毫无希望，接任鲍尔弗当选外交大臣的寇松将中国和日本做了一个鲜明的对比：与日本隔海相望的中国无助、无望、懒惰，是世界上人口最稠密的国家之一，完全缺乏凝聚力和实力，南北冲突不断，军队无能而且士气不振。这使中国成为日本唾手可得的猎物。法国，至少在中国问题上与英国一致。

豪斯也表示赞同。他在战争期间对威尔逊说，当大部分白人世界对日本人关闭时，他们不进入中国大陆也不太合理。"我们不能满足日本的领土和移民要求，但如果不在东方问题上让步，麻烦迟早会来。"他非常乐观地说："我们可以制订一个政策，使门户开放，复兴中国，满足日本。"日本人分析了在巴黎的美国代表之后把豪斯视为朋友；他们能找到的朋友不多。

多年之后，在和会召开前后负责远东事务的美国第三助理秘书布雷肯里奇·朗对一位采访者说，1917年以后，对日本的怀疑一直是美国关心的问题。连一向为自己处理世界的理智方法而自豪的兰辛也感觉到了这个变化。1915年，他主张和日本和解，甚至提出把菲律宾群岛给日本，他还批评了"对日本邪恶计划歇斯底里"的人。但，就中国来说，他坚信必须确定一条路线。他后来说，他满怀信心前往巴黎，"希望一劳永逸地和日本达成协议"。他称日本为"普鲁士"，但不含任何恭维之义。

和会刚开始时，威尔逊似乎有同样想法。他反对秘密条约，如日本所签订的，也不同意不征求人民的意见就把他们及领土交给外国人。由于在中国工作的美国传教士的报告，威尔逊也对中国有浓厚兴趣。他的一位堂兄在上海创办了长老会传教周刊。他宣称希望像"朋友和楷模"一样帮助中国。美国驻北京大使保罗·S·赖尼希——来自威斯康星州的一位进步的大学教授不断指责华盛顿，其中有些属实：日本在中国引起叛乱，出售吗啡，贿赂官员，所有这些都是为了主宰整个东亚。他还警告说，"如果继续纵容日本，如果采取任何可能被视为承认日本特殊地位的措施，如所谓的门罗主义或其他方式，严重的武装冲突在这一代就不可避免。在欧洲没有哪一个问题与世界和平以及公正解决中国问题同等重要。"但早在山东问题余音未绝之前，他就去世了。

威尔逊看似听取了他的意见。1918年，他重新启动一项垂死的多国财团协定，为中国政府提供贷款。整个和会期间，会谈断断续续，日本一方面同意加入财团，一方面不为任何有可能削弱其在华影响的发展贷款。那正是美国人想做的。一位美国高级官员说："没有提到最终目标——将日本赶出中国。"

但那是美国想要的吗？如果日本不能向西扩张到亚洲，它会转向太平洋，转向菲律宾甚至更东部吗？威尔逊及其顾问在与日本合作的实用主义目标和帮助中国的理想主义目标之间左右为难，20世纪20年代其继任者也备受其苦。中国帮得了吗？值得为它对抗日本吗？从长远目标来看，太平洋地区的和平对亚洲人和美国人都有利。

前往巴黎之前，威尔逊邀请中国驻华盛顿大使顾维钧闲聊。时年39岁的顾维钧已经非常出类拔萃。很少表扬人的克雷孟梭称他为"一只年轻的中国猫，典型的巴黎式的言语和着装，神情专注地追逐、抓挠着即便是专属日本的耗子"。顾维钧很了解美国，他在纽约的哥伦比亚大学获得学士和硕士学位，是个非常杰出的学生（在巴黎，他与以前的一位教授，现任美国代表团专家愉快地度过了一个下午，同唱老校歌）。他还是大学辩论队的成员，这一点对日本代表团很不利。与威尔逊见面后，顾维钧确信美国会在和会支持中国。威尔逊还友好地建议顾维钧和美国人一同乘船去巴黎。中国人认为这是个好兆头。

另一个好兆头是美国代表团的组成。兰辛，在华盛顿任职初期是"中国政府的辩护律师和专家"，负责远东事务的E.T.威廉斯，曾在战争期间在中国传教并担任外交官。代表团总体来说具有反日情绪。连那些准备考虑日本问题的人都极端厌恶日本的军国主义和民族主义，他们认为这些是日本的主要战争目的。虽然威尔逊一再表示美国在亚洲问题上应该保持一贯的中立，但在巴黎却明显抱有偏见：帮助中国人拟定他们的要求，并透漏一些他们不可能得到的信息。作为回应，中国人则征询美国的意见并加以采纳。

由于国内意见不一，中国政府没有给其代表团全面指示，但有一点非常明确：中国必须收回德国在山东的租界。1918年12月，代表团出发前召开了记者招待会（标志着中国的巨大变化），非常乐观地希望在巴黎有丰厚的收获。中国将要求解决与列强的关系，包括废除治外法权，享有更多关税和铁路控制权以及收回德国占领的山东领土。作为回报，中国将允许在蒙古和西藏进行外贸。

不幸的是，中国代表团也反映了国内分歧，其成员互相怀疑对方勾结日本，甚至在前往巴黎的路上也发生了一些奇怪的事件。陆征祥在东京与日本首相举行了两小时会谈。至于会议内容，大家众说纷纭：很明显，日本人相信他们得到承诺：中国会在和会上合作；后来，中国人声称陆征祥只承认存在1918年中日秘密协议，但并没有接受它的有效性。在那次逗留东京期间，中国代表团一只装有重要文件，包括中日秘密协议全文的箱子被盗。在巴黎，毕业于耶鲁法学院，代表南方的王正廷向上海的报社发去电报，指控同僚中的"某些叛徒"。也许他指的是顾维钧，传言称他与一位臭名昭著的亲日派官员的女儿订婚（实际上，顾爱上一位美丽的，住在巴黎的印度尼西亚女子）。而陆征祥则被攻击接受了日本的贿赂。随着时间的推移，他变得越来越阴郁、孤僻。

山东问题直到1月底才开始在和会讨论。威尔逊依然没有决定该怎么办。他想了所有可能的备选方案。或许,正如他向顾维钧建议的那样,也许可以说服英国帮助中国,虽然它和日本是同盟。或许,日本会自动放弃山东。毕竟,许多官员暗示日本愿意将山东归还中国。或许,日本为了保全面子可以先形式上占领,然后再交还主权。

日本几乎无意让步。1月27日,最高委员会开始把注意力转向德国在太平洋的殖民地的前途问题,牧野试图索要德国在山东的租界以及其他从德国得到的岛屿。他还争辩说,山东是德国和日本之间的问题,中国没有必要参与。他希望山东以及太平洋岛屿可以在没有中国人参与的情况下作为战利品予以解决。其他强国认为山东问题应该单独解决,中国应该被邀请参加当天下午的讨论。

中午休息时,中国代表竭尽全力向朋友施加压力。名义团长陆征祥不知去向,年轻的顾维钧拜访了兰辛,询问中国能否得到美国的支持。兰辛再次承诺,但表示他很担心欧洲列强。

那天下午,中国代表在法国外交部如坐针毡,听牧野总结日本的情况(顾维钧声称威尔逊事后对他说他被这个演讲完全扰乱了)。第二天早上顾维钧代表中国进行回应。虽然起初他的声音有点发抖,但却在演讲中猛烈地攻击了日本,其间不时引用国际法和拉丁语。他承认中国的确在1915年和1918年签订协议许诺日本将得到德国在山东的权益,但中国是被迫的,因此不应该履行。无论如何,任何有关德国所有权的问题都必须由和会解决。

顾维钧接着说,中国感激日本把它从德国统治下解放出来。"虽然感激,但是中国代表认为,如果他们不对靠出卖国人的天赋之权来表示感谢这种方式加以反对,并因此埋下未来混乱不和的种子,他们就亵渎了对中国和世界的职责。"国家自决以及领土完整等威尔逊的原则迫使各国把山东归还中国。

顾维钧说山东是"中华文明的摇篮,孔子和孟子的故乡,是中国人的圣地"。而且,让山东落入外国统治就像"在中国的心脏插了一把尖刀"。滑稽的是,日本军方正是这么认为的;东京的作战大臣对政府说,从山东沿海伸向内陆的铁路是把日本的影响输送到亚洲腹地的"动脉"。加拿大的博登称中国的发言非常"有力";兰辛认为顾维钧压倒了日本人;克雷孟梭私下里对顾维钧热情洋溢的称赞在当晚就众所周知了。仅从雄辩的角度来看,很明显中国人赢了。

不幸的是,1月,山东问题没有解决,必须等到4月对德和约的最终条款确定之后。那时,调停人要处理成百上千个决定,在这个上做出一点让步,在另一个上坚定不移,试图满足不可能实现的要求以使协约国全体通过对德和约。中国人及其希望对决策微不足道。威尔逊被迫陷入他所讨厌的讨价还价之中，以自己的原则为代价换得日本对国联盟约的认可。如果国联是世界最好的希望，那么牺牲中国的一小部分领土或许是值得的。

做出决定之前，中日代表团都很繁忙。双方都在新国际关系中通过公开演讲和采访抓住了一个重要因素。虽然在巴黎的日本代表团拥有高效的信息部，但许多旁观者看好中国，也许是因为他们的要求建立在自决原则的基础上，更符合当时的情绪。2月前半个月，公众对是否公开中日秘密协议分歧很大。当克雷孟梭及其他领导提议把该文件递交和会时，日本代表团非常震惊。顾维钧看到了一个使日本为难的机会，就立即同意并发电报要求政府提供副本。在北京，日本大使严厉劝说中国政府不要在日本不同意的情况下公开任何文件。这个消息泄露到媒体，不但刺激了公众的反应，还可能加深了美国对日本的不信任。

中国代表宴请了专家和外国记者，陆征祥还请求政府给法国和比利时捐款以重建凡尔登和叶普斯的学校。但在幕后，日本人做得更好：在与劳合·乔治、鲍尔弗和克雷孟梭及其外交部长毕勋的私人会谈中，他们得到了想要的保证。虽然不奢望美国政府支持，但他们与豪斯举行了热烈的会谈。正如日本解释说，中国人试图违背诺言。帮助日本成功的最主要的因素是它愿意不再坚持种族平等条款。

4月21日，意大利人退出和会之前，牧野和真达拜访了威尔逊和兰辛，告诉他们日本希望中日纠纷在对德和约完成之前解决。他们警告说，如果不这样，民众将有强烈的怨恨情绪。威尔逊当天下午与劳合·乔治和克雷孟梭协商，原本希望推迟山东问题的三位领导发现他们必须向日本让步。正如四人会议秘书汉克说："在递交对德和约前，意大利代表团就退出了，这已经很糟了，如果日本也退出的话，剩下的三国将陷入非常尴尬的境地。"兰辛抱怨说巴黎的状态是："自私的物质主义，无视显而易见的事实。"然后问道："美国的理想主义必须屈服于这个旧时代的恶魔吗？"然而，人们很难不对调停者产生同情，他们承受着巨大的压力，开始处理山东问题时，他们都非常紧张。

4月22日早上，牧野再次向四人会议陈述了日本的要求。他还制订出了相关条款的草案以纳入对德和约。威尔逊请求日本人考虑亚洲和世界的长远利益，各国应该少为自己考虑，多多互相体谅，毕竟这是国联的宗旨。如果日本执意要求在中国的权利，就会使中国怀恨在心，对谁都不信任。那样的话，对所有人都没有好处。"中国到处群情激愤，局势一触即发，稍不小心后果就不堪设想。"日本代表礼貌地听着，但提醒在座的各位说，如果要求得不到满足，他们就不能在和约上签字。

当天下午,轮到中国代表团发言。日本代表决定他们不想和不可战胜的顾维钧辩论,所以没有出席。调停人力图使他们的决定合理公正。劳合·乔治解释了英国为何支持日本的要求,他说,请记住英国在 1917 年经历的绝望困境,它需要日本的援助才能在德国的潜艇战中幸免于难,"我们必须紧急求助日本派出驱逐舰,日本就以此和我们讨价还价。"

威尔逊也保证,国联将确保中国不必再担心日本或其他国家的侵略,他也请求谅解。由于战争期间签订的各种条约,强国处于非常窘迫的境地。他同情中国人,但必须承认条约,包括中日之间的条约是神圣的。"由于大战的起因是西方国家反对违背条约,因此我们必须首先尊重条约。"据一位中国观察者描述说,很少参与法国以外事务的克雷孟梭站了起来,"看上去无辜、无知、冷漠",不管劳合·乔治说什么他都同意。

顾维钧动用所有雄辩和才智试图扭转局势。他再次否认中日条约有效,并警告说目前中国正处于十字路口,大多数中国人都希望与西方合作,但是如果调停人没有公正公平地对待中国,他们就可能转向日本。"中国有一个政党支持让亚洲人统治亚洲(20 世纪 30 年代,日本占领大片中国领土,的确有很多人合作)。"结束时他说:"这个问题意义重大,它关系到我们究竟要保证远东地区半个世纪的和平还是在十年内继续战争。"讲话赢得了在座各位对他的努力的钦佩,他们决定将山东问题交付专家委员会讨论,除此之外,别无他获。专家委员会将讨论相对来说不很重要的问题:日本获得 1914 年德国在中国的租界或通过战时协定抢占的租界究竟哪一个对中国有利,讨论结果将于 24 日之前反馈给四人会议。两天后,委员会决定选择前者。

接下来的几天是和会最紧张的几天。意大利最终退出,忧心忡忡的威尔逊重读十四点原则,自决原则非常明确:意大利应该得到阜姆,日本不应该得到山东。意大利危机强化了对山东的操纵。中国人给威尔逊发了一份备忘录和许多邮件;日本代表亲自来访。牧野和真达也拜访了豪斯的助理鲍萨尔,向他抱怨中国媒体对日本的诋毁,并再次威胁不在和约上签字。鲍萨尔发现牧野非常气愤。西园寺写信给故交克雷孟梭,说日本希望山东问题尽快解决。

4 月 25 日,四人会议(由于意大利退出只剩三人)派鲍尔弗与日本人谈判希望他们妥协。有朝一日他们会做出让步把德国在中国的权益归还中国吗? 威尔逊也分配给兰辛相似的任务。但鲍尔弗和兰辛都无功而返,日本人坚持权利,毫不动摇。他们和鲍尔弗讨价还价,如果强国接受他们对山东的要求,日本保证在和会全体大会通过国联盟约时不对略去种族平等条款小题大做。对兰辛,他们抱怨说美国总是怀疑日本的好意。

4 月 26 日,星期六,鲍尔弗正在准备日本立场的报告,牧野再次来访,一项尝试性的交易敲定了。如果日本能接管德国在山东的经济权利、青岛港口、铁路(包括还未修建的铁路)以及矿区,它就同意撤出占领军。鲍尔弗报告说,日本会慷慨地允许其他国家的公民使用港口和铁路。另外,它还准备将有争议的地区的政治控制权尽快交还中国。中国人得知这个许诺后,依然满腹怀疑。在这种情况下,无论如何,山东已经成为民族问题,中国人很难接受日本对它的统治。相反,日本人认为他们已经让到底线了。东京传来命令要求坚定立场;如果中国轻视日本,日本将失去整个远东地区的特权。

星期一早上,鲍尔弗对四人会议报告说,牧野"非常隐讳但绝对明确"地指出必须整体对待日本的要求。日本已经在种族平等问题上失败了,如果再失去山东,后果将"非常严重"。所剩时间不多了,全体大会将于当天下午开会正式批准国联。如果日本强烈抗议在国联盟约中删去种族平等条款,强国将非常尴尬,比日本明确表示反对国联更糟。在威尔逊勉强默许下,委员会决定让鲍尔弗写信通知日本人,他们接受对山东问题的处理。

威尔逊的媒体秘书贝克警告说世界都支持中国。威尔逊回答说:"我知道,但是如果意大利退出,日本也回家,国联怎么办?"4月28日,当牧野在全体会议上发言却绝口不提种族平等条款时,不了解真相的兰辛立刻明白发生了什么。他悄声对豪斯说这违背了原则。豪斯回答说:"我们早就这么做了。"兰辛生气地说:"对,已经做了,这是和会的诅咒和祸根。"在后来给媒体起草的声明中,威尔逊把该解决方案评价为"从涉及中国的一系列混乱条约中所能得出的最满意的结果"。

中国人备受打击。陆征祥发信给威尔逊严肃地说,中国人曾相信十四点原则,相信它用新方式处理国际关系的许诺。"我们指望公正和公平,但结果让我们非常痛心失望。"威尔逊的顾问几乎一致要求他反对日本的要求,不论后果如何。布利斯打算辞职以避免在和约上签字,在同僚兰辛和怀特的支持下,他写了一封严厉的信对威尔逊说:"如果警察可以保留捡到的钱包内的东西,而只把空钱包交还失主,并声称他履行了职责,那么日本的行为就是可以容忍的。"他还从道德方面看待这个问题,如果日本能得到山东,为什么意大利不能得到阜姆?他总结说:"和平令人向往,但还有比和平更珍贵的——公正和自由。"

威尔逊尽力减小损失,这几乎要了他的命。他对医生说:"昨晚我一宿没睡,满脑子都是中日争端。"格雷森说他从未见过威尔逊如此憔悴。威尔逊坚持要求详细说明日本在中国的所得,要具体到山东铁路警察的组成(将由中国人组成,必要时,有日本领队)。4月30日,当山东条款提交四人会议做最后商议时,他再次得到日本的口头承诺:日本最终会把山东的主权归还中国。但日本坚决拒绝付诸于文字,声称任何妥协迹象都会激起国内民愤。

这时,消息传出,局势对中国不利。巴黎到处都是谣言。4月29日晚,在法的中国留学生在丹东街举行了一场激烈的集会,人们纷纷谴责西方。后来成为日伪政府首领的汪精卫用流利的英语警告说,中国人可能采取过激反应。一位学习艺术的年轻女生呼吁停止和谈——"我们必须采取武力"。后来成为外交部长的陈□提了一份决议,谴责四大强国,尤其把威尔逊单独提出。集会全体一致通过该决议,当晚美国加强了威尔逊的安全戒备。

4月30日,中国代表团得到详细的解决方案,其中一人绝望地扑倒在地。当晚,贝克来到鲁特西亚酒店传达威尔逊的申辩和同情,他发现中国代表团非常沮丧,责怪威尔逊辜负了他们的期望。一些人想立刻离开巴黎而不愿在和约上签字。顾维钧后来对贝克说,只有得到政府的直接命令,他才会在和约上签字。"我希望他们不要让我签字,这对我来说无异于死刑。"在世界的另一端,人们一直密切关注着谈判。中国代表团遭到电报的轰炸,学生组织、商会甚至工会表达了他们对威尔逊十四点的信心,并相信和会一定会尊重中国的主张。5月的第一个周末,中国各大城市的报纸报道,山东权益将转交日本。中国民族主义者忿忿地批评政府,但对西方列强更是愤怒。

5月3日晚,星期六,北京大学(爱国运动的中心)学生召集北京所有大专院校的学生代表,计划第二天早上在天安门广场举行游行示威。会议群情激愤,学生们一致同意发电报给巴黎的中国代表团,要求他们拒绝在和约上签字。一位青年破指血书,要求归还德国在山东租界的中心——青岛。

中国爱国人士的愤怒并没有仅仅停留在谴责山东决议上。一位学生回忆说:

> 巴黎和会的消息传来时,我们震惊不已。我们突然意识到外国列强依然是自私的,军国主义者都是大骗子。我记得5月2日晚,我们几乎都没睡觉。我和一群朋友谈了一夜。我们得出结论:世界迟早要爆发一场更大的战争,这次大战将在东方。我们很清楚我们和政府没有任何关系,同时我们也不再相信所谓的伟大的领导人如伍德罗·威尔逊的原则。看着中国痛苦而无知的群众,我们觉得必须要斗争。

5月4日早上,天气凉爽多风。午饭时间,3000多名游行者汇集天安门广场。许多人穿着传统的丝制长袍但有些也带着西式圆顶硬礼帽。游行队伍打出"还我青岛"、"拒绝在和约上签字"等口号。领导者拿着一份宣言,上面说:"这是中国生死搏斗的最后一次机会。"下午2点,游行队伍越来越壮大并向外国公使馆进发。当队伍到达被怀疑为日本汉奸的官员宅邸时,人们情绪非常激动,他们冲进房屋,砸碎家具。由于没有找到部长本人,他们把藏在房间里的中国驻日大使痛打了一顿。政府企图通过逮捕少数学生代表以镇压该运动,结果却火上浇油,使群众更加激愤。北京大学人文学院院长在街角分发传单。游行运动蔓延到其他大城市,非学生人群——从码头工人到商人都纷纷加入。结果,政府被迫妥协,并向逮捕的学生道歉。

动乱使另一个和会告终——在上海举行的试图调和南北矛盾的和会。南方试图利用民众情绪,要求北方反对中日战时协定并拒绝接受山东决议。这对由亲日派主导的北方来说不可接受,上海和会就此无限延期。由于连那一点渺茫的希望都破灭了,中国又陷入了九年分裂和内战。

5月4日是中国民族主义发展的里程碑,它代表了知识界动乱的整个阶段,但更重要的是,它标志着中国知识分子开始抵制西方。1919年之前,他们寻求西方民主和自由主义,通常是因为他们找不到别的范例。有些人一直对强调个人主义和竞争感到不安,共和国的失败以及欧洲列强在战争中互相残杀更加剧了这种不安。在巴黎和会期间充当观察员的某知名学者写信回国说,欧洲人就像"沙漠中失去方向的旅行者……他们完全绝望了……他们曾经怀有科学万能的梦想,但现在谈论的全是科学的破产"。

偶然性在历史中的作用比一般人想像的要大,1919年中国人找到了另一个可行之路,不是回到传统道路而是俄国的新秩序。俄国革命提供了一个类似于中国的传统社会通过一次大胆行动而一跃向前的范例。对西方的幻想的破灭、1911年之后对西方民主不愉快的体验以及俄国提供的道路,都使共产主义成为解决中国问题的办法。如果还需要进一步证实,那就是:1919年夏,俄国布尔什维克代表提出放弃沙皇时代从中国夺取的领土和租界(新的布尔什维克政府从未如此承诺,但当时中国人对俄国的慷慨印象非常深刻,这是其他国家做不到的)。

巴黎和会一年之后,一群进步分子成立了中国共产党。许多1919年5月游行的领导者都成为党员。曾经在街角散发传单的人文学院的院长成为党的第一代领导人。在毛泽东和周恩来(他们也积极参与五四运动)的领导下,共产党最终在1949年夺得政权。

在巴黎,顾维钧竭尽全力使和约对中国有利,但徒劳无功。至少他没有生命危险,因为1919年6月,中国没有在《凡尔赛条约》上签字。北京政府拿不定主意,因此没有任何指示和命令。在巴黎的中国留学生包围了鲁特西亚酒店以防止任何代表离开。最终,中国于1919年9月与德国签订和约。

通过施压,日本得到了山东。这究竟是因为它的欺骗,还是像其他国家认为的那样,是因为它威胁不在和约上签字?证据混杂,两方面都有。1919年4月,山东问题谈判到达高潮时,东京政府命令,如果日本的要求得不到满足就不同意国联盟约。至于其政府是否意识到国联盟约是对德和约的一部分就不得而知了。然而,与此同时,国内文件显示日本害怕被孤立。如果和会坚决拒绝将山东转交给它,日本很可能就妥协了。4月30日,四人会议最终通过山东条款之前,日本首相原敬对在巴黎的代表说,如果遭到拒绝,就等待最新指示。

在巴黎迎接胜利时,日本人心情复杂。代表团回国时,群众抗议他们没有实现种族平等条款。西园寺在对天皇的正式报告中道歉说:"很遗憾,我们没能实现全部梦想。"然而,他指出日本在世界的地位比1914年时提高了。另一方面,日本代表团离开巴黎时确信美国将阻止他们在中国的活动。也许,他们是对的。1921年,沃伦·哈丁当选总统,美国政府更加反日。20世纪20年代,由于在中国和贷款联盟问题上的分歧以及日本公民在美国遭遇歧视,本已紧张的美日关系继续麻烦不断。

赢得山东在其他方面的代价是巨大的。中国的爱国运动迅速发展,严重阻碍了日本在中国的计划。另外,日本与其他国家的关系也受到破坏。英国人开始认真考虑盎格鲁与日本海军联盟的未来。西方人坚信日本是"黄色普鲁士"。1919年夏,寇松先对真达然后对日本驻伦敦大使谈论日本在中国的行为。他认为日本坚持在中国的要求是不明智的,既使中国敌视,又使英国忧虑。他督促日本大使考虑英日关系以及远东地区的安全问题。

没有料到反对如此强烈的日本政府认为他们应该遵守诺言归还在山东的租界。1920年初,日本试图与中国政府协商从山东撤军,但中国拒绝讨论该问题。1921年秋,日本作了第二次尝试,并提出它放弃山东权益的条件,但中国政府拒绝明确回答。

最后,在华盛顿解除海军武装会议上,由英美作调停人,日本终于和中国达成协议,恢复中国在山东的全部主权。从青岛通往内陆的铁路通过复杂的计划售还给中国,但该计划使日本又把铁路控制了十年。中国很可能遭受了财政损失,因为,正如日本人所发现的,这条铁路毫无利润。1922年,日本在华盛顿与其他国家签订条约,保证中国主权和领土完整。1937年,该保证失效,日本入侵中国大陆,并控制了山东以及所有沿海省份。

参与巴黎和会的代表后来从事了不同的职业。1919年6月,巴黎和会崩溃之后,陆征祥对外交失去了兴趣。他担任了几年中国驻瑞士大使。1926年,爱妻逝世之后,他加入比利时的本笃会修道院,并最终升为修道士。他于1949年去世,被埋葬在布鲁日。顾维钧则几次担任外交部长、总理以及驻伦敦、华盛顿和巴黎大使。他是国联的中国代表并出席了联合国成立大会。从1966年到1976年,他还担任海牙国际法庭的法官。1977年,哥伦比亚大学举行一系列活动庆祝他的九十大寿。美丽的印度尼西亚女继承人黄蕙兰在回忆录中伤心地写道:"他把全部身心都献给了祖国,因此他不把我当个体看待也就不足为怪了。他是个可敬的人,正是中国需要的那种,但不适合作我的丈夫。"他于1985年去世。

几个美国代表团成员因美国在山东问题上的立场而辞职。虽然心里讨厌,兰辛还是继续担任国务卿。他一向认为美国应该避免在中国问题上和他国对抗。正如他早先警告的,"为中国的领土完整而使美国陷入国际关系困境是非常不切实际的"。当威尔逊试图说服美国人支持和约时,公开会议以及参议院反复提出中国在山东问题上的背叛。和会的美国法律专家大卫·亨特·米勒认为,"许多为'受辱的山东'而落的眼泪都是共和党鳄鱼流的,他们其实一点都不关心中国。"任期的最后一周,威尔逊为中国饥荒救济基金会的工作人员购买了舞会门票,"我很高兴能帮一点忙,不管多么微不足道。"

SETTING THE MIDDLE EAST ALIGHT
第七章　燃起中东之光

> 斯拉夫之民　从战争中得到利益
>
> 其威信也大大提高
>
> 他们取代了君主
>
> 出生卑微的农夫
>
> 依仗从山中突起的威峨军队
>
> 越过了大海
>
> ——诺查丹玛斯,《诸世纪》

25 伯里克利以来最伟大的希腊政治家

1918年12月,当希腊代表团离开雅典前去参加巴黎和会时,议员们列队向他们的领袖——伊兰思瑞斯·维尼泽洛斯首相行吻手礼,这是为这位西欧伟大的民主主义者所举行的奇特仪式。代表团在罗马城短暂停留,维尼泽洛斯与意大利总理和外交部长就两国关于阿尔巴尼亚、土耳其领土问题进行了激烈的讨论,最终没有达成一致意见。访问一开始,意大利媒体就充满敌意,当火车载着希腊代表团离开意大利赶往巴黎时,竟意外地轧死了两名铁路工人,他们就更变本加厉了。代表团到达巴黎后,尽管只有19个人,但是却挨着英国代表团,包下了默西迪丝酒店的三个楼层,订下了80个人的房间。他们想借此证明,对于这次和会他们同样很乐观。

希腊代表团成员包括外交部长和一位未来的总统,但是真正重量级的人物只有维尼泽洛斯。"一个极为典型的希腊人。"法国人弗朗西丝·史蒂文森这样描述他,"他的精神和外形融合了所有的古典主义气质。"他精力充沛,善于游说,不知疲倦,不但拉拢了英国,用甜言蜜语迷惑了法国,而且打消了美国的疑虑,甚至于压制了意大利。在巴黎的日子,他每天工作15个小时。写信写备忘录,进行各种会见,产生了重要影响。以至于在一次午宴上,当维尼泽洛斯以"有趣的轻率"大侃"令人憎恶的法国人"时,一向寡言、苛刻并且自大的英国会议秘书汉克也感受到了他的魅力。并称他是"一个快乐的老男孩,一个真正伟大的人"。只有少数人怀疑他对于和谈的影响力是否是件好事。"他让所有知道他的人理所当然地对他有好感,"一位美国观察员说,"但是这真的有用吗?他享受着所有代表和全权大使们的同情和尊重。但是这些人也很畏惧他,因为他的知名度和无可争辩的魅力。"维尼泽洛斯是希腊最有分量的资本;也是漫长谈判中希腊的最大保障。没有他,希腊决不会赢得谈判桌上已获得的一切。没有他,希腊就不可能试图吞下大部分小亚细亚。

维尼泽洛斯是为权力而生的。当包括克里特岛在内的大部分希腊领土还在土耳其的统治之下时,克里特岛是南部大陆最富有的岛屿。他是岛上富商的儿子,被命名为伊兰思瑞斯或"解放者";他的父亲曾为希腊的独立而战。他的两个叔叔因此而牺牲。1866年,当维尼泽洛斯年仅两岁时,发生的一件可怕的事情让他终身难忘。那是一次叛乱,是不断动摇着克里特岛统治的一系列事变中的一次。当被包围在一个修道院时,克里特岛的叛乱者们引爆了自己,幸存者们则被土耳其人杀害了,叛乱最终在灾难中结束。维尼泽洛斯所继承的传统,他的历史以及他自身的特质糅合在一起,使他成为了一个充满激情的希腊民族主义者。

1881年,维尼泽洛斯去雅典学习法律。那时,自信而傲慢的他是同学们的领袖。他冷静地反驳教授,即便这意味着一次测验不及格,也不会放弃自己的主张。有一次,来访的英国政治家约瑟夫·张伯伦被报道发表了蔑视克利特民族主义的评论。于是维尼泽洛斯积极要求并获得了一次会面。会面中,维尼泽洛斯直接告诉张伯伦,他大错特错了。并指出,他论证观点的过程只不过是事实和数字的狡诈堆砌而已。

这所希腊独立后刚建立的大学正着手恢复古典文化。即便是语言教育也都是苏格拉底和亚里士多德曾使用的语言而不是现代希腊的语言。它的许多学生像维尼泽洛斯一样,把自己当作希腊的宣传者,他们向仍然生活在土耳其统治下的尚未解放地区的伙伴们宣传希腊文化。有一天,在学习中,维尼泽洛斯将朋友们召集到巨大的地图前,他在地图上标出了他理想中的希腊疆土:包括大部分今天的阿尔巴尼亚,和几乎整个现在的土耳其,而首都是君士坦丁堡。

这就是"megali idea"——一个狂妄的构想。一位早期的希腊民族主义者说,"自然设置了种种障碍限制着许多人的抱负,但对希腊人却毫无用处。无论是过去还是现在,希腊人从不屈服于自然的法则。""megali idea(在希腊语中与"夸大狂"是同根词,意为狂妄自大)"是由梦想和幻想组成的,是重现希腊从罗马到克里米亚这段黄金时代的新生帝国。

在那个世纪末,克里特岛第一次从土耳其的统治下自我解放出来,获得自由,并加入了希腊。在争取自由的战斗中,维尼泽洛斯表现卓著。1910年,他当上首相。在1912至1913年的巴尔干战争中,维尼泽洛斯在国际政治舞台获得巨大成功,他使这时出现在人们面前的希腊拥有着北部狭长广阔的地区和西部的伊庇鲁斯到马其顿地区,以及东色雷斯部分地区的广阔疆域。新疆土是原先的两倍多。1913年,当维尼泽洛斯刚刚签订了确定这些成果得以实现的《布加勒斯特条约》时,他说:"现在让我们把目标放在东方。"

所谓东方,是指土耳其。许多希腊疆土曾经属于这里:特洛伊城和小亚细亚沿岸的伟大城邦——帕加马,以弗所,哈利卡那苏斯。这里是历史之父希罗多德和医学之父希波克拉的出生地。在莱斯博斯岛,莎孚写出了美妙的诗篇;在萨摩斯岛,毕达哥拉斯开创了几何学。在达达尼尔海峡,利安得和海洛坠入爱河;詹森和他的亚尔古英雄航行到黑海的东岸,从格鲁吉亚找回了金羊毛。而东罗马帝国和基督教则为其增添了另外一种历史记忆和诉求基础。一千年来,自从康斯坦丁成为第一个信仰基督教的皇帝后,他的继承者们都生活在他的城市——君士坦丁堡(今天的伊斯坦布尔),说着希腊的语言,保持着希腊的优良传统。希腊东正教长老仍然生活在这儿,而不是雅典。圣索菲亚,6世纪伟大的东罗马帝国皇帝修建的教堂,现在是一座清真寺。古老的预言预示着,这座城市将被从野蛮的土耳其人手里赎回;一代代的希腊人渴望着这一天。

维尼泽洛斯在巴黎告诉列强们,希腊并不想要君士坦丁堡,或许更愿意由美国托管。私下里,他向密友断言,希腊即将实现它的梦想。一旦那个城市脱离土耳其的控制,拥有自然工业和活力的希腊将迅速统治它。他告诉劳合·乔治,"土耳其没有能力恰到好处地管理好这座伟大的城市,伟大的港口!"巴黎和会期间,维尼泽洛斯从不放过任何机会,一再强调这个城市多么希腊化。

尽管希腊和希腊社会带有土耳其统治时期的特征,但维尼泽洛斯坚持他的人民是现代西方世界的组成部分,希腊自然会教化不断衰落的土耳其,就像英国和法国在不断教化非洲和亚洲一样。为什么?他争辩道,人们只需看看希腊的出生率(尤其是克里特岛),是世界上最高的,这充分显示希腊民族强大的生命力。1919年,他声称有200万希腊人生活在土耳其的统治之下。

确切的数字接近150万人。不管这数字如何,也无论维尼泽洛斯如何宣称,他所要表达的无非是所有希腊人都是伟大的希腊一部分!土耳其一直有许多希腊的殖民地,比如黑海南岸特拉比松周围的本都就有一些,都是很久以前建立的,这里的居民操着已经面目全非的希腊语。在这类地区,希腊人和土耳其人几乎没有区别。还有约40万名义上的希腊人,因为宗教信仰和用希腊笔法来书写土耳其文字而与其土耳其邻居们有显著的不同。只在一些大港口,比如士麦那(今伊兹密尔)和君士坦丁堡,希腊民族主义才有些现实意义。

1914年之前的几十年里,成千上万的希腊人迁移到土耳其,去寻找工作和机会,为他们的同胞们带来了希望,为那些土耳其希腊人寻回了希腊文化,或是一个更伟大的希腊!土耳其自身的变化反而激发了希腊的民族主义。1908年,青年土耳其党夺取政权后,不再对少数民族实行宽容政策。1912和1913年,当穆斯林难民从巴尔干逃回土耳其,对于基督教少数民族的报复就开始了。尽管如此,第一次世界大战前,维尼泽洛斯在谈到保护土耳其希腊人或者把他们纳入统一的希腊时,都格外谨慎。经过巴尔干战争,他的国家需要时间休整恢复和消化战争成果。实际上,1914年,维尼泽洛斯就准备协商和平的人口交换计划,色雷斯和小亚细亚的希腊人与希腊的土耳其人进行交换。8年后,这一交换既不是协议的也不是和平的。

第一次世界大战彻底改变了整个局势。土耳其选择了战败方,而维尼泽洛斯和他的希腊却站到了胜利者的队伍里。1919年,奥斯曼土耳其帝国命中注定地消失了。希腊所获得的广泛胜利及其友国的强大令人振奋。希腊报纸称这是"希腊梦想的实现"。由于检查者的禁止,只有君士坦丁堡没有被提及。事实上,虽然奥斯曼土耳其帝国战败了,但一切还远没有结束。希腊的友国远不像维尼泽洛斯所确信的那样既强大又坚定。同时希腊深陷于维尼泽洛斯的支持者和敌对者之间。

这一分裂是希腊介入战争的一个后遗症。尽管从一开始维尼泽洛斯就坦言赞成联盟,但是更为重要的是,娶了德国王妹的康斯坦丁国王是一位现实主义者,他更愿意保持希腊的中立。国王及其支持者对于建立一个伟大帝国的鲁莽幻想不以为然。一个不是很庞大但令人敬仰的希腊才是他们最中意的选择。发生在1915年至1917年之间的一场持久的政治危机,见证了维尼泽洛斯与执政当局背道而驰的过程。1916年,维尼泽洛斯无视国王的存在建立了临时政府,将半个希腊拖入了战争。新建的希腊加入了战争中协约国一方,而统一则成为维尼泽洛斯对付敌对者的借口。政府、司法部、行政事务部门、军队,甚至于希腊正教都被肃清。这给希腊社会留下了深深的裂痕,让一代人去承受。

稍加观察,就会发现这些举动对于维尼泽洛斯在协约国阵营中的声誉毫无影响。尽管希腊一直中立,但他还是允许英法军队登陆萨洛尼卡(今萨罗尼加)。数百万的军费开支,远不是希腊所能承受的。希腊军队不但参战,而且远赴俄国,帮助盟军反布尔什维克。他是忠诚的联盟者,彻头彻尾的西方及其价值观的拥护者,反对德国军国主义。无论何时,维尼泽洛斯总是精明而不失时机地引用威尔逊原则,并且成了国联的热情支持者。

维尼泽洛斯是巴黎和会的重要人物之一,是"我遇到的最伟大的人",威尔逊异常热情地说。维尼泽洛斯常常在餐桌上唱主角,绘声绘色全神贯注地讲述在克里特岛上当游击队员的经历,或者是讲述自己膝盖上放着来复枪时如何阅读《时代》周刊自学英语。每次谈话总会提及希腊繁荣的过去和辉煌的未来。"总的说来,"美国年轻的外交官尼科尔森说,"他展现出一种独特的综合性魅力,是强盗、国际政治家、爱国、英勇又具有文学气质,更有趣的是这位笑眯眯的健壮男人总是头戴黑色丝绸方帽。隐藏在眼镜后的双眼永远炯炯有神!"

1919年2月3号,维尼泽洛斯获准向最高委员会介绍希腊事务。他带上了记录本、统计数字甚至还有希腊海岛渔民欢快的相片。那个早晨及随后的几天时间里,他表现得通达而极富说服力!历史、语言、宗教以及向美国人点头认同,还有独立自主,他全用上了。他说其实这很简单。他认为在欧洲,希腊必须得到阿尔巴尼亚南部(他最喜欢称之为北伊庇鲁斯),还有远东,在爱琴海和黑海之间的色雷斯(至少是西部);以及小亚细亚的一些岛屿和大片地区,从马尔马拉海南岸中间绵延近400里一直到小亚细亚南部到士麦那。他指出希腊并未打算要得到君士坦丁堡。他称赞意大利,并且奉承美国老师为他所做的工作。这是一种精妙的表演——"如此令人惊异的力量和机智巧妙结合的论说",一位年少的英国外交官如此认为。但这也是危险的,对于希腊,对于希腊人和未来的中东和平。巴黎和会上那一刻的胜利,维尼泽洛斯点燃了导火索,导致土耳其传统希腊团体灾难性的毁灭,以及希腊与土耳其之间至今仍然存在的无法磨灭的敌意。

人们只需看看地图就会感受到,维尼泽洛斯所构想的国家,是一个奇怪的国家,它松垮地散落在爱琴海周围。他的希腊将伸展一个手指头向北到亚得里亚海,另外一个更小的部分则沿着爱琴海的最高部分延伸到君士坦丁堡;并且它将跨越一小部分土耳其领土和达达尼尔海峡,将三分之二的小亚细亚海滨地区囊括在内,并且还有一块巨大的土地插在士麦那的内陆地区。这个希腊由"两陆五海"构成,是一个没有腹地的国家,一圈刘海一样的陆地环绕着并非其领土一部分的海洋。它的敌人会有:确定的敌人土耳其,可能的敌人保加利亚,按其设想二者均要贡献出领土;并且可能还有对亚得里亚海、阿尔巴利亚、小亚细亚图谋已久的意大利。构想这一方案的维尼泽洛斯也发现了未来国家雏形的不尽理想之处,"但是30个世纪以来,希腊一直处在这种情境下,并且仍有足够的能力战胜各种灾难,走向繁荣和发展"。

然而,一个有500万人口的国家如何承受这样的重担?1914前的那些年里,这个贫穷国家六分之一的人口,几乎全是健壮的青年,纷纷移民国外。这种分裂在1917年几乎导致一场内战!虽然人们在和会上大谈希腊的辉煌历史,但此时参加和会的希腊是一个尚未稳固的新国家。和其他的巴尔干国家一样,他们过去的辉煌似乎注定了现在的难如人意。

巴黎和会上维尼泽洛斯的论说富有逻辑性,但也如其希腊梦想一样漏洞百出。关于巴尔干,他的统计数字是不确切的,是过时的奥斯曼土耳其统计数字与痴心妄想的混杂物。比如他关于南部阿尔巴尼亚的主张中,他辩称那些看起来像阿尔巴尼亚人并且操着阿尔巴尼亚语的人其实是真正的希腊人;如果他们是东正教徒,那么他们真实的灵魂一定是希腊的。希腊军队中会有许多阿尔巴尼亚血统的军人。在处理人口数字时,维尼泽洛斯像个魔术师:南伊庇鲁斯总人口230,000人,除去纯粹的阿尔巴尼亚人聚集地,有120,000希腊人,而阿尔巴尼亚人只有80,000。多数希腊人聚集的地方当然要回归希腊(自主决定),除了那些希腊人不是占绝对多数的地方:"因为与所有公平的情况相反,在特定的人群中,拥有相对较先进文明的多数人总是会统治拥有相对落后文明的少数人。"对于阿尔巴尼亚人来说,他们是很幸运的,因为希腊人非常乐意接纳他们。

辉煌的过去使现代希腊一直拥有庞大的支持者阵营。克雷孟梭以少有的热情对秘书吉恩·马蒂特说,人性在古希腊达到了顶峰:"让自己去尽情感受希腊,马蒂特,总会让你沉醉其中,欲罢不能。无论什么时候,当愚蠢、无聊的政治让我受够了的时候,我会转而求助于希腊,就像其他人会去钓鱼来排遣一样。"关于现代希腊,保留在克雷孟梭心中的正是被希腊自身所忽视的辉煌历史。希腊人是荷马、伯里克利和苏格拉底的后代。宁静的寺庙、高贵的掷铁饼者,古希腊和东罗马帝国闪烁出的金色光芒与现实中这个弱小的、充斥着党派纷争的没落国家交相游移在巴黎的政治家们眼前。从柏林到华盛顿,所有的国会、博物馆、美术馆,甚至是新英格兰小镇的白色教堂,无不显示出古希腊持久魅力对西方想像力的影响。而且事实上,美国建国初期差点采用古希腊语作为官方语言。英国、美国、法国的政府和驻外事务处雇用的职员多是受过古典式教育的,他们对古希腊文化的喜爱从未因熟知现代时尚而削弱。

此外,1820年代兴起的希腊人民在土耳其的统治下争取自由的斗争,曾是欧洲影响深远的自由主义运动的一个缘起。拜伦爵士为此奉献了一生,德拉克洛瓦则创作出了最伟大的油画作品。土耳其统治希腊的时间有多漫长,这缘起就酝酿了多久。1919年,在欧洲和美国的所有城市,希腊及其支持者们举行集会以通过协议并筹集资金。《每日电讯》发表了罗德亚德·吉卜林翻译的希腊圣歌《自由赞歌》。法国高级外交官朱尔斯·康邦认为,巴黎和会带来了"满足古希腊的国家夙愿的最好办法,同时至少完善了一个世纪之前欧洲自由国家的独立运动"。

如果希腊是繁荣辉煌的,那么土耳其就是被遮蔽在黑暗的记忆里:来自亚细亚中枢的混乱而残忍的骑兵,飘扬在维也纳城下的新月旗,1870年对保加利亚人的大屠杀,以及刚刚发生的对成千上万亚美尼亚人的屠杀。它的苏丹是曾让欧洲战栗的残忍的大军阀独裁者的后代(实际上,他是一个患着风湿病、步履蹒跚的中年男人)。苏丹是近来的战争中协约国的一个恶梦,他像哈里发一样是全世界穆斯林的精神领袖,他号召数百万穆斯林反抗英国在印度、法国在南非的殖民统治。奥斯曼土耳其坚持用伊斯兰教反对基督教,并且现在有一个赢得这场漫长文明冲突的机会。在英国,坎特伯雷大主教和其他一些要人正急于建立圣索菲亚救赎委员会。

有目共睹,这样一个腐朽、残酷、低效的政权不可能继续存在下去。其阿拉伯省已不复存在,可能是因其自己争得了自由,或是被强国解放了,这要依个人观点而定。1918年5

月，亚美尼亚的残余部分宣告成立独立共和国。东部边界的库尔德人为建国而骚动。至于土耳其语中心区、欧洲的色雷斯、小亚细亚的安纳托利亚的命运，可能在希腊和意大利的主张得到满足后，才会被巴黎和会提上议事日程。

英国曾一直支持奥斯曼土耳其，如今它需要更合适的合作伙伴来保障在地中海东端航行的安全。显而易见，他们不希望强大的法兰西帝国出现在那里，而且他们也不希望自掏腰包实现这一切。希腊正合适，不断强大的希腊很有吸引力！原则和利益很容易取得一致。希腊是西方化的文明的，而奥斯曼土耳其是东方化的野蛮的。并且维尼泽洛斯令人钦佩，"伯里克利时期希腊诞生以来最伟大的政治家"，这是劳合·乔治的观点。在劳合·乔治和英国外交部看来，强大的希腊是非常好的盟友。同样，维尼泽洛斯指出，希腊可以为英国海军提供港口，提供领空，开辟通往南亚(印度)的更便捷更重要的新航线。希腊政权将填补奥斯曼土耳其崩溃所留下的空白。只有根据地图来估测军力的军事部门对于希腊军事力量及其对土耳其的控制能力还有疑惑。当英国总参谋部应邀对希腊关于小亚细亚的主张进行评论时，他们警告希腊的占领"将会制造持续动荡不安的局面，并且这种动荡最终可能会在土耳其人有组织地夺回领土的尝试中达到顶峰"。

劳合·乔治对维尼泽洛斯义无反顾的支持是无可比拟的。他认为维尼泽洛斯"是彻底的自由主义者和民主主义战士，一切反动分子都憎恨和惧怕他的思想、法律及人格力量"。他也曾这样评价自己：战士、雄辩家、革新者，一个像布尔战争中的劳合·乔治一样，坚持与不公正及自己政府斗争的人。1912年第一次见面时，两个人就相互了解相互欣赏，很难说谁更吸引谁。对于维尼泽洛斯来说，劳合·乔治像基督教《旧约全书》里的先知，具有"非凡的能力，对人和事有明晰的洞察力"；而对于劳合·乔治来说，他的伙伴则是"一个伟大的人，一个非常伟大的人"。他们在一起勾画了一幅关于英国、希腊、法国联盟的出神入化的图景，他们将掌控东地中海的所有利益。希腊将繁荣昌盛，奥斯曼土耳其则沦落为附属国。

战争期间，两个人打得火热。劳合·乔治后来承认曾和维尼泽洛斯密谋颠覆康斯坦丁。1918年10月，战争进入最后关头，陷于千头万绪的劳合·乔治抽空与维尼泽洛斯共进午餐，讨论希腊的要求。会见很友好，劳合·乔治充满信心，但他仍难保证可以支持希腊的所有主张。维尼泽洛斯则紧追不放，随身带来的一本备忘录和一封私人信件中强调目前希腊迫切渴望合作。有个焦点问题可能会给英国造成麻烦，那就是塞浦路斯，这里约80%的人是希腊人。对此维尼泽洛斯自有办法。如果英国将它交给希腊，便皆大欢喜，希腊将一如既往地允许英国军队使用那里的基地。如果英国自己掌控，那将埋下隐患。

在最高委员会尽情发挥时，维尼泽洛斯知道有英国在背后撑腰。他想或许还可以依靠法国,希腊部队和法国部队可以共同对付布尔什维克;美国人是有同情心的,只有意大利是心头大患。有时,劳合·乔治用一些温和的问题鼓动他。对于土耳其的暴行,威尔逊力主尽量淡化;而克雷孟梭没有本质上的要求;奥兰多则微妙地指出希腊和意大利之间的分歧,并希望尽快解决这个问题(在这一点上,奥兰多是错的)。维尼泽洛斯在给雅典的回信里充满信心:"我的表述取得了非常理想的效果。威尔逊、克雷孟梭、劳合·乔治甚至奥兰多在与我告别时,一再向我这么表示。"同样,在巴黎见证这一切的希腊外交大臣也很兴奋:"大体上我们赢得了所有强国的支持,只有意大利还在考虑是否赞同我们以安抚自己。"

或许意大利在考虑如何安抚自己的同时,更多的是在想希腊在阿尔巴尼亚和小亚细亚想要得到的也正是他们眼热的。他们还希望保有希腊人占压倒性多数的多德卡尼斯群岛。意大利报纸声言,意大利应该获得曾被许诺的一切,甚至更多。作者们猛烈抨击残暴的塞尔维亚人及其朋友希腊人。在阿尔巴尼亚,希腊和意大利你争我抢,各不相让,形势更为糟糕。战争期间,意大利已经占领了大部分阿尔巴尼亚,当地希腊人和希腊政府一再控诉意大利的暴行。据称,意大利人企图用诸如免税等虚妄的承诺赢得阿尔巴尼亚人。希腊报纸则用耸人听闻的报道揭露意大利的残暴和侵略。在雅典的英国大使说:"如果煽动反对意大利,将会引起众怒。"

战争期间,希腊和意大利曾时断时续地进行过会谈,以期达成妥协。而且早期在巴黎,毫无生气的桑理诺和魅力四射的维尼泽洛斯多次会面,探寻是否可以做些交易。桑理诺建议希腊把阿尔巴尼亚的所有海滨以及一半内陆让给意大利;作为回报,希腊可以拥有科尔察(希腊的科里特萨)周围的地区、多德卡尼斯群岛以及小亚细亚海滨的士麦那周围地区。当两个人胸有成竹地在阿尔巴尼亚、多德卡尼斯群岛问题上讨价还价时,对于小亚细亚问题却各不相让。这个交易如果能达成将会省去许多麻烦,但最终未能成功。两人互不信任,并且都自认为直接与其他强国谈判会获得更好的利益。

1919年2月,维尼泽洛斯决定放手一搏。那时,美国是他最大的疑问。维尼泽洛斯相信自己可以像赢得英国人那样成功地赢得美国人。他与豪斯做了一次长谈,豪斯肯定地说美国会帮助他。尼科尔森安排他与一些美国年轻人见面;"他是个温文尔雅、充满魅力、思维敏捷的人!这是非常成功的午宴!"维尼泽洛斯非常善于判断他的听众。美国专家西摩对家人这样描述另外一次会面:"他认识到自己最大的资本是我们对他的诚实的信任,决定开诚布公,将他的方针直接摆出来,并且说话非常坦率。我觉得他当时确实如此。他的方针从技巧上讲是俾斯麦式的。"美国有同情心,但不至于如此盲目。对于希腊在阿尔巴尼亚和色雷斯的主张,美国保留意见。但是对于希腊和意大利在小亚细亚的主张,美国更倾向于希腊。而且早些时候，美国和意大利的关系已经开始恶化。

当对希腊授权问题和阿尔巴尼亚问题进行讨论时，维尼泽洛斯继续向各方施加压力，并紧锣密鼓地进行公关活动。他给人留下了另外一种印象，"他坦率得令人无法抗拒，并且亲切、敏感，"尼科尔森这样评价。午宴和晚宴一场接着一场。备忘录和信件不断从他的笔尖下流泻而出。在美国和欧洲，他的同情者也在召集各种会议。在巴尔干和土耳其，他的代理人则鼓动希腊人社团给和会发请愿书，要求成为希腊的一部分。教授们强烈表示，希腊人决不应该由阿尔巴尼亚人统治，他们"独特的种族气质即便是欧洲也无法教化得出来"。对他们来说，阿尔巴尼亚在乞求美国托管他们的国家。"小心点！"一个支持雅典的国家这样警告，"过分的虔诚反而会伤害我们！"

第一次会议上，对于授权问题各个国家各执己见，英国和法国支持希腊的主张，美国则持不同但较折中的观点，意大利全盘否定。它不希望亚得里亚海地区出现一个强大的希腊，亚得里亚海最狭窄的部分在意大利靴形版图的后跟上，60英里宽，在阿尔巴尼亚海岸上有极好的天然良港法罗拉，旁边有萨扎里岛（意大利的萨森罗）为哨。如果意大利同时控制港口和岛屿，就可以交相呼应而封锁亚得里亚海的进口。如果是一个不友善的势力控制着亚得里亚海的东部，意大利就会为其所控。当塞尔维亚提出获得北阿尔巴尼亚的一部分时，意大利自然会反对。意大利还有其他利益，北方天主教少数民族受益于意大利的学校和牧师。所以从意大利的立场来看，最简单的方法就是直接接管阿尔巴尼亚，至少将大部分阿尔巴尼亚作为保护地。

二月和三月慢慢逝去，意大利与其盟国关系的危机使委员会的工作举步维艰。意大利的两个代表试图延迟会议，他们说话模棱两可，威胁要退出，并以生病为由不出席会议。之后他们吃饭时遇到了其他的成员，感到很尴尬。尼科尔森这样描述这两个人："行为像小孩，而且是恼羞成怒的小孩！对任何事都加以阻挠和拖延！"

备受争议的希腊在阿尔巴尼亚的要求问题，第一次提升为更广泛的关于小国家的问题，即新建的小国家到底是否该存在下去。希腊以不确定的民族人口统计数字为依据，要求获得大部分的南方地区。在巴黎，这看起来似乎无关紧要，然而其背后隐藏着许多问题。如果意大利在巴尔干南部的要求得到满足，它是否会放弃对亚得里亚海北端的要求？希腊是否就会放弃对阿尔巴尼亚的主张，转而在小亚细亚寻求更大的利益？那么人民的自主决定权又在哪里呢？

可怜而弱小的阿尔巴尼亚，众多强敌对其虎视眈眈，却没有人同情它！这个小国几乎没有工业，贸易少得可怜，根本没有铁路，只有200英里公路。它诞生于战前的黑暗中，由奥斯曼帝国的四个地区组成。几乎没有人到过这个国家，没有人知道它的历史和它的人民。只有极少的阿尔巴尼亚人——比如伟大的罗马皇帝戴克里先和康斯坦丁闪现在欧洲历史上。有人说，阿尔巴尼亚人就是巴尔干的古伊利里亚居民的后代。伊利里亚人曾经被赶入最贫瘠和荒凉的斯拉夫西南部，那里冰雪覆盖。他们的语言当然与他们的邻居门的内哥罗人、塞尔维亚人以及希腊人截然不同了。在奥斯曼帝国，他们因美丽和善战而著称。

历史和地理——杂乱的山川和峡谷从海滨一直延伸到内陆——造成部落相互之间以及对外界充满猜疑。北方的吉克族与南方的陶斯克族说着不同的方言，有着不同的风俗习惯。和巴尔干的其他地方一样，其历史陷落在宗教信仰的不断分裂中。70%的人是穆斯林，其中部分是逊尼派教徒，部分是什叶派教徒，还有一小部分是苦修僧人。基督教少数民族主要是北方的天主教徒和南方的东正教徒。关于荣誉和廉耻的标准复杂而多样，规范着不同部落人的日常生活。一些地区，五个男人中就有一个死于部族血战。

极少的旅行者通过徒步或骑马进入阿尔巴尼亚，从而开始喜欢上那片土地和那里的人民。在那里，拜伦穿着阿尔巴尼亚服饰让人画过像。或许是命中注定，他还得到了一位阿尔巴尼亚女人。19世纪末，记者伊迪丝·达拉谟的医生告诉她，旅行有益于锻炼勇气，但是阿尔巴尼亚是他从未想过的去处。这反而促使伊迪丝·达拉谟要到那里看看。战前，她只身有时至多带个仆人，踏遍了这个国家的角角落落。阿尔巴尼亚人不知道如何去对待这个矮胖的奇怪生物，最后，他们决定把她看作荣誉男人。战争期间，英国部队经由阿尔巴尼亚东部转移时，士兵们发现只要他们说"伊迪丝·达拉谟"，就可以畅行无阻。

当达拉谟第一次进入阿尔巴尼亚时，激发了当地人的民族感。一位奥地利教授整理了一本阿尔巴尼亚语词典，里面还有语法。这让有文化的阿尔巴尼亚人坚信，他们也是一个真正的民族。经过激烈的讨论，他们选定了拉丁字母，而不是希腊和阿拉伯字符。于是，阿尔巴尼亚开始出版书籍，包括民间故事、历史、诗歌。阿尔巴尼亚学校也秘密建立了。土耳其统治相对开明的时候，许多阿尔巴尼亚人愿意为奥斯曼土耳其人工作，做士兵或管理人员。第一次世界大战前，当青年土耳其党试图复兴奥斯曼帝国时，残酷的镇压起到相反的刺激作用，使要求独立的民族主义风潮暴起，并得到国外大型阿尔巴尼亚群体的大力支持。

1912年，对于阿尔巴尼亚人来说，独立事关民族存亡，因为它的邻居们尤其是希腊和塞尔维亚急于将土耳其人完全踢出欧洲，以便战后分赃。但这并不符合几大强国的意图，因为他们担心这会造成巴尔干地区战争，所以1913年阿尔巴尼亚独立了。它的疆界是由备受希腊和塞尔维亚反对的一个国际委员会确定的。当这个委员会访问阿尔巴尼亚南部时，一位目光犀利的记者注意到，他们每到一处，总有同一群人打出标语："欢迎到希腊城。"希腊临时驻军则让孩子们唱希腊歌，家家户户都将房子刷成希腊的民族色。即便在希腊驻军撤出后，这一运动仍然不定期地开展，试图激起叛乱。

阿尔巴尼亚的短暂历史中充满了悲伤。部落的首领们、土匪们、土耳其主义者以及希腊人、塞尔维亚人和意大利人的掮客们，都在这弱小的国家中争夺各自的利益。这时出现了一个人：险恶狡诈的艾萨特·帕夏·托普汤尼。据称，尽管他不能地道地说欧洲人的语言，但他知道金钱对于他们的价值。他为奥斯曼土耳其做过各种各样的工作，当过斯库台（意大利的斯库台湖）地区的警察头目，为青年土耳其党、门的内哥罗人（对阿尔巴尼亚的北方有图谋）和意大利人工作过，但事实上，他始终是在为自己工作，他的同胞既怕他又恨他。他的第一个妻子因威胁如果他再娶妻（他是个可怜的穆斯林，他发现宗教信仰有时也很有用）将毒死他而广受称颂。

强权们根据自己的考量将德国的威廉王子拉入了纷争，在达拉谟看来，他是"一根软棒"，"缺乏勇气，不够机智，而且没有礼貌，对这个国家完全无知"。无比愚蠢的是新国王任命艾萨特为他的国防大臣。威廉只在那里坚持了半年就逃回了德国，留下五个分裂的政权争相统治阿尔巴尼亚。这时，第一次世界大战爆发，阿尔巴尼亚因其特殊位置不可避免地卷入了其中，意大利越过亚得里亚海占领了法罗拉，希腊则进驻南方。1915年塞尔维亚军队先于奥地利撤退时，曾穿越阿尔巴尼亚。塞尔维亚和阿尔巴尼亚之间相互猜疑的漫长历史如今迎来了新的篇章，阿尔巴尼亚土匪大肆掠夺前往亚得里亚海路上的绝望的塞尔维亚人。

战争最后，阿尔巴尼亚已被瓜分得所剩无几：塞尔维亚人在北方，意大利人和希腊人在南方，意大利人掌控着大部分的海滨城镇，法国把持着北部的斯库台和东南部科尔察周边的内陆地区，在这些地区飘扬着融合法国民族颜色和阿尔巴尼亚传统图案的古怪旗帜。在南方，希腊人开放学校，举行希腊议会代表选举。《伦敦条约》曾将法罗拉允诺给意大利（1917年意大利企图全部独吞，后来被迫放弃），而塞尔维亚和希腊无视意大利的存在，兴致勃勃地讨论如何瓜分阿尔巴尼亚。该条约还暗示了另外一种安排：除了中间一小块领土为意大利控制外，其余的阿尔巴尼亚由塞尔维亚、门的内哥罗和希腊分割。

阿尔巴尼亚眼看着自己的国家面临被瓜分的威胁，试图团结起来共御外辱。在1918年召开的一次会议上，来自全国各地的代表选举产生了由图尔汗·帕夏领导的临时政府。图尔汗是位年长的绅士，曾经是奥斯曼土耳其的外交官。艾萨特仍然固执地坚持自己是阿尔巴尼亚的总统，要不就是国王（战争中他为自己设计了一款让人眼花缭乱的制服，上面挂满了他的奖章作装饰)。当临时政府派出了以图尔汗·帕夏为团长的代表团前去巴黎时,艾萨特为了自己的利益与政府代表发生了激烈的争吵,他心照不宣地指责他们与意大利人私通。他因在酒店里,根本不敢露面,因为许多敌人正寻机暗杀他。

支持阿尔巴尼亚的外国人非常广泛,各色人等都有,他们都提供了力所能及的帮助。一些人雇请了一位优雅的匈牙利贵族专门游说美国人。可不幸的是,他付出了极大的热情,但每次谈话都是恐龙牙齿结构这类主题。美洲的泛阿尔巴尼亚联盟派遣了一位美国传教士,同样没有起到什么作用。然后是一位奥布里·赫伯特,英国名门贵族的公子(他同母异父兄弟卡那封郡伯爵发掘了埃及法老王图坦亚蒙的坟墓)。战前他花费了大量时间在奥斯曼土耳其帝国游历,并且都是在恶劣而危险的条件下。他能够流利地说好几种语言,包括土耳其语和阿尔巴尼亚语,是英国外交部的义务代理人。约翰·巴肯的《绿斗篷》一书的男主角,阿尔巴尼亚各个匪帮的大哥大,即以他为原型。阿尔巴尼亚人推举他做自己的君主,他拒绝了,但是他创立了盎格鲁–阿尔巴尼亚组织,为阿尔巴尼亚的独立而奋斗。伊迪丝·达拉谟是他的秘书。

2月24日,最高委员会正式会见图尔汗·帕夏。"他非常苍老、悲伤。他讲话时,仅有的十位听众都在唏嘘嘲笑,令人痛心!"尼科尔森说。阿尔巴尼亚人将自己的前途寄托于和会的怜悯,特别是美国的怜悯。"我们相信,"他们的书面声明中写道,"威尔逊总统及其重要同僚们宣布的国家法则,庄严而神圣,不会毫无意义,因此我们的权利——即便现在仍在被践踏——将受到尊重。"

与希腊的主张针锋相对,阿尔巴尼亚拿出了自己的统计数字。希腊声称在阿尔巴尼亚的南方有12万希腊人,而阿尔巴尼亚人只发现了2万希腊人。宗教信仰并不能决定一切,无论是基督教徒还是穆斯林,几个世纪以来,所有阿尔巴尼亚人只因为热爱祖国才联结在一起。希腊人声称比阿尔巴尼亚人更文明,但他们也犯下了滔天暴行。塞尔维亚同样是如此。战争期间,阿尔巴尼亚人尽其所能地帮助盟国。他们不应该失去一寸领土;实际上,从最公正的角度来说,他们应该获得在塞尔维亚、希腊和门的内哥罗境内阿尔巴尼亚人占绝对多数的地区。

阿尔巴尼亚所要求的还包括其西北边界相对繁荣的农业地区——科索沃,据称,史前时期这里就属于阿尔巴尼亚。尽管直到17世纪才来到科索沃,塞尔维亚人仍然认为这里应该属于他们。并且自从1913年控制了科索沃后,塞尔维亚人就在这里实施暴政。如果阿尔巴尼亚人将不得不生活在塞尔维亚的统治之下,那么科索沃的未来会充满灾难(塞尔维亚人也这样对阿尔巴尼亚人说)。

对于过去,很难说到底谁是谁非(在巴尔干永远是个难题),但很显然阿尔巴尼亚人有个明显的优势,就是这里绝大多数人是阿尔巴尼亚人!但在科索沃却要另当别论,对于塞尔维亚来说,这是他们的兰尼美德学院,他们的佛吉谷军事学院,他们的洛林理工学院。早在1389年,奥斯曼土耳其人在科索沃击败了塞尔维亚人,并将他们置于穆斯林的统治之下。这当时被视为失败,但不可思议的是,塞尔维亚不久便将它看作自己的伟大胜利,几个世纪以来,每年都要特地庆祝。传说把这段历史演义成为,一位圣徒化身为一只猎鹰,让塞尔维亚王子选择是在人间赢得战斗还是在天堂赢得战斗。王子选择了后者,于是他死了,使自己和信仰基督教的塞尔维亚人得到了救赎。"在13世纪,不可否认这一地区是塞尔维亚帝国的一部分,"豪斯的助手鲍萨尔说,"难道现在应该把它归还给贝尔格莱德吗?难道加利福尼亚和新墨西哥应该归还给西班牙和墨西哥吗?我不明白!"一个解决方案或许只是简单的人口交换。"争执双方如果能建立友好的关系,一切都会好转,可不幸的是,所有专家都认为这是不可能的。至少在这一点上,他们高度一致。"

1919年,科索沃还未引起足够关注,因为从某些方面来看,西方强国认为没有必要再扩大阿尔巴尼亚的边界。阿尔巴尼亚很弱小,它的政府毫无影响力。即便是近50万的阿尔巴尼亚农民生活在塞尔维亚人或南斯拉夫人的统治下又有什么关系呢?随后的许多年里,世人有时候会听到唧唧咕咕的不满声。阿尔巴尼亚的牧师来到国联控诉他们的学校被关闭。第二次世界大战中,在德国和意大利的支持下,阿尔巴尼亚终于夺回了科索沃;可是南斯拉夫的新统治者铁托在战争的最后又将它夺了回去。阿尔巴尼亚怨气冲天,但却不敢有任何公开的表示。相比而言,铁托的统治要开明多了。巴黎和会过去了70年后,阿尔巴尼亚又重提对科索沃的主张。

对于阿尔巴尼亚的主张,希腊委员会根本不理会,他们耗费大量的时间设法解决与意大利之间的具有竞争性的要求。每个国家都各怀鬼胎,意大利企图获得阿尔巴尼亚的委任托管权,或者至多让希腊在南方也拥有托管权。法国则阻挠意大利的扩张,极力主张南科尔察必须归希腊所有,因为连接亚得里亚海沿岸希腊地区与希腊语马其顿地区惟一的公路就在其境内。有传言称,希腊和意大利就一个单独交易又在进行讨论。意大利人积极武装亲意的阿尔巴尼亚群体。法国则坚持,除非科尔察交给希腊,否则将保持对科尔察的占领。一直扮演着仲裁者角色的美国,显得非常被动,或许是因为围绕着威尔逊的核心集团急于解决德国条约和与意大利日益恶化的关系。尼科尔森代表英国无可奈何地提出了一个荒谬的计划:将阿尔巴尼亚瓜分掉,北方归塞尔维亚,中部穆斯林地区的委任托管权归意大利,南方由希腊统治,将科尔察规划为阿尔巴尼亚中心大学所在地,由美国提供保护。

阿尔巴尼亚人试图打动一些重要人物。威尔逊收到了大量来自他们的请愿书，声称意大利的委任托管将会使他们感到非常恐怖。他们应该获得独立。"除了自相残杀以外，我真不知道他们要独立干什么。"劳合·乔治回答道。阿尔巴尼亚恰如十五世纪的苏格兰高地。"不许对苏格兰说三道四，"威尔逊说，"那是我家族的发源地。"就四人会议来说，这件事就算告一段落。

1919年夏天，当一个温和的新政府掌握意大利政权后，新政权与维尼泽洛斯达成协议。迫于压力，维尼泽洛斯不得不着手解决希腊主张中存在的分歧。该协议仍然是老生常谈的讨价还价：如果希腊放弃对意大利想要获得的小亚细亚北部的领土主张，意大利将支持希腊的主张，包括对色雷斯的要求；并且意大利将移交除了最重要的罗得斯岛之外的全部多德卡尼斯群岛（这不像意大利曾宣称的近乎是个牺牲，因为意大利根本就没有合法得到他们）。

至于阿尔巴尼亚，意大利同意希腊可以拥有南方；作为交换，希腊要认可意大利对法罗拉港口及其内陆地区的所有权，以及对其他地区的委任托管权。作为新妥协精神的象征，将在法罗拉和雅典之间修建一条铁路。其他列强迅速提出了异议。法国拒绝撤出科尔察，除非能够达成一个更全面的解决方案。南斯拉夫新政府由于考虑到会有越来越多的意大利领土与其接壤而表现得游移不定。如果希腊和意大利将阿尔巴尼亚瓜分殆尽，那么他们对北方也会蠢蠢欲动。

1920年2月，在一个意想不到的时刻，阿尔巴尼亚的命运最终尘埃落定。威尔逊始终坚持自己的原则，但在力促国会接受《凡尔赛条约》的斗争中被挫败。一次外交照会中他说，美国并不准备不公正地对待阿尔巴尼亚。到了春季，阿尔巴尼亚爆发了全面的反意大利占领的起义。意大利付出了惨重的代价，8月，准备签订停战协议，从而使它只剩下和法罗拉港相望的萨扎里岛。"这真令人无比悲哀！"一家意大利报纸评论道，"我们看到了无数高贵而慷慨的意大利人的鲜血换来的竟然是溃败，并且在这庞大的文明之战和国家安全之战上我们花费了数百万里拉。"法国撤离了科尔察、希腊和南斯拉夫，暂时放弃了自己的要求。1920年末，阿尔巴尼亚获准以独立国家身份参加国联，它的疆界实际上与1913年时是一样的。

国内政治依旧纷乱不堪。艾萨特很快实现了他的国王梦，但从没有坐上宝座。尽管有众多荷枪实弹的保镖，但当艾萨特离开巴黎的欧洲大酒店时，一位宿敌枪杀了他。按艾萨特侄子佐格的命令，刺客随后被枪毙。佐格登上了王位。

意大利从未彻底放弃其企图。在墨索里尼的统治下，它的影响不断扩大。最后，在第二次世界大战前夕,意大利吞并了阿尔巴尼亚。战后,曾任法语教师的恩维尔·霍查建立了一个更奇怪的更反动的政权。具有反抗精神的阿尔巴尼亚人和他们的西方支持者们不断尝试使佐格国王复位,都未获成功,很大程度上是因为被苏联头号内奸金·菲尔比所出卖。直到 1990 年代,冷战结束后,艾萨特的侄孙,一位南非的军火商,重新宣告继承王位。

希腊在色雷斯的战果很好,维尼泽洛斯几乎得到想要的一切。他巧妙地用篡改后的虚假统计数字掩盖了复杂的人口问题。在东色雷斯,希腊人口大概能占多数;西部地区则自 1913 年起就属于保加利亚,土耳其人几乎是希腊人的三倍,保加利亚人也明显占少数。这就很难办,如果依据美国一贯支持的民族原则,那么希腊只能获得东色雷斯。西色雷斯将还给土耳其或者可能的话继续留给保加利亚,因为保加利亚需要这里的海港。有传言称,正与保加利亚密谋暗算塞尔维亚的意大利支持后者。无论是哪种情况,另外一个国家将夹在希腊大陆和它的新东色雷斯省之间。希腊坚持辩称,保加利亚人和大部分土耳其人实际上都是希腊人。一个代表向鲍萨尔保证说,"他们都是真正的雅典直系血统,遍布这些地区;但是为了缓和与那些凶猛的斯拉夫邻居的关系,使他们的日常生活和追求能被理解,他们中的许多人遗忘了自己的母语知识。"希腊认为,至少在穆斯林占多数的西色雷斯,无论是说保加利亚语的还是操土耳其语的都宁愿被希腊所统治。维尼泽洛斯轻而易举地炮制了一封当地穆斯林的请求信:"决不能让我们去忍受那最严酷、最无怜悯心的统治,谁都能想像得出的——保加利亚的统治!"

无论如何,希腊提出,为什么战败的敌人却得到了眷顾?维尼泽洛斯准备将靠近君士坦丁堡北部色雷斯的一小块飞地(被他国属地包围的领土)允诺给奥斯曼土耳其(他当然希望君士坦丁堡及其周围的地区很快属于希腊)。不用说巴尔干,只就西色雷斯来说,如果保加利亚全部放弃,让给希腊,也将有利于世界未来的安全。"无论做出什么样的让步都是徒劳的,保加利亚决不会善罢甘休,直到整个巴尔干移交给它。保加利亚要求获得整个半岛的霸权,并且不放过任何满足其野心的机会。保加利亚在巴尔干,与普鲁士在西欧扮演的角色是一样的。"厌恶保加利亚的英法也赞同。除了其他方面的考虑,希腊还需要一块陆地以连接东色雷斯。

美国(发现了保加利亚的一个弱点)和意大利提出异议,如果保加利亚失去了在地中海的所有港口,将遭受经济损失。维尼泽洛斯一如既往地给出了一个答案:"民族原则应该优先于经济考量。保加利亚在黑海拥有优良的海港。"并且根据保加利亚的记录,它有足够的能力在爱琴海修建潜艇基地,这会威胁到希腊。如果保加利亚确实需要一条通道,希腊也可以允许它使用一个港口(这样一个许诺一经提出,保加利亚立即拒绝了:一条穿越土耳其和希腊领土的保加利亚入海通道,既是不可能的,从心理上也是难以让人接受的)。

尽管最后希腊委员会建议将色雷斯的两部分都给希腊,和会还是基于君士坦丁堡问题还未解决、时机还不成熟等原因推迟做出最后决定(还讨论到关于美国委任托管权的问题)。1919年夏天,当色雷斯问题再次被提交和会时,美国放弃了委任托管权的设想,并且坚决地反对将西色雷斯给希腊,极力主张将它留给保加利亚。这激怒了英国,英国指出,一旦希腊的某个主张被否定,一切都将推倒重来。现在英国异常关注希腊问题,希腊正陷入小亚细亚的危机中。维尼泽洛斯在国内受到猛烈抨击。他告诉劳合·乔治他的处境非常危险,除非能有实质性的收获。

美国从欧洲的逐步撤出,使欧洲列强可以忽视其主张。根据1919年11月签订的《纳伊条约》,保加利亚失去了西色雷斯。保加利亚的代表发表了毫无意义的最后呼吁:"将保加利亚挤出西色雷斯的,是我们的敌人希腊和塞尔维亚,在1912年到1913年的战争中,他们曾被我们所征服,根本不敢来掠夺我们……法国和强大的海上强国将从地理上严重地分裂保加利亚。"1920年,东西色雷斯从土耳其手中移交给希腊。希腊在和会上终于享受到了新的成果,刚好用了两年时间。而其在小亚细亚南部的"伟大构想"无情地破灭了。希腊扩张得太多太远,这同时也唤醒了土耳其的民族主义力量。

26 奥斯曼帝国的崩溃

远离巴黎,在欧洲的东南端,另外一个伟大的城市正在悲叹过去,艰难地展望未来。它是希腊和罗马的拜占庭、和谈者们的君士坦丁堡,土耳其的伊斯坦布尔,曾是显赫的东罗马帝国的首都,到了1453年,则是胜利的奥斯曼土耳其帝国的首都。现在奥斯曼土耳其帝国正在走向末路。这个城市充斥着难民和溃败的士兵,但极缺燃料、食品和希望。他们乃至整个帝国的命运似乎都寄托于巴黎和会了。

不同的历史阶段给君士坦丁堡留下了丰富的文化财富,教堂、清真寺、壁画、马赛克图案、宫殿遍布市场、渔村。厚重的城墙见证了来自欧洲和东方的侵略者,有波斯人,有十字军战士,有阿拉伯人,还有后来的土耳其人。1453年,拜占庭帝国被奥斯曼土耳其人彻底征服,末代皇帝在这里就死。它的街道下埋藏着许多文物碎片;在有希腊和罗马式圆柱支撑着拱形天顶的地方,就有城墙、拱顶、走廊和巨大的拜占庭式水塔。地面上则伫立着许多清真寺尖塔——其中许多如圣索菲亚大教堂都是由基督教堂改建而来,热那亚人修建的高塔则远远地静伫山顶。深不见底的金角湾对面,老城斯坦布尔的肮脏和富丽堂皇,与外国人居住的大片现代城区遥遥相对。这是一个有着太多人和太多记忆的城市!

城市四面环水,老城则三面驻军。西北部,朝向俄罗斯和中亚的博斯普鲁斯海峡一直延伸到黑海;西南部,马尔马拉海流向达达尼尔海峡和地中海。独特的地理位置造就了这个城市,更造就了这个城市历经许多世纪的重要地位。在古代,詹森曾在这里航行,亚历山大在附近大胜波斯人。而到了现代,俄国的凯瑟琳和德国的威廉二世都曾伸手,想把它纳入囊中,这时这个城市只是个猎物。

19世纪的外交大多围绕争夺重要水路的控制权。比如俄国一直渴望拥有通往各大洋的不冻港,而英国偏要支持没落的奥斯曼帝国,瓮中捉鳖般地将俄国牢牢地控制在黑海。只有战时实在不得以的情况下,英国才勉强让步,允许俄国控制海峡。但幸运的是,得益于1917年的革命,俄国不再是他们遏制的目标。即便是第一次世界大战前土耳其青年党的英勇起义,也难挽救奥斯曼土耳其的衰落!这个曾一度扩张到维也纳城下的帝国,在巴尔干半岛,在北非,渐渐消亡!

1914年,奥斯曼帝国的领袖们决定对抗俄国,加入战争。由于俄国与其老朋友英国结盟,所以奥斯曼帝国加入了德国和奥匈帝国的同盟国一边,开始了一场注定要输的赌博。战争中,由于势力相对较弱,奥斯曼帝国战斗得异常英勇。在美索不达米亚和加利波利,这些土耳其士兵使那些求胜心切的协约国士兵倍感耻辱。但是到了1918年,奥斯曼帝国的运气一去不复返。9月,保加利亚的崩溃为西方打开了通往君士坦丁堡的道路,英国和印度部队从南部和西部长驱直入。在美索不达米亚的最东端,协约国集结的军舰数很不吉利。只有西北部边界,由于俄国正在瓦解,局势暂为缓和,但奥斯曼土耳其势力太弱,仍旧难有建树。战前,这个帝国就行将崩溃,现在它就像正在融化的雪。从美索不达米亚到巴勒斯坦,从叙利亚到阿拉伯半岛,阿拉伯人的疆土正在流失。在黑海的最东岸,那些备受奴役的人民——亚美尼亚人、格鲁吉亚人、阿塞拜疆人、库尔德人——为了建立新国家在边境与俄国斗争。"土耳其人的普遍想法是,"一位美国外交官说,"无望地等待着巴黎和会的结果。"和许多其他民族一样,他们希望美国能够拯救自己,民族自决也许至少能够拯救东色雷斯和安纳托利亚的土耳其语地区。在君士坦丁堡,知识分子们创建了一个"威尔逊原则社团"。

10月的第一个星期,将奥斯曼帝国拖入战争的人辞职了,并坐上德国军舰匆忙逃亡。帝国过渡政府捎信给英国,表示希望和平。英国政府马上同意在爱琴海的穆得洛斯岛会谈,同时避免法国参与。尽管英法曾就停战条款商谈过,但结果并不确定,自从奥斯曼帝国与他们取得联系后,组织商谈就成了英国的责任。在穆得洛斯岛,法国政府和高级海军上将的抗议均徒劳无获。所有的商谈都由英国司令官,海军上将阿瑟·卡尔索普组织。

奥斯曼帝国的代表由侯赛因·拉乌夫带领,他是年轻的海军英雄,新任的海军部长。10月28日,他们到达阿瑟·卡尔索普的"阿伽门农"号旗艇。会谈井然有序,气氛友好。拉乌夫发现阿瑟·卡尔索普诚实而正直——并且承诺维持土耳其帝国的现状。君士坦丁堡或许不会被占领,当然希腊或意大利部队,特别是土耳其厌恶的一切统统不许登陆这里。拉乌夫回国后对一位记者说:"我向你保证,不许一个敌军士兵登陆我们的伊斯坦布尔。"英国对他们确实非常好,"议定的停战协定远远超出我们的期望。"即使是完全接受英国提出的条款,拉乌夫也相信阿瑟·卡尔索普,因为他曾承诺不会提出不公平的停战条件。英国真正感兴趣的是自由进出海峡;他们为什么要占领君士坦丁堡或其他地方呢?拉乌夫对自己说,毕竟英国已经得到了想要的阿拉伯领土:"从英国的国际利益来看,我想像不出还有哪块土地是他们想要的。"

10月30日,当两个人在停战书上签字以后,他们愉快地品尝了香槟,"阿伽门农"号旗舰的舰长在给妻子的信中写道:"拉乌夫给了我一点点溢美之词,以感谢我把他作为一个技术敌人的好意。"拉乌夫说两个双胞胎儿子的照片是舰长的精神动力,"这是不是很美好呢?"

在伦敦,英国内阁听到停战消息后非常兴奋,然后开始讨论如何用"东方智慧"占领君士坦丁堡。英国及其盟国费尽心思以确保停战严格执行。所有土耳其驻军都必须投降,所有铁路、电报都要由协约国控制。土耳其港口必须为协约国军舰所用。最有破坏性的条款是第七条,可以简单地概括为:"当形势威胁到协约国的安全时,联军有权占领战略要地。"多年以后拉乌夫回首这一切时说:"当时国内普遍深信英法是守信用的国家,不但会信守书面的公约,而且会信守诺言,我也这样深信。可让人深感耻辱的是,我们所深信的不过是个错误!"

远在南方,在叙利亚的边境,拉乌夫的一位朋友,一位坚守岗位的战斗英雄,亲自给政府写了一封沮丧的信:"这是我诚挚而坦率的意见,如果我们遣散部队并满足英国的所有条件,而不采取任何步骤终止对停战的误解和错误解释,我们将不可能阻止英国的贪婪企图。"他就是穆斯塔法·凯末尔,也就是今天人们熟知的阿塔图尔克——"土耳其之父"——他从北方跑到君士坦丁堡，极力鼓动他所见到的每一个人，从重要政客到苏丹本人，一起建立一个民族主义政府以抵抗外来入侵者，并获得了许多地区居民的同情和支持。但是苏丹却更愿意去安抚和讨好协约国。1918年11月，他解散了议会，并企图全部任用他的嫡系来进行统治。

造就了苏莱曼大帝的伟大苏丹家族到穆罕默德六世已摇摇欲坠。穆罕默德六世的主要功绩是使三个兄弟的统治得以延续：一个因疯掉而被废除王位；继任者是悲惨的妄想狂，非常害怕被害，每抽一支烟，第一口都要由一个太监先试抽。这个胆小怯懦的老男人只在位至1918年的夏天。穆罕默德六世是健全的，但很难揣测他那瘦骨嶙峋的脑袋里是否确实有许多想法。他疑虑重重地接任了苏丹王位，"我很困惑！"他对一位宗教领袖说，"为我祈祷吧！"

苏丹王权曾拥有的让世界即刻战栗的威力不复存在了。美国代表说，其政令"在小亚细亚，通常只被各省断章取义地部分执行，公共安全得不到保障"。尽管君士坦丁堡开始并没有被正式占领，但协约国的士兵和外交官"随处可见，在警告，在命令，在建议"。协约国的军舰如此密集地停靠在港口，整体看起来像个庞然大物。"我很难过，"苏丹喃喃自语，"我无法看窗外，我憎恨这一切。"阿塔图尔克则有不同的想法："他们既然来了，就必须走开。"

阿塔图尔克是个城府很深、勇敢、坚定也很危险的人。他的画像至今在土耳其还随处可见，画像上，他那双蓝眼睛十分令人吃惊。1919年，很少有外国人听说过他。但是四年后，他挫败了英国和法国，并且建立了新国家使土耳其获得了新生。11月的第十天是他的逝世周年纪念日，也是土耳其国家纪念日。无论他的朋友还是敌人都会发现他非常残酷无情。在取得伟大胜利后，他以卖国为由审问了许多老部下，包括拉乌夫在内。如他生活中许多女人所发现的那样，他也很有魅力。他的孩子们非常爱他，他也非常爱他们。他总是说，没有儿女也一样，因为伟人的孩子通常都不出色。他有着理性而科学的头脑，但到了晚年却痴迷于玄学。他不同意安卡拉电台播放传统土耳其音乐，尽管私下里自己常和朋友一起聆听。他试图解放土耳其妇女，并以传统穆斯林仪式与他惟一的合法妻子离了婚。他是个试图允许民主存在的独裁者。1930年，他创建了一个反对党，并选出了它的领袖；可当这个党试图挑战他时，他又解散了它。他反复无常，但有自己的公平原则。他的下属都知道，他在晚上喝酒时颁布的命令可以不去理会。

阿塔图尔克出生在古老的奥斯曼帝国边缘的马其顿港口城市萨洛尼卡。母亲是不识字的农民，父亲是个不成功的商人。正像奥斯曼帝国本身一样，萨洛尼卡城容纳了太多的

第七章 燃起中东之光

民族,仅港口的劳工就操着五六种语言。城市里一半是犹太人;其余的分别是土耳其人、希腊人、亚美尼亚人或阿尔巴尼亚人。西欧人掌控着城市的商贸,就像西欧国家主宰着奥斯曼帝国一样。

从很早起,阿塔图尔克就一直轻视宗教。伊斯兰教——它的领袖和神职人员——"是插在我的人民心上的一把毒剑"。还是个学生时,他在一个夜晚看到教长和苦修僧人狂怒地鞭打一群人,从那时起,他就憎恶这种原始的狂热。"我断然拒绝相信,在今天,在科学、知识、文明都全方位闪亮登场的今天,在文明的土耳其社会里,还会存在这样的人,仍然在这个或那个教长的指导下,愚蠢地去寻找他们物质和精神的幸福。"

不顾母亲的反对,阿塔图尔克坚持进入军校接受教育。那时,军校不只是培养未来领袖的地方,还是培养民族主义和革命主义情感的中心。在学校,他在数学和政治专业方面的才能非同一般。他还选修了法语,所以能够阅读伏尔泰和孟德斯鸠等政治哲人们的著作。19岁的时候,他进入了君士坦丁堡的步兵学院。他发现这是个世界性的大都市,它的人口近一半是穆斯林人,其余的有西班牙裔犹太人,其祖先是几个世纪以前逃亡至此的基督教西班牙人;从独裁统治下逃亡出来的波兰爱国者;东正教亚美尼亚人;罗马尼亚人;阿尔巴尼亚人;希腊人。尽管这个城市被奥斯曼帝国统治了四个世纪,但其商业依旧被希腊人所主宰(即便是在第二次世界大战之后,一多半的商会成员仍然都有希腊名)。欧洲人则掌管着绝大多数重要工业,西方借贷者监管着政府的财政,确保政府的还贷能力。奥斯曼帝国如今如此虚弱,不得不给西方以特权,签订投降条约,以使他们不受土耳其税务和法律制约。正如一位土耳其记者悲伤地写道:"当我们的商业、贸易甚至我们破败的小屋都给了外国人时,我们仅仅是个看客。"

阿塔图尔克就读的步兵学院坐落在金角湾的北侧,位于城市新区,这里有宽阔的街道、闪烁的汽灯、歌剧院、咖啡厅、商会、银行、引领欧洲最新潮流的商场,甚至还有摆设着粉缎沙发的妓院,就像巴黎一样。阿塔图尔克充满热情地探索这个城市,他狂欢作乐、嫖娼,并广泛地阅读。但对君士坦丁堡,他的情感充满矛盾,这个城市令人喜爱,但作为政府所在地又很危险。后来他将首都搬迁到更安全的内陆城市安卡拉。

就像1914年以前的许多年轻官员一样,阿塔图尔克加入了立志要为帝国建立现代政体的秘密团体。他分享着1908年革命所激发的希望以及使帝国强大的尝试失败后的失望。1908年奥地利吞并波斯尼亚、黑塞哥维那,而保加利亚宣布独立。1911年,欧洲力量最弱的国家意大利宣告开战,并且夺取了利比亚。在1912年和1913年的巴尔干战争之后,阿尔巴尼亚、马其顿地区、色雷斯部分地区以及萨洛尼卡都被分裂出去。到了1914年,曾一度扩张到匈牙利的奥斯曼帝国欧洲部分，也已缩减成了一小块在色雷斯境内的飞地，缩拢在保加利亚的领土上。仅仅6年，425,000平方英里的领土丧失殆尽。

第一次世界大战爆发时，阿塔图尔克正在保加利亚享受外交官的生活。在索非亚他第一次听了歌剧。15年后，他在新首都安卡拉的建设规划中加入了修建歌剧院的计划。他去舞厅跳舞娱乐。后来，在他的新共和国，公务员被安排在官方舞会上跳舞，因为"在西方他们就是这么做的"。1915年初，他获得了率领一个新师前去防卫加利波利半岛的机会。在那里，许多协约国的荣誉遭受损害，而他却声名显赫了。正如英国正史作者所写："在历史中，很少有一个分区的指挥官在三个不同时机对一场战争能够产生如此深远的影响。或许对于这场战争或这个民族来说，都是命中注定的。"

阿塔图尔克发现，战争即将结束时的君士坦丁堡与他记忆中的已经截然不同了。没有燃料，没有食品。一个土耳其男孩回忆母亲挣扎着养家："对我们来说，似乎永远只能靠小扁豆、卷心菜汤和既干又黑勉强称做面包的东西过活。"政府已经破产了，曾声名显赫的官员们在街角摆摊卖柠檬，因为他们的养老金已不值钱。并且大批难民拥入：有躲避内战的俄国人，绝望地寻找安全的亚美尼亚人，和放弃中东和欧洲的土耳其人。截至1919年末，大约有10万人露宿街头。日子比较红火的只有做黑市生意的人以及罪犯。狂热的传言在城市流传：一天，人群冲进圣索菲亚清真寺，因为谣传基督教大钟将被重新挂起。

当地的希腊人醉心于希腊统治的复兴，他们挂起希腊蓝白旗，在中心广场悬挂希腊首相维尼泽洛斯的巨大画像。希腊族长向巴黎提出了挑衅性的要求，公然抨击土耳其，并要求将君士坦丁堡重新交给希腊。他的办公室要求基督教希腊人停止与土耳其当局合作。一位英国外交官说希腊人"有盛气凌人的倾向"。一些鲁莽之人在街上推搡土耳其人，要他们摘下土耳其毡帽。

越来越多的协约国官员和官僚主义者前来监督停战。一位英国年轻人回忆："生活是放荡的、邪恶的，也是快乐的。咖啡馆里塞满了唱歌跳舞的人。"在夜总会，白俄人唱着忧郁的歌，年轻漂亮的难民为了一顿饭就可以出卖自己。你可以乘上摩托艇穿越马尔马拉海，还可以在博斯普鲁斯海峡亚细亚一侧带上猎犬骑马打猎，还能只花几个便士就淘得一些精美的古玩。协约国在君士坦丁堡非法划分势力范围，并且接管了大部分的行政部门。他们控制了地方警察部门并建立了自己的法院。当土耳其媒体批评这些外来人时，协约国索性接管了媒体审查部门。当1920年5月君士坦丁堡被正式占领后，其发生的变化就难以言表了。

在这座城市之外的色雷斯和小亚细亚，协约国军官全部分散去监控投降。法国占领了南方重要城市亚历山大勒塔（今天的伊斯肯德仑），1919年初又向内地扩张。总体来说，英国人最受欢迎。南方的一位女士评论说："英国人往往会使唤老爷的儿子，而法国人则使唤他们的仆人。"苏丹政府就像其有名无实的领袖一样，衰败无能，只是一味地谄媚协约国。

协约国并没有心情被谄媚。在内阁担任要职的寇松负责英国在东方的政策。他认为到了该清除这些"败坏欧洲生活的腐败"的时候了。腐败、不可名状的恶习、阴谋诡计从君士坦丁堡传播出来，污染无辜的欧洲人。巴黎和会是彻底断绝这种邪恶根源的好时机。"在欧洲，土耳其的存在曾是这种事关每一个人的邪恶之不可阻挡的源头。我没有意识到一个明显的原因，在近500年的时间里，土耳其受益于这种腐败的存在。"尽管作为历史系的学生，寇松应该理解得更透彻，他仍然说："实际上，这个国家的历史充满了暴政、压迫、权谋和大屠杀，这在东方历史中是无可比拟的。"他的首相也同意这一观点；像许多自由主义者一样，劳合·乔治从格莱斯顿身上继承了对土耳其的敌意。

问题是，什么将会取代奥斯曼帝国？英国依旧坚持要确保敌方军舰不得使用海峡，并且必须保护经过苏伊士运河通往南亚的航线。还有一个新的因素是：奥斯曼帝国的摩苏尔和波斯重要的石油供应不断增长。英国不愿独自承担责任，而希腊当然也承担不了，并且又不愿意其他强国介入，比如它的盟国法国。毕竟两个国家在欧洲、北美、印度、非洲和中东争斗了几个世纪。它们的友谊，相对来说，只是近来的事。它们经受住了战争的考验，但还很难说清能否经受住和平的考验。奥斯曼帝国的阿拉伯地区已经出现麻烦。英国真的愿意法国军舰在地中海东岸四处建立基地吗？寇松确信这不可能：

> 我大部分的公众生活都与法国的政治野心密切相关，在突尼斯、暹罗，几乎任何一个遥远的地区，我都曾看到法国殖民统治者的身影。为了国家的安全，我们与法国缔结了联盟。我们希望这联盟能够持久，但法国的民族特性与我们不同，而且他们的政治利益在很多情况下是与我们相抵触的。我非常担心，将来我们最需惧怕的强权会是法国。

他认为，允许法国在中东获得重要影响是个重大错误："法国是个有高度组织性的国家，无所畏惧，充满想像力，并且有相当的能力对付东方人。"

法国同样也不信任英国。它在奥斯曼帝国有相当可观的利益，从保护同道的基督徒到扩大其投资。然而，对于法国而言，在奥斯曼帝国或巴尔干所发生的一切，远没有对付德国来得重要。无论殖民地游说团怎么想，克雷孟梭都会与英国达成妥协，因为在欧洲他们需要英国的支持。尽管他不愿眼睁睁地完全失去土耳其的亚洲部分,但至少最初他没有对希腊的主张持很强硬的态度。就欧洲而言,他支持希腊获得色雷斯。如果希腊妨碍意大利的要求,那将对法国极为有利。

战争期间,英法俄就奥斯曼帝国的未来问题进行了许多讨论。1916年,英国代表马克·赛科斯先生和和法国的乔治·皮科先生达成一项协议。协议提出,两个国家将分割阿拉伯语地区;在土耳其语地区,法国将获得从叙利亚向北一直到西里西亚的一片区域。其实俄国早已取得了获得君士坦丁堡和土耳其海峡的承诺,并声称只有获得高加索地区靠近其边界的土耳其省份,它才同意该协议。布尔什维克新政府为了与同盟国讲和,坚决取消了这一协议。于是,英法成为中东的最重要的势力。但是随着战争接近尾声,它们开始相互猜忌。

10月30日,在最高委员会,因为英国坚持自行解决土耳其问题,劳合·乔治与克雷孟梭之间发生了愤怒的争吵。"他们你一言我一语,像骂街的泼妇!"豪斯这样形容。劳合·乔治对克雷孟梭说:

> 除了大英帝国,没有哪个国家能够派出即便是很少的黑人部队远征巴勒斯坦。对于法国政府如此的吝啬,我感到异常惊奇!英国现在有50万人奋战在土耳其土地上,并收编了四五支土耳其军队,在与土耳其的战斗中,成百上千的士兵伤亡。而其他政府只派了几个黑鬼警察去看看我们是否偷盗了神圣的坟墓。然而,到了签订停战协定的时候,大家都大惊小怪了。

这是不公平的协议;克雷孟梭在随后的场合指出,英国只派了相对很少的部队到西线。"我的意见是,而且一直是,如果把派往那里的白人部队用来对付德国人,那么战争早在几个月之前就结束了。"然而,法国最终在停战问题上妥协了,正如毕勋所说:"让人感觉法国总是用精神抚慰的办法来对付英国政府。"但是瓜分战利品时,就不会有太多的精神抚慰了。

直到1919年1月30日,和谈者们才抽出时间来考虑奥斯曼帝国问题,而且只是在讨论原德国殖民地的委任托管权期间有所提及。之前,劳合·乔治用了一星期的时间,使美国人和顽抗的自治领取得一致,然后在论及委任托管权的必要性时把奥斯曼帝国作为例证。由于土耳其在统治其人民方面如此糟糕,它将失去其对所有阿拉伯领土的控制,包括:叙利亚、美索不达米亚、巴勒斯坦、阿拉伯半岛本土。虽然阿拉伯人已经文明开化了,但是仍然没有组织性，所以他们需要外部的引导。而且奥斯曼帝国必须放弃东北边界的领土，因为它曾对亚美尼亚人犯下骇人听闻的罪行，很显然一个亚美尼亚人自己的国家将会产生，或是由境外强国托管。亚美尼亚南部可能还会出现一个库尔德斯坦。能够留下的主要是土耳其语地区；欧洲的一小块土地、土耳其海峡和小亚细亚的安纳托利亚。劳合·乔治轻松地说，基于"他们的仁慈"，这些都将解决（他根本没有提及曾允诺给法国、意大利或者希腊的从海滨到小亚细亚绵延的内陆地区）。

劳合·乔治强调的另一重要问题是，要避免奥斯曼帝国各利益集团的内讧。这不是英国想要承担的责任。他指出，协约国有100万的军队分散在奥斯曼帝国境内，而大部分的费用都由英国承担。"如果他们必须一直驻扎在那里，直到与土耳其和解，直到国联建立并开始正常运转，且能够处理这些问题，那么代价将非常巨大，而且他们也无法承受。"他必须给议会一个交代。

劳合·乔治希望威尔逊能明白他的意思，并使美国成为至少是亚美尼亚和土耳其海峡的托管国。如果美国能接管整个土耳其地区，那当然更好。豪斯明确暗示了这种可能。无论如何，除了憎恶土耳其人之外，美国对于奥斯曼帝国还没有明确的立场。一位从1820年代就活跃在奥斯曼土耳其的美国新教传教士，描绘了一幅帝国政权衰败的悲惨图画。他们大部分的工作都是在亚美尼亚人中开展的，所以战争中，他们总是能够最为直接地报道大屠杀。从美国募集来的大量资金被用来救济亚美尼亚人。豪斯兴奋地与英国讨论如何瓜分奥斯曼帝国，并且威尔逊也确信，这个帝国将彻底消失。

另一方面，美国从未对奥斯曼帝国宣战，这使它在决定这个帝国的命运时处境很微妙。在威尔逊的十四点原则中，惟一关于奥斯曼帝国的原则也是模棱两可的。"对于目前的奥斯曼帝国，必须确保其土耳其语地区的主权。对于在土耳其统治下的其他民族，要确保其生命安全，保证其不受干涉的完全自治发展的机会。"那么阿拉伯人、亚美尼亚人、库尔德人、分散的希腊人该怎么办呢？

1918年12月，由美国专家组成的调查组制订的备忘录指出，必须公正地对待土耳其，被统治的民族必须要从暴政和压迫中解放出来，这意味着亚美尼亚人将获得"自治"，阿拉伯人将得到"保护"。另外，十四点原则的官方解释于1918年10月提出，主要论及对君士坦丁堡和土耳其海峡的国际控制、希腊对被误传希腊人占多数的小亚细亚海岸可能的委任托管权以及美国可能对君士坦丁堡、亚美尼亚甚至巴尔干的马其顿地区的委任托管权。巴黎和会开始之前，人们普遍认为美国将毫无疑问地托管亚美尼亚和土耳其海峡。然而并不是每个人都乐意看到这样的结果。刚刚扫除了俄国威胁的英国军官当然不愿意看到地中海东岸再出现强大的美国。同时还有印度政府。穆罕默德六世不仅是奥斯曼帝国的苏丹,而且还是哈里发,近乎整个穆斯林世界的精神领袖。无论是将他驱逐出君士坦丁堡,或者置其于外来强权的监控之下,都会激怒印度的穆斯林。对反对者劳合·乔治只是简单地置之不理。

巴黎和会拖延对重要而困难的问题做出决定是常有的事。在那次一月会议上,威尔逊建议军事顾问们考虑一下,怎样将占领土耳其的沉重负担合理分摊。劳合·乔治说"这可以澄清问题",当然这不可能。报告适时地出来了,2月10日又对其进行了简要的讨论,并被放入第二天议程。但比利时边界问题比这要有趣得多。

2月26日,一个亚美尼亚代表团在最高委员会出现,暂时提醒和谈者们奥斯曼帝国问题急需解决。博戈·努巴尔·帕夏是个平和、富有、有教养的人,他的父亲曾是埃及首相。阿韦蒂斯·阿哈朗尼安坚韧、愤世嫉俗,是来自高加索的诗人。博戈为亚美尼亚离散的犹太人说话,而阿哈朗尼安则为俄国、波斯及土耳其交界处的大山里的家乡说话。他们再次追溯历史上一幅熟悉的图景:多少世纪以来,亚美尼亚人就生活在那里,亚美尼亚基督教徒坚持——他们履行了对协约国的义务,因此协约国必须兑现它的承诺(有些亚美尼亚人战斗在俄国军队里)。并且像其他的代表团一样,他们索要大面积的领土,从南部和西部高加索一直到地中海都在他们要求的范围内。有些特别的是,他们还要求境外强国提供保护,鉴于他们的邻国和历史,这个要求是明智的,他们寄希望于美国。"每一天,"一位美国专家说,"蓄着胡须、穿着黑衣、悲哀的亚美尼亚人,都围着美国代表或者是难得一见的美国总统,申述着自己祖国的可怕境况。"

巴黎和会上,亚美尼亚人带来了一段最为悲伤的历史。从1375年独立的亚美尼亚国被征服,到1918年春天民族主义力量在原属俄国的领土上宣布亚美尼亚共和国诞生,亚美尼亚人一直生活在外族统治下。19世纪初,俄国向高加索地区扩张,亚美尼亚领土分别被俄国、奥斯曼帝国、波斯瓜分。亚美尼亚人中,大多数淳朴的农民成了俄罗斯人、土耳其人或波斯人,但是当民族主义和独立自主的思想席卷东方后,亚美尼亚国家复兴的理想逐渐成形。但还不是统一的理想——基督徒、平凡信徒、保守派、激进分子、前土耳其人或前俄罗斯人对于亚美尼亚国到底应该是什么样,都没有一致的想法,尽管如此,这个理想却越来越强烈。然而,不幸的是,亚美尼亚民族主义并不是该地区惟一不断高涨的民族主义。

"今天谁还记得亚美尼亚?"希特勒嘲讽地问道。然而,巴黎和会上,土耳其到底对亚美尼亚人犯下了怎样的骇人罪行仍然备受关注,因为世界无法容忍曾企图灭绝种族的行为。屠杀开始于1890年代,旧的政权对任何反对它的群体都异常残暴。奥斯曼军队和地方库尔德人自认为是一个民族，开始在亚美尼亚村庄闹事。1908年曾接管政府的青年土耳其党，宣称将会开创非宗教的新时代，建立多民族国家，此外他们还梦想能联合中亚的其他土耳其人。在那样一个泛都兰的世界里，亚美尼亚人和其他基督徒没有容身之地。

奥斯曼帝国介入战争之后，青年土耳其党"执政三巨头"之一的恩维尔·帕夏从1913年开始统治君士坦丁堡，并派出大量精锐部队向东反击俄国。结果造成1915年的灾难，俄国人摧毁了庞大的奥斯曼军队，并且铆足了劲继续向安纳托利亚进军。恰在这时，协约国军队在西部的加利波利登陆。"执政三巨头"下令马上将亚美尼亚人从东安纳托利亚驱逐出去，理由是他们叛国，或者至少是潜在的叛国者。许多亚美尼亚人没来得及离开就被屠杀。其他一些人在被迫南迁的过程中死于饥饿和疾病。对于奥斯曼政府的目的是否是有计划地灭绝亚美尼亚人，一直还存在争议。死难者人数也没有定论，大约在30万到150万之间。

西方人震惊了！在英国，亚美尼亚人的遭遇引起了从阿盖尔郡公爵到年轻的阿诺德·托因比们的广泛关注。当小孩子没有清洗他们的盘子时，大人就会教育他们，不要忘记亚美尼亚人正在忍饥挨饿。在美国，人们筹集了大量的资金救济他们。克雷孟梭在为一本反映暴行的书所写的序中写道："在二十世纪即将到来之际，难道这一切都是真的吗？在离巴黎仅五天路程的地方，暴行就这样肆无忌惮地爆发了，大地笼罩着恐怖——人们无法想像当最残忍的暴行肆虐之时，是怎样地悲惨！"一向拘谨的兰辛是亚美尼亚人的坚定支持者，他写信给威尔逊："这是这次战争史上最黑暗的一页"。奥兰多大声呼喊道："我要对亚美尼亚人说，你们的事业就是我的事业！"劳合·乔治承诺，亚美尼亚决不会再回到土耳其的残酷统治之下。他在回忆录中写道："英国每一政党中的政治家都意识到，如果我们成功击败了毫无人性的奥斯曼帝国，和平最基本的条件就是坚决将亚美尼亚人从曾侮辱过他们的、声名狼藉的土耳其人的血腥暴政下永远地拯救出来。"

多么美好的情感——可是最终兑现的却非常少。巴黎和会上，即便是最诚恳的原则性意见在面对其他因素时，也会变得理不直气不壮。遥远的亚美尼亚人被许多敌人包围着，协约国只有少量的部队在这一区域。那里的铁路已被毁坏得面目全非，公路简陋原始，在资源日渐匮乏的时候，调动军队前去援助是一项艰巨而重大的任务。援助遥不可及，敌人却近在身边。一面是俄国人，正在向南扩展，无论是白俄罗斯部队还是布尔什维克部队，都不会容忍在高加索地区出现亚美尼亚或其他独立国家。而另一面，土耳其人正在为失去的领土以及因亚美尼亚人的要求可能要失去的更多领土而怀恨在心。

在巴黎，亚美尼亚人的朋友们表现得冷淡而犹豫不决。英国确确实实看到了自己获得亚美尼亚委任托管权所能带来的确定无疑的好处：保护从里海上的巴库到黑海港口巴统的石油供给。并且可以在布尔什维克与英国在中东的领地之间设置障碍(英国人最恐怖的噩梦就是布尔什维克联合复兴的伊斯兰世界一起颠覆大英帝国)。另外一方面，战争办公室一再催促，英国已严重超支。法国外交部则暗自打着小算盘，企图将大部分亚美尼亚置于自己的保护之下，以便为法国提供投资和文化输出的巨大空间，然而克雷孟梭的热情倒不高。和法国一样，意大利则乐于集中力量在土耳其的地中海沿岸地区以及欧洲寻求利益。最后只剩下美国。

3月7日，豪斯向劳合·乔治和克雷孟梭保证，毫无疑问美国将承担一个委任托管权。劳合·乔治很高兴看到美国承担这"高尚的责任"，并且为法国无意如此而松了一口气。如其一贯的做法，豪斯这是在虚张声势。威尔逊警告最高委员会，"他不会想到，美国人民根本不愿接受在亚洲的军事责任。"5月14日，当四人会议讨论亚美尼亚问题时，威尔逊同意接受一个委任托管权，但以获得参议院同意为条件，这或许显示了他的判断力有了怎样的衰退。这使法国备受困扰，因为被提议的美国委任托管权的范围从黑海一直延伸到地中海，包括《赛克斯－皮科协定》中许诺给法国的奇里乞亚地区。对土耳其语地区几乎没有什么兴趣的克雷孟梭没有提出任何反对的意见，他的同僚对此异常愤怒。在伦敦，保罗·康邦抱怨说："他们肯定都喝醉了，他们这是在投降……彻头彻尾的投降，一团糟，一个不可思议的耻辱。"尽管当时没有人怀疑这一切，但巴黎做出的决定根本不会对亚美尼亚产生任何影响。

那个春天，还有许多关于奥斯曼帝国的图谋游荡在会议室和餐桌上。"让它成为一只非洲野牛吧，"在君士坦丁堡一个人诙谐地说，"让它成为一只公牛，或者成为任何其他什么动物；只要它快些过来！"如果曾被讨论过的所有关于保护国、独立国家、委任托管权的要求都兑现的话，将会留下一个小而奇怪的土耳其，蜷缩在安纳托利亚内部，没有海峡，没有地中海海滨，黑海部分也被截去，东北部的亚美尼亚人和库尔德人地区也不复存在。巴黎到底遗漏了什么？首先是强权们没有能力实现他们的意愿。英国皇家总参谋部的头号人物亨利·威尔逊考虑政治时完全不现实："他们似乎认为自己可以在土耳其亚洲发号施令。即使是在停战后，我们也从未试图去介入幕后操纵。"其次是忽视土耳其人本身。在巴黎，几乎每个人都想当然地简单地按被告知的去做。英国的印度大臣蒙塔古叫喊着："看在上帝的分上，让我们不要去告诉穆斯林他们应该怎么想，而是去了解他们实际是如何想的。"鲍尔弗带着冷漠的超然回答道："我无法理解为什么上帝或者其他什么力量要反对我们告诉穆斯林他们应该如何思考。"这同样认为阿拉伯人倒不如被奥斯曼帝国奴役的好。

27 阿拉伯的独立

巴黎和会期间，有一天，英国代表团的顾问阿诺德·托因比必须将文件递交给首相。"很高兴，劳合·乔治先生忘记了我的存在，并自言自语，'美索不达米亚……是的……石油……灌溉……我们必须要得到美索不达米亚；巴勒斯坦……是的……神圣的土地……犹太复国主义……我们必须要得到巴勒斯坦；叙利亚……嗯……那里有些什么呢？让给法国吧。'"和会如何解决中东问题的内幕就这样暴露了出来：英国抢夺着机会；适时地丢一些给法国；给犹太人一个祖国；石油；和谈者们为了各自的利益，提出处理原奥斯曼领土问题的看似平静的设想。对于阿拉伯人来说，中东和平解决方案不过是陈腐的19世纪帝国主义扩张的再现。英国和法国暂时侥幸得到了这一切——因为美国避免了卷入其中，而阿拉伯民族主义还没有强大到足以挑战他们。

1918年12月，威尔逊刚刚到达欧洲之前，劳合·乔治和克雷孟梭终于就奥斯曼帝国大量的阿拉伯领土达成分割协议，涉及从美索不达米亚波斯王国的边界到地中海的广阔区域。两个人一直因为对德胜利以及相互之间新鲜而热烈的友谊而飘飘然。伦敦市民的欢迎方式让克雷孟梭兴奋不已，只见他们狂热地欢呼，吹着口哨，将帽子和手杖抛向空中。克雷孟梭的助手莫达克说："真的吗？对于这样一些冷淡而不热情的人们来说，这意味深长。"关于中东问题的谈话简短而愉快。"好，"克雷孟梭说，"我们讨论些什么？"劳合·乔治回答："美索不达米亚和巴勒斯坦。"克雷孟梭说："告诉我你想要什么？"劳合·乔治："摩苏尔。"克雷孟梭："你可以得到它，还要其他的吗？"劳合·乔治："是的，还想要耶路撒冷。"克雷孟梭："你可以得到它，但是毕勋会在摩苏尔问题上制造麻烦（因为石油，摩苏尔显得非常重要）。"

对于克雷孟梭的承诺，劳合·乔治给予了相应的回报：即便要反对美国要求控制黎巴嫩海岸和叙利亚内陆的主张，英国仍将支持法国，并且在摩苏尔发现的所有石油，法国都将获得一份。后来法国声称，克雷孟梭之所以如此慷慨是因为劳合·乔治曾承诺支持他在欧洲尤其是莱茵河的要求。劳合·乔治并未在回忆录中提及此事。是法国人搞错了还是英国人背信弃义(又一次)？不幸的是，没有任何正式的记录可以证实那次谈话的真实情形。这是不祥的征兆，从而破坏了巴黎和会期间乃至随后许多年的英法关系。

所谓"叙利亚问题"(尽管确实与奥斯曼帝国的阿拉伯领土有关)，不应该造成这么多的损害。1916年，英法已经就中东问题私下交易，达成了《赛克斯－皮科协定》。然而，奥斯曼帝国意想不到的崩溃激起了各种古老梦想和曾有的敌对状态。贯穿于1919年的不只是关于领土的争论，还有其他诸多问题，如圣女贞德与征服者威廉、亚伯拉罕高地和普拉斯、宗教改革、拿破仑的埃及和纳尔逊舰队在尼罗河战争中的毁灭、1918年差点酿成法绍达战争的非洲混乱，以及对法国和盎格鲁－撒克逊影响力的竞争等等。

劳合·乔治由自由主义者蜕变成了土地抢夺者，这很糟糕。像拿破仑一样，他因中东的一些可能而陶醉着："在小亚细亚复兴希腊世界；在巴勒斯坦建立新的犹太文明；苏伊士和所有通往南亚的通道都安全地远离威胁；在富饶的土耳其和底格里斯河、幼发拉底河流域建立起温顺、忠诚的阿拉伯国家；在英国的保护下石油从波斯不断输出，并且在英国的直接控制下开发新的能源；美国不得不在各处接受委任托管权；法国乖乖地听命行事。"战争即将结束前的一次私人宴会上，他最亲近的顾问发现他处于"非常亢奋的精神状态"，"决不妥协"，在中东问题上尽可能地排斥法国，甚至不惜打破诺言。这意味着《赛克斯－皮科协定》成为"不幸的协议"，正如寇松所说，"直到现在仍像套在我们脖子上的磨石。"

《赛克斯－皮科协定》签订于战争中期，恰逢承诺很廉价而战败的阴影四处笼罩的时候，和其他不受欢迎的交易一样，神出鬼没般出现在巴黎和会。1916年，战争的走向对协约国极为不利。在东部，加利波利登陆失败；在美索不达米亚，来自印度的一支庞大军队已经围拢过来。英国想从埃及对奥斯曼发动新的反攻，但从西线转移物资必须要经法国同意。他们相互以有关奥斯曼帝国将来的协议作为诱饵。

两个谈判者都是天主教徒，并且对中东都有很直接的了解。皮科战前曾是贝鲁特的总领事，而赛克斯曾游历过从开罗到巴格达的广阔地区。皮科出生于极为显赫的法国中产阶级家族，这一家族盛产法国外交家、殖民统治者和最高级别的官僚主义者。他高大但自负，保守但诚恳，把自己的尊严和国家的尊严看得同等重要。在法国，他亲近有力的殖民地游说团；他的兄弟是亚洲委员会的财务人员，尽管名称上看不出来，但该公司与中东密切相关。

相比较而言，赛克斯是个富有的贵族、业余艺术爱好者，活跃在英国外交界的边缘。他从未受过正规的学校教育——大部分的时间是在约克郡接受家庭教师的指导，期间曾在寄宿学校短暂地学习过。他还在剑桥大学学习过两年，在这里他立志要做一个业余戏剧艺术家。他充满激情,精力充沛,但常常不切实际。T.E.劳伦斯曾这样描述他:"他能看到每个事物的特殊性,却会忽视其普遍性。他能够三言两语地勾画出一个新的世界,虽然全然不着边际,但是生动形象,恰如我们所希望的某些事物一般。他喜欢恶作剧、画漫画。他还喜欢约克郡的乡村以及大英帝国,但憎恶都市、公务与和平主义者。他的母亲酗酒、放荡,父亲神经衰弱且冷漠。大概是因为不幸的童年,他全身心地爱着自己的妻子和六个孩子。他喜欢沙漠中未受破坏的中东和淳朴的农民。他谴责法国和国际财团开发和腐化这古老的社会。他赞美法兰西文化,但认为法国难副其帝国之实。在访问了法属北非之后,他说:"法国无法获得尊敬,这里没有绅士,政府官员没有马、枪或者军犬。""

令人好奇的是,皮科和赛克斯这样两个人竟然合作得很好。早在1916年5月,他们的计划就获得了各自政府的批准。如果你也是西方帝国主义者,那么你会觉得这个计划是如此合情合理。大部分位于今天的黎巴嫩境内的叙利亚海岸将归法国所有。与此相对应,英国将直接控制美索不达米亚中心地区、巴格达周围以及巴士拉南部地区。巴勒斯坦是个棘手的问题,因为其他基督教力量(尤其是俄国)也对其很感兴趣,这里将成立专门的国际性管理部门。还剩下些什么呢?一片巨大的区域,包括现在的叙利亚、伊拉克北部的摩苏尔以及约旦。这片区域的南北部分别在英法两国的监管下选出当地的阿拉伯首领(阿拉伯半岛没有被提及,大概是因为没有人认为那绵延数里的沙滩会有什么令人惦记的价值)。协议使法国得到了满足,它在叙利亚海岸有相当可观的投资利益,并且一直把自己看作这一区域的各大基督教社团,诸如黎巴嫩山周围的马龙教派等的保护者。英国同样获得了满足,他们聪明地将法国放在自己与俄国之间,阻止俄国向南扩张。

当这笔交易几乎要做成时,英国却开始后悔了。巴勒斯坦如此靠近苏伊士运河,直接控制它不是更明智吗?在埃及的英国官员激动地质问,为什么法国可以获得摩苏尔?1917年俄国退出战争,法国这个缓冲器失去了意义。赛克斯把奥斯曼帝国投降的消息告诉他的同僚,"这自然就形成了一个新的更具灵活性的计划,将法国从除黎巴嫩外的所有阿拉伯地区清除出去,作为补偿,让它成为从亚达那到波斯和高加索的全部库尔德-亚美尼亚地区的保护国。"

在法国,一个另类的殖民地游说团——包括对叙利亚丝绸充满向往的里昂丝织品制造商,认为摩苏尔是非常适合驾驶的美妙地方的汽车制造商会,管理着贝鲁特的一所大学的耶稣会牧师们,亚洲委员会的财政专家、官员和知识分子(管理者)——强烈要求他们的政府立场要强硬。该团体强调,叙利亚应该是大叙利亚,南到西奈山,向东一直延伸到摩苏尔。议会组织则阐明了战略上的需要。地中海南岸的阿尔及利亚和突尼斯已经属于法国,现在必须再加上摩洛哥。唉,至于埃及,已经太晚了,1882年已被狡猾的英国施计强占了。但对黎巴嫩及其叙利亚腹地以及巴勒斯坦来说还不算晚。在这种"沉重但光荣的压力"下,法国政府给克雷孟梭发来了备忘录。法国与叙利亚的关系又回到了十字军东征时期,对于保护基督教以及给阿拉伯带来文明,法国已经做了许多,现在当地政府指望法国来修复多年来土耳其统治造成的损害,所以法国绝不能放弃叙利亚。如果"在这样一次战争之后,这样的胜利赋予了卓越的法国,而其地位反而比1914年8月有所降低",法国公众舆论肯定会一片哗然。

英国的形势也很紧迫。1918年,东部战争内阁委员会正式成立,致力于制订英国在中东的政策,并不断调整以适应其他协约国的需求。如果法国获得巴勒斯坦和叙利亚,那么按照委员会主席和精神领袖寇松的意思,英国将不得不在埃及驻扎大量军队,以保护苏伊士运河和通往南亚的重要通道。不过还会有其他路线,陆地的或空中的(新的可能),从地中海的东岸开始,穿过叙利亚和美索不达米亚,或者是沿着黑海遥远的北部,经过高加索。鲍尔弗指出这种讨论是危险的:"每结束一次讨论——间隔大概五年吧——我就会发现,我们将不得不去保护一个新的通往印度的路线,这些路线总是离印度越来越远,而且我也不知道,总参谋部将把它们向西带多远。"他的同僚们下定决心要破坏《赛克斯-皮科协定》。

即便在法国真正意识到这些之前,英国的行为已经引起了法国的怀疑。1917年的圣诞节,英国将军埃德蒙·艾伦比的部队将土耳其人从耶路撒冷赶了出去,使法国的天主教徒感到异常震惊。"新教的危险"正在登陆这片神圣的土地。法国的殖民地游说团焦急地看到,埃及货币先在巴勒斯坦、随后又在叙利亚流通,并且贸易也在向南转移。当皮科赶到巴勒斯坦设法保护法国的利益时,发现艾伦比和他的部下并不合作。1918年夏天,当德国对西线发动最后一次猛烈攻击时,英国也在准备对叙利亚进行攻击。法国外交部警告,法国的舆论将不会接受"法国被那些在关键时刻掉转部队的国家剥夺本属于自己的利益"。后来,英国军事当局准备将《赛克斯-皮科协定》所规定的法国在叙利亚的全部权力都移交给法国代表,法国拒绝了,但这并没有减轻法国的焦虑。英国对他们的长远计划保持着不祥的沉默。皮科远没有其同僚强硬,他试图警告赛克斯对法国的情绪:"在别人越来越焦急的时候,充满恶意地观看是暗有企图的证明。"而英国压根就没有把法国和皮科放在心上,"一个相当平庸而软弱的人!"一位英国官员说,"他和他尊贵的法国都充满猜忌!"

尽管英法相互争吵着,似乎中东已是他们的囊中之物,但是也不得不顾及到其他协约国的要求。战争期间曾给予意大利的含糊其辞的许诺可以被忽视,而且总是如此——有权使用港口,如海法和阿克里,在巴勒斯坦管理中的决定权,以及在阿拉伯半岛和红海的同等待遇。美国则另当别论。威尔逊认为阿拉伯人或许需要英法的引导,于是他提出要认真考虑当地人意愿。"每个领土处置问题都卷入了这场战争。"1918年2月,他在十四点里向议会陈述,"必须依相关人民的利害和利益来做决定。"法国前殖民大臣、法国政府委员会副主席加斯顿·多梅尔格明确地表达法国的殖民目标时,恰如其分地指出:"美国就是障碍!"

经过平稳调整,欧洲人开始和美国人唱一个调子。这很显然,多梅尔格说,"为了人类的利益,我们需要一个殖民帝国来实施法国的文明使命。"英国同样善于老调新弹。这不是要颠覆美国;正如斯马兹在东部委员会上所说的:"你们不要只想着分赃,这对未来是个错误的方针。"另外一方面,如果美国能被说服,英国将尊重阿拉伯的意愿,给法国施加压力,迫使它放弃《赛克斯-皮科协定》所许诺的权利。高傲而颇有城府的塞西尔提醒说,"美国只有在认为我们是在为有关一个本土政府的事情而努力时,才会支持我们。"与此同时,寇松说:"如果没有任何其他办法克服困难,我们只有搞自决,这是值得一试的,无论是我们深陷其中的困难,还是与法国、阿拉伯还是任何其他国家相关,我们都把它交给我们的内心做最后的评判,交给它去解决,会比交给任何人都受益匪浅。"

英法政府在阿拉伯广为流传的一份声明中,轻率宣告他们在奥斯曼战争中的主要目标是"完全、彻底地将一直处于土耳其帝国压迫下的人民解放出来,建立由本土人民自主、自由选举的政府当政的民族国家"。这是廉价的宣言。正如寇松所说,英国坚信阿拉伯人愿意选择他们作为保护国。对于阿拉伯的民族主义,法国根本不以为然。皮科说:"你不能将无数的部落整合成某种整体。"两大强国都忽视了这份声明在阿拉伯世界所引发的强烈反响。在大马士革,阿拉伯民族主义者割断电线,点燃大量弹药进行庆祝。英法逐渐发现,战争期间他们用援助鼓动起来的阿拉伯民族主义阴魂很难再轻易驱散。

1918年11月末的一个夜晚,在贝鲁特,一位英俊的年轻人振振有辞地为阿拉伯人说话,使他们登上了开往马赛和巴黎和会的英国军舰。这个年轻人就是费萨尔,先知的后代,哈桑王族的成员。他机灵、果断、富有野心,并且光彩照人。尽管他在君士坦丁堡长大,但他给人的印象却是典型的沙漠阿拉伯人。兰辛常常无聊地想到乳香和黄金。而"他会联想到沙漠里的宁静与和平,生活在地球巨大空间里个人的冥思,一个人独自与自然私语时的认真思考"。强硬的英国将军艾伦比看到了"一个锐利、挺拔、高大、强壮的男人,有一双女人一样的漂亮的手;讲话时,他的手指总是神经质般地移动"。在"圣·乔治的骑兵"(沙弗林金币)、英国的武器和顾问的帮助下,费萨尔掀起了阿拉伯人反土耳其的斗争。

英国投机地支持费萨尔,因此他们保证对《赛克斯－皮科协定》中的其他条款不会坐视不管。1915年,在开罗,高级官员亨利·麦克马洪先生开始了与费萨尔的父亲侯赛因的对话。侯赛因是麦加的圣徒后裔。"一个矮小、整洁的老绅士,极有威严,并且具有崇高的魅力。"他是阿拉伯世界最古老最显赫家族的领袖;他为自己的家族感到无比自豪,能够一口气追述家族几十代的历史(而且常常如此)。他对家族财富的兴趣远比对阿拉伯自主的兴趣大得多。他是汉志省伊斯兰教最神圣场所的守护者;并且非常自豪地拥有麦加1号这个电话号码。麦克马洪先生与这位圣族后裔保持着极富争议的联系,他承诺,如果阿拉伯人奋起反抗土耳其人,他们将获得英国的支持,更重要的是,他们将会赢得独立。为了确保英法的利益,一部分区域被排除在阿拉伯统治之外:这一区域大概是在北部的阿勒颇和南部的大马士革这一线以西,换句话说就是叙利亚和黎巴嫩的海岸,即原土耳其的巴格达和巴士拉省。这一区域与其他领土之间没有明确的界线。英国后来无视客观地理范围,辩称巴勒斯坦就是在阿勒颇—大马士革线以西。而独立到底意味着什么?侯赛因和他的支持者们认为,即便是被排除在外的区域,其政府仍应由阿拉伯人组成,但是由欧洲人监管;其余部分,从阿拉伯半岛穿过巴勒斯坦到叙利亚的内陆,和美索不达米亚南部的摩苏尔将成立独立的阿拉伯国家。这并不是英国真正愿意看到的。

1915年,承诺的改变对于并不牢固的和约并无伤大体。也可以说,原本双方并未秉承真诚的信念商谈。侯赛因极力夸大自己的影响力,并且暗示阿拉伯的许多集团都惟他的马首是瞻。其实1915年他的处境很不稳定,他耗费大部分的时间在君士坦丁堡等待奥斯曼任命他为酋长,但是后来听说他们正考虑免他的职。就在此时,他遭遇了强大的对手伊本·绍德,伊本·绍德发动内陆的部落联合向他挑战。按照英国人的观点,阿拉伯人是否能奋起反抗、奥斯曼帝国是否会崩溃甚至是协约国能否获胜都难以预料。像《赛克斯－皮科协定》一样,《侯赛因－麦克马洪协议》只是长远策略里的权宜之计。战争中签订的另外一个协议也给和谈者们带来了麻烦,这就是《鲍尔弗宣言》,它宣称全世界犹太人可以在巴勒斯坦建立自己的国家。宣言由英国政府提出,法国和美国先后表示赞成。它该如何与阿拉伯的协议相衔接仍不明了。

战争期间的承诺总是很难顺利地兑现,但是在1916年6月,当阿拉伯起义爆发时,英国人有足够的理由为他们的外交感到自豪。酋长适时地宣布自己为阿拉伯国王,尽管英国只愿意承认他是汉志的国王。酋长的四个儿子都与土耳其人交战,费萨尔最为突出,支持他的是一位金发碧眼的英国联络官员,也就是后来著名的"阿拉伯的劳伦斯"。

杰出的学者、实干家、战士、作家,对阿拉伯和大英帝国都充满热情的爱,这就是劳伦斯。用劳合·乔治的话说,"一个难以捉摸且不可估量的人!"他并不真正了解他,只是为他的各种传奇所迷惑,被他的许多事迹所打动,并混杂着一些想像。劳伦斯在牛津大学时确实耀眼辉煌,极有可能成为伟大的考古学家,他非常勇敢。但是说他独自发动了阿拉伯起义却并不准确。他的著作《智慧七柱》中历史和神话相互交杂,像人们眼中的他一样。他自称早就把自己当作阿拉伯人,但是阿拉伯人发现他说的阿拉伯语错误百出。当美国记者洛厄尔·托马斯使他一举成名时,他虽然激动不已,但却多次不声不响去艾伯特演奏厅听他的演讲。托马斯说:"他有闯入众人瞩目的中心的天赋。"做选择时的劳伦斯极富魅力。他的朋友遍布世界各地,来自不同的阶层。从沙漠阿拉伯人到 E.M.福斯特都是他的朋友。有时他也非常粗暴无礼,巴黎和会期间,在一次宴会上,坐在他身边的人紧张地说:"我想我的讲话也许不能引起您的兴趣!"他回答说:"我根本就不感兴趣。"

在《智慧七柱》里,劳伦斯对他与费萨尔的初次会面的描述有如史诗:"看他第一眼,我就知道这就是我来阿拉伯所要找的人——领导阿拉伯人起义并走向繁荣的人。"他印象中的费萨尔更人性化一点:"他脾气火暴,妄自尊大,缺乏耐心,有时不切实际,很容易跑题。和他的兄弟相比,他拥有更富个性的魅力和生活,显而易见,他非常聪明,但是或许不够审慎。"

最后一点同样也是劳伦斯的个性。他为费萨尔描绘了在独立的叙利亚拥有王位的图景,黎巴嫩也在其统治之下,并将英国给法国或犹太人的承诺大打折扣。他确信费萨尔的军队会因为攻取大马士革而获得好评,远胜于同样功勋显著但满怀烦恼的澳大利亚人。费萨尔被任命为叙利亚首席行政长官,这既是为了阿拉伯人,也是为了英国人。他不知道对自己来说最重要的是什么。他说到阿拉伯人时常会说"我们",说到英国人时则会说"你们"。像其他前阿拉伯学者一样,他希望阿拉伯能够在英国善意的监管和控制之下,愉快而自愿地选择受限的自治政府。他告诉寇松的东方委员会,自决"总的来说是个可笑的想法,我们可能得允许曾与我们为敌的人自作主张"。英帝国主义的需求与阿拉伯民族主义如此巧妙地融合,并且他无需在这两者之间进行抉择。

法国则把劳伦斯看作是费萨尔的"邪魔",他使单纯的阿拉伯人背叛了他们。1918年11月,劳伦斯和费萨尔一起来到马赛,穿得很扎眼,像个法国陆军上校,很令人厌恶!"他质地上乘的白色礼服显得很奇怪!"可他被告知只有作为英国官员他才会被欢迎时,他怒气冲冲地离开了法国,出现在刚刚开始的巴黎和会上的他依旧穿着阿拉伯长袍。当英国人和美国人给予他很高的荣誉时,法国人则在阴郁地抱怨他不可思议的敌意。据说,他把获得的法国军功十字章挂在狗脖子上展示。为了避免与英国在叙利亚问题上发生冲突,克雷孟梭会见了他。他提醒劳伦斯,十字军东征时法国人就战斗在那里。"但是十字军被击败了,并且宗教改革运动也失败了。"劳伦斯回答道。

法国怀疑英国企图利用费萨尔来削弱他们在叙利亚的势力(按法国一位外交官的说法是"戴着阿拉伯帽子的英帝国主义"),所以根本不希望费萨尔或者是劳伦斯身处法国,并且一旦知道他们在贝鲁特,就会驱逐他们。而对于是否要将费萨尔驱逐出马赛,法国人则犹豫不决了,他们总抱着一线希望,想让费萨尔与英国决裂。在恰当而冷淡的问候后,他被告知因他没有正式的身份,旅程遭到严重警告。他被迫远离巴黎,踏上一次战场旅行。只有当他威胁要离开时,才被允许拜见庞加莱。费萨尔从古拉德将军那里接受了法国发放的荣誉勋章,似乎注定如此,后来这位将军在叙利亚将他从王座上赶了下来。

当他继续赶往伦敦时,虽然受到了稍微热情一点儿的欢迎,但他仍然感受到了潜藏的不确定情绪。英国认为他必须接受法国在叙利亚的统治权,并且要求他承认巴勒斯坦并非如阿拉伯人所坚持是叙利亚的一部分,并与世界犹太复国主义者组织领袖查姆·魏兹曼签订协议,承认该组织的合法性。在这越来越陌生的世界,费萨尔感到孤独、迷茫!他需要英国的支持以对抗法国的敌意。于是,一月初他与英国签订了协议。这个文件的有效性、合法性,像其他关于中东问题的协议一样,一直被争论至今。

巴黎和会召开了,法国试图破坏费萨尔与英国之间的关系。他的名字被从官员名单中删除。当费萨尔抱怨时,一位法国外交部官员直截了当地说:"这很容易理解,你正在被嘲笑:英国人根本没有把你放在眼里!如果你站到我们这边来,我们将为你安排一切。"在英国提出抗议后,法国很不情愿地允许费萨尔以官方代表的身份出席会议,但只能代表他父亲的汉志政府。劳伦斯紧随在他身旁,既是伴护、翻译还是出纳员,因为费萨尔从英国外交部获得了一笔补助金。法国媒体攻击他是英国的傀儡,法国情报部门拆看他的信件,拖延他发回中东的电报。在这个糟糕的开始中,法国外交部也教育了叙利亚中央委员会,他们曾经声称为叙利亚人说话,并且据说要在法国的保护下,建立一个大叙利亚,将黎巴嫩包括在内。这使阿拉伯民族主义更加怀疑法国。

2月6日,汉志代表团最终获得了向最高委员会陈述的机会。费萨尔身穿白色长袍,镶着金色的花边,挎着半月刀,说着阿拉伯语,由劳伦斯翻译。传言费萨尔几乎就是背诵了一遍《古兰经》,而劳伦斯则发表了即兴演讲。费萨尔说,阿拉伯要独立自主。对将黎巴嫩和巴勒斯坦排除在外,他不打算干预,但其余的阿拉伯世界应该获得独立,他要求英国和法国信守他们的承诺。劳合·乔治有意摆出问题,以证明阿拉伯人为协约国的胜利所做出的贡献。威尔逊只是问阿拉伯人是更愿意接受一个国家托管还是几个国家共同托管。费萨尔企图避开棘手的问题,强调阿拉伯人更愿意统一和独立。至于委任托管国问题,他暗示他的人民更愿意是美国。当他和劳伦斯一起私下拜访威尔逊时,发现他缄默不语,态度不明朗。尽管如此,几年后,当局势对费萨尔来说变得很糟糕时,他还是坚持说威尔逊曾经承诺过,如果叙利亚确实建立起独立的国家,美国将保护它。

法国外交部长设法找费萨尔的茬。一位英国观察家不怀好意地说:"毕勋愚蠢地问法国给了他哪些帮助。"费萨尔马上赞扬法国,并巧妙地指出法国曾提供的援助非常有限。"一点儿也不奇怪,他总是以这样的方式说话,而毕勋确实像个白痴。"不久,法国又出招攻击,导致阿拉伯人宣称,他们的人民,无论是基督徒还是穆斯林,最希望得到的就是法国的帮助。不幸的是,当叙利亚中央委员会一位中年代表投入地进行他两小时的演讲时,一位美国专家给威尔逊递了张纸条,告诉他这位演讲者曾在法国生活了35年。于是威尔逊不再听下去,在房间里来回踱着步。克雷孟梭生气地跟毕勋耳语道:"你怎么把这个家伙弄来了?"毕勋耸了耸肩回答道:"哦,我根本不知道他会这样。"克雷孟梭的意思是,费萨尔的要求实在太过分,但他仍希望避免与英国的公开冲突,特别是此时关于德国的讨论正进入敏感阶段。

法国还组织代表团争取独立的黎巴嫩保护权,并做了一番自我标榜。代表团团长说,"它坚持自由主义原则,它有悠久的历史传统,即便是在最困难的时候,它总能使黎巴嫩受益,它传播文明,从而在黎巴嫩人民的心目中获得了永恒。"法国历史性地成为奥斯曼帝国基督教社团的保护者,特别是与马龙教派的关系非常密切,这个教派在黎巴嫩山周围的广大山野乡村拥有最多的信众。1861年,法国迫使奥斯曼帝国在那里成立一个独立的省。马龙教徒与十字军战士并肩作战,他们称不会与查理曼大帝建立起家族般亲密的关系。就像法国天主教徒与罗马教皇远比与君士坦丁堡东正教主教更为亲密。或许更重要的是,他们比法国人更为法国文化感到自豪。马龙教领袖在描画伟大的黎巴嫩时,把贝卡峡谷和从的黎波里到西顿的大部分海岸地区包括在内,这些地区居住着大量法国同情的穆斯林。

巴黎和会上,尽管克雷孟梭最为关注的是法国在欧洲的安全问题,但是他也不能忽视他的殖民地游说团。就像他对劳合·乔治的助手克尔所说的,他自己不是特别关注近东。法国在这里一直扮演着很重要的角色。并且从经济的角度来看,一个能给法国带来经济机会,并且符合其当前财政状况的解决方案是最根本的。他进一步说,法国舆论会尊重与法国的立场协调一致的解决方案。他说任何与此不相符的方案他都不会同意。在1918年12月那次著名的富有争议的谈话中,他表示,对于与英国达成和解他已经做好持久战的准备,但在中东问题上不可能满足他们所有的要求。

2月14日威尔逊回国之前,为紧急事务所迫,关于阿拉伯领土问题没有任何结果,并且情况继续恶化。问题根源是英国依旧难以确定到底该要什么。他们是否会按《赛克斯－皮科协定》所承诺以及英国外交部所热衷的那样放手让法国获得叙利亚?寇松的东方委员会和军方紧急指出,如果法国最终控制从北部的亚美尼亚到巴勒斯坦南部边界的一长条原土耳其领土,是很危险的。当然像劳伦斯一类人会认为英国对阿拉伯人负有责任,特别是对费萨尔,因此不会简单地将它们丢给法国人。劳合·乔治也倾向于这样认为;他对英国代表团说,"如果我们背信弃义就无法再面对东方。"除非别无选择,否则他不会将叙利亚交给法国,当然他也不愿意疏远法国。所以劳合·乔治并未急于做出决定,以给自己和英国留有余地。他推迟撤出英国占领军,以此说服法国。如果真要去说服法国的话,那么英国就是不值得信赖的。正如鲍尔弗抱怨的:

> 对于整个事件,我们已经陷入了一种非常混乱的状态。既因为法国的不理性,又因为我们坚持军事占领一个国家的根本错误的立场,当排斥那些我们认为我们需要也企图占领它的国家时,我们未能有计划地在特定情况下维护自身;还因为我们深陷各种复杂而矛盾的公开承诺。

威尔逊一离开,英国就开始为实施各种方案谋求支持,以使法国一无所获,比如《赛克斯－皮科协定》这类协议所规定的一些内容。劳合·乔治催促克雷孟梭接受费萨尔作为叙利亚的统治者,并且警告说,不然叙利亚将会爆发战争。英国计划调整巴勒斯坦边界,把叙利亚南部近乎三分之一的领土纳入在内,这深深地激怒了法国。"法国政府发来了一份外交照会,"巴黎的英国大使说,"糟糕得不能再糟糕了,如果我们是敌人而不是盟国的话。"曾负责叙利亚问题的英国殖民大臣米尔纳爵士来到巴黎以缓和紧张局势,"我们并不想要叙利亚,对于法国目前占据叙利亚,我们没有丝毫反对之意。"他甚至劝克雷孟梭这位老朋友接见费萨尔,以努力达成某些共识。可不幸的是,2月19日,会议即将召开时,突然有刺客暗杀克雷孟梭。米尔纳声明,他不想打扰克雷孟梭,也从未跟踪过他。但随后克雷孟梭拒绝再与他有任何接触。几个星期以后,劳合·乔治明显又回到了《赛克斯－皮科协定》上来,但只维持了三天,他又抛出了另外一张地图,黎巴嫩和北方的亚历山大勒塔港留给法国,而叙利亚则在费萨尔的统治下独立。克雷孟梭悲愤地向豪斯抱怨劳合·乔治总是不能信守诺言。法国的殖民主义者给政府施加强大压力;即便是法国外交部也组织媒体运动,要求获得叙利亚的委任托管权。"我不会再做任何让步。"克雷孟梭向庞加莱保证,"劳合·乔治是个骗子,他企图把我变成'叙利亚人'。"

3月20日,威尔逊回到巴黎。四人会议上,庞加莱和劳合·乔治一起回顾了整个事件。威尔逊厌恶地说《赛克斯-皮科协定》听起来像一种茶;"这是传统外交的典型例子!"那时赛克斯已被流感夺去生命。而皮科正在贝鲁特,面对充满敌意的英国军事部门勇敢地捍卫自己国家的利益。艾伦比被鼓动从大马士革赶往巴黎,发出阿拉伯人将激烈反对法国占领的警告。威尔逊试图找出折中的方案,毕竟如他所说,他惟一的利益就是和平。为什么派一个事实调查团去了解阿拉伯人到底需要什么?他说和会运用合理的规则,可以找到"解决方案可能的最科学的根据"。为了干扰英国,克雷孟梭狡猾地建议委员会也要考虑美索不达米亚和巴勒斯坦。这不经意间激怒了法国的殖民地游说团。但他告诉庞加莱,赞成调查团只是向威尔逊示好,并且调查员们无论如何不会有任何发现,只会在叙利亚问题上支持法国,"我们在那里有200年的传统。"法国总统感到很震惊,他在日记中写道,"克雷孟梭是惹大祸的人,如果他不能阻止他们,就将激怒他们。"劳合·乔治同意派调查团的做法,但私下却认为这是个令人厌恶的想法,经过慎重考虑后克雷孟梭也同意了!可到了各方指派代表的时候,这两个人一再拖延,结果是威尔逊单方面提前行动,向中东派出了自己的调查专员。

听到将指派调查团的消息后,费萨尔第一次因为喝香槟酒而大醉。他确信这将有力确证叙利亚将在他的统治下独立,与他形影不离的劳伦斯也这样认为。在巴黎的几个月间,这两个人一直灰心丧气,烦乱不已。从城市上空飞过的飞机可以帮助他们稍稍缓解一下情绪。"真是可恶之极!怎么没有向这些人扔炸弹!"费萨尔叫喊着。"没关系,这里有一些垫子。"劳伦斯越来越难以相处,常常搞一些愚蠢的恶作剧,比如一天晚上从楼梯间向劳合·乔治和鲍尔弗扔手纸。4月,一再被推迟的会议终于召开了,他们讨论了由英法专家草拟的就法国委任托管权问题提出的另一温和的方案。劳伦斯发现费萨尔比以前更友善更理性了,并且认为他接受了那些条件。实际上,费萨尔正在拖延劳伦斯的建议。并且当清楚地知道没有共识,没有严格意义上的协约国调查团后,费萨尔就回到了大马士革。

在巴黎,英法纷争愈演愈烈。5月21日,已近乎白热化。克雷孟梭和劳合·乔治在奥斯曼帝国问题上发生了激烈争吵。克雷孟梭指出法国同意奇里乞亚合并到亚美尼亚由美国一并托管,并且提醒劳合·乔治,早在12月他已放弃摩苏尔。"我之所以毫不犹豫地放弃摩苏尔和奇里乞亚,是应你的请求做出的让步,因为你说过此后不再有任何麻烦。但我无法接受你今天的要求,否则我的政府第二天就会被赶下台,甚至我也投反对票。"克雷孟梭威胁要重新回到对摩苏尔的要求上。这使巴黎和会面临的不只是摩苏尔问题,而是与南到波斯湾的整个区域即现在的伊拉克密切相关的问题，英国在一定程度上一直在回避这一问题。

美索不达米亚——由奥斯曼的摩苏尔、巴格达、巴士拉省组成，英国过去只是随意提及——在巴黎和会上，除了讨论它所属的委任托管权问题时，它很少被提及；所有人都认为应交给英国。英国军队占领了这里，印度的英国行政官员统治着这里，英国的船只在底格里斯河上来来往往。没有国家可以挑战英国的宣言：俄国和波斯太软弱了；美国不感兴趣。5月的那次气氛激烈的四人会议上，法国显然已放弃了一些要求。克雷孟梭已经意识到他一怒之下轻松放弃的是什么：石油！

煤曾是工业革命最伟大的燃料，可是到了1919年，显而易见，石油才是未来最重要的燃料。坦克、飞机、铁路货车、军舰都需要石油。1910年到1919年，英国的石油进口翻了四番，并且最令人担忧的是这些石油都来自大英帝国之外的国家：美国、墨西哥、俄国和波斯。控制油田、炼油厂和输油管道显得越来越重要。第一次世界大战期间，协约国成立时，寇松说，"我们要在石油大潮里争取胜利。"没有人确切地知道美索不达米亚到底有多少石油，但是当黑色泥浆从地面喷涌而出，流进巴格达周围的池塘中，当摩苏尔沼泽上的气体突然燃烧起来，人们便不难猜出。1919年，英国海军认为无需多论，美索不达米亚是世界上最大的油田。《赛克斯-皮科协定》将在这里的部分控制权移交给法国是多么的愚蠢。劳合·乔治手下一位聪明的年轻人利奥·艾默瑞写道："世界上最大的油田就在摩苏尔及其周边地区，实在不行的话，我们将以安全名义控制面向重要油田的尽可能多的区域，以避免战争危险。"

克雷孟梭曾说过，"当我需要石油时，会发现它就在我的杂货店里。"现在他领会了新燃料的重要性。他已放弃对摩苏尔的形式控制，但他坚持法国可以与英国分享地面上的一切。英国的燃料大臣沃尔特·朗和信奉石油是"胜利的血液"的法国燃料大臣亨利·贝朗热不得不一起合作。他们签订了一个协议，法国将拥有土耳其石油公司四分之一的股份，相应地，它允许两条从摩苏尔通往海上的石油管道穿过叙利亚。并且双方同意共同阻止也想在中东石油中分得一杯羹的美国介入。不幸的是，这一合理的妥协在叙利亚的武装对抗中停滞了。"真是一流的混战！"亨利·威尔逊在日记中写道，"泰戈说沃尔特·朗把美索不达米亚一半的石油都给了法国！劳合·乔治问我是否听说了，当然从来没有！于是劳合·乔治马上写信给泰戈，告诉他那个协议作废！"直到几个月后英国外交部才发现这些，可见那一时期英国外交政策是如何混乱。1919年12月，英法最终解决了叙利亚争端后，石油问题才被平息下来，沃尔特·朗和亨利·贝朗热在许多方面达成了一致。作为结果的一部分，法国政府也同意永远放弃对摩苏尔的要求。

英国不愿意法国拥有摩苏尔,可是他们在美索不达米亚的政策也是不连贯的。1914年英国开始出现在这里,打击土耳其,保护波斯湾。一次,为了保护桥头堡,他们被迫向北部的巴格达转移。一位年轻的政府官员阿诺德·威尔逊在给父母的信中写道:"惟一可靠的事情就是尽可能地继续走,无需想未来怎样。"四年后,英国确实已经走得很远,走到了土耳其边界的库尔德地区,并且阿诺德·威尔逊已是英国行政部门的行政长官。

阿诺德·威尔逊英俊、勇敢、坚定而且坚韧。他的学校鉴定上写道:"他勇敢地与自己的缺点搏斗,而且他最糟糕的缺点或许就是他最炫目的优点。他具有独特的管理和组织才能,并且能够无私地为他人做大量的工作。他的习惯是他最大的敌人。"他厌恶跳舞、闲谈、懒惰。他可以自如地引用经文;他的手指总是毫不犹豫地放在扳机上。在那样一个迂腐之风日盛的时期,他离帝国优秀殖民总督的要求似乎还有些距离。

战争爆发时,阿诺德·威尔逊在土耳其北部的阿勒山附近完成一个重大项目,勘查波斯与奥斯曼土耳其的边界以绘制地图(边界几乎没有什么改变)。于是他和一位同僚一起经俄国和阿干折回英国。即将到达在法国的部队时,他接到了返回中东的命令,随后作为首席政府官员珀西·科斯爵士的助手参加了美索不达米亚战役。战争结束时,科斯被派遣去处理波斯问题,威尔逊成为他当然的接替者。从1918年4月到1920年10月他统治着美索不达米亚。

威尔逊和当地其他英国人一样,确信英国人将获得一笔极有价值的新财富。摩苏尔有石油,如果还有其他的开发价值,比如在小麦种植方面,如能有很好的灌溉设施,它就可以自给自足,并且可以还钱给宗主国。威尔逊力促伦敦政府将摩苏尔作为战争目标的一部分,土耳其停战后,他确信英国军队已进驻。他强调摩苏尔对于巴格达和巴士拉具有重要的防卫意义。土耳其帝国崩溃和俄国革命使它的战略地位越发重要。英国支持俄国反共暴动以及高加索爆发的星星点点的独立共和运动,与此同时,阻止布尔什维克进一步快速南进,从而通过摩苏尔使波斯和高加索得以沟通连接。

对于如何统治这一区域,威尔逊有非常明确的想法。"巴格达、巴士拉、摩苏尔将被看作在英国有效统治下单一制的特定行政整体。"他似乎从来没有想过,换句话说,单一制整体没有任何意义。1919年,还没有伊拉克人。历史、宗教、地理使人们分裂而不是统一。巴士拉与南部的印度和海湾遥遥相望;巴格达与波斯紧密相连;摩苏尔与土耳其和叙利亚紧密相连。欧洲人的立场是要使土耳其的三个省成为一个国家,正如他们希望波斯尼亚穆斯林、克罗地亚人和塞尔维亚人组成一个国家一样。在巴尔干,帝国和文明的冲突留下了深深的裂痕。人口中一半是什叶派穆斯林,四分之一是逊尼派穆斯林,其他的则是一些少数群体比如犹太人和基督徒等。另一种区分恰好是超越宗教的:一半居民是阿拉伯人,其余的是库尔德人(主要在摩苏尔)、波斯人或亚述人。城市相对要先进和世界化些。在乡村,世袭的部落和宗教首领仍然占统治地位。那里没有伊拉克民族主义,只有阿拉伯民族主义。第一次世界大战前,奥斯曼军队里的年轻军官们都致力于阿拉伯地区伟大的独立运动。战争结束后,他们中的一些人包括后来的伊拉克首相努里·赛义德已经聚集在费萨尔周围。他们想要的是一个更伟大的阿拉伯,而不是一个分裂的国家。

阿诺德·威尔逊没有预见到不同信仰的多民族在单一制国家可能引发的问题。他是个家长制统治者,认为英国在这里的统治会世代相传。"一般阿拉伯人反对少数蹩脚政客统治巴格达,而把未来看作是在大英帝国统治下的经济和文化不断发展的美好图景。"他力促政府赶快行动:"我们最好的路线是尽快宣布英国对美索不达米亚的保护权,使它在可靠、出色政府的统治下和谐自治,各个阶层获得最大的自由。"然而伦敦上级排除了这种可能。因为他们更愿意间接统治,就像英国在印度的王公贵族小国或者埃及的统治一样,间接统治低成本高收益,1919年有这样的认识至关重要。鲍尔弗指出,当东方委员会不断谈及英国所有辉煌的可能时,"我们考虑本土的利益,我们的荣誉,与商业和贸易相关联的因素,以及一切有关因素。但是资金和人力我们却从未重视,我认为这应该是首先要考虑的。"并且间接统治最起码要尊重阿拉伯自治政府的直接统治和舆论自由。在印度政府的一位英国高级官员说:"我们需要的是阿拉伯制度下的行政部门,我们可以放心离开,进行幕后操纵即可;无需投入太多,工作照例完成,我们的经济和政治利益同样有所保障。"

这说起来容易做起来难。一种新精神在阿拉伯世界和广阔战场上兴起。在印度,民族主义者聚拢到甘地周围;在埃及,华夫脱党(埃及国民党)日益壮大。阿拉伯民族力量在伊拉克还很微弱,但在叙利亚和埃及已经是一支潜在的力量。虽然阿诺德·威尔逊还蒙在鼓里,但他的东方秘书和值得信赖的顾问已经意识到了这些。

格特鲁德·贝尔是惟一凭自己的头衔在和谈中扮演关键角色的女性。她瘦弱、热情、不停地抽烟,她的声音很具穿透力。她总是与众不同,能力非凡。尽管她出生在富有的名门望族,但她打破了这个阶级所惯有的生活模式——婚姻、子女和社交——她到剑桥大学学习,成为第一个在历史系获得最高学位的女性。她攀登马特豪恩峰,并且在阿尔卑斯山开辟了一条新的路线。她是著名考古学家和历史学家。当然她也傲慢自大,难以相处,并且很有影响力。1919年11月,英军总司令在巴格达召开的招待会上有80位政要参加,人们都离开座位聚拢在她身边。

战前,她只身带着仆人和向导游遍了中东,从贝鲁特到大马士革,从巴格达到摩苏尔。她喜欢沙漠:"沉默和孤独像薄纱缠绕在你周围,让你无法穿透!现实似乎已经不存在,只是不断长途跋涉,早晨兴奋得颤抖,晚上昏昏欲睡,匆忙钻进帐篷。晚饭后围着圣火聊天,比任何文明的造化都能使睡眠香甜,然后再上路。"1914年,她作为英国中东最高行政当局的一员为人所熟知,1915年,成为第一个为英国军事情报部门工作的女性,也是英国派往美索不达米亚正式官员里惟一的女性。

她不迷信女权,也不是很喜欢自己的性别。"真可怜!"她大声地在一位英国新娘面前说,"那个正在发誓的年轻绅士将要与这个傻女人结婚!"她最好的朋友都是男人:劳伦斯、圣·约翰·菲尔比(有一个声名狼藉的儿子)、费萨尔,曾有一段时间还有阿诺德·威尔逊。她曾热烈地恋爱过,但从未结过婚。她的初恋是与一个赌徒轰轰烈烈展开的,遭到了父亲的反对,第二次恋爱对象则是一个有妇之夫。1920年的圣诞节,在给父亲的信中她写道:"如您所知,我没有什么朋友。我不关心别人,自然别人也不关心我——他们为什么要这样?他们的娱乐让我烦恼得落泪,所以我不愿和他们在一起。"

在美索不达米亚,她竭尽全力地工作。她在信中对父亲说:"我相信我们将使它成为阿拉伯繁荣和文明的中心。"首先她设想阿拉伯人在其自己政府里的作用将微乎其微。"我们的统治越强大,这里的人民就越会高兴。"开始她和阿诺德·威尔逊相处得很好。她高兴地告诉父母说:"他是一个非凡卓著的人,34岁,才华横溢,有非常充沛的脑力和体力,极为少见。"而阿诺德·威尔逊称赞她在处理文书工作时"坚持不懈、非常勤奋",在给家人的信中,他写道:"她精力旺盛,在很多方面让人受益匪浅。"他们一起等待上级对美索不达米亚做出指示。但是没有音信。威尔逊说:"我猜想,他们迟迟难以决断的原因是他们的疑问远比我们多得多。"等待中,对于美索不达米亚需要什么样的政府,贝尔有了新的看法,阿拉伯人应该扮演比她原先所设想的更重要的角色。

1919年1月,阿诺德·威尔逊派贝尔到开罗、伦敦和巴黎打探消息。2月,他紧随其后赶往巴黎,贝尔正为在美索不达米亚建国而据理力争。在家书里她煞有介事地说,"明天,我将要与鲍尔弗先生共进午餐,我想我还真不在意他。然后我将尽可能地伺机与劳合·乔治面谈,如果做得到的话,我相信能赢得他的同情。而且威尔逊上校正从巴格达赶来。"她正确地认识到美索不达米亚的命运与叙利亚殖民争端的解决密切相关:"我们不能考虑一方而忽视另一方,在叙利亚问题上我们必须要考虑法国的态度。"她曾经耗费了大量时间与劳伦斯和费萨尔一起讨论,希望能说服法国接受费萨尔作为独立叙利亚的国王。阿诺德·威尔逊极为不赞成劳伦斯及其观点:"他好像做了许多坏事,在我看来,我们与法国之间的麻烦大多源于他的行为和建议。"

讨论和游说收效甚微。大英帝国印度大臣蒙塔古在给鲍尔弗的信中悲哀地说:"我们现在都聚集到了巴黎,贝尔小姐和威尔逊上校都很信任我,他们来找我,并且说'我们来了,您需要我们做些什么呢',可是我无法为他们提供任何有关事情进展的信息。"正当和谈者们搪塞拖延的时候,美索不达米亚的局势动荡不安,因为库尔德人和波斯人不满阿拉伯人的统治,什叶派怨恨逊尼派的影响,部落首领遭遇英国军队的挑战,高层官员和官僚因为奥斯曼帝国的崩溃失去了原有的身份地位,还有阿拉伯民族主义者不断增多。贝尔只能干着急。4月,她给正在为阿尔巴尼亚而焦急万分的老朋友奥布里·赫伯特写信:"噢,亲爱的,他们把近东搞得如此混乱、可怕,我敢断定它将比战前还要糟糕——除非我们设法将美索不达米亚从这种混乱中解救出来。真是可怕的噩梦,眼看着所有恐怖的事情都将发生,而你却无能为力。"

那年春天,埃及爆发了起义。埃及人从未很好地适应英国的统治,尽管英国试图通过埃及总督的统治来缓解。战争爆发时,埃及已具备了坚实的民族运动基础:强有力的宗教领袖、地方资本家和不断壮大的职员阶层,他们共同联合尼罗河三角洲庞大的农民群体。战争本身带来了新的麻烦。1914年,名义上仍然称霸埃及的奥斯曼帝国向英国宣战,而英国则宣布成为埃及的保护国。英国和澳大利亚军队的大量涌进以及物价上涨激怒了许多埃及人。对于未来,英国人发出了自相矛盾的讯息:他们牢牢地控制着这个国家,而在伦敦的政府则鼓吹伍德罗·威尔逊的十四点原则。十四点原则在埃及广受欢迎。

1918年11月,英法关于阿拉伯问题的联合声明中用了"自决"这个术语,一位卓越的埃及民族主义者带领一个代表团前去与英国在埃及的首席行政长官雷金纳德·威尼盖特爵士对话。据说,扎格鲁尔是个非常出色的律师、自由主义者和前教育大臣。他来自传统的埃及,出身于地主家庭,在一位皇室公主的资助下,他来到现代化国际性都市开罗。英国最初把他当作自己的支持者。英国在埃及的首任殖民总督克罗默爵士认为,"他将会功成名就,他具有为他的国家服务的所有品质,他诚实,能力超群,对信仰充满信心。"然而1914年,英国就不再那么热心了。或许因为扎格鲁尔还没有成为首相,或许是他远离了真正的信仰而遁入了民族主义阵营。

在与雷金纳德·威尼盖特的会面中,扎格鲁尔要求实现埃及的完全独立。他告诉威尼盖特,他们是"在与辉煌过去进行一次古老而又充满可能的赛跑——建立一个比刚刚被允诺自治的阿拉伯、叙利亚和美索不达米亚更秩序井然的政府"。他请求允许他们派代表团(或华夫脱党)前去伦敦和巴黎表达他们的民族主义主张。当遭到威尼盖特的拒绝后,埃及人激烈地抗议:"蒙塔古给了印度极端主义分子申辩的机会,阿拉伯的埃米尔·费萨尔获准前去巴黎,难道埃及人不够忠诚吗?为什么埃及不可以?"

随着巴黎和会的召开,埃及的请愿此起彼伏,先是几千人,后是数十万人签名。抗议发展成了运动,被恰如其分地称为华夫脱。扎格鲁尔极力敦促埃及总督要求完全独立。3月9日,英国当局逮捕了他和其他三名民族主义领袖,并把他们驱逐到马耳他。随后,罢工和示威游行在埃及全面爆发。上流社会妇女以前所未有的姿态站了出来,"我不介意我是否会中暑,"其中一位说,"这将是残暴的英国当局的耻辱。"抗议发展成了暴力冲突;电话线被割断,铁轨被拆毁。3月18日,8名英国士兵被一个暴徒杀害。英国政府突然间完全失去了对埃及的控制。

在手忙脚乱的惊慌中,英国政府紧急制订了战争法,并派遣艾伦比前去埃及稳定局势。令伦敦感到异常惊奇的是,艾伦比马上决定释放被滞留在马耳他的埃及民族主义领袖,并且许可他们到国外为埃及人继续奋斗。扎格鲁尔去了巴黎,显然在这里他可能获得其他强国的支持。但无论如何,他使英国意识到必须要调整对埃及的统治。尽管讨论了数月,最终英国还是于1922年承认埃及独立(但是它控制着苏伊士运河和外交政策)。1924年,扎格鲁尔成为埃及首相。

1919年,在印度,同样的情况困扰着英国。印度民族主义运动发展势头比埃及还要猛健。它曾经温和地要求有限自治,但如今则要求完全自治。战争期间,莫罕达斯·甘地从南非回来,带来了他的斗争工具——政治组织和民间不合作主义,他希望通过这些将以大量中产阶级为主的印度国会转变为强大的大众运动。急速的通货膨胀、出口贸易的崩溃,以及英军在美索不达米亚如何毫无道理地浪费印度士兵生命内幕的曝光,使曾经幻想英国统治至少会带来更好政府的印度人幡然醒悟。尽管1917年英国政府承诺将逐步推动自治,但只不过是搪塞和蒙骗而已。

印度民主主义者们注意到了威尔逊总统对民族自治的赞同,但是最初他们很少关注巴黎和会。印度没有领土方面的要求,至少印度人对此并不关注(在印度办事处的英国官员曾试图申请由印度托管美索不达米亚和德属东非,但未获成功)。这是由英国政府的印度大臣蒙塔古和另外两个被精心挑选出来的印度人提出的,这两个人是——"辛赫,一位出色的法官,对委员会很有用;毕卡尼尔大公,很少说话,但喜欢举办华丽的宴会"。一件表面看似很小的事——在君士坦丁堡废除伊斯兰教国王——突然之间成为印度的重大事件,和谈者们很震惊,英国马上提出警告。

印度穆斯林占英国印度人口的四分之一,他们感到不可言说的难过,因为奥斯曼帝国的崩溃使苏丹对世界穆斯林的精神领导将不复存在。遍布印度的清真寺在每周的祈祷会上为它们的哈里发祈祷。战争使印度穆斯林分裂为两个发展方向。一小部分公开地与奥斯曼土耳其人站在了一起,并因此引来牢狱之灾。其余的则阴郁而悲伤地保持不变。1919年,传闻从巴黎传到印度,强权们将分割奥斯曼帝国,废除苏丹,废除伊斯兰国王,穆斯林报纸发表文章恳求英国保护他们,并且地方政要建立了伊斯兰王权委员会。请愿涌向英国当局,错误地宣称威尔逊曾承诺保护伊斯兰王权。印度政府强烈要求英国政府,让苏丹留在中东伊斯兰圣地君士坦丁堡,并赋予他某种权力。在巴黎,蒙塔古不断警告他的同僚们,疏远曾无比忠诚于英国的庞大的印度人群是危险的。他的警告和敏感个性不过是制造了些愤怒。劳合·乔治写信给他说:"在和会上,你的态度常常会打动我,不是因为你是英国内阁的成员,而是因为你像是奥朗则布王位的继承人。"

5月17日劳合·乔治勉强同意,将成立包括阿迦可汗在内的代表团的问题提交四人会议讨论。该代表团将负责争取奥斯曼帝国的土耳其语地区不被列强瓜分,以及继续保留伊斯兰教王位。劳合·乔治也被打动了:"我断定恰当地分割土耳其是不可能的。把混乱无序带到伊斯兰世界对我们来说将是彻头彻尾的冒险!"可不幸的是,仅仅是四天以后,5月21日,他和克雷孟梭因中东问题的解决方案发生了激烈争吵,整个问题,包括伊斯兰教王权问题,被无限期地搁置了。

在印度,穆斯林们日益担忧。地方委员会自发组建了伊斯兰王权中心委员会。最主要的穆斯林政治组织穆斯林联盟,派代表团前去拜访劳合·乔治。更为重要的是,甘地决定和国会一起全力支持运动。他日益瘦削、含蓄,困惑渗透他的身体和灵魂。他常常融入印度的政治大潮中,但是更多地是倾听自己矛盾复杂的内心。他是个不可多得的政治天才。在伊斯兰王权的狂热中,他看到了一个机会,就是在印度教和伊斯兰教之间搭建起沟通的桥梁,共同反对英国当局。

印度摇摇欲坠。大面积的流感已夺去1200万印度人的生命(甘地认为这是英国对印度进行不道德统治的例证)。伊斯兰王权问题激怒了穆斯林,工人罢工,农民抗议地租。印度政府引进法律以增强其独裁统治,反而使事情更为糟糕。3月和4月,各大城市示威游行和公众集会风起云涌。4月6日,甘地呼吁在印度举行全面大罢工。尽管他一再敦促要避免暴力,但仍然零星爆发了抢劫和骚乱。最糟糕的麻烦出现在旁遮普地区,4月13日,在阿姆里查,一个惊慌失措的英国军官命令他的军队直接向大规模的人群开火。"阿姆里查大屠杀"刹那间使印度公众极为震惊,即便是最为温和的印度人也奋起反对英国。英国人,尤其是在印度的英国人惊慌失措。一家地方英文报纸追问,是否有"某些怀有恶意、非常危险的组织在背后蓄意破坏呢"？是布尔什维克吗？是埃及渗透者吗？或者也许是世界范围的穆斯林阴谋？或许它与由席卷阿拉伯半岛的伊斯兰清教徒运动刚刚引发的阿富汗穆斯林与伊本·绍德武装之间的战争不无关联。

埃及问题和印度问题沉重地打击了英国的信心，也再次使他们意识到自己力量的有限。帝国总参谋部首领亨利·威尔逊一直竭力促使他的政府对此有所意识；1919年4月，在给朋友的信中他说："现在我投入全部精力将军队从欧洲和俄国剥离出来，并把力量集中到我们即将到来的风暴中心，即英格兰、爱尔兰、埃及和印度。你也在那里，亲爱的！"其实，即便是高加索和波斯等地的军队也撤出来，都很难对付"风暴中心"。英国军队正在不断解体。1919年的春天，仅中东艾伦比的军队平均每个月就要遣散20,000人。

这些麻烦耗费了巨大的代价。邱吉尔，现任的殖民大臣——在给殖民办公室私人秘书的信中写道，"请务必认识到，中东所发生的一切相对于减少成本来说都是次要的。"1919年夏天，在一次毫无结果的内阁讨论之后，寇松沮丧地向鲍尔弗汇报："这种情况出现了，我们在奥斯曼土耳其帝国和埃及各保有一支英军和印军，总共32万人，或者除去埃及还有22.5万人，这些军队的开销无法估量，负担沉重，难以长久维持。"劳合·乔治一直认为和平解决奥斯曼帝国问题并不紧迫，终于他也开始注意到了。1919年8月，恰在劳合·乔治度假之前，鲍尔弗向他提供了一份关于该问题的非常精要明晰的概述，尽管很具代表性，但并未提出解决方案："令人不快的事实是……法国、英格兰和美国在叙利亚问题上都深陷其中，各挑一端，剪不断理还乱，现在对于他们任何一方都难有一个恰当、令人满意的结果。"劳合·乔治也开始尴尬地感受到法国深深的愤怒。自从5月份回到叙利亚，费萨尔就一直表现出一种不受欢迎的独立性，使事态进一步复杂化。在大马士革的第一次演讲中，他告诉阿拉伯听众，"现在是你们选择做自己命运的奴隶还是做主人的时候。"据传，他还向埃及民族主义者演讲，宣传建立统一阵线共同反对英国，给土耳其人演讲，宣传重回土耳其的可能。他的代理人在美索不达米亚开展宣传活动。在与艾伦比的一次谈话中，费萨尔称伍德罗·威尔逊曾建议他效仿美国革命的先例："如果你想要独立，就征募士兵，并且不断壮大。"如果费萨尔果真决定起义，叙利亚的英国军事当局警告劳合·乔治，他们将无法牵制他。

9月，劳合·乔治快速做出改变，下定决心从叙利亚撤军，让法国军队进驻。经过艰难的谈判，劳合·乔治和克雷孟梭一致同意移交权力（仍有遗留问题，叙利亚和巴勒斯坦的边界直到1922年还未解决）。美国微弱抗议并提出自治问题，但他们已不再是重要因素。1919年末，英法之间另一突出的问题得以解决。摩苏尔的石油将被共享，沿着边界线的一小部分早在六个月前就已达成一致。1920 年 4 月的圣雷莫会议上,《奥斯曼帝国条约》获得通过,英法之间的分歧暂时被搁置,他们得到了各自的委任托管权,英国托管巴勒斯坦和美索不达米亚,法国托管叙利亚。从理论上讲,这些都是无效的,除非获得国联的批准。不过也不奇怪,1922 年整个国联都被英法所操控。

阿拉伯正在被调查,不过调查者只有美国。威尔逊的调查团适时地走在了前面,克雷孟梭和劳合·乔治都倾向于支持。美国一所名不见经传的大学的校长亨利·金和查尔斯·克雷恩都曾给捷克斯洛伐克的理想以很大帮助,1919 年的整个夏天,他们在巴勒斯坦和叙利亚顽强地进行考察。他们发现绝大多数居民希望叙利亚能够将巴勒斯坦、黎巴嫩包含在内。同样多的人希望独立。他们总结,"危险,最容易产生于不明智、不真诚地对待这里的人民。如果真诚而忠诚地对待他们,这里也有和平和发展的希望。"直到 1922 年,所有的伤害都发生以后,这份报告才被公开发表。

1919 年 9 月,费萨尔不幸地被告知,英法就中东问题将重新会谈。英国人确信在劳合·乔治和克雷孟梭达成协议之前,他是不可能赶到伦敦的。费萨尔抗议,并不打算再服从法国的统治。英国带有几分窘迫地极力敦促他与法国对话。劳伦斯在剑桥大学无望地观望着,他的政府抛弃了他的老朋友和阿拉伯人。他一再吟诵着那首诗,那首关于亚当和夏娃被逐出伊甸园的诗,他的妈妈回忆,他坐在她家,"整个上午,从早上到中午,他一直坐在那里,一动不动,神情专注。"

在巴黎,费萨尔受到了冷遇。"曾经的鲜花环绕,以及法国媒体的种种赞歌,"莫达克说,"实际上是将他推向泥潭,将谎言和侮辱抛给他。"克雷孟梭虽同情但很坚定。法国可以接受费萨尔作为大马士革的统治者,只要他能够维持秩序。当然,在紧急情况下他可以动用法国军队。费萨尔高姿态地把他的马送给了克雷孟梭;莫达克认为,这两个人除了受过良好教育,其他都很平常。泰戈无论如何正逐渐失去影响,并且法国官员从不同情阿拉伯民族主义的观点日益强硬。法国在叙利亚的统治需要巩固,尤其是奇里乞亚的法国军队遭到了土耳其民族主义的袭击。1919 年 11 月,法国选举产生的新政府比克雷孟梭时期对帝权有更大的兴趣。庞加莱的继任者保罗·德夏内尔成为总统,他对一个殖民主义者代表团说,他确信地中海和中东是法国政策的基础(稍后,他被发现在爱丽舍宫的花园里和树说话)。尽管费萨尔在巴黎一直奋力挣扎到 1920 年 1 月,仍未与法国达成明确的协议,于是回到了家乡大马士革。不仅法国让他失望,英国也让他很失望;用他的话说:"他被五花大绑地移交给了法国。"

费萨尔发现局势不断恶化。曾在愉快的日子里将勋章送给费萨尔的法国高级代表古朗将军对阿拉伯的信念却更坚定了。阿拉伯民族主义者变得越来越好战，这很大一部分是受到阜姆的邓南遮影响，他因公然反抗政府而被迫逃亡。在广阔的贝卡谷地，千疮百孔的伟大的罗马城坐落在巴勒贝克，阿拉伯被法国军队肆意地割裂了（1970年代，来自世界各地的激进游击队同样发现这个谷地地形很有利）。对于宣布独立，费萨尔背负着巨大的压力，甚至意味着与法国的战争。费萨尔不愿再随波逐流。1920年3月7日，叙利亚议会宣布他为国王，不是英法所划定的叙利亚，而是"自然边界"下的叙利亚，包括黎巴嫩和巴勒斯坦，东到幼发拉底河。当时他与法国军队发生了一些冲突。随后，另一个议会出现在大马士革，要求获得美索不达米亚，并宣布独立，声明费萨尔的兄弟阿卜杜拉为国王，并且要求英国结束对他们的占领。

然而，即便是在叙利亚，费萨尔也没有获得完全的支持。黎巴嫩基督徒不愿意陷入与法国的纷争，在1920年3月的一次大规模的集会上宣布独立，并且选择了在法国的三色旗中心加上黎巴嫩雪松图案作为国旗。另外一方面，阿拉伯激进分子则谴责费萨尔对法国太温顺了。7月，古朗将军向他发出最后通牒，费萨尔必须无条件地接受法国对叙利亚的委任托管权，并且严惩袭击法国士兵的犯罪分子。费萨尔绝望地向其他国家求助，得到的只有嘟嘟囔囔的同情声。7月24日，在通往大马士革的路上，法国军队驱散了一小撮阿拉伯武装力量。费萨尔和他的家人踏上了流亡之路。

为了便于掌控，法国缩小了叙利亚的范围，并扩大黎巴嫩山与贝卡谷地，地中海港口提尔、西顿、贝鲁特、的黎波里，以及巴勒斯坦南北部边界以回报基督教盟国。成百上千的穆斯林不得不加入一个基督教占主导的国家。结果，留下一个叙利亚，直到法国离开后仍铭记着曾失去的一切；还有一个黎巴嫩，在远未解决的宗教问题和种族问题的双重压力下飘摇不定。1970年代，黎巴嫩爆发起义。除了外面的世界，没有人感到惊奇，叙利亚政府乘机武装进入，至今还未撤出。

1920年对于阿拉伯来说仍是灾难不断：巴勒斯坦丢了，然后是叙利亚、黎巴嫩，最后轮到了美索不达米亚。1920年夏天，这个国家三分之一的土地上爆发了叛乱，遍及幼发拉底河流域和摩苏尔的库尔德人地区。曾认为美索不达米亚应该自治的贝尔早就对此有过警告。与她只是泛泛之交的阿诺德·威尔逊也抱怨说，这全是由于国外的煽动者以及与他同名的那个人的十四点原则影响的结果。铁轨被拆毁，城镇被包围，英国军官被杀害。英国反应激烈，派出了讨伐远征军横穿阿拉伯大地，焚烧村庄和强收罚款。他们还运用最新且极具威力的策略，他们的飞行器可以从空中自动射击和轰炸。到了年末，恢复了原有秩序，威尔逊被其老顾问、更具外交手腕的科斯所取代。

美索不达米亚事件严重震撼了英国政府。"我们不知所措地试图找到一个士兵！"邱吉尔说。批评家们追问美索不达米亚是否值得我们付出这么多。如果可能的话，寇松、邱吉尔和劳合·乔治都想保持现状。有一个经济可行的解决方案，贝尔和科斯一直强力推举，就是找到一个可塑的阿拉伯统治者。很简单，首要人选是费萨尔，对于他，他们毕竟似乎还欠着些什么。1921年3月，在开罗的一次会议上，作为殖民大臣的邱吉尔还曾答应让他做国王。第二个人选是他的弟弟阿卜杜拉，"一个好色之徒，游手好闲，而且非常懒散"，可以用于小国外约旦。费萨尔适时地被邀请到美索不达米亚访问，贝尔和科斯已经策划好了，会有一大批人前去恳求他留下做国王。极力推崇共和政体，并曾大声疾呼的圣·约翰·菲尔比被派去进行具体包装运作。他组织了一次选举，炮制出了96%的支持率让费萨尔很满意。贝尔为他设计国旗，策划加冕礼，确立君主政体。"我必须着手为费萨尔的王国制作一个合适的仪式。"她叹息道。1921年8月23日，在凉爽的大清早，费萨尔加冕，成为后来以"根深蒂固的国家"而为人所知的——伊拉克的国王。"看着整个伊拉克，很让人吃惊，从南到北，作为一个整体，第一次出现在历史上。"贝尔说。

开始贝尔一直与费萨尔保持着亲密的关系，但是当他经验丰富、充满自信时，各种各样的建议总会让他恼羞成怒。他在一次次地证明自己远没有英国所希望的那么听话。他奋力争取新国家的独立，1932年伊拉克作为独立国家参加了国联。第二年费萨尔去世。他的儿子，一个快乐的花花公子在1939年的一次车祸中丧命。他的继任者，费萨尔的孙子，在1958年的政变中被杀，之后伊拉克成为共和国。费萨尔的父亲侯赛因曾经希望在阿拉伯世界建立起一个哈桑王朝，可是1924年在汉志，他先失去了理智，而后失去了王位，最终被伊本·绍德篡权，并建立起仍沿用他名字的王国。惟一幸存的哈桑王国只有约旦，让所有人惊讶的是，阿卜杜拉是它非常有影响力的统治者，他的曾孙现在仍是国王。

自从沙漠里的那场战争之后，T.E.劳伦斯就从未再快乐过。1935年，为了躲避两个男孩，他的摩托车突然转向，他在车祸中去世。格特鲁德·贝尔于1926年自杀身亡。阿诺德·威尔逊离开公共服务部门，从事英国与波斯的石油业务工作。55岁那年，他作为空军炮手在敦刻尔克的一次行动中被杀。皮科与赛克斯签订的协议在英法之间制造了许多麻烦，他在失意中结束了自己的职业生涯。1920年，他从叙利亚被遣送到保加利亚，在这里他闹了一出丑行，与一位妇女争夺某个不确定的荣誉；在布宜诺斯艾利斯他闹出了更多的丑闻，还有个关于空头支票的故事；1932年他从法国外交部退休，从此在历史上消失。

英法为各自在和平解决中东问题中所扮演的角色付出了巨大的代价。法国从未使叙利亚完全和平、安宁，也未给自己带来益处。英国尽可能快地从伊拉克和约旦退出，但是却发现陷入了巴勒斯坦以及阿拉伯和犹太人日益恶化的局势中。作为一个整体,阿拉伯世界不会忘记它的出卖,并且阿拉伯的敌意转而集中在西方的背信弃义,近在眼前的例子就是在巴勒斯坦支持或拥护犹太复国运动者的存在。阿拉伯也会记住,战争最后关于阿拉伯大统一的转瞬即逝的希望。1945年以后,怨恨和那个希望继续在折磨着中东。

28 巴勒斯坦

1919年2月底,在巴黎,一位中年英国化学家在给妻子的信中写道:"昨天,2月27日,下午3点30分,在法国外交部召开了一次历史性的会议。"他说,这是"一个了不起的时刻,我一生中最辉煌胜利的时刻"。这就是后来成为以色列第一任总统的查姆·魏兹曼,他带领犹太复国运动者代表团参加最高委员会,提议在巴勒斯坦建立犹太人家园。那天他在巴黎以惯有的明了有力的方式发表了简短讲话。他控诉了强国的利己主义:数百万犹太人正试图离开原俄国和奥地利帝国的属地。可是他们能去哪里呢?"强国自然会细细盘查每一位准备进入他们国家的外国人,而犹太人会被认为是最可疑的外国人!"显而易见的解决办法就是让他们去巴勒斯坦;那里人口稀少,土地空旷。至于钱和工作,全世界犹太人都已准备好了,随时提供,足以养活数百万人。现在只需和谈者们批准,这正是他现在所要求的,他自豪地说,"以受苦受难18个世纪的人们的名义。"他对妻子说,讲话结束后,"桑理诺起身向我表示祝贺,还有鲍尔弗先生和其他所有人,除了法国人。"

在巴黎有许多这样的代表团,带来了种种要求。犹太复国运动者的影响和力量远不如捷克斯洛伐克人和波兰人,并且在公众意识中还不如亚美尼亚人。虽然他们在强国也有一些朋友,但同时他们必须面对敌意和漠不关心。然而,查姆·魏兹曼有胜利的感觉是没错的。他知道,尽管法国对他怀有敌意,但他有英美的支持;当然,他已提前与代表团成员核查过自己的讲稿。查姆·魏兹曼和他的复国运动已经走过了漫长的路途,但前方仍旧路漫漫!

查姆·魏兹曼是木材商的儿子,1874年出生在俄国,用他的话说,是在一个非常小的村庄,在"帕莱殖民地的最黑暗最偏远的角落里"。大约全世界一半的犹太人,近700万人,生活在俄国,而这其中大部分都被迫进入帕莱。帕莱位于今天的白俄罗斯、乌克兰和波兰东部境内。这里像无边的沼泽,空阔而绵软,没有生机。"单调而悲哀。"一位犹太作家说。冬天地冻天寒,夏天闷热难耐。犹太人在传统和信仰上很富有,但在其他方面却非常匮乏。他们的人口不断增长,可沙皇政府给他们的土地和资源却非常有限。"全俄国犹太人都密集地居住在一起,就像壕沟里的蝗虫,密密麻麻,一个摞着一个。"政府对他们时而漠不关心,时而残酷无情,对反犹主义发动的暴乱和大屠杀,政府没有采取任何措施或为犹太人提供任何保护。一位犹太诗人描绘道,"这样的生活无比丑陋,没有愉悦和满足,没有一丝光明,更没有壮丽的光彩,像一盘没有加盐和调料的汤,索然无味!"

然而,在那个世界,关于社会主义、民主主义和民族主义的各种思想在涌动升腾。一些俄国犹太人,比如托洛茨基,转向了革命;可更多的人成百上千地离开了俄国,前往北美和西欧。1914年前的一些年里,犹太人在美国的数量从25万激增到300万;在英国的数量从6万增加到30万。在俄国犹太人西迁的大潮中,就有查姆·魏兹曼年轻的身影。在西欧,他发现了一个完全不同的世界,犹太人区和对犹太人合法歧视的旧习都不见了。他们可以与英国人、法国人和德国人一样生活,只是他们的宗教信仰与大多数国民不一样罢了。在这里,查姆·魏兹曼邂逅了他的妻子,一位年轻的医学院学生,她也来自俄国,也拥有两个毕生的奋斗激情——化学和犹太复国主义。

最初,犹太复国主义——为建立犹太人占多数且犹太人可以安全而有尊严地生活的家园甚至国家而进行的斗争——只吸引了很少一部分人,或那些怪客和空想家。然而,到了1900年,情况发生很大变化。民族主义助长了犹太复国主义,但也给犹太人带来新的危险,其他民族主义者——比如法国人和德国人——他们转而用怀疑的眼光来审视自己身边的这个少数民族。欧洲人对犹太人古老而阴郁的憎恨正在不可思议地复苏着,连已被同化的世俗犹太人也是如此,令人惊骇!一个法国人将西格蒙德·弗洛伊德父亲的帽子打落在地,并且大喊道:"犹太人,滚下人行道!"许多法国人异常震惊,在如此自由、平等和友爱的国家里居然发生了这样的事!然而他们差点相信的只是个伪装的法国人而已,因为后来据政府官员调查,这位千夫所指的阿尔佛雷德·德莱弗斯是个犹太人。战前,维也纳市长是个臭名昭著的反犹分子。优雅的咖啡厅里,他们说着粗鲁的反犹笑话。1897年,维也纳记者西奥多·赫兹组织了世界首届犹太复国主义者大会。从第二届开始,每届会议查姆·魏兹曼都参加了。

高大、秃顶,留着一小撮山羊胡子,看起来像"充满激情的列宁",查姆·魏兹曼从此一直保持这种自信的形象。他责备他的上级在犹太复国运动中过于怯懦。他公开反对西奥多·赫兹准备从英国政府手中购买乌干达并在那里建国的计划。他的意见,也是最终绝大多数犹太复国主义者的意见,认为惟一可能的建国地是巴勒斯坦,那时巴勒斯坦是奥斯曼帝国一个日益衰败的小省。它是一个神圣的地方,也是经历罗马帝国的破坏后,硕果仅存的犹太王国。有一次当查姆·魏兹曼被问及为什么犹太人有权去巴勒斯坦,他只回答:"记忆就是权利!"

查姆·魏兹曼看不起那些被同化的犹太人和不支持犹太复国主义的犹太人。他们是盲目的;更糟糕的是,他们不爱国。"大多数犹太人忽视了一个基本点,"他对一位被他看作学生的德国犹太人说,"犹太人悲剧的重要症结是,那些像德国人一样在竭尽全力地将自己的精神和思想奉献给德国的犹太人在不断地德国化,他们在为德国的强大做贡献,而不是为正被其抛弃的犹太民族。"在巴勒斯坦建立一个犹太人家园是很重要的。"巴勒斯坦,"他坚持,"在这里建立犹太人国家,只需运用其自身的力量和传统,就可以确立犹太人的地位,就可以实现百分之百的犹太化。"

1914年,查姆·魏兹曼来到曼彻斯特,在大学做起了生物化学讲师。同时还积极推动犹太复国主义者组织的发展,该组织已有13万名缴费会员,但他感到自己并未获得应有的位置。东方犹太人觉得他已经非常英国化,而英国犹太人则觉得他太俄国化了。他因为批评西奥多·赫兹而得罪了老一辈犹太人,因为对与他持不同观点者的挖苦和不耐烦而冒犯了许多同代人。他的讲话像站在高高讲台上的演讲。后来,年轻时曾为他工作的以色列外长阿巴·埃班说:"他体现了一个科学家在语言表达和情感上的经济实用和强烈的现实感,并近乎残忍地坚持告诫犹太人,犹太复国任务将会如何艰巨而复杂。"最终查姆·魏兹曼成为犹太复国运动的领袖,因为没有其他人能做这项工作。他也常常会气馁,常常威胁要辞职,但他从未放弃在巴勒斯坦建立犹太国家的远大目标。或许查姆·魏兹曼对于犹太复国运动的最大贡献在于争取关键人物的非凡能力,这种能力无论在犹太人社团还是在国际领袖人物中都有突出表现。他曾对自己的一个对手说,"白手起家,我,查姆·魏兹曼,来自平斯克的犹太人,省立大学的教授,将犹太民族的中坚力量组织起来,为我们的理想而奋斗,这理想在罗斯柴尔德及其同僚们看来或许只是疯狂的梦想。"

根据战争的情况,查姆·魏兹曼调整了战略。据他估计,他与政治家、公务员、外交官以及其他任何对犹太人获得巴勒斯坦有益的人进行的会面大约有2,000次。他克服了对外国人以及英国上层社会犹太人不自觉的厌恶。塞西尔惊奇地说,面对他"热情的征服"和"令人难忘的非凡姿态",一个人会忘记他拒人千里甚至邋遢的外表。无疑查姆·魏兹曼征服了塞西尔;更重要的是,1916年之后,他让他的表弟鲍尔弗做了自己的外交部长。这是一段不同寻常的友谊，一个是来自帕莱的忠诚的犹太主义者，一个是优雅世故、悠闲地享受生活的英国绅士。对于查姆·魏兹曼和犹太复国运动来说，这段友谊非常重要。

很难对鲍尔弗做明确的界定：一位后来成了政治家的哲学家，一位喜爱网球和高尔夫的美学家；残忍无情，这是爱尔兰人从自己的挫折中学到的，但对部下又总是友善而客气。当忘记自己喜爱的恐怖题材作家的名字时，他会油然产生一种微妙的伤感。"总会这样，"他难过地说，"如此无情！如此无情！"有人描述他是无精打采的，漫不经心中透着高贵的优雅，面带微笑，"像照在墓碑上的月光"，似乎很少严肃地看待自己或其他任何人。他是出色的议会演说家，对此他自己却不以为然。"我只是讲我所想的，"他告诉邱吉尔，"并且围绕中心展开论述。"在一次午餐会上，他说，"唉，做决定时我脑子总爱短路，我能记住每一次辩论，重复所有赞成或反对的理由，并且还能就该主题做一次精彩演讲，但对于结论或决定，我头脑里总是一片空白。"他的拥护者称这是一种姿态，就像因为工作太紧张，他每天早晨总是赖在床上的习惯一样。而其他人就不这么认为了。"如果你不想事情被圆满完成，"邱吉尔说，"鲍尔弗无疑是最佳人选。"有一次，劳合·乔治被问及鲍尔弗在历史上的位置怎样，他回答说："他就像手绢上的香味。"

从父亲手里继承的一笔财富使鲍尔弗成为英国最富有的人之一；他还从虔诚信仰宗教的母亲身上继承了塞西尔家族为公共服务的传统和保守的政治观点。和他在外交部的继任者寇松一样，他是舒适安逸的贵族社会的一分子，那一阶层的每个人之间都莫名其妙地有着千丝万缕的联系。有一次他差点订婚，可是姑娘因伤寒病死了。此后他再也没结过婚，深爱他的姐姐为他看家护院。他非常依恋家庭和朋友，却并未真正地需要过他们。他在给他们中的一位的信中说："你一如既往，那么不可缺少——可这又是怎样的不可缺少呢？我们彼此又是怎样地相互需要呢？"

他很聪明，有极富感染力的思想，有能够抓住每次辩论精髓的超凡能力。他也很古怪，有时甚至孤立得令人担忧。在对德潜艇战白热化时，德国威胁将不费吹灰之力摧毁英国潜艇，面对每天沉没舰艇的列表，他惟一的反应是："太烦人了，这些德国人真是让人不可忍受！"内阁会议上，劳合·乔治说鲍尔弗将介绍一个具有说服力的例子，然而在短暂的停顿后，同样能言善辩的寇松叹了口气总结道："如果你问我该如何选择，我只能说我很困惑。"寇松很了解他，认为他是个麻烦而危险的人：

> 他举止优雅，独具超凡的智慧；他不拘小节，具有很强的思辨力；他有丰富而珍贵的公共服务经历。这些都不为人所知，人们只了解他可悲的无知、漠然，

及其政权的不稳定。他从不读文件,不了解实际情况,在内阁他很少阅读外交部的电报,他也从不有计划地安排未来。他相信他无与伦比的应变能力可以帮助自己渡过难关,可以使他轻松地应对一个又一个的危机。

因此,很奇怪,鲍尔弗居然不仅承担起犹太复国运动的义务并坚持了下来。他的一位下属觉得他从未担心过任何事情。是否因为和劳合·乔治一样,早期的宗教修养使他对犹太人历史有了很深的了解?或是他源于犹太人智慧的独特魅力?他告诉尼科尔森,犹太人是"继15世纪的希腊人之后最有天赋的种族"。他是否要带领犹太复国主义成为他所说的"源远流长的宗教信仰和民族传统的守护者,使难被同化的犹太人成为世界政治中一支具有影响力的稳健力量"?尽管他曾对豪斯说"曾有人告诉他,而且他也倾向于认为,所有布尔什维克思想和动乱都有相同的本性,并且这种本性直接源于犹太人。看起来他们不是企图获得想要的就是企图颠覆现存文明"。当发现反犹分子的粗俗甚至悲惨时,他也向一位亲密的女朋友抱怨,他整个周末都在与一个又一个犹太人打交道:"我认为他们中大多数是希伯来人——虽然我没有种族偏见(完全相反),但我还是开始理解那些反对外国移民的人的想法了。"关于鲍尔弗的种种说法、他的思想和心路历程都是充满神秘色彩的。但他去世前不久,他喜爱的一位侄女听到他说,"当我回首过去,发现在这个世界上,我曾为犹太人所做的,是我所做的事情中最有价值的。"

鲍尔弗和查姆·魏兹曼第一次见面是在1906年:"那次与查姆·魏兹曼的谈话使我看到犹太人的爱国精神是独一无二的。对祖国的爱使他们拒绝接受乌干达计划。"1914年,两个人再次见面,鲍尔弗充满感情地对查姆·魏兹曼说:"你正在从事着一项伟大的事业,我也将像你一样不懈努力迎头赶上!"被查姆·魏兹曼所征服的不只是鲍尔弗,邱吉尔、赛克斯和C.P.斯科特都成了他的支持者。更为重要的是,劳合·乔治也未能例外。

和鲍尔弗一样,劳合·乔治也是读着《圣经》长大的。"我所接受的关于犹太人历史的教育远比关于我的祖国的历史教育多得多。我可以告诉你以色列的历任国王是谁。但我却毫无把握能否说出半打英格兰或威尔士的国王。"同样虔诚、极具天赋且热爱知识,威尔士人和犹太人不是很相似吗?当英国军队占领耶路撒冷后,劳合·乔治激动无比,"这是一代代的欧洲骑士团都没能做到的。"他对中世纪欧洲地理的认识模糊而不确定,但却知道圣地巴勒斯坦(实际上,他曾公开声明英国托管巴勒斯坦的范围应从旦城到别是巴,这在巴黎和会上引发了没完没了的问题,专家们不断研究《圣经》上的地图集试图了解他真实的意思)。

战争期间,作为军需大臣,劳合·乔治总爱说他欠查姆·魏兹曼一笔特别的债。原来英国当时急缺炸药原料丙酮。恰巧,查姆·魏兹曼正着手大规模生产丙酮。他以极高的姿态让英国在战争期间无偿使用丙酮。劳合·乔治要求查姆·魏兹曼接受国王授予的荣誉,得到的回答是:"我个人没有任何企图。"于是劳合·乔治给他施加压力,他则为犹太复国主义事业寻求支持。劳合·乔治在回忆录中说:"那就是著名的关于在巴勒斯坦建立犹太民族家园声明的起源。"法国则有另外一种理论:劳合·乔治的情妇是一个著名犹太商人的妻子。

查姆·魏兹曼用丙酮演绎了一段精彩故事,但对于所有英国政客们来说,他们决不会违背英国利益。然而,1917年,这种利益显然正与犹太复国运动的目标纠结在一起。查姆·魏兹曼要一个犹太人的巴勒斯坦,这必须要经过一些时间的保护才能实现。他不相信法国,对美国不感兴趣。英国不仅强大,而且公平公正;此外,"事实上英国也是信奉《圣经》的国家,这使它与犹太人在精神上更亲近。"拥有犹太移民的巴勒斯坦将成为"亚洲的比利时"以及大英帝国重要的战略资本。"巴勒斯坦是埃及的自然延伸部分,并且是分割苏伊士运河与……黑海的屏障。"这种意见对劳合·乔治、战争办公室以及外交部的部分人具有意义。如果将《赛克斯-皮科协定》允诺给法国的巴勒斯坦从法国手中解放出来该多好!从1917年开始,在劳合·乔治的鼓动下,赛克斯与查姆·魏兹曼及其他犹太复国主义者私下进行了接触。最终或许也是最重要的影响英国支持犹太复国运动的因素,是在犹太人、尤其是还未参战的美国,以及因为显而易见的原因被犹太人所冷淡的俄国政府中进行宣传。令人担忧的传言传到了英国,拥有大量犹太人的德国正考虑发表公开声明,以支持犹太复国主义,英国迅速进行了调整。

寇松与其同僚们不同,他已来到巴勒斯坦,荒谬地做起了犹太复国主义的梦。"我无法设想对一个先进而充满智慧的群体进行糟糕的束缚。"他还问了一个棘手的问题:"这个国家的人民将会有怎样的遭遇?"印度大臣蒙塔古是个极易激动的人,他有个观点更激烈,即犹太复国主义是"有害的,这一信条对于爱国的大不列颠联合王国的市民们来说是站不住脚的"。从信仰角度来说他是个犹太人,而从民族角度来说他是个英国人。他现在是否被告知他真正的忠诚蕴藏于巴勒斯坦?并且对于其他国家的犹太人来说,权利意味着什么呢?内阁对这些反对意见并不以为然,并于1917年10月底达成一个方案。赛克斯挥舞着一页文件冲出会议室:"魏兹曼先生,有结果了!"鲍尔弗向英国犹太人领袖罗斯柴尔德爵士宣读了英国简短的政策:"大英帝国政府着意于在巴勒斯坦建立犹太人民族家园,并且将尽力推动这一目标的实现。"每个单词都经过仔细斟酌。"民族家园"是英国政府一再坚持的,不是指一个国家。魏兹曼和其他犹太复国主义者同样非常谨慎。他们说没有马上建立犹太人国家的企图。当然,在长远的将来,当大量犹太人搬迁到巴勒斯坦后,情况或许就会不同。很少有人会相信或者期望会有那么一天。声明公开后第二天,《时代》大标题刊登了"犹太人的巴勒斯坦,政府同情",从此,无论是不是犹太人,无论是政治家、外交官还是记者,都在谈论"犹太国家"。

第二个月,英国军队从埃及北部移师耶路撒冷,继而占领了整个巴勒斯坦。被人们称作犹太军团的,一支由犹太人组成的一流燧发枪手团,也与他们并肩作战(俄国才华横溢但粗暴而极端的新闻记者弗拉基米尔·亚博廷斯基,第一次提出了"犹太军团"的说法,并成为其中的一名少尉)。

艾伦比在巴勒斯坦建立起自己的军事部门后,其第一个声明和正式文件都被翻译成希伯来文和阿拉伯文。1918年夏,经英国政府批准,犹太复国运动组织在耶路撒冷山上购买了一处地产,在包括艾伦比和所有协约国高级司令官等人的见证下,查姆·魏兹曼埋下了希伯来大学的奠基石。同年,英国政府在巴勒斯坦批准了一个由查姆·魏兹曼领导的犹太复国委员会。尽管它的使命含糊不清——承担与英国军事部门进行沟通以及组织当地犹太人的任务——还扮演了巴勒斯坦犹太人社会正式代表的角色。此外,还如英国官员们所慨叹的,它就像一个酝酿中的政府。

查姆·魏兹曼非常谨慎地运作着这一切。他自如地抵制住了来自亚博廷斯基等一小撮激进分子要求马上建国的压力。他策略性地确保英国或美国成为巴勒斯坦的委任托管国,而不是信奉东正教的法帝国主义。他的任务因犹太复国主义内部的分裂和敌对而复杂化。随着巴黎和会的召开,美国人在犹太复国运动中向欧洲的主宰地位提出了挑战。巴黎和会的美国犹太复国主义者代表控诉查姆·魏兹曼既独裁又不民主,他起草的巴勒斯坦备忘录"太苍白了"。他们需要一个"犹太共和国",甚至是一个犹太人统治、犹太人掌控行政部门并且犹太人在执行委员会和上议院占绝对多数的"犹太国"。查姆·魏兹曼发现美国人虽然尊重法律,但在政治上很天真。"我再次声明,我们的要求不是成为和会的一个老套问题,而是要一天又一天一个月又一个月地持续不懈地被关注着。"他之所以能够一意孤行,一方面是再以辞职要挟,另一方面是因为英国政府清楚地表示不会在这样的条件下接受委任托管权。因此,美国不打算公开挑战他。后来的最高法院法官费利克斯·弗兰克福特指出:"查姆·魏兹曼对英国公务人员和终身官员有着举足轻重的影响,当劳合·乔治和鲍尔弗不再当政时,这些人还将继续统治英国——这是在英伦三岛或是欧洲大陆的其他犹太人无法轻易做到的。"

大部分重要的犹太复国主义者都参加了巴黎和会。查姆·魏兹曼则照例忙于和有权势有影响的政要和知名人士会面。豪斯一如既往地同情他,威尔逊同意给他四十分钟时间,鲍尔弗向他保证巴勒斯坦将会有更宽广的疆界。法国则没有示好。"我能流利地说法语,"查姆·魏兹曼告诉威尔逊,"但是法国和我却说着各不相同的话语。"魏兹曼尽量避免谈及未来的犹太国家,或在巴勒斯坦犹太人占绝对多数等问题。然而,有时他的用语又会不由自主地回到犹太复国主义上去,譬如巴勒斯坦"对于犹太人,就像英格兰对于英国人一样"。

2月27日,当犹太复国主义代表团出现在最高会议时,查姆·魏兹曼并不是惟一的演讲者。美国犹太复国主义者没有发表演讲,是因为主要发言人未及时赶到,但几位欧洲代表发了言。波兰作家内厄姆·索科洛夫使听众意识到东欧犹太人正身陷可怕困境:"解放他不幸的人民的时刻已经到来。"站在一旁一直看着他的查姆·魏兹曼后来回忆道:"我可以不带任何情绪地看着索科洛夫的脸,可这张脸充满忧患,似乎承载了犹太人两千年的苦难。"梅纳赫姆·乌西谢金是个令人信服的俄国犹太人,说希伯来语,这种古老的语言如今又焕发出新的生命。最后发言的有安德烈·斯帕,一个诗人,也是法国犹太复国运动领导人;还有西尔万·利维,一位杰出的学者——在法国政府坚持反对查姆·魏兹曼及其同僚的情况下,他被增补到代表团。他们所担心的事情发生了:在犹太复国主义代表团要求为绝大多数犹太人说话的地方,利维和斯帕揭示出更复杂的情况。他们明确指出,在法国犹太人中复国主义者只占极少数,但他们以作为法国人而自豪。如利维所说,"作为犹太人是感情上的,而作为法国人是第一位的。"他们要求得到法国在巴勒斯坦原有的权利,包括作为天主教徒的保护者,他们坚称法国是地中海民族国家,是世界文明的重要源泉,一直是托管巴勒斯坦最合适的国家。

法国外交部的官员们泰然自若地旁观(查姆·魏兹曼轻蔑地说利维看起来好像神情恍惚)。战争期间,法国支持在巴勒斯坦建立一个犹太人家园的想法,主要是为了宣传,但到了和平时期它就没有必要放弃对在巴勒斯坦权利的要求,作为殖民主义者从来都是这般不知疲倦,就像又要回到十字军东征时期。皮科告诉耶路撒冷军事长官罗纳德·斯托尔斯,英国根本不知道,当圣城从土耳其帝国脱离出来,法国人是如何欣喜若狂。斯托尔斯尖刻地说:"他们得到的或许正是本该属于我们的。"法国官员们虔诚地热衷于武力占领巴勒斯坦。就像有人对斯托尔斯说:"在法国教堂的一个职位对我来说是值得经历的,而在巴勒斯坦一个教堂的职位对我的意义就不大了。"法国政府没有忘记,1918年12月,在克雷孟梭与劳合·乔治的那次重要会面中,法国放弃了对巴勒斯坦和摩苏尔的要求。在犹太复国主义代表团向最高委员会提交文件之前,一位高级官员告诉斯帕,"我们渴望一个法国犹太复国主义者发表声明,支持犹太复国运动,但是你要确定法国必须得到巴勒斯坦。"

至少从法国角度来说,利维做得很不错。他演讲了相当长的时间,并坚定地说他根本不是犹太复国主义者。他指出,如果如查姆·魏兹曼所称,时机成熟时东欧犹太人都可迁入巴勒斯坦,这将引发许多问题。这个国家根本无法容纳如此庞大的人口(事实上,尽管没有公开接受,但查姆·魏兹曼对此同样很关注)。利维还提出了一个严重的问题:为犹太人建立犹太人家园是正确的吗?"这听起来似乎不可思议,犹太人的平等权利在所有国家得到认可,同时他们还可以在巴勒斯坦寻找并获得所期望的权利。"如果按照犹太复国运动领袖的思想,全世界犹太人该如何从巴勒斯坦政府获得权利呢?"这将是个危险的先例,凭什么在某个国家已经获得公民权的人,被号召到一个新国家去要求另外的公民权呢?"犹太人已受到质疑;"作为犹太血统的法国人,我对这种结论表示担忧。"这种论调与蒙塔古对《鲍尔弗宣言》的攻击如出一辙。"这是可耻的行径!"查姆·魏兹曼曾对蒙塔古这么说,现在他又轻蔑地对利维说,"你是个叛徒,从今以后我们一刀两断。"

那天就巴勒斯坦问题没有达成任何决议,随后几个月里,和会的会议上,这个问题都未被提及。这种情况经常发生,一个问题由多年累积的特殊原因所引发,并且日益复杂,往往很难再被考虑。"《鲍尔弗宣言》显示巴勒斯坦人非常痛苦。"1917年一位美国情报官员说,"他们确信犹太复国主义者的领袖们希望并打算建立独特的犹太人共同体,并且相信如果犹太复国主义被证明是成功的,他们的国家将不再属于他们,即使他们的宗教信仰和政治权利将获得保护。"《鲍尔弗宣言》已许诺这种保护,同样它还提出"非犹太人共同体在巴勒斯坦的存在",奇怪的表述,巴勒斯坦的阿拉伯人大部分是穆斯林,也包括部分基督教信众,他们占总人口五分之四,约有70万人。这也反映了一种趋势,无论是国际政治家还是犹太复国主义者领袖都把巴勒斯坦看作某种空白。"如果犹太复国主义者不去那里,"赛克斯肯定地说,"有人自然会痛恨那里的虚空。"据说一个英国犹太复国主义者创作了这个短语:"没有人的土地——是为没有土地的人们准备的。"

即便是认识到阿拉伯人也生活在巴勒斯坦的人,也倾向于以西方帝国主义的眼光来看他们。战前来到这里的犹太移民常常很惊讶,他们的新土地多么"东方化",多么原始。犹太人及其领袖们充满希望地讨论如何将阿拉伯人尽快挤出其世代居住的土地。这些人大多是进步论者和自由主义者。赫兹向一个显赫而富有的阿拉伯家族保证巴勒斯坦将会繁荣。"如果一个人这样看问题,并且观点正确,他最终会成为犹太复国主义的朋友。"阿拉伯人没有必要考虑自治问题。可是1914年之前就有征兆显示,民族主义和对犹太复国主义存在的不安正开始在巴勒斯坦的阿拉伯人中间激起。查姆·魏兹曼有时谈到巴勒斯坦,就像在印度的英国地方官员,起初并未把这当一回事:"阿拉伯人有很浅薄的机智和聪明,只崇拜两件事——权力和成功!"他的无知和不明事理很是惊人——也很危险!

直到 1919 年英国才发现,在巴勒斯坦,他们已陷入犹太复国主义者和阿拉伯人之间难以自拔。犹太复国主义者抱怨,在某种程度上是事实,军事当局表现好时反应迟钝,表现糟糕时反犹。犹太军团的亚博廷斯基说英国人能对付阿拉伯人,"英国人曾统治和领导他们好几个世纪,算是老'同乡',没有什么新花样,没有问题"。犹太复国主义者则是另外一回事,"整个问题,从头到尾是个棘手的问题,方方面面都有困难——小到数字,虽小但重要而富有影响力,大到对英国的无知,被欧洲文化渗透,主张的复杂性等等"。亚博廷斯基对这些问题的个人贡献是组织了一支地下军队。

英国在战争期间许下的各种无法兑现的承诺理所当然地使其陷入进退两难的困境。一方面它支持在阿拉伯居民占绝大多数的土地上建立犹太人家园,另一方面,又鼓励阿拉伯人反抗奥斯曼帝国的统治,实现阿拉伯的独立。当阿拉伯人指出巴勒斯坦仍未置于阿拉伯统治之下,英国人便谴责他们忘恩负义。鲍尔弗说,"我希望你们记住这些,他们不会吝惜这个小地方,这不仅是地理意义上的,还是历史意义上的——这个现在是阿拉伯领土的小地方,已许给了被迫离开这里数百年的人们。"

阿拉伯人当然不愿放弃,尤其是巴勒斯坦阿拉伯人。1917 年的《鲍尔弗宣言》,1918 年犹太复国主义者代表团的到来,犹太复国主义者的蓝白旗在巴勒斯坦四处飘荡,迦法的一次犹太复国主义者会议做出了很不明智的决定,将地名马上改成了"以色列圣地",这些都在极大地折磨着阿拉伯人。寇松对此警告说:"如果我们都设想自己和犹太人站在一起,那么由费萨尔所支持的所有阿拉伯力量就被推到对立面反对我们,这将引发冲突。"并且冲突必然存在。

为了避免自食其果,英国尝试促使犹太复国主义者和阿拉伯民族主义者达成和解。1918 年,查姆·魏兹曼访问巴勒斯坦,英国外交部一再敦促他记住,"这至关重要,要不惜一切代价……打消阿拉伯人对于犹太复国主义真实目标的怀疑。"耶路撒冷军事首领斯托尔斯为来访者举办了宴会,许多地方显要出席了宴会,查姆·魏兹曼发表了亲切讲话:"双方还有机会携手共进,让其听众小心一个危险的暗示,即犹太复国主义者正在寻求政治力量——在没有达成联合自治之前,双方最好能够共同发展。"那个夏天,查姆·魏兹曼和费萨尔在亚喀巴湾附近费萨尔的营地会面。会面是亲切友好的,并且查姆·魏兹曼还戴上阿拉伯头巾与费萨尔合了影。两人一致同意不再相信法国。在处理这个犹太复国主义者访问巴勒斯坦的问题上,费萨尔表现得很好,但是也有人提醒他要小心阿拉伯的舆论。如果不征求父亲的意见,他无论如何也不会做出一项明确的承诺。查姆·魏兹曼是带着费萨尔并不重视巴勒斯坦的印象离开的:"他对巴勒斯坦阿拉伯人不屑一顾,并没有把他们当作真正的阿拉伯人。"

同年,战争结束后,他们在伦敦再次会面,情况很好。查姆·魏兹曼向费萨尔保证他会利用犹太复国主义者的影响,让美国支持阿拉伯人,费萨尔则表示对于巴勒斯坦问题很乐观,不会有什么困难。"这很奇怪。犹太人和阿拉伯人之间怎么会产生冲突呢?"他对查姆·魏兹曼说。毕竟,这里有足够的土地可供利用。1919年1月3日,两人签订了协议,协议中充满对未来的美好愿望:鼓励犹太人移民巴勒斯坦,犹太复国主义者竭力在和会帮助推动阿拉伯建立独立国家。最后费萨尔草拟了一个附加条款,即他的承诺以英国兑现其对阿拉伯的承诺为前提。这个协议不可能兑现,它很快消失在费萨尔和英国人以及巴勒斯坦阿拉伯人与犹太人之间纠缠不清的纷争中。

一如其几个世纪的风雨历程,巴勒斯坦的命运总是为外来力量所左右,在1919年,这种外来力量主要是英国和法国。军事占领期间,意大利试图将牧师伪装成士兵偷运至巴勒斯坦,以深化其关于保护圣城基督徒的虚情假意的承诺。意大利最关心的是自己没有得到的也不能让法国得到。

与第二次世界大战后相比,这次美国只是个小角色。一方面,美国政府平静地同意了《鲍尔弗宣言》,并且威尔逊也同情犹太复国主义。他对纽约的一位著名犹太学者说,"我是牧师的儿子,应该能使圣城回归它的人民。"他认为这既会有利于犹太人,也会有利于自己的国家。尽管只是一刹那,但他确曾考虑由美国托管巴勒斯坦。另一方面,自治又有着庄严的原则。为什么少数犹太人的愿望(并且巴勒斯坦犹太人不全是犹太复国主义者)可以压倒如此众多的阿拉伯人?鲍尔弗和最高法院法官、美国犹太复国主义者领袖路易斯·布兰代斯共同提出了一个独创性的解决方案。"依数量自决"是错误的;巴勒斯坦犹太家庭中有许多的潜在居民生活在外面。鲍尔弗说,"犹太复国主义是对的还是错的,是好的还是坏的,关键在于悠久的传统、现实的需要和未来的希望,这远比70多万居住在这古老土地上的阿拉伯人的欲望和偏见要重要得多。"他指出,用传统外交语言来说,无论如何,强国都支持犹太复国主义。然而,威尔逊坚持让他的调查团对中东进行调查,包括巴勒斯坦在内。两个美国代表克雷恩和金,一个是商人,一个是教授。1919年夏末,他们传回的报告显示,巴勒斯坦阿拉伯人"极力反对犹太复国主义者的全部计划",并且要求巴黎和会限制犹太移民,放弃使巴勒斯坦成为犹太人家园的想法。但这没有引起任何人的注意。威尔逊已回国,英法仍在为中东解决方案而争吵不休。

巴勒斯坦问题的焦点是将来的边界问题。劳合·乔治关于从旦城到别是巴整片区域的信口开河之言令法国很是担忧,认为是损害叙利亚的利益使巴勒斯坦在北方得以扩张。旦城是否包括立塔尼河和约旦河上游河段?河流在中东一直是重要的考量因素。犹太复国主义者奋力争取尽可能大的疆界。"这是最为根本的,"查姆·魏兹曼争辩道,"为了巴勒斯坦的经济发展,划定这条包括约旦东部领土在内的边界线,这样就可以接受和供养大量犹太移民。"他的边界将包括今天约旦的部分领土。英国政府支持他,是为了限制法国的影响和保护美索不达米亚及地中海的铁路线(即使铁路线已不复存在)。法国主张:巴勒斯坦一直延伸到大马士革城郊。克雷孟梭拒绝再对犹太复国主义者也就是对英国做出任何让步。《赛克斯－皮科协定》划定的叙利亚与巴勒斯坦的边界继续保持。法国只勉强同意巴勒斯坦可以使用叙利亚过剩的水;这造成的麻烦至今仍然存在。

1920年4月,在圣雷莫,英法就中东问题达成最终协议。英国获得巴勒斯坦的委任托管权(它的条款包括要执行《鲍尔弗宣言》)。法国最后努力试图保有其保护基督信众的原有权利。欣然提出优先与英国达成一项协议的意大利说,奥斯曼帝国不复存在了,并且一个"文明的国家"接管了巴勒斯坦,已经没有必要做什么特殊的安排了。在和会的最后,劳合·乔治对又从巴勒斯坦赶来的查姆·魏兹曼说,"现在你站在了新的起点上,一切都看你的了。"巴勒斯坦阿拉伯人没有在圣雷莫出席,但早在两个星期前巴勒斯坦的反犹暴动就明确表达了他们的情感立场。

余下的事是草拟有关委任托管权的具体条款,并获得国联的批准。这又用了两年时间,主要因为已无法与奥斯曼土耳其签订协议。英国似乎只是简单地坚持巴勒斯坦正式属其所有。考虑到对阿拉伯人的承诺,在现任殖民大臣邱吉尔的强烈要求下,英国政府将委任托管权一分为二,巴勒斯坦部分只限于约旦以西地区,而新的阿拉伯小国外约旦由费萨尔的弟弟阿卜杜拉统治。查姆·魏兹曼很失望,他对邱吉尔强调,约旦东部地区一直是"巴勒斯坦不可分割的重要组成部分"。这里石油丰富,气候凉爽,水源充足,他乐观地总结,"犹太人的安置可以大规模进行,而又能避免与当地人发生冲突。"然而,犹太复国主义者也不打算在这个问题上与英国对抗,更重要的是确保委任托管权的相关条款能够让他们满意。

这并不容易。英国人开始认识到,在巴勒斯坦建立犹太人家园对英国意味着麻烦。在外交部,寇松对许多人重复他曾对鲍尔弗说的话,"从我个人来讲,我确信对于托管巴勒斯坦的国家来说,巴勒斯坦将是一丛愤怒的荆棘,可能的话,我将放弃这种责任。"犹太复国主义者制造了原本不存在的有组织地参加工会的巴勒斯坦阿拉伯人舆论,巴勒斯坦阿拉伯人获知后,迅速写信抗议、请愿和高呼自治。巴勒斯坦的街道上,暴徒们采取了各种过激行动;从1920年开始,英国当局就不得不处理零星的反犹暴动。邱吉尔一直很同情犹太复国主义,但他还是警告劳合·乔治:"巴勒斯坦每年要耗费600万。并且犹太复国主义运动将会不断地引发与阿拉伯人之间的摩擦。法国在叙利亚暗藏了4个师(以此作为回报但并不偿还所欠我们的)反对犹太复国主义运动,支持阿拉伯人反抗我们并把我们当作真正的敌人。"

英国只是抓住一个个权宜之计应付局势。或许这次阿拉伯人和犹太复国主义者就巴勒斯坦问题仍然可以达成谅解。1921年夏天,一个巴勒斯坦阿拉伯人代表团来到伦敦,邱吉尔以极大的耐心听了他们对犹太复国主义漫无边际的抱怨。但是他避开了他们的领袖提出的棘手问题,"你所做的承诺是什么?它意味着什么?""与查姆·魏兹曼先生好好谈谈,"他建议阿拉伯人,"争取明年与他协商某些事情。"其实双方都没有任何诚意商谈。查姆·魏兹曼认为这是"政治敲诈"和"无聊之作"。阿拉伯人只是一再表示他们不承认《鲍尔弗宣言》以及以他的名义所做的一切。

在委任托管权问题上,英国使用了缓和的语言,暗示在巴勒斯坦境内建立犹太人家园要比全面占领巴勒斯坦要好得多。为了取代托管国的责任以发展自治共和国,他们替换了"自治机构"。查姆·魏兹曼没完没了地四处游说,电报、信件接二连三地往外发,广泛发动他的关系网,竭尽全力阻止英国削弱条款。在给阿尔伯特·爱因斯坦的信中,他绝望地说:"世界上所有不利的因素都开始作祟,与我们作对了。奴性十足的犹太人,无知、狂热的犹太蒙昧主义者,与罗马教廷、阿拉伯刺客以及英帝国主义反犹反动分子联合在一起——简而言之,就是四面楚歌!"其实,他并不那么孤单。支持力量还是源源不断,并且往往来自意想不到的地方,比如德国犹太复国主义者、英国国教徒或者意大利天主教徒。自我反省和孤立主义的情绪促使美国国会通过了支持犹太人家园的决议。并且查姆·魏兹曼的主要盟友英国依然很稳固。1922年7月22日,在鲍尔弗家里的一个私人聚会上,劳合·乔治和鲍尔弗向他保证,"我们一直支持建立犹太国家。"当可怕的犹太复国主义者走私军火到巴勒斯坦的问题曝光时,邱吉尔眨巴着眼说:"我们不介意,但别再提它。"所有在场的人都认为巴勒斯坦阿拉伯人代表团是个麻烦事。为什么不贿赂他们?劳合·乔治兴奋地提议,这位首相满腹有用的点子。他对鲍尔弗说,"你应该在艾伯特演奏厅就犹太复国主义再发表一次重大演讲。"

1922年7月,国联批准了英国先前获得的对巴勒斯坦的委任托管权。巴勒斯坦的阿拉伯议会完全不承认这一委任托管权。而查姆·魏兹曼兴高采烈:委任托管权是对犹太人作为一个民族的认可。无论如何,这只是犹太人抗争史第一个篇章的结束。"只要我们继续努力,总有一天,我们在巴勒斯坦会获得另外一次机会,赋予委任托管权更切实的价值。"那个机会伴随着希特勒的崛起和第二次世界大战的爆发,以一种可怕而意想不到的方式到来了。

1925年随同查姆·魏兹曼及其妻子,鲍尔弗第一次访问了巴勒斯坦。在耶路撒冷,他为新希伯来大学建成揭幕,并满怀一个犹太家园创建者的自豪感,发表了热情洋溢、激动人心的讲话。他被整个巴勒斯坦犹太人的欢迎所感动,却没有注意到阿拉伯人的悲恸,他们关闭店铺以示抗议。在他看到之前,他的私人秘书已经将数百封阿拉伯人发来的愤怒的电报销毁了。当他和随行人员前去叙利亚观光,法国当局安排了一个护卫队前呼后拥,让他不胜烦恼。在大马士革,他居住的酒店被6,000余名激动的阿拉伯人包围了。铺路石开始乱飞,法国骑兵开火反击,看到这一切,鲍尔弗惊呆了。一位阿拉伯青年靠近他的随行人员,试图解释为什么犹太复国主义会遭到如此的反对。鲍尔弗只是回应说,他发现了他的"特别兴趣"试验的结果。他搭乘斯芬克司号返航欧洲。

29 阿塔图尔克和色佛尔的毁灭

1919年5月初,关于奥斯曼帝国断断续续的讨论因为意大利侵入小亚细亚而出现了令人不快的动摇。冬季,以保护意大利侨民或是某女修道院为由,意大利军队快速登陆了小亚细亚。他们的军队似乎要在南部港口阿达利亚和马尔马里斯安营扎寨,面向罗得岛,两地都是意大利在战时协议中力争的领土。有报告称一艘意大利战舰停靠在士麦那港,并且5月11日,希腊首相维尼泽洛斯告知四人会议,意大利工作组正在斯卡拉·努奥瓦(古萨达斯)稍偏南处修建码头。并且他声称意大利人与土耳其人做了秘密交易。和谈者们已经做好了最坏的打算。4月24日,《德国条约》刚刚成形,意大利即以退出和会来抗议阜姆问题。威尔逊从未打算满足意大利在亚得里亚海的所有要求,并对其在小亚细亚的委任托管权问题同样冷眼相看。"我不倾向于满足意大利人在这一区域的要求。我对他们的企图深表怀疑。如果我在美国公开他们的行为和阴谋,将会打翻他们的如意算盘。"

劳合·乔治与克雷孟梭同样对意大利很不满,但由于战时协议,又不得不压制这种不满。1915年的《伦敦条约》将意大利卷入战争,他们在条约中向意大利承诺,如果土耳其分裂,意大利将得到"应得的利益"。这语言模糊得近乎危险,暗示意大利将可以得到大片的小亚细亚海滨,当然还有土耳其的阿达利亚省以及它周边的领土,或许从北部的士麦那一直到南部的亚达那,即小亚细亚海滨蜿蜒向南的部分也包括在内。这当然是意大利所设想的。很糟糕的是,英法签订的《赛克斯 – 皮科协定》中,也包含了法国对亚达那周边地区的要求。协定签订时,意大利政府并没有看到协定内容,只是听说签订协定的过程非常艰难。桑理诺一再要求解释,最终于1917年4月,在德国的阿尔卑斯山小镇圣·让·德莫列讷他如愿以偿。劳合·乔治记得那次会议的气氛就像一直飘落的风雪一样冰冷。桑理诺"压抑的愤怒喷涌而出"。英法极不情愿地让出了一大块土耳其领土。意大利直接控制包括重要港口士麦那在内的小亚细亚一个巨大长方形区域,并且士麦那北部巨大的楔形区域也在它的势力范围之内。劳合·乔治尖锐地对桑理诺说,"你要我们做的工作,我们已在战争的最后交给你了。"尽管后来英法都宣布这一协议无效,必须有俄国的共同参与才能有效(俄国因革命未参与),但意大利政府仍然坚持拥有在小亚细亚的领土。

意大利民族主义者通过回忆伟大的古罗马帝国时期的历史来支持自己的主张(尽管当希腊人回忆起他们的古老帝国时,意大利人斥之为"空洞的希腊自大")。他们主要是为了意大利的原料需求(那些煤矿,坐落在埃雷利或者是赫拉克莱姆,意大利人更喜欢这么说,这是一种特别的喜爱),以及投资渠道和货物通道。并且意大利将为基督信众提供一般保护,而为意大利移民(虽然后来难以找到这样的人)提供特别保护,同时教化土耳其人。1918年,其总参谋部的首领勾画了充满诗意的未来意大利地区:"气候适宜我们的移民,物产丰富,玉米的产出高达现在的50倍;关键是大片未开垦区域使包括城镇在内的人口密度每公里不到27人。这样的人口本身对意大利殖民化有百利而无一害。"其实,大多数意大利人更愿意将资金安全地投放在家乡。并且对于移民,少数意大利侨民的经验显示,他们更喜欢美国。"意大利人,"奥兰多承认,"普遍对小亚细亚和南非的殖民统治毫无兴趣。"

桑理诺固执地认为,小亚细亚是一战战利品的一部分,意大利理应分得一份。他提出这一要求时,要么所有列强都已分得利益要么都还没有。他对伊斯坦布尔的意大利高级官员说,意大利的对手(包括英法在内)正在狡猾地用自治理论来否定意大利的合并主张以及势力范围。必须争取当地居民要求意大利对其进行保护,以此来进行反击,所以桑理诺敦促他的高级专员小心、秘密地操作这项工作。他关心的是亚得里亚海以及什么时候能拿下它,他准备用对较远地区的要求来换取靠近祖国的实在收获。

1919年4月末,意大利的亚得里亚海问题恶化,劳合·乔治和克雷孟梭准备把小亚细亚当作诱饵。劳合·乔治告诉威尔逊"怎样能使桑理诺在亚洲做出让步"。这是危险的,鲍尔弗嘟嚷着,稳住意大利非常重要,"可是,不幸的是,这个需要将会纠缠不清,并且妨碍我们在外交上的每一个步骤"。威尔逊反驳,他们必须考虑当地居民的利益。他指出,"意大利缺乏殖民统治的经验。"而且,土耳其人讨厌意大利的统治。劳合·乔治则回顾历史——"罗马是非常好的殖民统治者"——并且对土耳其人的看法也令人惊讶:"温顺的人民,从未干过拆毁铁路之类的事情。"威尔逊则不以为然:"不巧的是现代的意大利人不是罗马人。"并且指出,在小亚细亚可能获得某种委任托管权的希腊人也不喜欢意大利人,"君士坦丁堡的主教有一天来拜访我,带着神职人员的矜持,非常强烈地表达了难以忍受意大利人可能成为他的邻居。"

5月的第一周,意大利继续抵制和会,英法失去了用一小部分奥斯曼帝国引诱他们重回和会的兴趣。5月2日,当三巨头会面,更多关于意大利向小亚细亚海滨进军的消息扑面而来。"疯狂的行为。"劳合·乔治说。克雷孟梭针对这一粗暴路线说:"如果我们不对此加以防范,他们就会扼住我们的喉咙。"威尔逊则威胁将派一艘美国战舰到阜姆或士麦那。劳合·乔治说维尼泽洛斯已提议派一艘希腊战舰。

出于自身考虑,维尼泽洛斯煽动反意大利情绪,并为强国提供反意援助。他认为这个危机是希腊的好机会。和会开始之初他就竭力强调希腊的要求,并获得全面成功。尽管他极力争辩小亚细亚海滨土耳其人占少数,无可争议应属于希腊,但他的统计数字却非常不确定。对于他所要求的内陆地区,连维尼泽洛斯自己也不得不承认土耳其人占大多数,于是他引用了更实际的证据。整个地区(土耳其的艾丁省和布鲁萨省以及达达尼尔海峡和伊斯米德的周边地区)在地理上是一个整体,属于地中海地区。这里温暖、湿润、富饶、四通八达,与干旱的亚洲内陆高原截然不同。"土耳其人是很好的工人,诚实,作为国民是很好的民族,"2月他第一次露面时,对最高委员会这么说,"但是他们的统治者愚昧独裁,被证实在过去的四年里曾灭绝100多万亚美尼亚人和30多万希腊人,令他们无法忍受。"为了显示他是多么通情达理,他放弃了对黑海东端古希腊殖民地本都的一些要求。他不愿意听到彭甸沼地的希腊人的请愿,于是断然地对豪斯的助手鲍萨尔说:"我曾告诉过他们,我不能再要求黑海的南部海岸,因为色雷斯和安纳托利亚已经使我满载而归。"这与意大利的要求有些冲突,但他相信两国会达成友好一致。事实上,他们已经试过,并且很显然任何一方都没打算退让,尤其在士麦那问题上。

兴旺的士麦那港是希腊要求的核心。在过去伟大的希腊时代它是希腊化的,19世纪这里的新铁路线通往内陆,大批希腊大陆的移民蜂拥到这里,抓住贸易和投资的机遇,希腊人再次占主导。战前这里的人口至少有 25 万,希腊人多于雅典人。他们掌控着出口贸易——从廉价小商品到鸦片、毛毯——来自小亚细亚的安纳托利亚高原。士麦那是一个希腊城市,是希腊文化和民族主义中心——但它也是土耳其经济的重要组成部分。

当维尼泽洛斯要求士麦那及其内陆地区时,已远远超出了所谓的自决的范畴。同时也把希腊推向危险境地。当他们转向干燥的安纳托利亚高地时,获得富饶的小亚细亚西部谷地或许是必需的,用他的话说是保护沿岸希腊侨民。然而,从另外一个角度来说,这也创造了一个非希腊人口众多的希腊省份,以及一道抵御来自安纳托利亚中心的袭击的防线。他最大的对手、希腊后来的独裁者梅塔克萨斯将军一再警告:"今天的希腊还无法管理和利用如此广阔的领土。"梅塔克萨斯是对的。

对于希腊权利委员会,人们期望它能够就奥斯曼领土问题提出一个兼顾各方要求的合理解决方案,然而毫不奇怪,这是不可能的。正如他们在欧洲所遭遇的,意大利完全反对希腊的要求,而英法则表示同情。不同的是美国专家们意欲同意希腊在欧洲的要求,但他们却无法在小亚细亚发这样的善心。这一地区作为一个整体,土耳其人占大多数,即使士麦那是希腊化的,但将它从土耳其割裂出去,从经济角度来说也是错误的。"士麦那及其港口是安纳托利亚人民的眼睛、嘴巴和鼻孔。"美国也不接受所谓土耳其非常没落以致需要外来统治的论调。"这是多数人的意见,"一位美国专家说,"比如非常了解他们的美国传教士,在那里工作了许多年的美国、英国、法国的考古学家,和他们战斗过的英国士兵,都认为安纳托利亚的土耳其人与近东其他国家的人民一样诚实,他们是勤劳的农民,勇敢而慷慨的战士,具有与生俱来的武士风范。"

委员会报告呈现了两方面的观点。如果不是对意大利的愤怒促使威尔逊考虑了维尼泽洛斯的观点,他必定会支持自己专家的立场。维尼泽洛斯给三巨头发出了一份令人震惊的报告,即希腊人正在遭受土耳其人的大屠杀,并且他说意大利在这方面一直与土耳其相互勾结。维尼泽洛斯得意地向委员会的英国专家尼科尔森自夸,"劳合·乔治和威尔逊向我保证将会提供帮助和支持。"劳合·乔治已同意希腊,将向士麦那派遣一艘巡洋舰,维尼泽洛斯看到,希腊军队进驻小亚细亚以制衡意大利的突破口已打开。5 月初,劳合·乔治和维尼泽洛斯在一个私人宴会上会面,劳合·乔治的秘书弗朗西丝·史蒂文森也在场,她在日记中说:"两个人都为对方而感到非常自豪。尽管与意大利在士麦那问题上有冲突,但 D(劳合·乔治)还是争取将士麦那给希腊。"而维尼泽洛斯记得,那天晚上,劳合·乔治对于将君士坦丁堡分给希腊充满信心。

5月6日早晨,协约国临时做出决定,暂时搁置一些问题,其中包括维尼泽洛斯的伟大梦想和劳合·乔治操控的结合——士麦那问题。四人会议上,劳合·乔治急切地要求解决士麦那问题。他说如果不行动,意大利将会掳走一部分小亚细亚。可以利用希腊军队,将他们派到有骚乱或屠杀等危险的地方。"何不现在就派他们去呢?"威尔逊说,"你反对吗?""不。"劳合·乔治说。克雷孟梭插嘴说:"我也没有反对意见,但我们是否要向意大利通报一下?""我认为没必要!"劳合·乔治说。第二天,刚返回和会的意大利被心照不宣地告知,在他们缺席的情况下,他们的盟国不得不采取行动以阻止将要发生的大屠杀。桑理诺理直气壮地问,为什么强国们不派自己的分遣队?克雷孟梭声称由一个希腊将军来率领这些军队将会很困难。他向桑理诺保证,"今天的士麦那不属于任何一方;这不是一个决定这个城市命运的问题,而是一次有着明确目标的临时行动。"克雷孟梭确实暂时被维尼泽洛斯的魅力所迷惑。"尤利西斯,"他对莫达克说,"与他相比只是个渺小的人。他是一流的外交家,非常明智,胸有成竹,精明,总是清楚自己想要什么。"

那天下午,在那个关键决定做出之后,劳合·乔治要求维尼泽洛斯在四人会议之前与他简短会面。维尼泽洛斯在日记里提到,劳合·乔治以一个简单的问题开始了这次会面:

劳合·乔治:你有可利用的军队吗?

维尼泽洛斯:有,干什么用呢?

劳合·乔治:威尔逊总统、克雷孟梭总理和我今天决定,你可以占领士麦那。

维尼泽洛斯:我们已经准备好了。

当维尼泽洛斯与三巨头及他们的军事顾问会面进行具体部署时,他非常乐观。希腊军队已经准备就绪,土耳其不会有任何抵抗,士麦那的希腊居民当然会很友好。劳合·乔治和他一直认为,如果先由英法军队占领港口入口处的贸易站,然后再移交给希腊是最好不过了。克雷孟梭不情愿地同意了。他开始丧失信心了,尤其对于徒劳地对抗意大利。威尔逊则被采取合法行动和对意大利的憎恶困扰着,最后他支持占领,时间定在5月15日。"整个事件,"亨利·威尔逊写道,"英国军事专家既疯狂又糟糕。"

士麦那的局势非常紧张。自从战后,希腊政府的代理人就出现在这里,试图激发民众对希腊统治的热情。英法代表同情地关注,意大利则充满敌意地观望。土耳其少数民族显得心神不安。希腊人来了的消息传开后,爆发了示威游行。夜晚,数千土耳其人击鼓抗议;15日早晨,众多兴奋的希腊人聚集到码头。东正教主教已经准备好为士兵们祈祷。希腊的蓝白旗四处飘扬。当第一支希腊军队进城时,人们欢呼雀跃,流下了激动的泪水,像欢乐的节日,可土耳其军营外一声突如其来的枪响使节日成了噩梦。希腊士兵开始四处扫射,当土耳其士兵困惑地走出军营投降时,希腊士兵仍旧袭击他们,并向着码头一路用刺刀刺杀他们。在一旁观看的希腊人也野蛮地加入其中。大约有30名土耳其人死亡。士麦那的暴徒们纷纷暴动,他们四处屠杀、掠夺,其中有不少是土耳其人。到晚上,大约有300－400土耳其人和100左右希腊人死亡。随后几天,混乱无序的状态很快波及到周边的乡村和城镇。这对希腊人和希腊要求来说是个灾难,也是将来的一个预示。

在土耳其,人们惊慌失措。看起来这似乎是瓜分奥斯曼帝国土耳其部分的第一步。"当听到占领士麦那的细节时,"一位早期支持阿塔图尔克的女士回忆说,"我认为它与即将要发生的严酷战争密切相关,我无法说能期望什么。"在君士坦丁堡,人们举着黑旗游行抗议。一个上流社会妇女代表团史无前例地访问了英国高级专员。她们的发言人说,"奥斯曼帝国在被活生生地一片片宰割,作为帝国的一员,它的身上同样在流着血。"苏丹在宫殿里黯然流泪。大臣们在软弱无力地讨论抗议问题。恰好在场的阿塔图尔克问:"你们认为抗议能让希腊人或英国人撤退吗?"大臣们耸了耸肩,他又说:"或许有些方法可以一试。"

阿塔图尔克马上下定决心,有军队并且官兵忠诚于民族主义理想的地方一定是夺不走的。但问题是要控制这些地方,通过英国占领当局在不经意间解决这个问题,因为英国占领当局一直坚持要政府派出官员在各地恢复法律和秩序。阿塔图尔克设法使自己被任命为安纳托利亚的最高统治者。他说他感到"好像牢笼被打开了,我像小鸟一样正展翅飞向广阔的蓝天"。希腊军队登陆士麦那的第二天,他带着一张英国签证离开了君士坦丁堡。四天后的5月19日,他与几位随行人员来到了黑海港口萨姆松。后来那天被他定为国家公共假日,一直延续至今。在君士坦丁堡,很少有人知道他的真正意图,数月之后他的意图才第一次被传递到巴黎。后来劳合·乔治称,"没有获得任何信息显示他正在小亚细亚改组四分五裂、颓废衰败的土耳其军队。我们的军事情报部门从来没有如此彻底地愚钝过。"

阿塔图尔克和他的朋友们进行了一次惊人的赌博,如果随后一个月协约国并未在不经意间对他们有所帮助,这次赌博或许就失败了。联合政策混乱、不当而且很危险——为土耳其民族主义的繁荣创造了理想的条件。意大利和希腊军队得到许可登陆小亚细亚海滨,亚美尼亚和库尔德斯坦获准将各自建国,海峡周边包括君士坦丁堡在内的区域也可能从土耳其剥离出去,土耳其民族主义者只有背水一战。他们的国家正在消亡,除了抵抗他们已经一无所有。在巴黎,关于《奥斯曼帝国条约》的讨论每推迟一次,协约国的力量就削弱了一些,而维尼泽洛斯的力量就强大了一些。

1919年夏天，在炎热干燥的安纳托利亚高原上，维尼泽洛斯马不停蹄地奔走着，有时在他破旧的汽车里，有时在火车上，更多的时候是在马背上。他召集了一批志同道合的民族主义官员在身边，并且将奋起抗议协约国占领的各个独立群体组织起来，使其成为民族主义运动的基础。"如果我们没有战斗的武器，"他发誓说，"我们将用牙齿和指甲去战斗。"6月，他宣布全民族抵抗运动开始，在士麦那反抗希腊，在南部反抗法国，在东部反抗亚美尼亚。"我们要穿上草鞋，撤到山里去，坚守住祖国的最后一寸土地。如果最终奉上帝的旨意我们注定要被击败，我们将把我们的家园、我们的财产付之一炬，化为灰烬；我们要让这个国家满目疮痍，留给敌人的将是一无所有的沙漠。"消息传到君士坦丁堡后，英国迫使苏丹政府召回他们的监察长。6月23日，收到回君士坦丁堡的命令后，维尼泽洛斯辞去了职务，并在埃尔祖鲁姆召开了一次大会，发布了民族公约，它的关键内容是土耳其人居住区，当然包括君士坦丁堡在内，必须保持统一。

从1919年春天开始，奥斯曼帝国的命运越来越不依赖于正在巴黎发生的一切，而更多地取决于维尼泽洛斯的行动。两个不同的世界——一个是国际会议，地图上划满了线路，人们顺从地支持这个国家或那个国家；而另外一个，一个民族抛开过去的奥斯曼帝国，土耳其民族国家意识正在苏醒——针锋相对。在巴黎，列强们依然一意孤行，在愉快地为假定的委任托管权而讨价还价，全然没有顾及到东方正爆发的一切。5月13日，作为希腊专家，尼科尔森应召带着地图来到劳合·乔治位于尼托特大街的公寓，向劳合·乔治阐释可以向意大利人出什么价。奥兰多和桑理诺也已到达，聚会就在餐桌旁进行。"一块将要被切开分发的馅饼出现在人们面前，总是美味诱人。"意大利人要求登陆士麦那南部。"噢，不行！"劳合·乔治说，"你们不能那么做——那里全是希腊人！"尼科尔森惊愕地发现劳合·乔治看错了人口分布指示线的颜色。"他非常幽默地做了修改，真像翠鸟一样敏捷！"当有人指出委任托管权必须获得"相关人民的同意并符合他们的愿望"时，爆发出一阵笑声。"奥兰多惨白的脸颊因狂笑而不停颤动，鼓胀的眼睛里充满欢快的泪水。"

那天下午晚些时候，尼科尔森的地图摆放在克雷孟梭、威尔逊和劳合·乔治面前的地毯上，而它的主人则等候在外面，读着《道林·格雷的肖像》。里面是威尔逊的书房，劳合·乔治用生机勃勃的语言勾画出意大利对安纳托利亚南部进行委任托管的设想："土耳其人荒弃的大片土地，意大利人可以修建公路、铁路，浇灌土地，进行开发、种植。"法国可以获得安纳托利亚北部，希腊则可以获得士麦那及其周边地区，还有多德卡尼斯群岛，劳合·乔治还慷慨地说，倒不如把塞浦路斯也给他们。一直沉默地坐在一边的克雷孟梭对希腊能否承担起委任托管责任表示怀疑："我找遍了整个伯罗奔尼撒半岛，没有看到一条像样的公路。"威尔逊给了他们一个机会："为了显示我们的信心,可以给出目标让他们好好做。"威尔逊甚至推心置腹地说,美国很有可能托管亚美尼亚。克雷孟梭说他设想美国最好还能接管君士坦丁堡。尼科尔森被叫去接受指令。鲍尔弗看到这些以后,表现出从未有过的愤怒:"三个全能而无知的人坐在那里,像儿童玩耍般勾勾划划地瓜分着土耳其大陆。"他给劳合·乔治发了一个措辞强烈的抗议书,告诉他瓜分土耳其将如何危险。

劳合·乔治从军事顾问那里听到了相同的意见,他们无可争议地表示反对。邱吉尔和蒙塔古也这么认为,他们从伦敦赶来,再次警告瓜分土耳其就意味着与伊斯兰世界"无休止的战争",当然还包括印度。劳合·乔治同意接见一个印度代表团,但当代表团乘着特快火车快速赶到时,发现这位首相大人已经开始汽车漫游。

5月13日的安排在顷刻之间土崩瓦解了。意大利又有新的军队登陆。这使劳合·乔治和威尔逊两人恼羞成怒。劳合·乔治彻底改变了对意大利委任托管权的想法:"我认为意大利进入小亚细亚,只会带去无穷尽的麻烦。"蒙塔古的警告也触动了他。5月19日与其他领导会面时,他说:"我断定恰当分割土耳其是不可能的。我们会陷入将伊斯兰世界带入混乱无序的巨大危险当中。"威尔逊也认为会有这样的危险。他还担心委任托管权会演化成瓜分战利品,并且他也指出,因为土耳其人清楚地表示他们只要一个独立的国家,即使毫无偏差地将安纳托利亚分割开,分别由意大利和法国托管,也将是非常棘手的问题。破坏土耳其主权是没有任何道理的。"我不得不提醒自己,是我,我自己,在十四点原则里使用了这个词,并且已经成为一种约束我们的约定。"他建议,或许法国可以承担起土耳其国家顾问的责任,而避免使用"委任托管权"这个词。甚至可以让苏丹留在君士坦丁堡,当然不会赋予他任何海峡方面的权力。劳合·乔治也同意,可是两天后,当与专程赶来的神情紧张的英国内阁成员会面后,他转而建议由美国而不是法国来控制安纳托利亚,以及土耳其海峡和亚美尼亚。

一直在紧张观察的克雷孟梭被激怒了。因为叙利亚问题,他对劳合·乔治已经耿耿于怀。"你说法国不能进入小亚细亚,因为这样会冒犯意大利;你以为法国就没有公众舆论了吗?法国是整个欧洲在土耳其有最大经济和财政利益的国家——但是现在它却被抛去取悦穆斯林和意大利。"他和劳合·乔治因土耳其乃至整个中东问题发生了激烈的争吵。"双方都大发雷霆,相互进行荒谬可笑的指责。"最后克雷孟梭极力压住自己的怒气,并且两人都说"你是最糟糕的家伙"。有一种说法是,克雷孟梭毕竟在这种问题上有独特的经验,他让劳合·乔治在手枪和剑之间做选择。

威尔逊试图将事情平息。"实际存在的分歧或许比我们今天感觉到的要少得多。"但无论怎样,他提不出解决方案。现在他怀疑美国是否有能力托管安纳托利亚,尽管他还希望能托管亚美尼亚。连同其他问题,他转而寄希望于深入研究以找出解决方案。其他和谈者们则抛开这个问题,认为对德条约才是最为紧迫的,土耳其问题可以缓一缓。

在6月底威尔逊总统起航返回美国之前,奥斯曼帝国问题只讨论了一次,并且是为应付苏丹政府代表的出席。或许是为了消磨等待德国答复的时间,列强们做了并未对德国做过的事,允许一个战败国在条约还没拟定的情况下公开露面。说明列强对奥斯曼帝国的命运是如何漫不经心。6月17日,奥斯曼土耳其的三个代表对包括克雷孟梭、劳合·乔治、威尔逊及其外交部长们在内的一群人发表了讲话。土耳其首相达马德·费里德和蔼、富有,他的重要成就是娶了苏丹的妹妹,他提出了土耳其的请求。他把土耳其参战的过失和屠杀亚美尼亚基督徒的责任全部推卸给他的前任,并表示他的国家最美好的愿望是成为国联有所作为的成员。他请求完全从奥斯曼帝国撤军。他还有一个书面声明,但不幸的是没有完全准备好。克雷孟梭没给他留面子,"无论是在欧洲还是在亚洲或非洲,所有的例子都显示,土耳其在每个国家的统治都伴随着经济衰退和文化落后;同样,所有的例子都显示,没有哪个国家不是因为土耳其的撤出而经济日益繁荣,文化水平日益提高。无论是在基督徒欧洲,还是穆斯林叙利亚、阿拉伯和非洲,它征服过的地方,除了满目疮痍还能有什么呢?"

和谈者们认为达马德做了一次可怜的表演。威尔逊说他"从未见过如此愚蠢的事情"。他建议将这个代表团打包寄回去:"他们完全不懂常识,并且彻头彻尾地误解西方。"劳合·乔治发现这是"土耳其政治无能的最好证明"。这个代表团以及他们的备忘录成为了笑话。没有人知道该如何答复他们,威尔逊疑惑是否压根没必要答复。劳合·乔治赞成先草拟阿拉伯地区、士麦那和亚美尼亚等地的和平条款。把在色雷斯和安纳托利亚的土耳其领土搁置一边,等美国决定托管后再做处理。他确信下两个月就能开始。威尔逊极力让自己别说出来,其实他已改变主意,认为应该剥夺土耳其统治君士坦丁堡的权利。克雷孟梭只是评论:"对于该如何处置奥斯曼帝国的领土,自从上次谈话之后,我不得不说我不知道我们该何去何从。"三个人放弃这一话题,劳合·乔治说:"如果我们只能草率地实现和平,那么不如了结吧。"克雷孟梭说,"我想恐怕不可能。"

在伦敦,一些人远比在巴黎的人更了解奥斯曼帝国,他们一直在警惕而失望地观察着巴黎的动态。鲍尔弗不在,寇松掌管着外交部,他发出了一连串备忘录和信件,警告假想土耳其气数已尽很危险,并且拖延产生一个全面解决方案也很愚蠢。劳合·乔治很少注意到做具体外交工作的寇松,并且不喜欢他的许多头衔:血统纯正的贵族,地主,牛津大学和伦敦画廊的高材生。他私下对弗朗西丝·史蒂文森说,他是如何"讨厌寇松这类人,以及他们所有的——怪癖、理想、习惯和生活模式"。厌恶适时地发展成了嘲笑,与对寇松的学识和才干极不情愿的尊重混杂在一起。可是,最终将劳合·乔治拉下马的就是寇松。

并且正是寇松与阿塔图尔克及其军队划定了现代土耳其的疆界。这两个人,一个是英国政治家,一个是土耳其战士,是对手但从未曾谋面。两人都固执、机智并妄自尊大,内心远比外表复杂,都常有深刻的不安全感。寇松是出色的印度总督,倍受德里人民称赞,因为他敢于惩罚杀害印度人的英国团伙;他是喜欢美国妻子的英国假绅士;是喜欢绘画和家具的政治家;远比同时代的人更了解非欧洲世界的大帝国主义者。外衣隐藏了他受伤后背的疼痛,钢柱支撑着他站得笔直,华丽外表掩饰的他也会因感情受伤而落泪。他知道有人把他看作一幅讽刺漫画。他曾经如此自嘲:当他看到一群普通士兵在沐浴时,他的反应是,"天哪,我完全不知道下层社会的人有如此白的皮肤!"

第一次世界大战前的年代里,乔治·寇松出身的阶级主宰着英国,并因此主宰着世界。他的家族占有德贝郡的一处房产已好几个世纪,如果愿意他可以悠闲地度过一生。"我的祖先,"有一次他说,"拥有凯德尔斯顿已经有900年了,世世代代,但是他们都只是普通的乡村绅士——下院议员、郡长等等,没有一个人声名显赫。所以我下定决心一定要打破这种惯例。"他的父母像以往一样也是请人来教育他,他的女家庭老师讨厌玩具但喜欢惩罚,常常会因为一些莫须有的过失而惩罚他。后来寇松得出的结论是她有精神病。直到去了伊顿公学,他才真正开始成长发展。他开始结交各种朋友,有些成了一生的知己。他承认,自己"雄心勃勃要成为班级的尖子",他包揽了几乎所有主要奖学金。毕业时的他已经是名人,光彩照人,广受欢迎,辉煌成功,甚至有些傲慢自大。牛津大学只是强化了这些特征,但也教会了他在公众场合演讲,尽管有些人发现他的演讲总会夸大其词。他还获得了第一保守党的名誉,并且带着这个荣誉冲入了紧张的社会生活。期末考试没能得第一只不过是他世所公认的辉煌开始中的暂时挫折。

他已经得到了许多。当然也有一些不足:不够坚韧,或许还缺乏常识和平衡力。他的情感很容易受挫,并且极易产生自怜的情绪。他工作卖力,即便是错误的工作。在国际危机最为严重的时候,他通宵达旦地核算自己的票据。他战争内阁的同僚蒙塔古在给朋友的信中说,"他逗我开心,引我注意,让我愤怒。结果却格外容易对付,哦,可是,那是怎样的一个过程!"寇松用难题和学问攻击他们。"听听这个你可能会很高兴,一天我知道他在战争内阁有两个会议,并且在东部委员会还有一个会议,三个会议相关的文件他都阅读了。但是我的妻子说她发现他正在哈罗德商店品茶!"他为女儿制作上课的时间表,并且亲切地询问保姆遭受的挫折;他告诉园丁如何除草,森林工人如何砍树;他坚持将自己的画像挂起来;

在伦敦的仆人们把他写上了黑名单。

他从来没有完全得到他想得到的。他在印度的岁月应该是很辉煌的,但却在被印度总司令基奇纳勋爵赶出的耻辱中结束。即使是1919秋天,他最终成为外交部长,却仍然不得不做劳合·乔治的副手。当劳合·乔治下台时,他徒劳地等着成为首相。工作中,人们发现他很难相处,尤其是他的下属。有人说:"他患有自大狂,因为他的艺术学识、现实财富以及社会地位;但我却看到他对人对事都非常谦卑,谦卑得近乎可悲。"他是矛盾的复合体。"他像对待扒手一样辱骂我们,第二天又会写来甜言蜜语的致歉信。"

寇松投入了毕生的精力为大英帝国及其帝权服务,他视其为有益于世界的力量。如同许多英国政治家一样,他认为只有当权力平衡被打破后,欧洲才是危险的。"他理想中的世界,"非常了解他的尼科尔森说,"是这样一个世界,英国决不干涉欧洲国家,欧洲决不干涉非洲和亚洲。而美国,因为有一定的距离,即便发生叛乱、殖民的情况,任何一方也根本不期望干涉。"他不喜欢外国人,尤其是法国人。至少在理论上,他喜欢安纳托利亚土耳其农民这样一些单纯的人,"头脑简单而可敬的家伙……喜欢远离欧洲过自己简单的生活。"他非常了解苏伊士城以东的世界;他曾经从古老的奥斯曼帝国出发,一直游历到日本,并且写了大量关于中亚、波斯和印度的研究文章。他内阁里的同僚常常提起,他是目前惟一到过偏远地区的人。他才华横溢,辩论时傲慢专横;但是在具体政策上却少有建树。

1919年,巴黎拖拖拉拉的会谈几乎让寇松发疯。他不喜欢奥斯曼帝国,但他一再警告不要激起土耳其民族主义:

> 丧失君士坦丁堡,在我看来,将不可避免地、必然地成为土耳其战败的最有力证明。我相信东方世界将不得不愤怒地接受这种现实。可一旦他们认识到逃亡者们东奔西跑,四处碰壁,并且土耳其帝国甚至伊斯兰国王也不复存在了,这必将给我们带来巨大的危险,同时毫无必要地激起整个东方世界的伊斯兰情绪,并且这种阴郁的愤恨很容易演变为凶猛的风暴。

他强烈反对意大利获得安纳托利亚南部以及其他任何地方的委任托管权,同样反对希腊托管士麦那。"谁不能维持萨洛尼卡大门外五公里内的秩序?"几个月后他说,士麦那登陆是"巴黎制造的最大的错误"。

寇松的警告大多未获重视,他转而把自己备受压抑的精力投入到改造外交部上。他变换了办公墨水台,教秘书们如何拉窗帘,因为工作人员的手指常常被刺伤,他引进了配有大而尖钉子的新档案归档系统。1919年,他终于当上了外交部长。他力主对土耳其采取宽松的和平条款,但他必须要与劳合·乔治及其承担重要外交事务责任的私人参谋进行斗争。首相依然坚持希腊将获得士麦那,或许更多。寇松因为各种疑虑并不打算拥护他。尽管他一再以辞职相威胁,但毕竟经历了漫长等待才成为外交部长。劳合·乔治开玩笑地说,寇松总是派最慢的信使送来辞职信,而派最快的信使撤回它。

英国自身意见的不一致,使协约国解决土耳其问题的政策也从未一致、连贯,一直混乱不堪。随着美国确实撤出海外争端,美国托管安纳托利亚、土耳其海峡乃至亚美尼亚已经不可能。英国很不情愿面对这种局面,或许是因为劳合·乔治想为希腊争取在小亚细亚拓展阵地的时间。威尔逊离开巴黎时,劳合·乔治说,协约国相信他能够说服美国人接受委任托管权,并且他们等着这个时刻的到来。1919年9月,威尔逊病倒;"官方医疗证明表明通过一段时期彻底休养,总统可能恢复健康,所以我们不能草率推断总统将退位。"协约国仍然在等待。"我们很绝望,因为我们不知道采取怎样的行动可以避开冒犯美国的风险。"

意大利在土耳其的影响从来就不强大,而且还在不断削弱。1919年6月19日,奥兰多政府垮台,与它一起垮台的还有桑理诺。新总理尼蒂倾向于关注意大利错综复杂的国内问题。他随即取消前任承诺的耗资庞大、风险巨大的远征高加索计划。至于小亚细亚,他和外交部长蒂托尼都倾向于让步,比如要煤矿比要领土更实际。他们打算一旦当地恢复和平,就撤出军队。英国人怀疑意大利是否正与土耳其民族主义者勾结在一起。

法国对土耳其仍意犹未尽,但已无意与英国合作。叙利亚问题继续恶化,许多法国人担心英国正试图将他们逼出土耳其。对于希腊,克雷孟梭一直很冷淡,他亲土耳其的财政专家对土耳其的迁就态度给他施加了压力。法国对所持有的60%土耳其债券很关注,一旦土耳其被瓜分,就无法挽救。

因美国缺席,寇松认为土耳其问题关键是对付法国。1919年11月,他多次与在巴黎的对手毕勋联系,并建议进行秘密会谈。他感到时间不多了。10月,他派较了解阿塔图尔克的陆军中校阿尔佛雷德·罗林森去打探阿塔图尔克可以接受什么样的和平条件。土耳其民族主义者已经控制了四分之一多的地区;年末,阿塔图尔克在安卡拉建都与君士坦丁堡对峙。1920年3月16日,以法律和秩序的名义,法意极不情愿地跟随英国完全控制了君士坦丁堡,并且逮捕了大批土耳其民族主义领导人。作为回应,阿塔图尔克逮捕了其势力范围内所有协约国官员,包括不幸的罗林森在内,并且召集了民族主义议会。土耳其权力中心显然已转移到安卡拉。寇松认为最好的办法是承认以阿塔图尔克为首的新土耳其的诞生。然而,他无法说服劳合·乔治。

协约国接连召开了系列会议,1920 年 4 月,圣雷莫(在寇松看来,像个二流的海水浴场)会议最终拼凑出一个条约草案,并递交给了君士坦丁堡政府代表。土耳其要缩小,并且成为从属国。从 19 世纪开始,各种外来金融控制在土耳其不断合理化并得到切实加强。尽管土耳其人仍在君士坦丁堡,但土耳其海峡已被国际政权控制。法意在安纳托利亚有各自的势力范围。希腊意欲获得色雷斯和士麦那。亚美尼亚将独立(尽管没有任何规定来确保),并且所谓库尔德斯坦地区也将在土耳其内部实现自治。

这对亚美尼亚来说太晚了,只剩几个月时间。沙皇俄国的瓦解和奥斯曼军队的撤出打开了一扇窗,如今这扇窗正在关闭。亚美尼亚、德海斯顿、格鲁吉亚和阿塞拜疆都于 1918 年春季宣布独立。新国家动荡、贫穷,挣扎着应付幸存的难民、强盗、土耳其军队逃兵、白俄的部队,还有疾病和饥饿。他们或许已经平息了相互之间引发战争的分歧。他们或许已经抵挡住了白俄将军邓尼金,因为他不得不去对付布尔什维克。他们尤其是亚美尼亚人已经扩张到南部的土耳其。但北方坚定的俄国人与南方新生土耳其人的两面夹击让他们难以承受。

即便如此,在外界的支持下,他们或许还有希望。英国是所有强国中可提供直接帮助的最佳寄托。1918 年底,英国军队从美索不达米亚经里海一侧进入高加索,占领了今在阿塞拜疆境内的巴库及其油田。三个精锐师从君士坦丁堡出发跨越黑海,到格鲁吉亚接管黑海东岸重要港口城市巴统。1919 年初,英国军队控制了穿越高加索连接这两个城市的铁路线。这一行动的意图即便英国也不很清楚。里海石油使用权,保护通往印度的可能路线,阻止法国介入,推动自治等都是英国占领高加索的原因。1919 年,布尔什维克的威胁也被抛入混乱中。寇松警告,这是将这一地区置于"一群毫无约束并决然破坏一切法律的野蛮者的怜悯之下"。然而,他的同僚们多是冷眼旁观。鲍尔弗问,即便高加索被非法统治又会怎样?"那是另一码事。"寇松嘲讽地说。"让他们自相残杀吧,"鲍尔弗回答,"我会举双手赞成。"

无视寇松的坚持,1919 年春天,英国政府终于意识到自己在这一地区已四面楚歌。"从高加索摆脱出来,越快越好!"亨利·威尔逊对劳合·乔治说。6 月,内阁决定,年内撤出全部军队。邓尼金以承诺不冒犯独立共和国为代价换取了大量武器。原本是由意大利接管,但是威尔逊对劳合·乔治说这是不可能的。这一决定惹了许多麻烦。内阁秘书汉克在给劳合·乔治的信中说,"那个秋天,英国许多派系中有一种强烈的情绪,支持亚美尼亚,并且自然不同意让一个我们过去一直支持的国家听天由命。不能否认,在据称屠杀仍在继续的关键时刻,我们从高加索撤军是很无情的。"

英国军队依旧继续撤离,并且为了避免让邓尼金感到不安,英国推迟承认高加索共和国。直到1920年2月,白俄部队被消灭,布尔什维克正准备横扫南方,局势已明朗时,英国才承认这个小国,并为他们提供了武器。战争办公室乘机摆脱了多余的加拿大罗斯来复枪,在很好的状态下这种枪也很易熄火。

与此同时,南方出现威胁,阿塔图尔克正率领军队巩固在安纳托利亚的势力。土耳其从未掩饰保卫亚美尼亚省,甚至切实收回已独立的亚美尼亚的决心。布尔什维克与土耳其民族主义开始试探性接触。阿塔图尔克不信奉共产主义,但布尔什维克是他的敌人英国的敌人。他认识到独立的共和国——亚美尼亚、格鲁吉亚和阿塞拜疆——会阻止土耳其与布尔什维克建立反对企图肢解他们的帝国主义的统一战线。和阿塔图尔克一样无助的布尔什维克热情地回应,用船运了武器和黄金到安纳托利亚。

当协约国在圣雷莫讨论亚美尼亚问题时,布尔什维克占领了毗邻的阿塞拜疆共和国。共产主义者授意的叛乱在阿塞拜疆爆发。协约国请求国联保护酝酿建立的大亚美尼亚独立国家;国联则以它并不存在为由予以拒绝。随后协约国对美国说,自从威尔逊离开欧洲,关于美国托管亚美尼亚问题即被搁置。伤病的美国总统请求国会在5月以投票表决解决这一问题。参议员洛奇对一个朋友说:"不要认为我对亚美尼亚有什么好印象。相反,我只是认为这样可以限制他们搪塞我们。"

库尔德斯坦找到保护国的机会甚至还比不上亚美尼亚。它的问题在巴黎和会上只被提出过一次。1月30日,劳合·乔治第一次列举在奥斯曼帝国可能的委任托管权时,就忘了提到它了。当他匆匆忙忙将库尔德斯坦加到他的列表上时,高兴地承认他的地理知识不够完善。他曾认为它是包含在美索不达米亚或者亚美尼亚之内的,还是他的顾问告诉他不是那样的。很明智,他没有试图指定新委任托管权的边界:对于库尔德斯坦的许多其他问题,他们还相当不明了。

在那样的时期,远在奥斯曼帝国东端的库尔德人对世界舆论的影响微乎其微。马克·赛克斯战前曾游历过库尔德地区,他喜欢库尔德人,因为他们十分坚韧,是出色的斗士。从未去过那里的美国专家则不那么认为:"在某些方面,库尔德人让人想起南美的一种印第安人……他们性情火暴,充满怨恨,复仇心强,极具迷惑力而又奸诈。他们是很好的战士,但却是糟糕的领导者。他们贪婪,极端自私,是不知羞耻的乞丐,并且有极大的盗窃倾向。"

库尔德人四面受敌。北部是山脉,东部是俄国和波斯,西部有土耳其,南部是美索不达米亚的阿拉伯人。第一次世界大战中,奥斯曼帝国和俄国军队曾在它的北部边界上交战,而英国从南部逼近。大约有80万库尔德人不是在奥斯曼军队里战死,就是饿死或者病死。

估算库尔德人数量总是很困难。自从库尔德文化浸润到阿拉伯、波斯、土耳其乃至亚美尼亚人中后,就很难说到底有多少库尔德人。他们中的四分之三——大约 100 万或者是 200 万——生活在奥斯曼帝国,大多数后来成为了土耳其人,其余的在伊拉克、叙利亚零星也有一部分。剩下的四分之一都在波斯。

真正要说清库尔德人很难。或许他们是印欧语系人种的一支,从波斯西迁而来。其名称本意是"游牧部落的人"。它没有持续连贯的历史,只有关于起源的相互矛盾的神话传说。未曾出现过伟大的库尔德王国,也没有比萨拉丁更伟大的库尔德英雄。库尔德的分裂有许多原因,部族、宗教(大多数是逊尼派穆斯林,但也有什叶派穆斯林以及基督徒)、语言以及库尔德人多分散在不同国家的事实等等。库尔德人背负着蛮横的名声。一位德国人种学者很宽厚地说:"实际上,他们的问题主要是过去的八个世纪里一直处在创建政府的不为人知的动荡生活中。"他们相互混战,抵制外权,无论是奥斯曼土耳其人还是波斯人,或是其他什么人。奥斯曼土耳其人利用库尔德穆斯林屠杀亚美尼亚人。战争最后,这一地区的英国和印度占领军竭力保持这并不稳定的和平。

与其他新兴国家不同,库尔德斯坦在巴黎没有强大的保护国,也无力有效地为自己辩护。他们忙于传统的捕杀牲畜、部落战争以及对亚美尼亚人乃至个体生命的疯狂屠杀,对于在奥斯曼帝国内实现库尔德人自治兴趣不大。第一次世界大战前,民族主义在中东许多民族中兴起,但库尔德人只有微弱响应。即便是在君士坦丁堡的库尔德民族主义重要中心,也只由少量小团体和极少的知识分子组成。1919 年,巴黎惟一的库尔德代表是个非常有魅力的人,他长时间呆在巴黎,以致人们称他"圣徒花花公子"。他竭尽全力要求成立一个从亚美尼亚(如果它能够成立的话)绵延到地中海的庞大国家。他要求的领土中很大一部分也是亚美尼亚人和波斯人所要求的。

只有英国不只是一时兴起希望库尔德斯坦独立。美国同情亚美尼亚人,不喜欢库尔德人。法国提出委任托管权的要求只是为了讨价还价;1919 年秋,当英国认可法国对叙利亚的占领时,法国假装并不是很感兴趣,继续反对英国托管库尔德斯坦。

劳合·乔治及其顾问们最为关注的还是获得和保护他们在美索不达米亚的委任托管权,因为那里有丰富的石油储备;而对奥斯曼帝国北部的领土没有一丝兴趣。一个库尔德斯坦,如果它得以存在的话,有利于保护南部的亚美尼亚,也可以在布尔什维克与英国利益之间再设一个屏障。还可以巧妙地阻挠在叙利亚和南安纳托利亚的法国向北扩张势力。英国设想可以按印度北疆的模式,用当地首领低成本控制库尔德斯坦。他们强调库尔德斯坦也需要英国保护;然而 1919 年,薄情的库尔德人使出浑身解数反抗英国占领军,并杀害了英国代理人。

1919年到1920年,试图签订《土耳其条约》期间,英国一直资助宣称寻求英国保护的各种库尔德人团体。1919年夏天,一位有着"库尔德的劳伦斯"之称的诺埃尔少校,带着发起一场独立运动的神秘使命踏上了库尔德斯坦大地。结果只是激怒了土耳其民族主义者和自己的同僚。君士坦丁堡的英国政治顾问抱怨说,"我已重复了无数次,说得很清楚了,我们并没有制造阴谋反对土耳其,关于库尔德斯坦的未来我不能做出任何承诺。"

1919年,英国支持的热情已降至最低点,只寄希望于美国托管库尔德斯坦北部的亚美尼亚。到了秋天,显而易见已经不可能。同样很明显,土耳其问题远没有结束。阿塔图尔克在东部迅速组建军队,逼近库尔德斯坦。英国支持库尔德斯坦独立的想法难以得到财政和军事支持。1919年夏,英国在奥斯曼帝国的驻军已降至32万人。美索不达米亚英军当局强烈要求将部分库尔德斯坦置于伊拉克新委任托管权之下。奥斯曼帝国的省界在那一区域从来就不明确,所以将老摩苏尔省向北扩展至库尔德斯坦丘陵山川地带也有可能。

库尔德斯坦内部依旧矛盾重重。是信任土耳其人还是英国人呢?设法与亚美尼亚重修旧好吗?请求布尔什维克的帮助?希腊的威胁至少是暂时地促使他们下定决心。1919年春希腊军队第一次登陆叙利亚,1920年夏向内陆的阿塔图尔克进军,虔诚的穆斯林库尔德人视之为伊斯兰教与基督教的冲突。无论个人情感如何,当接近库尔德斯坦首领时,阿塔图尔克善于运用伊斯兰教的感染力赢得支持。据传英国计划夺取南部库尔德斯坦,并将库尔德民族主义者赶走,把它扔给阿塔图尔克。

寇松与劳合·乔治难得意见一致:建立独立的库尔德国是毫无疑问的,即便意味着部分库尔德领土归土耳其。1920年4月,劳合·乔治在圣雷莫承认:

> 他曾试图发现库尔德人的情感秘密。在君士坦丁堡、巴格达及其他地方做了调查后,他发现揭示库尔德人的典型特征是不可能的。库尔德人并未表现出超越其特定氏族的共性……另外,没有强国的支持,库尔德人似乎就难以生存……但是如果无论法国还是英国都没有承担起这个任务——而且他希望两个国家都不——他们则认为或许土耳其的保护会更好。这个国家越来越习惯于被土耳其统治,并且也很难将它与土耳其分开,除非能找到合适的保护人。

在草拟的土耳其问题和平条款里,库尔德斯坦的地位悬而未决:或许在土耳其内自治,或许由强国托管,或许完全独立。它的边界将由一个调查团解决(英国确信它所想要的领土已经确确实实置于新兴国家伊拉克境内了）。还有一个模糊不清的承诺：如果库尔德人能使国联信服他们已经做好了独立的准备，并且确实需要，有一天他们可以与伊拉克的伙伴合作。

1920年春，圣雷莫会议之后，条款的相关细节被泄露，土耳其人的反应完全在意料之中。"他们从各个方面收到信息，"寇松派往阿塔图尔克处的使者报告说，"伴随着嘲弄的大笑声，以及迅速的军事准备。"安卡拉的民族主义议会既反对两个条款又反对苏丹政府。源源不断的民族主义者逃离君士坦丁堡，投奔内陆的阿塔图尔克的军队。协约国高级代表严重警告，土耳其舆论已经沸腾，不会接受失去士麦那。寇松对此很担心，于是给劳合·乔治写信，"我是最后一个希望能在土耳其开辟美好局面的人……但是我也希望使小亚细亚和平，并且我知道希腊占领士麦那、希腊军队执行维尼泽洛斯命令进军小亚细亚是不可能的。"

随着局势日益恶化，协约国或者更正确地说是英国，决定迈出最终对其在土耳其的处境至关重要的一步。维尼泽洛斯担心，如果不取得些许胜利，他的政府将会垮台，在民族主义者的频繁袭击下，他的军队在士麦那严重受挫。1920年6月经劳合·乔治同意，他才得以最终进入内陆。作为回报，维尼泽洛斯派军队前去支持君士坦丁堡的占领军。仍然存在的最高委员会提供了空洞的合法的借口；希腊军队完全是代表协约国在回击土耳其民族主义的袭击。君士坦丁堡的英国高级代表在给寇松的信中生气地说："最高委员会的做法是要重回全面战争，是对其公开原则的强暴，是要使流血在近东永远不确定地继续。还能为了什么呢？无非是为了支持维尼泽洛斯在希腊尽快掌权，否则任其自然发展的话，需要许多年才能实现。"寇松完全同意："维尼泽洛斯认为他的军队能将土耳其人赶进山里。对此我表示怀疑。"

土耳其创造和平的最后阶段是以战争开始的。希腊军队从士麦那全面转移，沿着峡谷向安纳托利亚高原边缘挺进。土耳其民族主义者则后撤隐入内陆。在欧洲的色雷斯，另一支希腊军队将一支不堪一击、毫无组织的土耳其武装力量横扫一边。维尼泽洛斯信心倍增；他向亨利·威尔逊预言阿塔图尔克的军队将全军覆灭，并且希腊势力会快速渗入内陆、君士坦丁堡，甚至还有黑海的本都。私下里，希腊首相一阵惊慌，然而除了继续，他没有别的选择。到了1920年8月，希腊军队已经深入内陆250英里。

同月，协约国与苏丹政府代表达马德·费里德在巴黎郊外的色佛尔瓷器厂的展览厅签订了和平条约：美好的事物总是容易破碎。联合军事顾问警告至少需要27个师执行这些条款，而他们没有这么多师。在土耳其，这是个国丧日，报纸加黑框，商店关门，祈祷者一整天在诵经。而阿塔图尔克则继续在战斗。现在,大部分土耳其民族主义力量都为他所控制,他联合布尔什维克消灭了北方棘手的高加索共和国。

1920年9月,仅在《色佛尔条约》允诺独立的亚美尼亚可以吞并部分土耳其之后不到一个月,阿塔图尔克的军队就从南部对其进行了攻击。虽全力以赴,并利用仅有的三架飞机进行微弱空袭,亚美尼亚人还是节节败退。亚美尼亚诗人阿哈龙尼恩曾在巴黎为祖国呼吁,在伦敦他试图拜访寇松,但被一封信打发了。"我们现在所愿看到的是国内积极切实的管理能力,而不是单纯以宣传和乞讨为基础的外交政策。"11月17日,亚美尼亚与土耳其签订了停战协定,从而只剩下一小片依旧待定的旷野。5天之后,威尔逊发来一封电报。他被要求在《色佛尔条约》的基础上划定亚美尼亚的疆界;他认为土耳其领土应该是42,000平方公里。

被世界抛弃并腹背受敌,亚美尼亚总理说,"除了两害相权择其轻而外,亚美尼亚别无选择。"12月,亚美尼亚成为苏联的一个共和国;布尔什维克国家代表约瑟夫·斯大林是搞定这一切的积极分子。随后的3月,土耳其与苏联的《莫斯科条约》确认将原土耳其的卡尔斯省和阿尔达罕省归还土耳其(斯大林是布尔什维克的谈判代表)。这一边界一直维持至今。

库尔德斯坦问题也了结了。1921年3月,协约国逐渐摆脱了《色佛尔条约》里模糊条款的约束。就库尔德斯坦问题,他们打算本着"尊重现存事实的原则"对条约进行修改。"现存事实"是指阿塔图尔克对整个条约的公开谴责;他成功地将部分亚美尼亚的领土保留在土耳其境内;并正打算与苏联签订条约。库尔德斯坦可能会提出抗议,但协约国对独立的库尔德已不感兴趣。

北部边疆的稳定,使阿塔图尔克能够从容对付西部希腊的入侵。局势对他相当有利。1920年11月,出乎所有人的意料(包括他自己),维尼泽洛斯在选举中失败。这为他的老对手康斯坦丁国王回国打通了道路,也结束了在土耳其的联合政策。意大利和法国认为他们已没有责任继续支持希腊,并且必须要对《色佛尔条约》进行修改。意大利暗示愿意与民族主义者一起修改条约。条约在法国也不受欢迎,殖民地游说团公开谴责这是一个卖身条约。法国政府也无法再承担损失——1920年2月的第一个星期就有500名士兵阵亡——这一地区每年军费开支是5亿法郎。1921年10月,法国与阿塔图尔克政府签订了条约,按条约规定法国从南部的奇里乞亚全面撤军。法国做了实际的让步,而阿塔图尔克的收获更有意义——一个重要强国的认可。寇松则很愤怒:"我们似乎又重新回到那古老而传统的分歧上——近乎是令人憎恶——法国和我们之间,被不道德的政府和谎话连篇的媒体的每个诡计所煽动着。"

在希腊，康斯坦丁国王重新摄政后，在军队掀起整肃前维尼泽洛斯官员的风潮，使他们狼狈不堪，就像1921年在小亚细亚发动的春季运动一样。当然，希腊新政府仍然有责任信守原政府的承诺。劳合·乔治无视寇松的反对，一再怂恿希腊进攻土耳其。那个夏天，希腊军队深入内陆，直奔安卡拉，这是一次穿越炎热荒漠的特别军事行动，也是希腊军队最远的一次进军，超出了他们的实力范围。在400英里的希腊战线上，士兵们很清楚自己只是牺牲品。"我们回家吧，让小亚细亚见鬼去吧！"这样的埋怨一直延续到第二年春天。

1922年8月26日，土耳其终于开始反攻士麦那。他们的命令很简单："战士们，你们的目标是地中海！"希腊军队土崩瓦解，9月10日阿塔图尔克骑着马胜利进军士麦那。城市里挤满了掉队士兵和希腊内陆村庄逃亡而来的难民。码头上，数不清的人挣扎着往轮船和安全艇上挤。在黑暗的街道和小巷里，抢劫和屠杀已经开始。土耳其人和胜利的士兵们有足够的理由报复希腊人和亚美尼亚人。和在罗马、巴黎和伦敦的统治者们一样，强国的代表们已将希腊抛弃。军舰上外国官兵们看着这个城市渐渐燃烧起来。

最初火灾是由意外事件引发的，但后来目击者看到土耳其人带着汽油罐穿行在希腊和亚美尼亚地区。"即使只是远远地看，也非常恐怖，"一位英国军官回忆。"可怕的尖叫声让人难以想像。我感到有许多人被挤进海里，因为靠近房屋的人群竭力想远离大火。"阿塔图尔克冷漠地看着这火海，"一次不愉快的事件，"这就是他的反应。当火熄灭后，希腊的士麦那已经不复存在。

希腊军队的溃败使君士坦丁堡留下了一小部分协约国占领军，并使土耳其海峡突然毫不设防。当阿塔图尔克的军队向北部的马尔马拉海和君士坦丁堡进军时，英国政府决定必须要在亚洲海岸的卡拉克和伊斯米德顽强抵抗。当向大英帝国及其盟国呼吁时，得到的只是借口和指责。自治领中只有新西兰积极响应。意大利则匆忙向阿塔图尔克表明中立。法国从卡拉克撤军。寇松急忙赶到巴黎，与时任法国总理庞加莱发生不愉快的争吵，寇松一直在谈论"放弃"和"叛逃"。当庞加莱叫喊时，寇松流着泪冲出房间，抓住英国大使的胳膊说："我实在无法忍受这个矮小而可怕的人，我无法忍受他。"只有一个切实的甜头才能使他重新回到毫无结果的谈判中。

劳合·乔治赞成战争，但包括寇松和担负重任的军人在内的冷静人士最终占了上风。阿塔图尔克也做好了谈判的准备。10月11日的《穆达尼亚停战协定》规定，由土耳其从希腊手里接管东色雷斯。阿塔图尔克承诺不再进军君士坦丁堡、伊斯米德和加利波利，直到和平会议决定它们该何去何从。

上百万的希腊军队从色雷斯以及整个小亚细亚撤出。希腊的店主、农民、牧师、老人、妇女、穆斯林希腊人以及不会说一个希腊单词的希腊人茫然地走向一个无法收留和供养他们的国家。年轻的欧内斯特·海明威为一家多伦多报纸报道希腊士兵回家的情景:"一整天他们不断从我身边经过,他们肮脏、疲惫不堪,胡子拉碴,满面风霜,疾行在色雷斯乡间绵延起伏、荒凉贫瘠的大地上。没有组织,没有救济,没有容身之地,只有虱子、肮脏的毛毯和夜晚出没的蚊子。这是希腊最后的光荣,也是希腊第二次特洛伊进攻的终结。"

希腊在小亚细亚的冒险已摧毁了维尼泽洛斯;现在又毁了他重要的保护者劳合·乔治。卡拉克危机对于一个飘摇不定的联合政府来说太过沉重。寇松谨慎地抛弃了旧同僚。1922年11月以波纳·劳为首的保守的新政府成立,寇松再次被任命为外交部长,并马上前往洛桑,最终决定土耳其的和平。

聚集到那里的人有几个曾出现在巴黎和会上——寇松、庞加莱、落寞的维尼泽洛斯、保加利亚的斯塔姆博里斯基和他迷人的翻译,和会上惟一的女人。还有一些新面孔:墨索里尼,身穿黑色衬衫,套着白色鞋套,第一次参加重大国际会议使他显得有些不自在;格奥尔基·齐采林,苏联外交事务代表,留着一小撮红色胡须,像个"穿着从旧衣店偷来的衣服的斯洛伐克人"。土耳其代表以民族主义者、阿塔图尔克信得过的伊斯梅特·伊诺努将军为首。当协约国试图邀请君士坦丁堡政府时,阿塔图尔克索性废除了苏丹王位。美国因为远离欧洲,且不熟悉欧洲事务,所以只派了两名观察员:理查德·蔡尔德,曾是一名温和的记者;约瑟夫·格鲁,珍珠港事件发生时,是美国驻东京大使。格鲁惊奇地发现寇松确实独具魅力:"三四个人的宴会上,他的出现总是很受欢迎,当餐桌被清理一空,葡萄酒上来后,他可以一小时接一小时地讲着故事、奇闻轶事以及在当今社会他难得经历的快乐心情,没有什么曾让我如此愉悦!"

在洛桑,许多事情在考验着寇松的耐心:他嗜酒如命的男仆偷藏他的裤子;后支架断裂并刺伤了他;更重要的是,英国和意大利"对土耳其似乎是尊重有加,但总体来说,每到关键时刻他们都意欲回避",当然土耳其自身也有问题。伊斯梅特,"一个矮小晦涩的男人,毫无吸引力",看起来"更像个亚美尼亚卖花边的,而不是土耳其将军",慎重、耳聋以及固执使他不厌其烦地重复自己的要求。他带来了阿塔图尔克坚定的指令:商讨建立独立的土耳其,不受外来干涉。作为一名好战士,他打算跟随他们。一天,寇松突然以极讽刺的口气厉声打断了伊斯梅特的讲话,"你提醒了我,这一切只像个音乐盒,你天天弹奏同一个调子,直到我们厌恶不已——主权,主权,主权!"伊斯梅特耸耸肩,置之不理。他说,寇松"把我们当作小学生,可我们并不介意。他对待法国和意大利也同样如此"。晚上,这个土耳其人用最喜爱的查特酒安慰自己；一个美国人不知趣地凑到他身边发誓要终身戒酒。寇松感到越来越多的关于土耳其的困扰，这是因为他感到他正在与看不见的对手斗争。远在安卡拉的阿塔图尔克在密切关注着会议的情况，并将自己的命令通过电报发送给伊斯梅特。

1923年，在寇松意在给土耳其施压的没完没了的讨价还价和戏剧性罢工之后，和平条约终于艰难产生。"有着深深眼袋"的伊斯梅特代表土耳其签字，英国驻君士坦丁堡的大使代表英国签字。《洛桑条约》不同于《凡尔赛条约》、《特里亚农条约》、《圣·日耳曼条约》《纳伊条约》以及《色佛尔条约》这些巴黎和会的产物。"这是迄今为止，我们惟一自己决定的和平条约，"寇松反思，"我们赤手空拳与坐拥千军的敌人谈判，是前所未闻的。"

《色佛尔条约》保留下来的条款寥寥无几。其中并未提及独立的亚美尼亚或库尔德斯坦，尽管寇松试图在新条约里增加保护少数民族的条款，但土耳其以主权为由拒绝了。现在的土耳其边界实际上将从东色雷斯到叙利亚的所有土耳其语区都包括在内。海峡仍归土耳其，但对于他们的使用权有一个国际协定。原有的耻辱性投降条约被废除。《洛桑条约》也提出了强制性的穆斯林和基督徒的人口调换。大多数希腊人已离开土耳其；现在从克里特岛到阿尔巴尼亚边境的许多穆斯林家庭被迫背井离乡，并被抛在土耳其。"一个十分糟糕、完全错误的解决办法，"寇松警告，"百年后世界将会因此而受到惩罚。"根据特殊协议，惟一例外的调换发生在西色雷斯土耳其人与君士坦丁堡及几个小岛的希腊人之间。苟延残喘的外族群体被无数细小规则困扰着，并且当土耳其和希腊的关系恶化时便被随手抓来当替罪羊，就像1960年代在塞浦路斯和1999年夏天在科索沃他们所做的。

在洛桑未解决的争端是伊拉克北部的摩苏尔问题。土耳其代表团秉着土耳其政府据理力争的一贯思路要求得到摩苏尔，因为这里的库尔德人是真正的土耳其人。土耳其首席谈判代表自豪地说，毕竟《大不列颠百科全书》是这么说的。为了石油而不是库尔德人，在摩苏尔问题上下定决心要坚持的寇松也开始退缩了："库尔德人是土耳其人的历史发现是专为土耳其代表准备的，在这之前没有人发现它。"摩苏尔问题几乎搅散了会议，双方最终同意交给国联处理，1925年国联将摩苏尔判给了伊拉克。

库尔德人被不同的政府统治着——阿塔图尔克政府和波斯的巴列维政府以及伊拉克的费萨尔政府——任何一方都不会容忍库尔德独立。由于适时地认识到库尔德人不愿意生活在阿拉伯人的统治之下，英国一度草率地支持在伊拉克建立独立的库尔德行政区。最终英国人还是袖手旁观；1932年，伊拉克独立，没有给库尔德人任何特别的承诺。在土耳其，阿塔图尔克和民族主义者将工作重点由早期的穆斯林全面联合，转移到建立世俗的土耳其民族国家。他们废除了伊斯兰教国王制，让许多库尔德人感到恐慌；官方语言和教育语言都将是土耳其语;甚至从1923年到1991年库尔德语从未被认可。1927年土耳其外交部长向英国大使断言,库尔德人注定要消亡,就像他所描述的"红色印度人"一样;如果库尔德人有任何民族主义的倾向,土耳其人就将驱逐他们,就像他们对亚美尼亚人和希腊人所做的一样。

库尔德人从未如此心平气和地认命,巴黎和会期间库尔德民族主义力量还很微弱,但在多年重压下已逐渐强大。巴黎产生的一些承诺以及第一次《色佛尔条约》成为库尔德人记忆和希望的一部分。1919年夏天,库尔德大地上最早的起义的领导者将一本《古兰经》系在手臂上,在它的一个空白页上写着协约国的承诺——包括威尔逊十四点原则之一,即关于非土耳其民族独立发展问题那条。

从洛桑回来的伊斯梅特受到了英雄般的欢迎,那个条约至今仍被看作土耳其外交胜利的典范。1923年,最后一部分占领军撤离君士坦丁堡。前一年,苏丹已离开,被英军救护车迅速地带离宫殿,登上英国战舰去了马耳他。在圣雷莫流放期间,他在穷困和孤独中死去。他的堂兄,一位文雅的艺术家,成为哈里发,但是一年后阿塔图尔克就废除了伊斯兰教国王制。其余的王族都被流放了,他们在那儿把所剩无几的财产挥霍一空。家族中有一小部分人回到了土耳其;一位公主经营旅馆,一位王子在托普卡匹宫殿的档案室工作。1925年,寇松因多年超负荷工作劳累而死。1938年,阿塔图尔克死于肝硬化,伊斯梅特接任总统。1993年,《洛桑条约》签订70周年纪念日,伊斯梅特的儿子和寇松的孙子一起在阿塔图尔克墓前献上花圈。

第八章 闭 幕

FINISHING UP

| 30 镜厅 |

1919年5月4日,星期天,在做了最后修改之后,四人会议发出付印《德国条约》的命令。劳合·乔治去枫丹白露野餐,其他人各自休息。两天后,召开了少有的全席会议,对条款进行投票。由于事先没有准备译本,代表们不得不听安德烈·塔迪厄用法语朗读冗长的摘要;许多英语国家代表打起盹来。亨利·威尔逊在日记里写道:"将要交给德国鬼子的条款我们自己事先竟然还未看过,真是史无前例。"葡萄牙人埋怨没有得到任何补偿,中国人反对将德国在中国的殖民地移交给日本;意大利代表则对在他们缺席的情况下确立条款有异议。让所有人惊讶的是,马歇尔·福煦要求大家听他发言,他最后请求把莱茵河作为德法分界线。克雷孟梭蛮横地质问他为什么如此激动?"可笑吗?"福煦回答说,"这是出于我的良知。"他对《纽约时报》说:"下一次,记住,德国会万无一失。他们将突围进入法国北部,并夺取英吉利海峡上的港口作为反英格兰的基地。"巧的是,他去世20周年的祭日恰好是希特勒的死期。

福煦警告不要刁难和谈者。"每个人似乎都为和平条款而欢呼,"弗朗西丝·史蒂文森报道说,"他们不会发现任何问题,因为他们原本就没有严格认真地对待。"看着印刷好的条约,威尔逊自豪地说,"在尽可能短的时间内,我们四人完成了最伟大的工作。我希望余生能有足够的时间通读整个条款。"克雷孟梭也很高兴,"最后的结果是最好的;最重要的是,这是一项事关人类的工作,作为结果,它并不尽善尽美。但我们已经竭尽全力做得既快又好。"当威尔逊问他们是否会带着大礼帽参加与德国的会面,这位老人回答,"是的,插着羽毛的帽子。"

在凡尔赛阴冷的喷泉酒店,有包括外交官、秘书和新闻记者在内的大约180名德国代表,他们在焦急地等待。如一位美国观察家所说,他们带着"兴奋而反常的情绪"从柏林出发,确信将被当作贱民对待,他们在法国受到的待遇验证了这种糟糕的恐惧。当载着他们的专列进入被战争毁坏的区域时,法国人将车速降了下来:一位德国人说,这是一种"精神鞭笞",也是一种预兆。"可怕的四年半时间里,生命被残害,财富被摧毁,却把所有的责任都归咎于我们。"一到巴黎，他们就匆忙钻进了巴士，在重重护卫下被送到凡尔赛，他们的行李被随便地堆放在酒店庭院里，并被粗鲁地告知自己取行李。1871年，法国领导人与俾斯麦曾在这个酒店谈判。现在酒店四周安了栅栏，法国人称是为了德国人的安全。德国人嘟囔这是把他们当作"展览会上被展出的黑人村庄里的黑人村民"。

代表团团长是德国外交部长布罗克多夫·兰曹。他是理所当然的人选。他曾为旧帝国外交部门工作，成绩卓著，与其他同僚不同，他接受新的统治并与现当政的社会主义者建立了良好关系。战争期间，他严厉批评德国政策，并强烈要求达成妥协的和平。他也是糟糕的人选。他戴着单眼镜、傲慢、狡猾、受过很好的训练，看起来像刚从德皇庭院里溜达出来（确实，他的孪生兄弟为德皇管理财产）。他的家族古老而显赫：兰曹家族曾为丹麦、德国以及17世纪的法国工作。据传，马歇尔·兰曹是路易十四的亲生父亲。当法国军官向布罗克多夫·兰曹问及此事时，这位伯爵回答："哦，是的，在过去的三百年里，在我的家族里，波旁皇族一直被认为是兰曹家族的私生子。"他机智诙谐、残酷且反复无常，许多人惧怕他。他喜欢香槟和白兰地，据说是非常嗜好。柏林英军使团头领认为他还吸毒。

1919年，布罗克多夫·兰曹与许多同胞一样寄希望于美国。他认为经过这么久的磨合，美国应该认识到无论其经济还是政治利益都与一个复兴的德国密切相关。两国可以与英国并肩作战，或许还有法国，共同阻击东方布尔什维克。如果美英分裂，结果很可能是美国权衡利弊后选择联合强大的德国。与许多德国人一样，布罗克多夫·兰曹也认为威尔逊总统会确保和平条款温和适度。毕竟，根据威尔逊的建议德国成立了共和国。这已显示它良好的信用。

多数德国人认为，他们的国家是因为十四点原则将作为和平条约依据而投降的。驻柏林美国外交官埃利斯·德雷泽尔报告说，"那些人民被告知，德国是在一次干净利落的战斗后被不幸击败的，罪魁祸首是国内士气遭到了封锁的毁灭性影响，或许还有领导们不切实际的计划。但他们会请求中肯的威尔逊总统给德国一个折中的和平。"毫无疑问将会做一定补偿，但对战争耗费未提及。它将成为国联的一员。它的殖民地将得以保留，并且可以按他们的想法实施自治原则。德国奥地利人可以自行决定是否加入德国。西普鲁士和西里西亚德语区当然仍归德国所有。德国人占主导的阿尔萨斯和洛林地区可以用投票方式决定未来。

和平后的第一个月，德国紧紧抓住十四点原则这根救命稻草，丝毫没有意识到胜利者们可能完全是另外一种想法。许多熟悉的具有划时代意义的事物——皇帝、军队和官僚机构——不复存在，留下令人不安的希望和恐惧。这个国家还不到五十岁；它能够继续存在的理由是什么？巴伐利亚人和莱茵兰人期望重获在德国诞生的 1870 年失去的独立。极"左"革命派则梦想着另一个俄国革命，并且起义一度在不同城市不约而同地发生，他们的梦想似乎唾手可得。托马斯·曼恩近乎兴奋地谈论着文明的终结。各政党挣扎着试图重新自我定位。人们普遍恐惧德国社会将被取代；古老的道德标准已经消失。或许可以理解，人们不愿认真思考将来，尤其是正在巴黎被炮制的未来。德雷泽尔说，"奇怪的是大多数人对与和平相关问题的漠不关心。他们急欲利用片刻欢娱忘却过去的灾难，狂欢随处可见。剧院、舞厅、赌场以及跑马场空前人满为患。"一位杰出的德国学者牢记着那"停战时的梦魇"。

一些德国人开始调查他们等待的几个月里巴黎到底发生了什么。外交部则研究协约国新闻报道，寻找胜利者之间的分歧。并与协约国直接接触，商谈解除封锁或是停战条款。协约国代表总是讨论重大问题。美国情报官员康格上校暗示他在巴黎代表中拥有很高的权力。他是哈佛毕业生，专门研究古老的东方宗教和东方古典音乐。他告诉与他相对应的德国官员，在停战问题上，美法关系紧张，并断言威尔逊总统将反对法国的过分要求。他还给了德国人许多建议。比如制订宪法时，可以借鉴美国模式，赋予总统相当的权力。德国外交部适时地将建议传达给了后来的《魏玛宪法》的制订者。阿格尼教授名义上是普通外交官，实际上是法国驻瑞士情报机构的头头，1919 年 3 月他与柏林的德国知名人士秘密会谈。他留下的误导概念是，如果德国默许法国对萨尔矿山的控制权以及对莱茵兰的占领，法国准备缓和补偿问题和西里西亚问题。德国试图把这个人当作信使。1919 年 4 月，当美国人德雷泽尔告诉布罗克多夫·兰曹，德国必须承认法国对萨尔以及自由城但泽的控制权时，这个德国人愤怒了。"我没有任何理由签订和平条约。"并且加上了至今仍很熟悉的警告语："如果协约坚持这些条件，那么我认为布尔什维主义在德国是不可避免的。"1919 年，与欧洲的其他国家一样，德国发现革命这个怪物在给和谈者施加压力上很有用。有资料显示，其实德国政府倒并未把这个威胁当回事。

德国关注的是将与协约国商谈赔款问题。1918 年 11 月，德国政府成立特别和平代理处，艰难地工作了一个冬天，制作了一卷卷详细的计划、地图、备忘录、建议和反面意见，供德国代表使用。当专列驶向凡尔赛，随车携带的许多柳条箱里装满了为这次前所未有的谈判所准备的资料。

在凡尔赛的日子一天天过去，德国人不停地顽强工作。因为他们确信法国在监听，所以所有会议都演奏音乐，代表轮流演奏选自《汤豪舍》（瓦格纳的 3 幕歌剧，作于 1842—1845 年，完整标题为《汤豪舍以及瓦尔特堡的歌咏比赛》——译注）的"匈牙利狂想曲"或"朝圣进行曲",或者播放特意从柏林带来的留声机。按民主新德国的精神,代表们一起坐在长长的餐桌旁吃饭,贵族坐在社会主义工人阶级旁边,将军与教授相邻。他们在庆祝国际劳动节。法国媒体做了大量的报道:德国人吃了数量巨大的橘子和糖。

酒店外,法国人在好奇地等待一睹敌人的尊容。他们时而嘲讽,时而吹着口哨,但一般是安静甚至是友好的。德国人乘上法国人提供的汽车参观游览,去凡尔赛的商店,或者出城到乡间去。他们在特里亚农公园散步。"茂密的木兰和山楂树上开满了花,"外交部一位官员在给妻子的信中写道,"还有杜鹃和丁香也含苞待放。"许多鸟儿、雀、画眉还有一只白头翁非常美妙。"但是这些美好背后是我们灰暗的命运,直冲我们而来,越来越近,也越来越暗无天日。"

最终,在到达凡尔赛一周后,德国人接到在特里亚农宫酒店召开会议的通知。5月7日(或许是巧合,是德国在路西塔尼亚战败纪念日),协约国将递交和平条款。德国有两个星期的时间提交书面意见书。那天晚上直到凌晨2点以及第二天上午,整个喷泉酒店到处都在议论德国代表将如何行动。主要发言人布罗克多夫·兰曹最终决定到时坐着;他在法国报纸上看到会议厅的布局图,德国座位被安置在一旁,像为犯人准备的被告席。现在判断他将要说些什么非常困难。这可能是他与和谈者直接对话的惟一机会。代表团准备了好几种发言稿。5月7日,布罗克多夫·兰曹开车穿过停车场,随身携带了两个文本,一个简短而含糊,一个详尽而据理力争。他还没有决定使用哪一个。

会议厅挤满了人:来自各个国家的代表、秘书、将军、海军上将、记者。"只有印第安和澳大利亚土著居民没有参与这场领地角逐,"一个德国记者说,"各种肤色都有,除了苍白的象牙黄、棕咖啡色和深黑色。"会议厅中间,只为德国人准备了一张桌子面对各大强国。所有人都紧盯着那扇门,德国人将由此进入会议厅,"动作僵硬、笨拙,"一位目击者说,"布罗克多夫·兰曹好像病了一样,紧张、面部扭曲,并且不停地出汗。"在短暂犹豫后,众人还是遵守了逝去的1914年的礼仪,全体起立。布罗克多夫·兰曹和克雷孟梭相互点了一下头。

克雷孟梭拉开活动的序幕。他泰然自若,冷静地概述了条约的主要条款。"到了说明我们的重大解决方案的时候了,"他对德国人说,"你们向我们请求和平,我们愿意给你们和平。"他在说这些话的时候,一位德国代表说,"好像集中了所有的愤怒和鄙夷,此后,对于德国人来说,任何辩解都是徒劳的。"在被翻译为英语和法语后,克雷孟梭问是否有人要发言。布罗克多夫·兰曹举起了手。

他选择了长的发言稿。尽管他说了许多带有歉意的抚慰话语,但因为他的翻译不称职,结果没起任何作用,而他刺耳的声音更让人难以忍受。克雷孟梭愤怒得涨红了脸。劳合·乔治将象牙裁纸刀折成了两半,后来他说那时他第一次理解法国人对德国人的憎恨。"这是我听过的最笨拙的演讲,"威尔逊说,"德国人是愚蠢的民族,他们总是做错误的事情。"劳合·乔治也同意:"真是令人痛心,我们竟然给他讲话的机会。"只有一直被遣在外的鲍尔弗没有感受到这普遍的义愤,没有目睹布罗克多夫·兰曹的表现,他对尼科尔森说,"我有个原则,就是决不盯视一个显然在悲痛中的人。"离开特里亚农宫酒店时,布罗克多夫·兰曹漠然地叼着烟,在台阶上站了一会儿。只有离他很近的人才会发现他的嘴唇在不停抽搐。

回到酒店,德国人忙着整理条约副本。关于德国的部分被撕下来交给了翻译组。早晨,德文译本已印刷好并寄了出去。一位代表通过电话向柏林做简要介绍:"萨尔盆地……波兰,西里西亚、奥珀伦……支付 1230 亿元,并且要求我们说'非常感谢'。"他大声叫喊着,使法国特务机关几乎听不出他说了什么。午夜,当德国人聚集在一起吃快餐时,餐厅里爆发了嗡嗡的评论:"都是我们的殖民地","德国将被置于国联之外","几乎整个商用舰队","如果那就是威尔逊所说的开放外交。"一位曾是贸易联合主义者的代表慢悠悠地踱了进来:"先生们,我喝醉了。那些可能是无产阶级的要求,但对于我来说他们将一无所获。这个耻辱的条约让我震惊,我至今还在相信威尔逊。"对此在巴黎流传着一个夸张的说法:"代表们、秘书们以及翻译都醉醺醺,衣衫不整,东倒西歪,有的甚至躺在酒店楼梯上。""世界上最糟糕的强盗行为都是打着伪善旗号犯下的。"银行家马克斯·沃伯格说。布罗克多夫·兰曹用近乎轻蔑的口气说:"如此繁复的卷宗毫无必要。他们一句话就可以说清楚——'德国拒绝承认它的存在'。"

震惊久久回荡在德国。为什么德国要失去 13% 的领土和 10% 的人口?难道只是因为输了战争?自从停战后,军队及其支持者就一直忙着列举"暗箭理论"的依据:德国并不是在战场上被击败的,而是因为国内的背叛行为。为什么惟独德国被解除武装?为什么德国是惟一必须要为第一次世界大战负责的国家?这个问题也成为憎恨条约的焦点。多数德国人仍认为,1914 年爆发的反抗是针对东方野蛮斯拉夫人威胁的必要防卫。这种条约完全无法接受,大臣菲利普·谢德曼说,"是什么人将镣铐加于我们及其自身,难道不感到羞耻吗?"威尔逊的承诺发生了什么变化?"好,让你看看什么是公开外交,"强硬、粗鲁的国防大臣古斯塔夫·诺斯克对美国记者说,"你,这个美国人,滚回去吧,和你的威尔逊一起见鬼去吧!"曾被看作德国救星的威尔逊如今一夜之间成了罪恶的伪善者。1924 年威尔逊去世,驻华盛顿的众多外国大使馆中,惟独德国大使馆拒绝降半旗致哀。

那段时间，令人不可思议的是暴行和意外之事。在为和平谈判做的准备中，英国外交部已经预设了许多条款：裁军问题，解除武装，莱茵兰占领问题，赔偿方面，至少赔偿萨尔矿山相当可观的损失，或许还包括德国东部的但泽，至少6000万马克。这是对一位美国观察员神秘感受的最好解释，这位观察员在1919年4月说："除了期待以外德国别无选择。可我感到他们在孤注一掷地坚持——希望美国能做些什么，希望最终条款不像停战协定所暗示的那么苛刻，等等。我认为，德国下意识地表现得比他们真正的认识更乐观。"并且，他预示性地加了一句，"当他们看到白纸黑字的条约时，会更加痛苦、愤恨和绝望。"

德国代表在这样的情绪下准备和平条款意见报告。5月底，已形成许多言之有理的相反意见和建议。主要抨击条约并非像协约国所承诺的那样公平公正。在从德国剥离出去的土地上，德国人的自治权被剥夺了。赔款使德国人民成为"终身劳动奴隶"。只有德国必须解除武装。布罗克多夫·兰曹决心推行特别策略，即便会导致危险的结果。他坚持，德国不应该独自承担战争罪责。"如果我说对此表示忏悔，"他曾在特里亚农宫说，"那将是一个谎言。"可是没有人要求他或德国人忏悔。条约声名狼藉的231条，德国人不准确地称之为"战争罪条款"，规定了德国战争赔偿责任。条约中也有一些针对奥地利和匈牙利的类似条款；但它们从来没有成为问题，很大程度上是因为政府不愿意如此。

德国人的反应之所以不同，很大一部分是因为几个月来他们一直在不安地等待被谴责。在战争期间，自由派曾批评政府不该背负愧疚的重担。伟大的社会学家马克斯·韦伯以及众多知名教授发表公开声明："我们决不否认当权者对战争负有的责任。但我们也相信所有参战强国都是有罪的。"和平条约发表时，不同政见的德国人都看到最深的恐惧已成为现实。

尽管自己的政府质疑自己的智慧，但布罗克多夫·兰曹仍固执地抨击231条款，这是为了推翻赔偿证据，而不是荣誉。5月13日，他写信给协约国说，"德国人民不愿看到战争，也决不会发动侵略战争。"他还在另一个更详细的备忘录里一再重复这个问题。协约国则寸步不让。"我不能接受德国人的观点，"劳合·乔治在回忆录里写道，"我们并没有开脱战争责任。"威尔逊尖刻地说："显而易见，德国政府说的话，我们一个字也不能信。"请求停战时，德国已经承认侵略和责任，克雷孟梭代表四人会议说，"今天再想否定已经太晚了。"231条款是年轻的约翰·福斯特·杜勒斯推动起草的，是一种折中赔偿，已成为《凡尔赛条约》中对德部分以及随后历史中——乃至英语世界中不公正、不公平的重要象征。

5月7日凌晨4点，德国人拿到了和平条约。美国救助行政官员赫伯特·胡佛被报信者惊醒了，刚从媒体上抄下来的条约副本呈现在他面前。与其他人一样，他也是第一次看到完整的条约。所有条款褊狭的视野及其伴生的影响令他担忧。他无法再入睡,漫步到巴黎空旷的街道上。天渐渐变亮,他恰巧遇到英国代表团的斯马兹和凯恩斯,"我们都这样认为,"胡佛多年以后回忆,"条约中许多内容可能造成毁灭性的后果。"

条约的出版使许多和谈者的不安明朗化,但是这种不安是源于和平条款本身,还是和会本身,抑或是世界的未来,或是他们自己的未来,难以说清。美国国务卿兰辛一直是愤恨的旁观者,他发现条约证实了他对谈判代表威尔逊的最坏担心。他草就了一个尖锐的备忘录:"和平条款表现出的粗糙和羞辱性令人不可思议!许多条款根本不具可操作性。"仍在为自己俄国外交的失败而伤心的布利特在克里昂酒店组织了美国年轻代表的聚会。"这不是一个和平条约。"他说,他们必须集体辞职。十几个人表示同意。他将桌饰撕成碎片,并将红玫瑰奖给和他一起行动的人,而将黄色长寿花给了未行动的人。在辞职信中他谈到觉醒,谈到威尔逊的原则,谈到美国理想主义被出卖,为贪婪的欧洲服务。关键是布利特使自己的文字直接发表了出来。

英国代表团的反应也是相似的。尼科尔森觉察了这种情绪。"我们充满信心地来到巴黎,因为将要建立新秩序;但当离开时,我们看到新秩序只不过是玷污了旧秩序而已;我们来时像威尔逊总统的虔诚学徒;离开时却已是背叛者。"英国因为创造了"帝国主义和平"而宽恕了自己;而将所有过错都归咎于意大利和法国。在英国,对于卡其布军服选举(利用紧张局势博取多数人投票的选举——译注)的情绪已经消散,并且对德国越来越宽容。坎特伯雷大主教声明自己对条约感到"非常不舒服"。他演讲,他呼吁,为"一个伟大而重要的群体,而这个群体总是沉默,并且没有正常的渠道向媒体进行适当的陈述"。

当然,法国的反应是不一样的。批评家抨击条约太软弱了,一部分右派觉得太粗糙。他们的抨击对公众的作用微乎其微。许多法国人认为克雷孟梭已经尽其所能争取到了最好条款。"光荣而鼓舞人心。"这是一个记者的描述。无论如何,对于重开一轮令人疲倦的谈判他们丝毫不感兴趣。5月29日,当德国递交详细的意见报告书时,法国媒体痛斥:"厚颜无耻的标志","可憎的插科打诨","傲慢自大"。一位著名的自由主义者惊呼,他所能发现的关于德国的话语都是这样地"下流而缺乏道德"。

相比之下,德国人给英国人和美国人留下了深刻的印象。亨利·威尔逊对德国没有任何帮助,他在日记中写道:"德国鬼子的所作所为未出我所料——他们驱赶着由四匹马拉的大马车,长驱直入,打破了我们的条约,然后递交一份完全是自己的版本,以十四点原则为基础,比我们的还具有一致性。"不幸的是,恰在那时,莱茵兰的分裂主义者在法国军队支持下策划毫无结果的独立阴谋。6月1日,莱茵河沿岸的几个城市四处贴满了布告。这些布告要么被愤怒的群众撕毁,要么遭遇了莫测的沉默。夺权尝试可耻地失败了。布罗克多夫·兰曹立即向克雷孟梭提出强烈抗议。6月2日,威尔逊和劳合·乔治将莱茵兰驻军发来的控诉法国阴谋的报告出示给克雷孟梭。劳合·乔治认为协约国需要重新审视对莱茵兰15年的占领。

劳合·乔治确实在反思整个条约。他充分认识到,长远来看,一个虚弱且极有可能是革命性的德国在欧洲中心并不符合英国的最佳利益,似乎也不符合他自身的政治利益。在赫尔的一次递补选举上,鼓吹"一个有益的、及早的、没有仇恨的和平"的候选人战胜了联合候选人。他最亲近的同僚提醒,英国公众不会支持一个粗糙含糊的条约。5月30日,协约国收到了德国详细的意见报告,该报告反映了他与英国同僚曾就此进行的多次讨论,比如3月底在枫丹白露。代首相波纳·劳发现德国反对意见在"许多细节上非常难以回答"。劳合·乔治也这样认为。而实际上德国人是对协约国说:"你们有一整套的原则,当它有利于你们时,你们就推行,但是,当它有利于我们时,你们就置之不理。"

最具雄辩才能的批评家是斯马兹。"我的悲伤难以言表,"他写道,"这是我们的政治才能导致的。" 他还有这样的言论:"这是一个建立在错误基础上的让人难以忍受的和平","我们现行的可笑的政策","骇人听闻","极端的。""德国几乎不可能执行这个条约。"赔偿条款也不具操作性,并且是"杀鸡取卵"的行为(斯马兹自己对赔款金额包括协约国士兵的养老金、孤寡补偿金等做了估算)。对莱茵兰的占领和将德国领土移交给波兰"使欧洲的未来充满危险"。他非常疑惑怎能签订这样的条约。劳合·乔治尖刻地问他,按这样的逻辑,那是否应该将西南部非洲交还给德国。他回答,"从很大程度上说,西南部非洲与现在的文明世界所承载的负担相比,真是小巫见大巫了。"但斯马兹并不打算放弃。

6月1日,倍受这些干扰的劳合·乔治召集英国代表开会。英国政府几个重要部长,包括财政大臣奥斯丁·张伯伦、印度大臣蒙塔古以及头天晚上从伦敦赶来的国家战争大臣邱吉尔都参加了会议。斯马兹发表了激动人心的演讲。和平条款将会"在欧洲制造一代的政治和经济混乱,从长远来看,英国必须为此付出代价"。并补充说,"解决方案中法国的要求太多"。人们对协议有普遍的抱怨。"德国对法国的憎恨,"邱吉尔说,"不只是人性的弱点。"一向寡言的南非总理博塔上将说,当天是他和米尔纳爵士签订和平条约结束布尔战争17周年纪念日,"那一次适时地为大英帝国挽救了南非,我希望这次能恰到好处地挽救世界。"会议一致同意并批准劳合·乔治返回四人会议,以要求修改德国与波兰边界问题、赔偿问题、莱茵兰占领问题以及虽小但具争议的条款。另外,他将要求对德国做出承诺,即德国可以尽快参加国联。

第二天,劳合·乔治告知四人会议,他的同僚们没有批准他在目前这个条约上签字。他们不同意英国军队进入德国以及英国海军继续封锁。威尔逊和克雷孟梭对于返工已经千辛万苦完成的工作感到很头疼。两个人断定劳合·乔治害怕了。"这让人厌烦,"威尔逊告诉美国代表,"人们都说担心德国不签字,这种担心是基于条约草拟时各自所持的立场。"私下里,他说劳合·乔治似乎是"自己没有任何原则,只根据最后一个人的建议做决定:这种权宜之计是他惟一的指路明灯"。威尔逊不打算改变任何已确定的内容。克雷孟梭只会在次要事情上让步,他在四人会议上指出,他竭力争取使他的人民接受这一立场;如果做更多让步,他的政府就会垮台。从劳合·乔治回忆录里的观点看,他不建议做重大改动,只要求使条约更好地与威尔逊自己的原则保持一致。

随后是两个星期频繁而激烈的讨论。有报道称,威尔逊曾对劳合·乔治说,"你让我恶心!"最后,劳合·乔治做出了实质性让步,上西里西亚人民可以公民投票决定是留在德国还是加入波兰。否则,他将不可避免地激怒他的盟国。劳合·乔治打算缩短对莱茵兰的占领期。但克雷孟梭毫不退让,他对豪斯说,即便是14年零364天也不行。最终进行了微调,以使占领军与德国行政部门及平民之间的矛盾最小化。在国联,协约国只向德国确保,当觉得条约非常可行时他们才会批准。

劳合·乔治在赔偿问题上没有取得任何进展,仍是因为他还未搞清到底想要什么。他曾激烈反对在条约里出现具体金额。现在他犹豫了。或许可以提及养老金等数额,并且德国应该承担对比利时和法国造成的破坏的修复工作。或者德国会问修复费用是多少,协约国可以告诉它直到修好为止。他认为至少可以再进行观察。威尔逊只在具体金额上做了让步,面对英法的反对,他对新闻秘书贝克说劳合·乔治傲慢自大而且让人难以忍受。

不过,赔偿委员会被要求对问题进行重新考量,最终仍未取得一致意见。英法发现确定具体金额几乎不可能;美国建议1200亿金马克,并且照会德国。威尔逊坚定地说公正的要求使德国背负了沉重负担,但协约国决不能将德国的经济推向毁灭。"我相当喜欢这块馅饼上那层硬硬的皮和甜甜的沙司,"劳合·乔治说,"而不是肉。"威尔逊回答说:"可无论如何你要准备好消化肉的胃,只有肉才能提供维持你生命的足够养料。"当然啦,劳合·乔治说,必须有一个条件:"就是你必须给我足够的肉。"克雷孟梭插话说:"我特别希望确保那些肉别进了某些人的胃。"劳合·乔治提出一个独创性的方案,给出一个金额的范围,但不涉及实质性的具体数字。"这就是你对美国关于具体金额的建议的回答吗?"威尔逊以怀疑的口吻说。"美国报告的其他部分你看过吗?"

6月16日,德国被告知还有三天时间(后来一直延长到23日)——否则协约国将采取必要措施。那天晚上，布罗克多夫·兰曹及其首席顾问动身前往魏玛。当他们的车驶往火车站时，愤怒的人群嘲讽地吹着口哨，一位秘书被石头击倒。据报道，法国当局毫无愧意——记住，德国对比利时做了什么——尽管后来他们给了这位不幸的女人一笔不菲的赔款，但她一直没有痊愈。

协约国代理处的报告显示，德国政府很可能会拒绝这个条约。尽管还未明确是否准备战斗，但德国舆论坚决反对签字。通过截取的电报，协约国了解到布罗克多夫·兰曹极力要求拒签，他的代表都支持他。"如果德国拒签，"克雷孟梭在四人会议上说，"我认为最好是派出一支精锐部队突袭，迫使它签字。"威尔逊和劳合·乔治毫不犹豫地同意了。5月20日，联军总司令福煦下令42个师的大部队直捣德国中心区域。英国准备恢复海军封锁。

最后期限的前两天发生的一件事更坚定了协约国的决定。在远离巴黎的斯卡珀湾，被拘的德国舰队军官听到来自巴黎的消息后，越发沮丧。那个冬天漫长而阴沉，全体人员不得登陆，这对于那些志愿参加舰队进行反英革命的激进海员来说，尤为失望。那些愤怒且具有反抗意识的人在长时间的争辩后才忍气吞声地遵守命令，曾经使德国海军骄傲的舰队如今是如此蹀躞。负责的海军上将决定，为了德国海军的荣誉他们必须做些什么。6月21日中午，英国海军注意到所有敌方军舰同时升起军旗。大型战舰和巡洋舰开始依次列队，很显然正在发生什么事。由于反应太慢，英国海军损失惨重。那天下午，5艘40万吨的昂贵船只被摧毁。德国人欢欣鼓舞，豪斯也是，他在日记中写道，"每个人都在嘲笑英国海军部。"和谈者们很恼火。"毫无疑问，"劳合·乔治说，"击沉的是信任。"威尔逊也同意："我和劳合·乔治先生一样怀疑这一切，并且不再相信德国人。"德国政府顺延最后期限的要求当然根本不可能。事实上，令人宽慰的是英美冲突的可能根源已经消除。

德国政局陷入一片混乱。是否签字使联合政府四分五裂。西部政治领袖坚持不惜一切代价换取和平，并认为必须签订单独条约，这一立场在德国各州占主导。民族主义者只一味勇敢地谈论对抗，却提不出可行的行动方案。军队中，疯狂的计划已经开始流传：在东部建立新国家作为反抗协约国的堡垒；举行反政府军官大暴动；或者暗杀提倡签字的首要人物、中间派议员、政治家马提亚·厄兹伯格。

马提亚·厄兹伯格是天主教南方一个乡村邮差的儿子，大胆、快乐、注重实效。战争期间，他要求适度、协商的和平的呼声最有影响力。他的敌人也很多，并且他们都很憎恶他的红脸膛、小眼睛、狂热的微笑以及夸张的言谈习惯。布罗克多夫·兰曹处处都与他唱反调，根本不可能与他以礼相待。1919年，厄兹伯格是德国停战专员。他认为德国经不起再次开战。针对喧闹的民族主义游行的公众舆论似乎是拥护他的。他对内阁同僚说，确确实实,条约会给德国加载可怕的重负;并且,不可否认,右派也可能发动军事政变,但是德国将得以幸存。战争结束后,工厂可以重新生产,失业者重新就业,出口将会增长,并且也可以进口货物了。"布尔什维主义将失去吸引力。"如果德国不签字,将会是完全不同的景象。协约国将会占领德国工业中心鲁尔;并向东推进将德国一分为二;波兰人很可能会从东部进犯;经济和交通系统将崩溃。"抢劫和谋杀将主宰每一天。"德国将会分裂为"狂热的破碎的"国家,一部分在布尔什维克统治之下,另外一部分则在右派专政之下。德国必须要签字。

布罗克多夫·兰曹则不这么看。无须证明,他断言协约国只不过是恐吓而已,他们没有必要必须占领德国。如果德国立场坚定,即便是进行激烈谈判,他们仍注定要让步。英美可能会与法国断交。兰曹的代表团通过了意见一致的建议信:"和平条件仍让人难以忍受,德国不能接受,我们要维护国家尊严。"军队持同样的观点。陆军元帅兴登堡说与协约国对抗不可能成功,"但是作为士兵,我宁愿光荣地被击败,而不愿要可耻的和平。"倾向于接受的内阁被封杀,并于6月20日被免职。布罗克多夫·兰曹一并辞去了德国代表团团长和左派领袖的职务(1922年,他成为驻莫斯科大使,他专横的作风给布尔什维克留下了很深印象。他在莫斯科的工作相当成功,使他的祖国与苏联建立了密切的关系)。

德国现在没有政府也没有发言人,甚至于没有总统,但是艾伯特被说服继续留任。最后期限,6月23日上午7点,正在逐渐逼近。最后艾伯特试图整合政府。经过漫长的再次辩论,国民大会投票表决支持签字,但对涉及投降和战争责任审判及"战争罪"的条款德国仍保留意见。巴黎马上回应:"德国政府要么接受,要么反对,没有任何模棱两可的余地,必须在规定时间内签字。"魏玛是一片可怕的混乱。许多代表和内阁大臣回国了,确信工作已完成。德国政府请求巴黎推延最后期限,然后整夜开会,可无论如何也无法形成一致的决定。6月23日早晨,巴黎传出消息,最后期限不能推延。在德国军队宣布支持签字的11个小时后,德国政府使国民大会通过了决议。许多右翼民族主义者叫嚣着反对签字,并且私下里废除决议。在另外一个决议里,他们公开表明不怀疑支持政府者的爱国精神。会议闭幕时大会主席说,"我们将不幸祖国的命运交给了仁慈的上帝。"

和谈者们紧张地等待着德国的最后决定。下午4点30分,一位秘书向四人会议汇报德国的答复已传出。"我在一分一分地数着时间。"克雷孟梭说。5点40分,文件终于到了,政客们蜂拥过去围着一个法国军官,听他翻译。劳合·乔治脸上露出微笑,威尔逊也咧着嘴笑了,克雷孟梭匆忙草拟指示,命令福煦停止进军,命令在巴黎的军队开炮庆祝。那天巴黎和会没有开展其他工作。

6月28日,签字仪式在凡尔赛宫镜厅举行,德意志帝国1871年就在这里宣布诞生,这天还是斐迪南大公和他的妻子在萨拉热窝被暗杀的纪念日。仪式由克雷孟梭亲自安排。非常有趣的是,他在宫殿庞大、严肃的会议厅里举行了一个聚会,用法国国王的古老丑闻来逗大家开心。"看那两个人,"他指着威尔逊和鲍尔弗低声说着,"我打赌他们在讲脏话;看鲍尔弗的样子就是好色的老家伙。"他还订购了昂贵的家具和挂毯增添庄严气氛,并将令人讨厌的墨水瓶拿走(显赫的法国官员走遍巴黎的博物馆和古玩店才找到符合他要求的物件)。

许多全权大使也在古玩店里不遗余力地搜罗各种金属或石头图章(这是一个外交传统,签名要加盖私人图章)。澳大利亚的休斯被劝说不要使用大力神杀龙图案的,他最终使用了一件澳大利亚军服上的纽扣(顺便为长期患病的助手买了4英尺高的大理石维纳斯像)。劳合·乔治想用一个金英镑。"用完了把它留给我。"克雷孟梭说。劳合·乔治回答,"我就这一个了,都给了美国。"6月27日,当一位秘书小心翼翼地将红色的蜡滴进漏斗,全权大使们刚好将他们的图章盖在了第二天要签字的条约上。

有许多人在搜寻入场券。五巨头每家在镜厅有60个席位,"非常棘手的数字,"威尔逊说,"如果是10个以内,比较容易选择人选,可是要选出60个人,必然会引起许多人嫉妒。"凡尔赛宫外,一位想进入现场的大胆的美国商人宣称他印有厂商盾徽的香烟盒就是通行证。颇有魅力的红发作家埃莉诺·格林施展魅力,使劳合·乔治让她以记者身份进入了现场。许多追逐高价票的故事也在不断上演。

另外还有许多令人恐慌的流言在传播。在柏林,德国的一个士兵组织抢来普法战争中应归还法国的旗帜,并在宏伟的弗雷德里克纪念碑前将它焚烧,与此同时一群人在唱着爱国赞歌。最后关头,难道德国会拒签吗?6月25日,法国消息说,在喷泉酒店德国高级别代表们兴高采烈,因为低级别官员将被派去签署条约。当四人会议派人前去调查,负责的代表说,政府在选择签字的大臣方面确实很艰难。直到6月27日,才有确切消息证实两个代表已踏上前来签字的旅途:新外交部长赫尔曼·穆勒和交通部长约翰尼斯·贝尔。他们乘坐火车穿越战场,经历漫长的旅途,凌晨3点才到达巴黎。新的流言又开始在巴黎流传:这两个人将会签字,这很好,但是随后他们将开枪自杀,或许还要捎上劳合·乔治和克雷孟梭,或者是扔一颗炸弹。

6月28日,一个辉煌的夏日正在破晓。那个早晨,英美保证当法国与英美签订单独条约时,如果德国正式进攻,他们将恢复法国防线。至于这个保证有多大价值就另当别论了。对于它是否能获得美参议院同意,豪斯表示怀疑:他总是把它看作对法国有益的面包片,而不是一项严肃的承诺。威尔逊也倾向于这样认为:"我们成功了,"他在一个新闻发布会上说,"在一定程度上,与法国取得了一致。"他充满信心地期望远在德国成为威胁之前国联能成立并运转,那个保证将就此毫无必要。

汽车载着和谈者们驶向凡尔赛宫(英国代表团的女秘书运气不好,因为和谈者们"像沙丁鱼"一样被塞进了卡车)。从大门到凡尔赛宫一英里的路上,静伫着身着蓝色军服、头戴钢盔的法国骑兵,白色三角旗在他们的长矛上迎风飘扬。庭院里布满了军队,客人们步上双螺旋梯,上面站满了精锐的共和国禁卫军成员,他们白裤黑靴,穿着深蓝色外套,装饰着长长的马毛的银色钢盔熠熠生辉,手握马刀,并庄严敬礼。

在镜厅,人群中有——政治家、外交官、将军、记者以及随机挑选的普通士兵(法国的士兵因受过可怕伤害而伤痕累累),并且有一些女人点缀其间——坐在套着红色椅套的长椅上唧唧喳喳、喋喋不休。各大新闻媒体的记者挤在大厅一端。这是第一次一个重要条约的签字仪式被摄像。弗朗西丝·史蒂文森愤怒地说:"当有一群人拿着相机从不同角度不停地拍摄,并且尽可能地靠近中间的重要人物时,你如何能够把注意力集中在严肃的现场?"有几个重要人物缺席。福熙已赶往莱茵兰的司令部。他从未原谅克雷孟梭:"威廉二世丢了战争……克雷孟梭丢了和平。"中国的席位也是空的,中国因反对将山东判给日本而拒签。

一个又一个重要人物走了进来,在巨大的会议桌旁找到自己的座位。克雷孟梭喜气洋洋。他对兰辛说,"对法国来说,这是伟大的一天。"条约的一个副本装在特制的皮盒子里,放在路易十五时期的小桌子上。高悬的画像是路易十四——罗马皇帝、伟大的统治者和击败外敌的胜利者——书写了法德之间漫长争斗的最后一个篇章。下午3点,服务人员让大家安静。"将德国人请进来。"克雷孟梭命令。一位联军士兵进门,身后跟着两个德国代表,穿着正式服装。"他们的脸死一般苍白,"尼科尔森说,"一点儿都不像是残酷军国主义的代表。"许多观众包括尼科尔森自己在内都同情他们。

仪式以克雷孟梭简短的声明开始。德国代表走上前,被千万双眼睛注视着。他们拿出了自己悉心准备的钢笔,这样就不需要法国的爱国团体提供了。他们用颤抖的手在条约上签了字,而后就没有任何表情了。消息很快从镜厅传向世界。凡尔赛宫外的枪炮开始轰响以示庆贺,轰鸣声很快传播出去,一时间法国大地枪炮齐鸣。一个接着一个的协约国及相关的国家都在条约上签了字,然后排队去签另外两个条约,一个是《莱茵兰行政管理草案》,一个是《波兰条约》。

法国驻伦敦大使保罗·康邦认为整个事件是可耻的。"他们就差用音乐伴奏,由女芭蕾舞演员踩着舞步将钢笔交给各个全权大使签字了。路易十四喜欢芭蕾舞剧,但只是作为消遣，他是在书房签订条约。民主政治远比伟大的国王更具戏剧性。"豪斯认为这更像一场罗马人的胜利，战败者被征服者的战车拖着："我认为这与我们所表示要大力推动的新时代精神不相符合，我希望它更简单，并且能够体现一些骑士精神的元素，但是整个过程毫无这方面的体现。整个事件精心设计，并且极尽羞辱敌人之能事。"或许一位美国年轻人的想法要乐观一些，古老恶毒的冤冤相报，最终会在欧洲引发更多的仇恨。

开始，人们都礼貌地保持肃静，但是随着时间的流逝，窃窃的嘈杂声逐渐蔓延开来。签完字的代表慢慢地走过去和朋友聊天，其他人则拿着议程副本四处找人签名。两个德国人孤独地坐在那里，直到最后，一位大胆的玻利维亚人和两个加拿大人前去索要他们的签名。45分钟以后，大家被要求安静下来。克雷孟梭宣布仪式结束。德国人被护送了出去。穆勒曾向自己发誓会公事公办："作为这个悲剧时刻的德国代表，我要让以前的敌人看不到德国人民一丝强烈的痛苦。"回到酒店后他就崩溃了。"从未有过，我浑身上下不停地冒冷汗——难以言表的紧张引起身体本能的反应。现在，我第一次明白，我一生中最糟糕的时刻已经结束。"他和随行人员坚持当晚启程回国。

和谈者们漫步到露台上，俯瞰井然有序的花园，喷泉不停地喷向空中。一大群热情的人蜂拥过来围着他们。威尔逊差点儿被挤进喷泉。愤怒而浑身蓬乱的劳合·乔治被一个班的士兵解救了出来。"这样的事情决不会发生在英国，"他对一个意大利外交官说，"如果发生了，必须有人要为此付出代价。"然后，更让他烦恼的是他必须坐下来给国王写一封信，告知和平已经缔结。

那天晚上，威尔逊乘火车前去勒阿弗尔和美国。据一位记者说，克雷孟梭前去为他送行，并带着不同寻常的感情说，"我感到正在失去一位最好的朋友。"一小群人发出厌倦的叫喊声，让美国人赶紧上路。马捷斯特酒店为英国人举办了特别的庆祝宴会，比平时多了一道菜，并且香槟免费。然后，还有舞会，有酒店工作人员专场和客人专场。斯马兹作为反对条约者参加了工作人员专场。巴黎也成了一个大宴会，街道上人们载歌载舞。沿着壮观的林荫大道，一幢幢建筑物灯光闪烁，卡车忙着拖走一门门俘获的德国大炮（政府花了好几天时间才把它们重新集中起来）。那天晚上，兰辛很晚才完成当天的记述，那时仍然能听到外面欢庆的嘈杂声。

当巴黎在欢庆时，德国却在悲伤。无论是城市还是乡镇都下半旗志哀。即便是优秀的社会主义者现在都在谈论"可耻的和平"。德国波罗的海沿岸，志愿者曾在这里与布尔什维克战斗（并重新要求德国政权），消息传来宛如晴天霹雳。"这样冷酷可怕的放弃让我们不寒而栗。我们一直认为我们的国家不会出卖我们。"民族主义者谴责国内卖国者以及签约的联合政府。魏玛共和国从未从这双重重负中解脱出来。民族主义者一再忽视自己的诺言，即不质疑那些投票赞成签约的爱国者，并且极尽其能事污蔑他们在德国人民心目中的形象。1921年，厄兹伯格在黑森林度假时，被两个前军官暗杀。一家重要的民族主义报纸说，"这个人的精神一直不快地存留在我们的政府职责和法律里，最后却成了独裁者的替罪羊。"杀害他的凶手逃到了匈牙利，但是希特勒当权后，他们又以"厄兹伯格审判者"的身份，耀武扬威地回到了德国。第二次世界大战后，两人都受到了最后审判。

在英国，凯恩斯在考虑他的将来。条约签订之前，他辞去了财政部的职务，并乔装离开了巴黎。"即便是在可怕的最后几个星期，我仍然充满了信心，"6月5日他在给劳合·乔治的信中说，"我相信你会找到办法使条约成为公正而有利的文件。可是现在显然太晚了，斗争已经失败。"凯恩斯有个想法很奇怪。他告诉维吉尼亚·伍尔芙，欧洲的，尤其是他也作为其一分子的统治阶级将被审判。他还在信中对另一位朋友说，回到剑桥非常高兴。从个人角度来说，无论是在事业上还是社交上，他都是非常成功的。另外一方面，当他的许多布卢姆斯伯里文化圈中的朋友成为和平主义者时，他为自己在战争中扮演的角色而感到愧疚。并且他们嘲笑他世俗的成功、他的新朋友以及他异性恋的试验。《和约的经济后果》或许就是某种赎罪行为。美国赔偿问题专家拉蒙特也这样说，"凯恩斯感到很痛心，因为他们不会听取他的意见，他的精神倍受打击，并且辞职了。"

那个夏天的大部分时间，凯恩斯都在写作。10月凯恩斯在阿姆斯特丹的一次会议上再次遇到了德国银行家梅尔基奥。他看了凯恩斯的草稿，深有感触。这一点儿也不令人惊讶，因为凯恩斯只是重复德国人谈论的关于《凡尔赛条约》的事。《和约的经济后果》于1919年圣诞节前夕发行，至今仍然在不断再版。首次出版后一年之内售出了10万册，并且翻译成11种不同的语言，包括德语。条约的主要反对者在美国参议院宣读了摘录。这本书在德国和英语国家取得了广泛成功，它使舆论反对和平解决方案，反对法国。1924年，英国工党政府的一个内阁部长说，"一个鲜血和烙铁的条约，背叛了我们的士兵为之战斗的每一个原则。"

当德国人关于1919年令人绝望的国家事件的记忆逐渐消散时，一种信念开始出现，即只要软弱而尚可宽恕的政客们立场坚定，完全能够抵制和平条约。那条约就像一首流行歌曲里唱的，"只是张纸而已"。1921年，一位法国外交官向巴黎汇报："一个利用新闻媒体、海报和集会发动的猛烈运动正在德国悄然兴起，以期破坏《凡尔赛条约》的合法基础：德国的战争罪行。"德国外交部设立了特别的战争罪部，以发表批评论文。在巴伐利亚的啤酒城，年轻的希特勒响亮地谴责"可耻条约"的声音吸引了人群。

在英国和美国，公众舆论逐渐倾向于认为和谈者对德国非常不公平。在随后的十年里，回议录和小说如德国的《西线无战事》（英文版发行第一年就售出了25万册）都反映了交战双方的士兵遭受了同样的战争痛苦。战前秘密文件的出版打破了德国应该独自承担战争责任的预设。这些书从战争根源上，将战争责任平均地分配给了已瓦解的俄国政权与奥匈帝国、武器制造商及资本主义。

德国的无数民族主义者时刻将冤屈牢记在心，他们使数百万操德语的人认识到一个事实，自己生活在外国人的统治下，在捷克斯洛伐克的苏台德区，在波兰，在自由之城但泽。他们认为裁军条款是伪善的，禁止德国与奥地利联盟是违背自治原则的，赔款则是"惩罚性的"和"野蛮的"，因为德国无权知道赔偿金额，但必须在《凡尔赛条约》上签字。在德国，单方面的苛刻解决条件（强制条约）将为经济失常负全责：高物价、低工资、失业、税、通货膨胀。如果没有赔款负担的话，生活将恢复正常，阳光灿烂，啤酒城、酒窖和公园里也将充满欢乐。德国人没有意识到参加第一次世界大战的代价是高昂的，而在这场战争中失败意味着无法将这种代价转嫁给任何人。他们也没有领会到，没有人能够履行条约，偿付赔款从来就不意味着什么，正如公众舆论中提到的庞大赔偿金额一样。

1921年，在伦敦，最后金额确定为1320亿马克（相当于66亿英镑或者330亿美元）。事实上，按照严密的公债体系和复杂的条款，德国最终被许可只需偿付这个金额的不到一半。剩余部分将在条件允许的情况下偿付，比如德国出口得到提高。德国也以实际行动表明了良好的信用，比如赔偿了战争初期德国军队烧毁的比利时鲁汶图书馆的图书，以及将波兰领土上的德国铁路移交给波兰（波兰试图要求获赔在斯卡珀湾被毁坏的军舰，但没有成功）。虽然多次修改偿还计划，德国仍申辩赔款难以承受。事实上，与魏玛政见难得地完全一致，所有的德国人都感到他们承担的实在太多了。德国周期性地不履行偿付责任，1932年，它最后一次也永远没有再履行这个责任。1919年奥兰多曾对此有过警告，他说还债能力与债务人的意愿密切相关。"这将是很危险的，"他补充说，"采用这种会导致不良信念和拒绝承担责任的做法。"

从最后账单来看，在1918年到1932年期间，德国大概偿付了220亿金马克（相当于11亿英镑或者45亿美元）。这大概只些微小于1870年1月的普法战争中，经济薄弱的法国赔付给德国的数额。可以说是数字问题，也可以说它们根本不相干。无论如何德国人确信赔款正在损害他们。如果德国不打算再偿付赔款，协约国也不打算再强其所难。当他们还拥有《凡尔赛条约》所赋予的制裁权时——特别是延长对莱茵兰的占领期——他们一定要使用。但是在1930年代，英法政府都未在赔款问题上这么做或有什么其他的想法。

协约国控制委员会是依据《凡尔赛条约》建立的、监察德国履行军事条款情况的组织。1924年,它的一个英国成员发表了一篇文章,指责德国军方有组织地阻挠他们的工作,并普遍存在违背条约裁军条款的问题。对于这种中伤,德国爆发了一场抗议风暴(多年后,希特勒当权后,德国将军们承认那篇文章是正确的)。德国人说,在什么地方全面裁军被如此频繁地讨论?为什么德国是惟一被要求裁军的国家?批评国联并显然退出国际事务的美国也不能不这么认为。英国也是如此。当指责德国不履行军事条款时,法国发现自己越来越孤立。

其实,在那时即便是法国也没有完全了解到底情况是怎样的。飞行俱乐部突然就大行其道,并极具影响力,从而当希特勒成为总理之后,顷刻之间可以轻而易举地成立一支空军。德国最大的普鲁士警察部队的组织和训练越来越军事化。该部队的军官常常可以比较容易地进入德国军队。1918年冒出来的自发组织自由军团解散后,其成员独辟蹊径地与劳动群体重新组合,从事比如自行车代理商、巡回马戏团,以及侦探社等工作。有些则成批地进入军队。《凡尔赛条约》规定军队军官数在4,000人以内,但没有规定士兵的数量。所以德国军队里有40,000军士和下士。福煦是对的,自愿军可以为迅速扩充提供支持。

曾经制造坦克的工厂现在反常地生产重型拖拉机;相关的研究只能为将来服务。在柏林的酒店里,人们开玩笑地说,一个婴儿车厂的工人从厂里偷带零部件回家,准备给自己新生的孩子组装一辆车,可是当他把零部件组装到一起才发现是一架机关枪。在欧洲安全的中立国,如荷兰和瑞典,由德国最终所有的公司在继续生产坦克和潜艇。远离控制委员会的探查视线并且最安全的地方是苏联。1921年,两个被鄙弃的欧洲国家认识到两国可以互助。在获得秘密的坦克、飞机和毒气的试验空间后,作为回报,德国为苏联提供技术援助和培训。

当历史学家们越来越多地关注其他细节,德国被一个报复性的和平条约所击垮的图景难以再自圆其说。德国失去了领土,这是战败不可避免的后果。如果它赢了这场战争,不要忘记,它当然要拿下比利时、卢森堡公国,还有法国北部部分地区,以及大部分的荷兰。《布列斯特-立托夫斯克条约》反映了德国最高司令部对东部边境的意图。即使是失去了那些领土,德国仍然是战乱中苏联以西最大的欧洲国家。它的战略地位比1914年之前有了非常显著的提高。新兴的波兰现在成为挡住原德国威胁的屏障。奥匈帝国崩溃,德国东部边境只有一连串弱小而纷争不断的国家。1930年代,德国在这一区域很好地拓展了政治经济,并在这些国家中居主导地位。

东普鲁士从德国剩余领土中分裂出来是个刺激,但这对于普鲁士历史没有任何新意,历史上普鲁士的领土大多是由分散的地区捆绑而成。难道这样的分裂必然会带来麻烦吗?阿拉斯加就是从美国分离出来成为加拿大的重要组成部分的。华盛顿和渥太华最后一次为权力移交而相互抱怨是什么时候?关于波兰走廊的真实问题是,因为对波兰人的态度及对《凡尔赛条约》的憎恨等种种原因,两次战争之间许多或许是绝大多数德国人不接受它。如果波兰和法国之间的关系有所好转的话,边界问题就不会如此棘手。但泽成了一个自由城,但它仍然对德国投资和德国海运开放。

在西部,德国也面临有利形势。战争使法国严重衰竭,到1930年代,虽极不情愿,但已难以重振雄心与德国对抗了。在被美国众议院否决后,美英的担保已经毫无意义。法国与欧洲中部弱小而纷争不断的国家建立联盟的尝试是孤注一掷的办法。法国从英国那里没能寻找到支持,英国表明大英帝国的利益才是第一位的。和谈者并没有削弱德国的最好例证在1939年后才出现。

西方民主政治中有不同的领导阶层,魏玛德国也有强势的民主政治,如果没有大萧条的破坏,一切将会截然不同。并且如果希特勒没有在德国大众中煽动仇恨,在民主政治中掺入许多罪恶,第一次世界大战之后,欧洲不会这么快就爆发第二次战争。无需去谴责《凡尔赛条约》,因为它从没被坚持强制执行,或者充其量只是激起了德国的民族主义,却没有限制德国破坏欧洲和平的力量。1933年,随着希特勒和纳粹主义的胜利,德国拥有了一个致力于破坏《凡尔赛条约》的政府。1939年,德国外交部长冯·里宾特洛甫在但泽对获胜的德国人说:"你们并没有做什么,只不过是补救那些严重的后果而已,这些后果是由历史上强加于一个国家、甚至于整个欧洲的各种毫无道理的指令所导致的。换句话说,是去补救不是别人正是西方民主政治家们所犯下的滔天罪行。"

尾 声

1919年6月28日《凡尔赛条约》签订之后,巴黎的世界政府自然解散。威尔逊当晚离开,留给劳合·乔治和大英帝国代表团的是第二天早晨的火车专列(后来英国政府恼火地发现法国政府给他们寄来了金额巨大的火车费账单)。奥兰多的政府已经垮台,他也已离开。四巨头中只有克雷孟梭继续留在巴黎。他用整个夏天使《德国条约》在国民大会上获得了通过,并且一直在督察7月的国庆日庆祝活动的准备工作。惟一的停歇是对北部被毁坏地区的短暂访问。记者和代表们都已离开,巴黎的酒店恢复往昔的经营状态,而妓女们却抱怨生意都跑了。这个夏末,英国离开了马捷斯特。20年后,它成为另外一个外国代表团的总部,这次占领巴黎的是德国军队。

巴黎和会一直持续到1920年的1月,后期的状况就像明星早已离开的戏剧表演。外交部长和外交官接管工作,但他们不可能像以往那样自如地掌控外交关系。重要决定通常还要上交在罗马、伦敦或华盛顿的上级来做最后决断,并且棘手问题会由特别会议一再推敲,然后再决定,1919年到1922年间,劳合·乔治曾33次单独参加这个特别会议。

1919年1月到6月期间,和谈者们完成了巨大的工作量:成立国联和国际劳工组织,分配了委任托管权,签署了对德条约,与奥地利、匈牙利、保加利亚以及奥斯曼土耳其的条约也几乎完成——但仍有许多未尽事宜。俄国边境仍然动荡不定,并且它周边还有哪些国家会独立仍不明朗,芬兰? 乌克兰? 格鲁吉亚? 亚美尼亚? 在欧洲中心,那些受创帝国的边界也还存在争议。草率允许希腊登陆士麦那的决议引发系列的抗议,直到1923年才结束。

然而,一些重大问题在和会初期就被和谈者们搁置了。俄国布尔什维主义或许暂时被牵制了,但西方资本主义和东方社会主义之间漫长的对抗刚刚开始。德国问题仍困扰着欧洲。协约国的胜利并不具有决定性,德国仍然很强大。

民族主义势头还很猛健,一直在积聚能量。它在欧洲中心、中东和亚洲仍然有广泛的基础。很多时候,和谈者们发现自己只是在应对一些既成事实。南斯拉夫、波兰以及捷克斯洛伐克都在巴黎和会前就已存在。和谈者们所能做的,只是设法阻止欧洲的分化以及中东接连不断的民族分裂,并且尽可能地划定合理的边界。建立以一个民族为基础的单一民族国家在1919年还没有其自身的合理性。让欧洲所有波兰人都到波兰去,所有德国人都到德国去,这是不可能的。在欧洲有3000万人在自己的国家属于少数民族,他们是国内人反对的目标,又被国外同民族的同胞寄予厚望。

1919年寒冬,维也纳一位年轻的美国外交官接待了巴尔干半岛西北部斯洛文尼亚的一个中年人代表团。他们的小镇有60,000人,700年前就开始说德语。现在斯洛文尼亚将要成为新国家南斯拉夫的一部分。他们很担心,不愿意被"劣等人"统治。美国愿意收留他们吗?伟大的泰迪·罗斯福年轻的堂兄弟尼古拉斯·罗斯福将这一要求向上级做了汇报,但没有任何结果。然而,无论是罗斯福还是年长的德国人都不会明白,第二次世界大战后,在大部分欧洲中心区德国人被强制驱逐出去,他们这个群体注定要消失在其他民族之中。

1919年,驱逐少数民族问题仍然让世界担忧,这些少数民族拒绝被强制同化。对此多数民族似乎只有容忍,而这恰好是许多国家大多数人所缺乏的品质。和谈者们尽最大努力将优待少数民族的责任强加给各国政府。欧洲中心的新国家和小国家必须签订条约以约束其平等对待少数民族、容忍他们的宗教信仰并且承认他们使用自己语言等权利。罗马尼亚和南斯拉夫提出抗议。罗马尼亚的玛丽亚女王质问威尔逊,美国黑人或是英国爱尔兰人在国内被同等对待了吗?罗马尼亚首相布拉蒂亚努要求知道为什么他的国家被挑选出来,意大利有少数民族为什么不用签约。东欧是不一样的,克雷孟梭毫无意义地对他说。虽然罗马尼亚和南斯拉夫最终还是签了这个条约,但这是一个不祥的开始。

面对日益高涨的民族沙文主义,少数民族条约一直显得软弱无力。1934年国联放弃监督执行的尝试,并且与棘手的少数民族问题相比,各大强国还有更多烦心的问题。不过也有可喜迹象:爱沙尼亚自愿让少数民族独立。以瑞典语居民为主的奥兰群岛1919年后继续由芬兰统治,但是一个特别条约保证了两种语言和文化的发展。第二次世界大战展示了另外一个解决办法——屠杀讨厌的少数民族。1945年,在希特勒大规模驱逐少数民族结束后,欧洲只剩下不到全部人口3%的极少的少数民族人口。

1919年,和谈者们感到他们已竭尽全力,他们已不再幻想可以解决世界的所有问题。6月28日离开巴黎时,威尔逊对妻子说,"好吧,小姑娘,一切都结束了,只是没有一个人是满意的，我希望我们创造了一个公正的和平；但是一切都在神的掌控之中。"是的，一切也都在那些将要统治这个世界的人的掌控之中，他们中一些人曾在巴黎见证这一切——比如日本的近卫王子或者是富兰克林·罗斯福——还有一些人则远远地观看了这一切。在意大利，当旧的自由主义秩序在邓南遮等人的攻击之下分崩离析之后，墨索里尼从民族主义政治中快速脱颖而出。那年6月，在慕尼黑，年轻的阿道夫·希特勒同样也为德国历史增添了荣耀，而给世界、犹太人带来了不幸。他已发现自己作为思想家和演说家的才能。

劳合·乔治当政三年多，在被迫辞职后，尽管一直是国会成员，但是直到1945年去世，再未担任任何公职。他关于巴黎和会的回忆录很有趣，常常有不准确的地方，对于任何一件错误的事情他总会谴责法国和美国。1919年末，克雷孟梭很不明智地参与角逐法国总统。原本希望获得欢呼喝彩，可是当他清楚地发现将遭遇反对时，一怒之下退出竞选，并马上离开了法国。随后的一年，他都在旅行中度过，并继续写作，这是一项双重的庞大得几乎不切实际的工作，一方面是有关哲学的，另一方面是关于古希腊雄辩家德摩斯梯尼的短期研究。德摩斯梯尼警告文明而博爱的公民们，他们正处在来自马其顿王国的野蛮人菲利普的危险之中。他拒绝出回忆录，并于1928年销毁了大部分文章。他对一位英国记者说，我对历史做出了自己的贡献，但不屑对过去妄加评论。福煦去世后出版了一本抨击他的书，使他备受刺激，最终他又拿起笔应辩，以捍卫自己在战争以及巴黎和会中所做出的贡献，但直至1929年11月他去世时，仍未完成。所有与他在巴黎和会内部工作相关的秘密成了永久的悬案。

威尔逊的结局最悲哀。回到美国后，他就陷入了一场与参议院就批准《凡尔赛条约》以及国联问题的斗争中。他获得了多数人支持，但不是所需的三分之二。他不在的时候，他的对手一直在活动：西部的孤立主义者，认为他背叛自己原则的进步论者，认为他会在爱尔兰问题上与英国对抗的爱尔兰美国人，不信任美国民主党的共和党人，不信任威尔逊的美国民主党，因为他们被威尔逊冷落多年，但他一直得到不安分的共和党参议员洛奇的支持。

威尔逊可以建立自己的联盟。他本可以将美国的保留意见包含在对国联盟约的表决中，这样就能赢得反对阵营里的较温和者（当然他的同盟者是否会同意这种改变就是另外一码事了）。但他拒绝做出让步。他说他的对手们被最低级的本能所左右着。"他们将在历史上刻下最为可鄙的名字。"他决定转向人民。1919年9月2日，他离开华盛顿开始横穿祖国。

威尔逊最亲近的顾问恳求他不要离开。从巴黎回来后，他就马不停蹄，条约在参议院悬而未决,穿越全国的长途劳累使那个夏季漫长而艰难。威尔逊义无反顾,即便不得不献出生命也要挽救条约。"目前世界面临巨大灾难,"他说,"任何有良知的人都不会去筹划个人的未来。"登上专列时,他开始抱怨持续不断的糟糕的头痛。

几乎整整一个月,他一直向西前进,一场接着一场地演讲。听众人数越来越庞大,热情也越来越高,但他的头痛也愈发严重。这时从华盛顿传来不幸的消息。仍因俄国之行被批判而痛心的布利特,在参议院听证会上列举他在巴黎的桩桩罪状以进行报复。当说到兰辛曾参与批判时,这位国务卿竟令人难以置信地否认了。"天哪!"威尔逊大声呼喊着,"我真没有想到兰辛会这么做。"9月26日一大早,威尔逊一病不起,剩余行程被取消。一个星期后严重中风使他局部瘫痪。他再未能有力地行使总统职责。他的游说之旅最终徒劳而废,条约在参议院未获批准。后来,美国与德国、奥地利和匈牙利分别签署单独条约,并且从未加入国联。

1924年,威尔逊去世,他的努力以及与他有共同理想的和谈者们的努力并未完全白费。《凡尔赛条约》及以之为典范的与战败国的单独条约,还包括与领土和赔款相关的规定等,或许早几个世纪就有,但被赋予了新的精神。国联盟约最初并不完善,国联将自身写进了后面的条款:监督公民投票、管理萨尔和但泽,并且监控委任托管权。关于国际劳工组织的规定和保护少数民族的条约意在基于共同的人性以及超越民族利益的国际准则构建永远公正的法庭,以审判德皇这种违反国际道德的人。但这些条约在战争岁月里遭到了攻击,这通常是因为它们还不符合这些标准。

后来,将1920年代到1930年代的任何错误都归咎于和谈者及其1919年在巴黎制订的解决方案已成为常事,正如人们轻易放弃了对民主的希望。摊开双手,并无助地耸肩是最有效的逃避责任的方式。80年后,对于巴黎和会的指控仍很风行。"最后的犯罪,"《经济家》在特别千年问题中断言,"是《凡尔赛条约》,它的苛刻条款必然导致第二次战争。"这忽视了个人的作用——政治领导者、外交官、士兵和普通投票者——1919年到1939年的20年。

尽管希特勒发现《凡尔赛条约》是他宣传的天赐良机,但并非因此而发动战争。即便德国仍保持原有边界,保有所需军力,可与奥地利联合,他仍会有更多要求:摧毁波兰,控制捷克斯洛伐克,更重要的是征服苏联。他要为德国人民扩张空间,摧毁敌人,无论是犹太人还是布尔什维克。然而《凡尔赛条约》却没有相关的内容。

当然,和谈者们在1919年也犯了一些错误。他们对非欧世界的随意处置激起的仇恨使西方至今仍在付出代价。对于欧洲边界问题,他们煞费苦心,最终各方仍不满意。但在非洲,他们用惯有伎俩瓜分领土,以满足帝国主义列强的需要。在中东,他们将不同民族随意拼凑在一起,伊拉克最为显著,一直难以凝聚成和谐的市民社会。他们能做得更好些,当然也能做得更糟糕。他们曾尝试建立更好的秩序,即便是愤世嫉俗的老克雷孟梭。可他们无法预见未来,更无法去控制它。只能看后来者了。1939年战争的爆发是这20年中而不是1919年的诸多抉择导致的结果。

一切会截然不同,如果德国当时被彻底击败;或者,如果美国第一次世界大战后如第二次世界大战后般强大——并且它愿意利用这种强大;如果英法未被战争削弱——或者它们软弱得使美国不得不插手;如果奥匈帝国不灭亡,如果在其基础上新建的国家不曾相互争斗;如果中国不那么软弱;如果日本更相信自己;如果各国承认的是有实权的国联;如果战争把世界彻底摧毁,那么人们就会迅速思考维持国际关系的新方法。无论如何,和谈者必须应对的是现实,而不是可能发生的事情。他们周旋于许多重大而艰难的问题之中。在狂热的民族主义和宗教主义还未造成更多破坏前,我们该如何去包容它?我们该如何驱逐战争?我们一直在追问这些问题。

北京华章同人公司邮购书目

近期发行重点书目		作 者	定 价
碧奴	2006.08	苏 童	25.00
荒凉天使	2006.06	[美]杰克·凯鲁亚克	28.00
偏执狂	2006.06	[美]约瑟夫·范德尔	28.00
忧郁	2006.06	[美]安德鲁·所罗门	32.00
万里任禅游	2006.06	[美]罗伯特·M·波西格	28.00
大国的博弈	2006.06	[美]玛格丽特·麦克米兰	35.00
老钱	2006.08	[美]尼尔森·奥尔德里奇	25.00
神话系列			
神话简史		[英]凯伦·阿姆斯特朗	26.00
珀涅罗珀记		[加]玛格丽特·阿特伍德	26.00
重量		[英]简妮特·温特森	26.00
青春系列			
才华是通行证		蒋 峰	20.00
我们都寂寞		王皓舒	20.00
年华,恍然		麻 宁	20.00
迷途		郭 丹	20.00
惊悚系列			
零度游戏		[美]布莱德·迈尔泽	28.00
白宫刺客		[美]布莱恩·黑格	28.00
眼镜蛇事件		[美]理查德·普莱斯顿	28.00
高危地带		[美]理查德·普莱斯顿	25.00
零点时刻		[美]约瑟夫·范德尔	29.80
百万诱惑		[美]布莱德·迈尔泽	29.80
硫磺密杀		[美]道格拉斯·普莱斯顿	29.80
经典·思想·畅销			
中国哲学简史		冯友兰	38.00
大狗:富人的物种起源		[美]理查德·康尼夫	22.80
重现经典系列			
宫本武藏——剑与禅(上下册)		[日]吉川英治	120.00
美丽新世界		[英]阿道司·赫胥黎	20.00
华氏451		[美]雷·布雷德伯利	20.00
秘密花园		[法]奥克塔夫·米尔博	20.00
穿裘皮大衣的维纳斯		[奥]萨克·莫索克	18.00
崩溃		[尼日利亚]齐诺瓦·阿切比	18.00
亨利和琼		[美]阿娜伊丝·宁	20.00
源泉		[美]安·兰德	49.80
牙买加飓风		[英]理查德·休斯	20.00
看电影的人		[美]沃克·珀西	20.00
捕蜂器		[英]伊恩·班克斯	20.00
相约萨马拉		[美]约翰·奥哈拉	20.00
情陷撒哈拉		[美]保罗·鲍尔斯	20.00
曼哈顿中转站		[美]约翰·多斯·帕索斯	22.00
母猪女郎		[法]玛丽·达里厄塞克	18.00

国内文学		
18岁给我一个姑娘	冯 唐	18.00
蝴蝶飞不过	黄 雯	22.00
那些花儿	章小堂	25.00
美人铺天盖地	吴景娅	20.00
文·身	公渡河	18.00
喊哪,阿伦特	阿伦特	18.00
阿耳的海豚音	佐 耳	18.00
上有老	王金钢	23.00
我在白宫当记者	袁炳忠	23.00
人文社科		
青春电影志	唐朝晖	29.80
中国摇滚手册	李宏杰	58.00
成吉思汗——与今日世界之形成	[美]杰克·威斯佛特	32.00
都是性灵食色	柯 平	32.00
绿肥红瘦(女性艺术I)	廖 雯	35.00
洗劫东京	[美]本·梅斯里茨	23.00
试毒者	[意]乌戈·笛方提	22.00
红衣女孩	[波]丽哥卡	18.00
藏秘:唐卡奥义	隐 尘	29.80
圣经文学二十讲	古 敏 云 峰	38.00
历史大讲堂	李东阳	28.80
名著浓缩一句话	何 江	16.00
励志与心理		
受益终生的一句话	于江倩	22.00
我要飞翔	刘 正	16.50
你是第一	刘 正	16.50
心灵牧场	[美]米德尔	19.80
日常的佛心	云 峰	26.00
凯尔特智慧	[美]约翰·多诺修	25.00
最富人生哲理的20篇童话	[美]爱德华	29.80
圣诞盒子	[美]保罗·伊文思	16.80
时尚生活		
美食的最后机会	[加]吉娜·马莱	22.00
艺伎回忆录	[美]哥伦比亚公司	25.00
华山,又贱华山	黑漆板凳	18.00
柠檬物语	殷 彤	15.00
在路上:200个感动的风景瞬间	艾伯华 小 依	28.80
名摄影师眼中的世界(彩色卷)	正 杰	28.80
名摄影师眼中的世界(黑白卷)	云 峰	19.80

枕边书系列		
爱是无尽的感动 (枕边书1)	叶倾城	15.00
人生是快乐的期待 (枕边书2)	叶倾城	15.00
你也可以创造传奇 (枕边书3)	叶倾城	15.00
用智慧圆满生活 (枕边书4)	叶倾城	15.00
大众经管		
重新想象 (精)	[美]汤姆·彼得斯	118.00
重新想象 (简)	[美]汤姆·彼得斯	58.00

凡从本地址订购以上任何种类的图书，读者可享受八八折优惠，邮费由我公司承担。
购书满200元，可自动成为我公司书友会会员，除不定期收到公司图书目录，购买任何本公司经销的图书可享受八零折优惠。

邮 购 联 系 人：陈嫡
联 系 电 话：010-85869375/76/77 转 810 传真：010-85869372
邮局汇款地址：北京市朝阳区八里庄西里住邦2000商务中心3座905室 邮编：100025
收 款 人：北京华章同人文化传播有限公司
公 司 网 址：www.alpha-books.com
电 邮 地 址：sales@alpha-books.com